고등 수학의 **첫 걸음**

풍산자

기하

쉽고 정확한 개념 학습은 **자신감**으로

개념-문제 연계 학습은 **실력**으로 쌓이는 **풍산자**입니다.

시작은 그 일의 가장 중요한 부분이다.

- 플라톤 -

읽으면서 이해하는 **개념 학습 비법서**

풍산자

문제와 유기적으로
개념을 익히는
예제와 유제 및 풍산자 비법

개념 확인 및 응용을
익힐 수 있는
필수 확인 문제

풍산자식으로
핵심 내용을 정리한
중단원 마무리

실전형 문제를
2단계로 제시한
실전 연습문제

주제별 짧은 흐름으로
이해하기 쉬운
명쾌하고 간결한 개념 설명

교재 활용 로드맵

주제별 개념 정리와 명쾌한 추가 설명	풍산자만의 명료하고 유쾌한 개념 설명과 짜임새 있는 해설
개념 이해를 위해 엄선된 예제와 유제	문제 해결의 핵심을 개념과 문제를 연결하여 짚어주는 풍산자 曰, 풍산자 비법
개념 확인과 응용 연습에 최적인 엄선된 문제	개념 확인과 응용, 시험 대비에 꼭 필요한 필수 확인 문제, 실전 연습문제

풍산자

기하

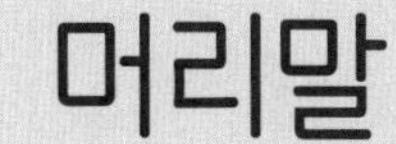

수학 공부는 어떻게 해야 할까요?

먼저 개념을 익혀야 합니다.

개념 학습은 문제와 융합된 형태로 이루어져야 합니다.

풍산자는 개념과 문제를 유기적으로 결합하여

개념 공부가 문제 공부이고 문제 공부가 개념 공부인

시스템을 지향하며 만들었습니다.

개념과 문제를 하나의 흐름으로 공부하되

직관적인 그림과 비유를 통한 구어체 설명으로

개념은 좀 더 쉽고 빠르게 익히고,

문제 풀이는 단계별로 짧게 구성하여

어려운 문제도 명쾌하게 이해할 수 있도록 하였습니다.

골치 아픈 수학이지만 풍산자로 공부하면서

때로는 소설책을 읽는 듯한 재미와 통쾌함도 느끼고

고향 같은 푸근함도 느끼면서 수학의 기초를 든든하게

닦을 수 있기를 바랍니다.

풍산자수학연구소

풍산자만의 매력

1

학습자의 눈높이에 맞는 개념서

개념 설명이 아무리 자세하더라도 여러분의 눈높이에 맞지 않다면 아무 소용이 없습니다. 풍산자는 궁금해 하는 부분만을 바로 옆에서 콕콕 짚어 설명해 주는 과외 선생님같은 개념서입니다.

2

지루하지 않고 재미있는 개념서

딱딱하고 어려운 용어 때문에 수학이 지루하고 재미없게 느껴졌나요? 풍산자 특유의 유쾌하고 명쾌한 설명으로 지루할 틈 없이 수학을 쉽고 재미있게 공부할 수 있습니다.

3

짧은 호흡으로 간결하게 읽는 개념서

많은 양의 개념을 한 번에 읽고 문제를 풀려면 그 개념을 문제에 어떻게 적용해야 할지 몰라 어렵게 느껴집니다. 풍산자는 개념 설명을 읽고 그 개념을 바로 문제에 적용하도록 구성하여 짧은 호흡으로 공부할 수 있습니다.

미니 단원

개념을 주제별로 나누어 짧은 호흡으로 익힐 수 있도록 구성하였습니다.

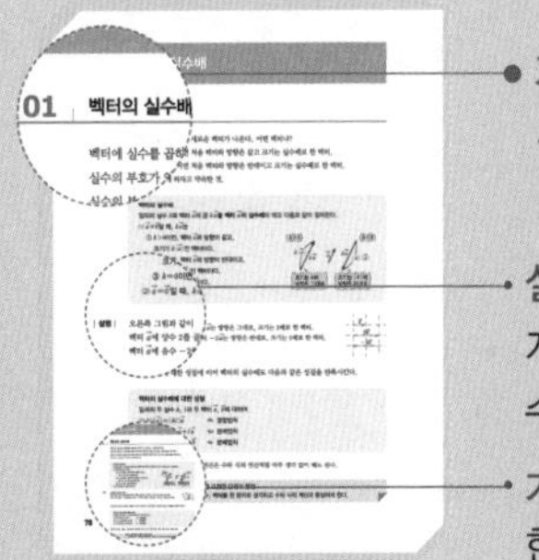

- 개념 설명
  군살을 쏙 빼 명료하고 간결하게 설명하였습니다.
- 설명, 증명, 참고, 개념확인
  개념의 원리를 쉽게 이해할 수 있도록 도와 줍니다.
- 大원칙 개념의 핵심이 되는 한마디를 콕 짚어 줍니다.

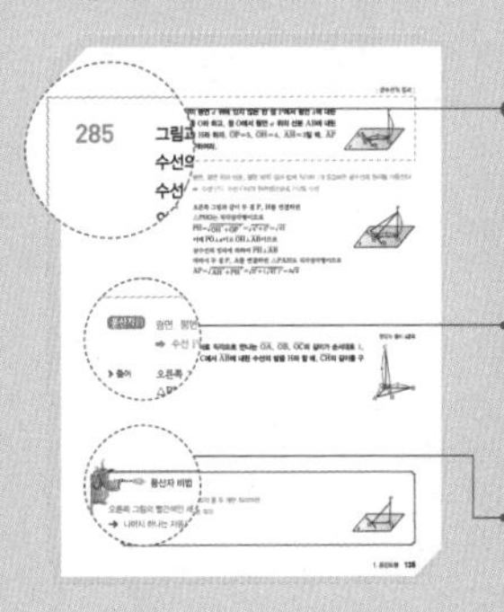

- 예제와 유제
  개념 이해에 꼭 필요한 문제들만 엄선하였습니다.
- 풍산자目 문제를 풀기 위해 알아야 할 핵심 개념을 알려 줍니다.
- 풍산자 비법 학습의 흐름에 따라 내용을 정리합니다.

필수 확인 문제

개념의 확인과 응용을 위해 스스로 풀어 볼 문제를 수록하였습니다.

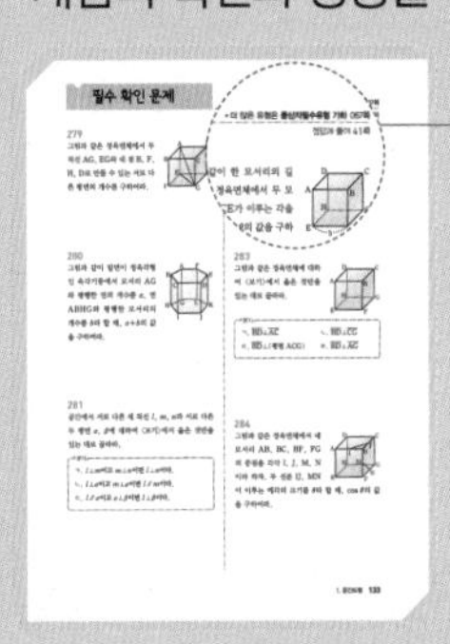

- 더 많은 유형의 문제를 풀어 볼 수 있도록 풍산자필수유형의 관련 쪽수를 안내하였습니다.

중단원 마무리

단원별 핵심 내용을 한눈에 살펴볼 수 있도록 표로 정리하였습니다.

실전 연습문제

실전에 꼭 필요한 문제들을 2단계로 나누어 수록하였습니다.

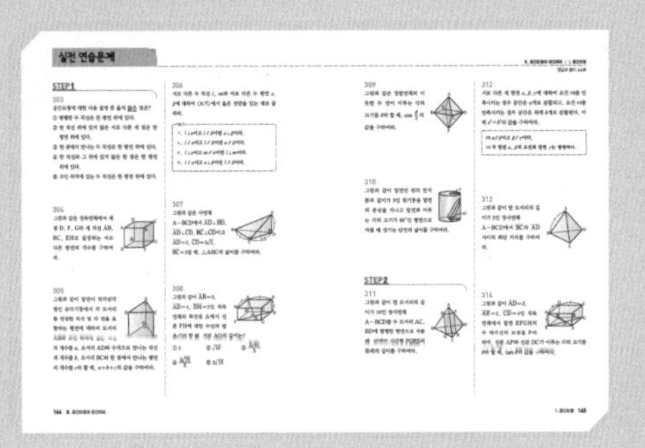

I 이차곡선

CONTENTS

Ⅱ 평면벡터

1 벡터의 연산

2 평면벡터의 성분과 내적

CONTENTS

III 공간도형과 공간좌표

I

이차곡선

다양하게 활용되는 **이차곡선**

이차곡선은 원뿔을 평면으로 자른 단면을 연구하면서 나왔다.

이런 이차곡선이 활용되는 곳은 다음과 같다.

1. 태양계의 행성이나 혜성의 궤도와 같은 천문 현상 연구
2. 물결의 간섭 현상 등의 자연 현상 연구
3. 위성의 안테나, 천체를 관측하는 망원경, 손전등의 반사경, 의료 기기, 위성 항법 장치 등의 제작
4. 지상에서 물건을 던졌을 때 날아가는 경로와 같이 운동하는 물체의 궤도 연구
5. 다리나 터널 설계
6. 소리의 효과 등을 연구

이와 같이 이차곡선은 여러 자연 현상뿐만 아니라 실용적인 부분까지 다양한 부분에 널리 활용되고 있다.

이차곡선

이차곡선은 원뿔곡선이다.
다시 말하면 원뿔을 평면으로 자를 때 나타나는 곡선이다.
포물선, 타원, 쌍곡선 등이 이차곡선이다.

1 포물선

$$y^2=4px$$

2 타원

$$\frac{x^2}{a^2}+\frac{y^2}{b^2}=1$$

3 쌍곡선

$$\frac{x^2}{a^2}-\frac{y^2}{b^2}=\pm1$$

1 포물선

01 원뿔곡선과 이차곡선

[고등학교 1학년 수학]에서 배운 직선과 원에 이어 타원, 포물선, 쌍곡선을 배운다.
원, 타원, 포물선, 쌍곡선은 원뿔을 평면으로 절단하여 얻을 수 있기 때문에
'**원뿔곡선**(conic section)'이라 하고, 각각의 도형의 방정식이 모두 이차식으로 표현되므로
'**이차곡선**(quadratic curve)'이라고도 한다.
원뿔곡선은 원뿔을 적당한 평면으로 자를 때 생기는 단면과 관련된 기하적인 명칭이고
이차곡선은 곡선의 방정식이 이차식으로 표현된다는 사실에 주목한 대수적인 명칭이다.
다시 말해 같은 수학적 대상에 대하여 서로 다른 관점에서 붙여진 말이다.

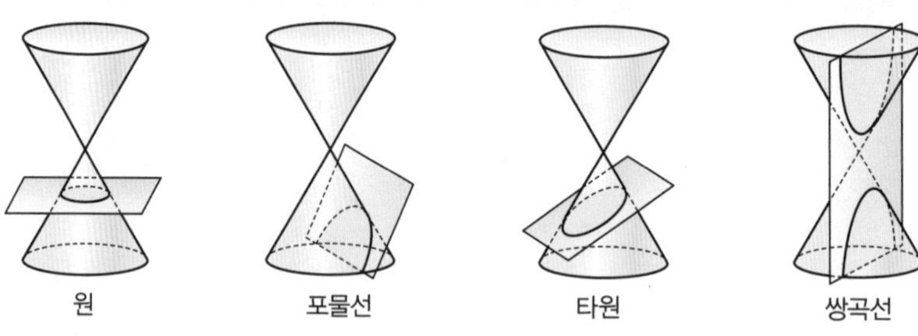

원이란? 한 점으로부터 일정한 거리에 있는 점들의 집합.
포물선이란? 한 점과 한 직선으로부터 같은 거리에 있는 점들의 집합.
타원이란? 두 점으로부터의 거리의 합이 일정한 점들의 집합.
쌍곡선이란? 두 점으로부터의 거리의 차가 일정한 점들의 집합.

이러한 이차곡선은 **초점**이 중요하다. 광학적으로 보면 초점은 빛이 모이는 점이다.
포물선은 초점이 한 개이고, 타원과 쌍곡선은 초점이 두 개이다.
이차곡선의 초점은 실생활에서도 많이 활용되고 수학적으로도 매우 중요하다.
이번 단원에서 확실하게 암기하자.

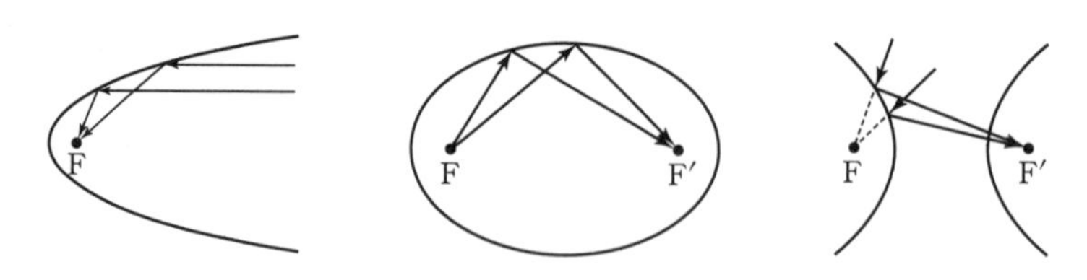

이 괴상한 정의와 특징들을 만나 가며 이차곡선 여행을 떠나 보자.

02 포물선의 방정식

포물선의 대표적인 예는 이미 익히 아는 이차함수 $y=a(x-m)^2+n$의 그래프.

이차함수에서는 꼭짓점과 축을 중심으로 포물선을 관찰했다면 이차곡선에서는 전혀 다른 시각으로 포물선을 관찰한다. 이른바 **초점과 준선의 관점!**

포물선의 정의

평면 위의 한 점 F와 이 점을 지나지 않는 한 직선 l이 있을 때,
점 F와 직선 l에 이르는 거리가 같은 점의 집합(또는 자취)을 **포물선**이라 한다. 여기서

(1) 주어진 한 점을 **초점**(점 F)이라 한다.

(2) 주어진 한 직선을 **준선**(직선 l)이라 한다.

(3) 포물선의 초점을 지나고 준선에 수직인 직선을 포물선의 **축**(**대칭축**)이라 한다.

(4) 축과 포물선의 교점을 **꼭짓점**(점 A)이라 한다.

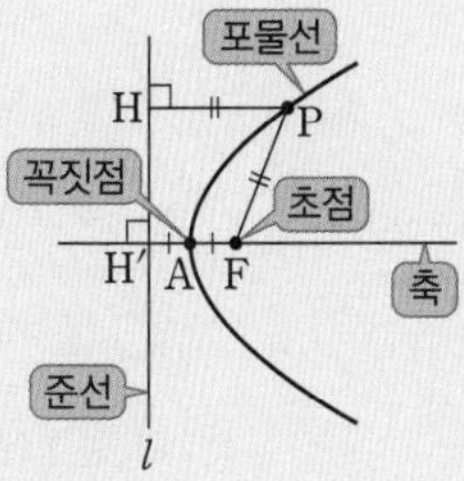

| 설명 | 포물선의 정의에 의하여 포물선 위의 점에서 초점까지의 거리와 준선까지의 거리는 같다. ➡ $\overline{PF}=\overline{PH}$
포물선의 꼭짓점은 초점과 준선의 중간에 위치한다. ➡ $\overline{FA}=\overline{H'A}$

포물선의 방정식 중요!

	초점이 $F(p, 0)$, 준선이 $x=-p$인 포물선	초점이 $F(0, p)$, 준선이 $y=-p$인 포물선
방정식(표준형)	$\boldsymbol{y^2=4px}\,(p\neq0)$	$\boldsymbol{x^2=4py}\,(p\neq0)$
그래프	$p>0$ 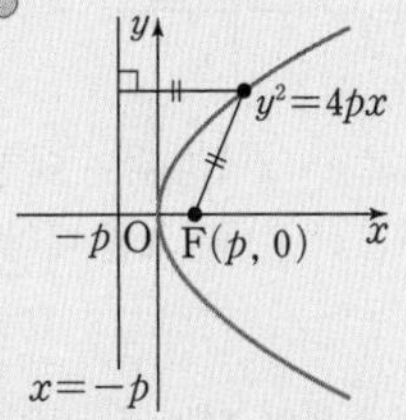	$p>0$ 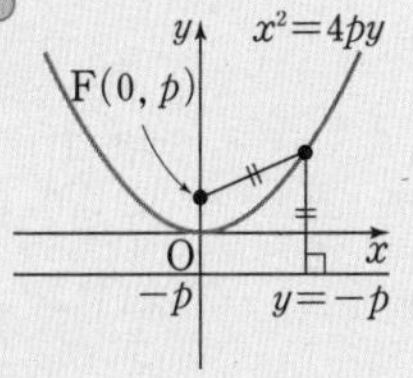
	$p<0$ 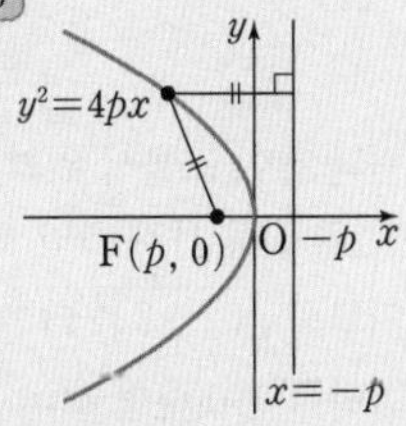	$p<0$ 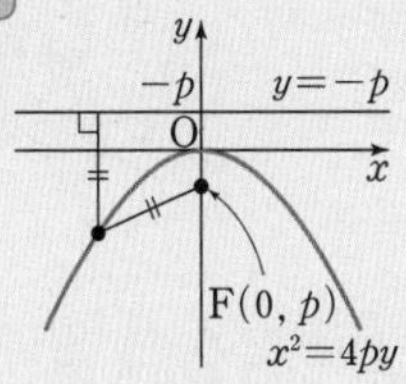
축의 방정식	$y=0$(x축)	$x=0$(y축)
꼭짓점의 좌표	$(0, 0)$	

| 설명 | $y^2=4px$는 초점이 x축 위에 있는, x축의 방향으로 뻗어나가는 그래프.

➡ $p>0$이면 포물선은 y축의 오른쪽에 있고, $p<0$이면 포물선은 y축의 왼쪽에 있다.

$x^2=4py$는 초점이 y축 위에 있는, y축의 방향으로 뻗어나가는 그래프.

➡ $p>0$이면 포물선은 x축의 위쪽에 있고, $p<0$이면 포물선은 x축의 아래쪽에 있다.

한걸음 더

포물선의 방정식

(1) $y^2=4px$

다음 그림의 좌표축 설정은 준선이 y축에 평행하고, 꼭짓점이 원점이 되도록 한 설정.

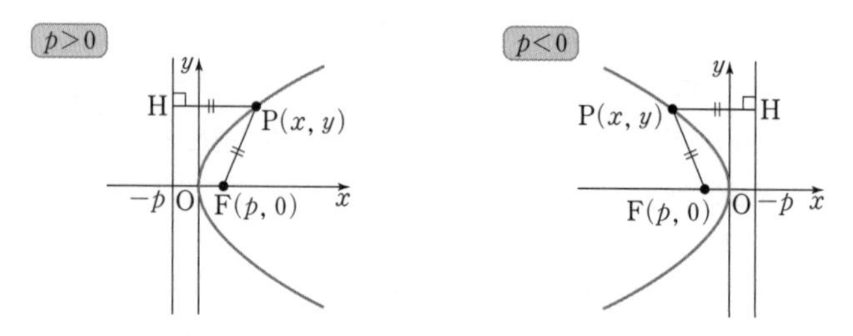

이 설정에서 얻은 포물선의 방정식, 즉 초점이 $F(p, 0)$, 준선이 $x=-p$인 포물선의 방정식이 바로 포물선의 방정식의 표준형.

이 포물선의 방정식을 구해 보자.

(i) 포물선 위의 점을 $P(x, y)$로 놓는다.

(ii) 점 P에서 준선에 내린 수선의 발을 H라 하면 포물선의 정의에 의하여

$\overline{PF}=\overline{PH}$이므로 $\sqrt{(x-p)^2+y^2}=|x+p|$

(iii) 양변을 제곱하면 $(x-p)^2+y^2=(x+p)^2$ $\therefore y^2=4px$

(2) $x^2=4py$

다음 그림의 포물선은 초점이 $F(0, p)$, 준선이 $y=-p$인 포물선.

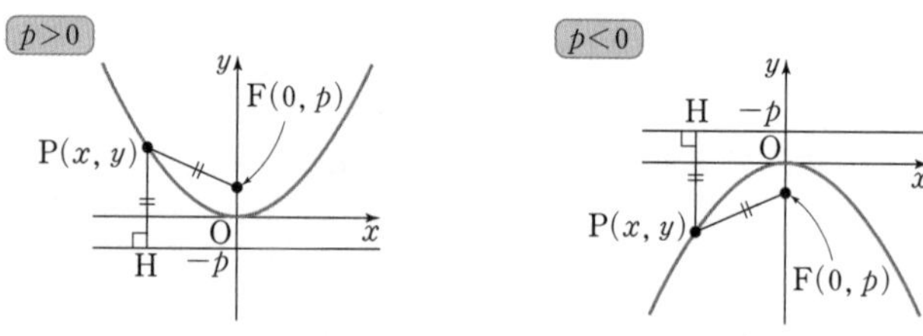

위의 (1)의 포물선을 직선 $y=x$에 대하여 대칭이동하면 (2)의 포물선이 된다.

즉, $y^2=4px$에서 x 대신 y, y 대신 x를 대입하면 $x^2=4py$

| 개념확인 |

초점이 $(-2, 0)$이고 준선이 직선 $x=2$인 포물선의 방정식을 포물선의 정의를 이용하여 구하여라.

> 풀이 오른쪽 그림과 같이 포물선 위의 점 $P(x, y)$에서 직선 $x=2$에 내린 수선의 발을 H라 하면

$\overline{PF}=\overline{PH}$이므로 $\sqrt{(x+2)^2+y^2}=|x-2|$

양변을 제곱하여 정리하면 $\boldsymbol{y^2=-8x}$

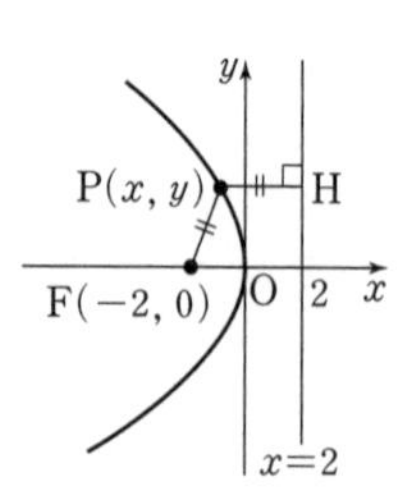

001 **다음 포물선의 방정식을 구하여라.**

(1) 초점이 $\mathrm{F}(2,\ 0)$, 준선이 $x=-2$인 포물선

(2) 초점이 $\mathrm{F}(0,\ 3)$, 준선이 $y=-3$인 포물선

풍산자 꼭짓점이 원점인 포물선의 방정식은 다음 공식 한 방이면 구해진다.

(1) 초점이 $\mathrm{F}(p,\ 0)$, 준선이 $x=-p$인 포물선의 방정식 ➡ $y^2=4px$

(2) 초점이 $\mathrm{F}(0,\ p)$, 준선이 $y=-p$인 포물선의 방정식 ➡ $x^2=4py$

> 풀이 (1) $y^2=4px$에서 $p=2$이므로 $\boldsymbol{y^2=8x}$

(2) $x^2=4py$에서 $p=3$이므로 $\boldsymbol{x^2=12y}$

정답과 풀이 **2**쪽

유제 **002** **다음 포물선의 방정식을 구하여라.**

(1) 꼭짓점이 $(0,\ 0)$, 준선이 $x=3$인 포물선

(2) 꼭짓점이 $(0,\ 0)$, 초점이 $\mathrm{F}(0,\ -4)$인 포물선

| 포물선의 초점의 좌표와 준선의 방정식 |

003 **다음 포물선의 초점의 좌표와 준선의 방정식을 각각 구하고, 그 그래프를 그려라.**

(1) $y^2=x$ (2) $y^2=-2x$

(3) $x^2=3y$ (4) $x^2=-4y$

풍산자 주어진 방정식에서 $y^2=4px$ 또는 $x^2=4py$ 꼴의 p의 값을 구하여 초점의 좌표와 준선의 방정식을 구한다. 이때 p 앞의 수 4에 유의한다.

> 풀이 (1) $4p=1$에서 $p=\frac{1}{4}$ $\quad\therefore$ 초점: $\boldsymbol{\left(\frac{1}{4},\ 0\right)}$, 준선: $\boldsymbol{x=-\frac{1}{4}}$

(2) $4p=-2$에서 $p=-\frac{1}{2}$ $\quad\therefore$ 초점: $\boldsymbol{\left(-\frac{1}{2},\ 0\right)}$, 준선: $\boldsymbol{x=\frac{1}{2}}$

(3) $4p=3$에서 $p=\frac{3}{4}$ $\quad\therefore$ 초점: $\boldsymbol{\left(0,\ \frac{3}{4}\right)}$, 준선: $\boldsymbol{y=-\frac{3}{4}}$

(4) $4p=-4$에서 $p=-1$ $\quad\therefore$ 초점: $\boldsymbol{(0,\ -1)}$, 준선: $\boldsymbol{y=1}$

(1)
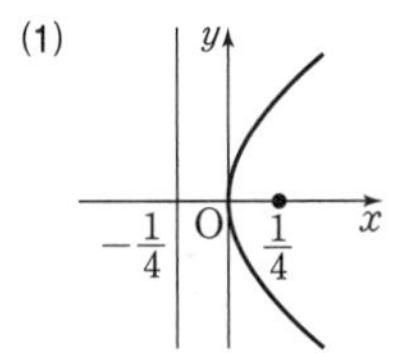

(2)
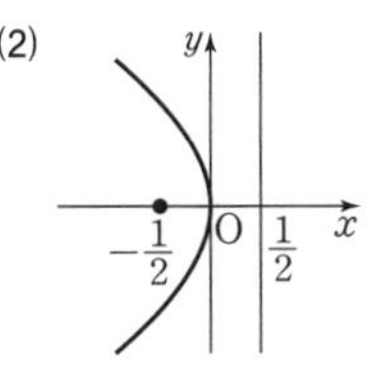

(3)
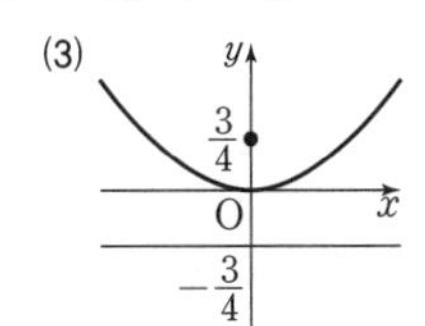

(4)
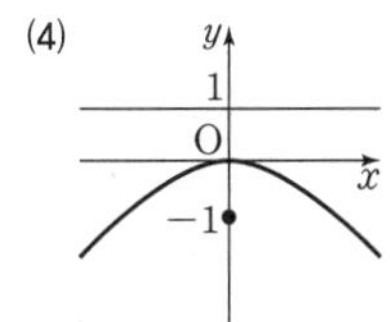

정답과 풀이 **2**쪽

유제 **004** **다음 포물선의 초점의 좌표와 준선의 방정식을 각각 구하고, 그 그래프를 그려라.**

(1) $y^2=8x$ (2) $y^2=-12x$

(3) $x^2=2y$ (4) $x^2=-3y$

005 **그림과 같이 포물선 $y^2=4x$ 위의 임의의 점 P와 두 점 A(1, 0), B(4, 1)에 대하여 $\overline{PA}+\overline{PB}$의 최솟값을 구하여라.**

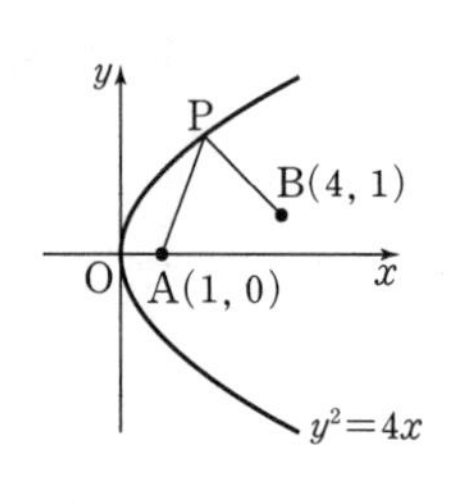

풍산자Ⓣ 풀이의 핵심은 아래의 그림과 같이 $\overline{PA}=\overline{PH}$임을 간파하는 것.
점 P에서 준선에 내린 수선의 발을 H라 하면 $\overline{PA}+\overline{PB}$의 최솟값은 세 점 H, P, B가 일직선을 이룰 때 발생한다.
계산은 쉽지만 발상이 어려운 문제.

> 풀이 포물선 $y^2=4x=4\times1\times x$에서 $p=1$이므로
초점의 좌표는 A(1, 0)이고 준선의 방정식은 $x=-1$이다.
그림과 같이 준선 $x=-1$을 그은 후 두 점 P, B에서 준선에 내린 수선의 발을 각각 H, H′이라 하면 포물선의 정의에 의하여
$\overline{PA}=\overline{PH}$
$\therefore \overline{PA}+\overline{PB}=\overline{PH}+\overline{PB}\geq\overline{BH'}=4-(-1)=5$
따라서 $\overline{PA}+\overline{PB}$의 최솟값은 **5**이다.

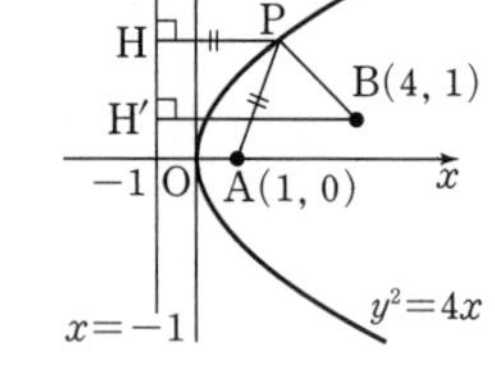

정답과 풀이 2쪽

유제 **006** **그림과 같이 포물선 $y^2=12x$ 위의 한 점 A와 이 포물선의 초점 F를 이은 선분 AF의 길이가 10일 때, 점 A에서 y축에 내린 수선의 길이를 구하여라.**

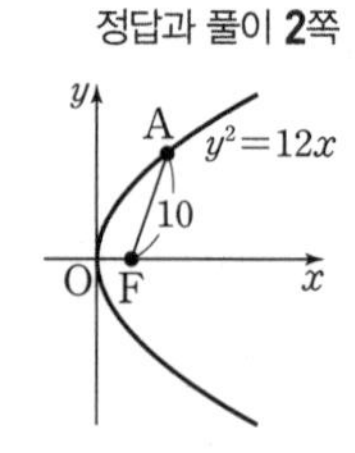

풍산자 비법

- 포물선은 한 점과 한 직선으로부터 같은 거리에 있는 점들의 집합.
- 포물선 $y^2=4px$ 위의 점 P에서 초점 F까지의 거리와 준선 l까지의 거리는 서로 같다.
  ➜ 점 P에서 준선 l에 내린 수선의 발을 H라 하면 $\overline{PF}=\overline{PH}$

03 포물선의 평행이동

포물선 또한 도형. 이전에 배운 도형의 이동의 원리가 그대로 적용된다.

즉, x축의 방향으로 m만큼 평행이동하면 x 대신 $x-m$을 대입한다.

y축의 방향으로 n만큼 평행이동하면 y 대신 $y-n$을 대입한다.

포물선의 평행이동

(1) 포물선 $y^2=4px$를 x축의 방향으로 m만큼, y축의 방향으로 n만큼 평행이동한 포물선의 방정식

➡ $\boldsymbol{(y-n)^2=4p(x-m)}$

① 초점: $(p+m,\ n)$ ② 준선: $x=-p+m$ ③ 꼭짓점: $(m,\ n)$ ④ 축: $y=n$

(2) 포물선 $x^2=4py$를 x축의 방향으로 m만큼, y축의 방향으로 n만큼 평행이동한 포물선의 방정식

➡ $\boldsymbol{(x-m)^2=4p(y-n)}$

① 초점: $(m,\ p+n)$ ② 준선: $y=-p+n$ ③ 꼭짓점: $(m,\ n)$ ④ 축: $x=m$

| 개념확인 | 포물선 $y^2=4x$를 x축의 방향으로 3만큼, y축의 방향으로 1만큼 평행이동한 포물선의 방정식과 초점의 좌표, 준선의 방정식, 꼭짓점의 좌표, 축의 방정식을 각각 구하여라.

> **풀이** 포물선의 방정식: $y^2=4x$ ➡ $\boldsymbol{(y-1)^2=4(x-3)}$
>
> 초점의 좌표: $(1,\ 0)$ ➡ $\boldsymbol{(4,\ 1)}$
>
> 준선의 방정식: $x=-1$ ➡ $\boldsymbol{x=2}$
>
> 꼭짓점의 좌표: $(0,\ 0)$ ➡ $\boldsymbol{(3,\ 1)}$
>
> 축의 방정식: $y=0$ ➡ $\boldsymbol{y=1}$

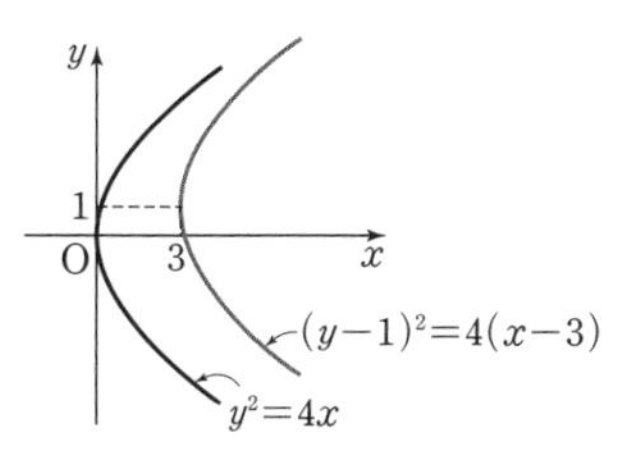

포물선의 방정식의 표준형을 전개하면 다음과 같은 방정식을 얻을 수 있다.

포물선의 방정식의 일반형

(1) $y^2+Ax+By+C=0$ (단, $A\neq0$) ➡ x축에 평행한 축을 가진 포물선

(2) $x^2+Ax+By+C=0$ (단, $B\neq0$) ➡ y축에 평행한 축을 가진 포물선

| 설명 | 포물선의 방정식의 일반형은 다음과 같이 평행이동한 식을 전개하여 얻을 수 있다.

(1) x축에 평행한 축을 가진 포물선의 방정식을 전개하여 일반형으로 나타내면 다음과 같다.

$$(y-n)^2=4p(x-m) \xrightarrow{\text{전개}} y^2-4px-2ny+n^2+4pm=0$$

$$\longrightarrow y^2+Ax+By+C=0 \ (\text{단, } A\neq0)$$

➡ xy항이 없고 y에 대하여 이차, x에 대하여 일차인 식

(2) y축에 평행한 축을 가진 포물선의 방정식은 같은 방법으로 xy항이 없고 x에 대하여 이차, y에 대하여 일차인 식으로 정리할 수 있다.

007 **다음 포물선의 방정식을 구하여라.**

(1) 초점이 F$(6,\ 3)$, 준선이 $x=2$인 포물선

(2) 초점이 F$(3,\ -5)$, 준선이 $y=1$인 포물선

(3) 점 F$(2,\ -2)$와 직선 $x=4$로부터 같은 거리에 있는 점의 자취

풍산자日 꼭짓점이 원점인 포물선의 방정식은 표준형 공식 한 방이면 구해진다.
꼭짓점이 원점이 아닐 때는 ➡ 포물선 위의 한 점의 좌표를 P$(x,\ y)$로 놓고 주어진 조건을 이용하여 x와 y 사이의 관계식을 세운다.

> 풀이 (1) 포물선 위의 한 점을 P$(x,\ y)$라 하고 점 P에서 준선에 내린 수선의 발을 H라 하면 점 H의 좌표는 $(2,\ y)$이므로
포물선의 정의에 의하여 $\overline{\mathrm{PF}}=\overline{\mathrm{PH}}$
$\therefore\ \sqrt{(x-6)^2+(y-3)^2}=|x-2|$
양변을 제곱하여 정리하면 $\boldsymbol{(y-3)^2=8(x-4)}$

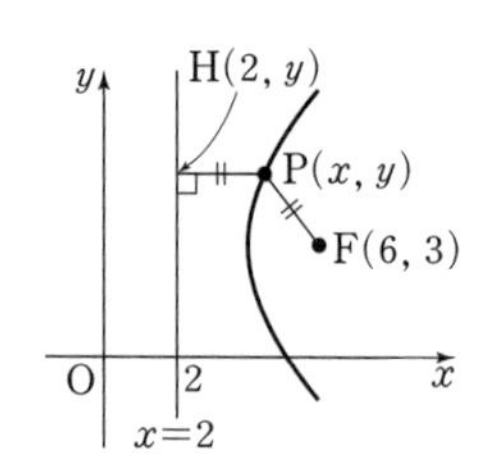

(2) 포물선 위의 한 점을 P$(x,\ y)$라 하고 점 P에서 준선에 내린 수선의 발을 H라 하면 점 H의 좌표는 $(x,\ 1)$이므로
포물선의 정의에 의하여 $\overline{\mathrm{PF}}=\overline{\mathrm{PH}}$
$\therefore\ \sqrt{(x-3)^2+(y+5)^2}=|y-1|$
양변을 제곱하여 정리하면 $\boldsymbol{(x-3)^2=-12(y+2)}$

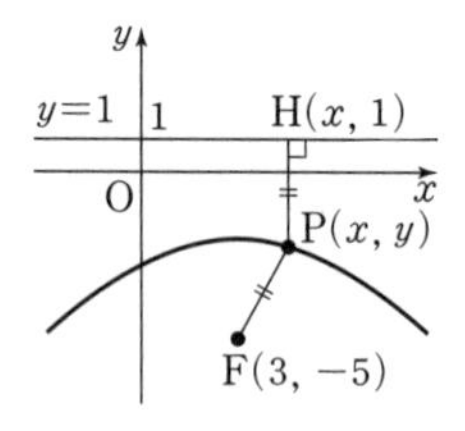

(3) 주어진 조건을 만족시키는 점을 P$(x,\ y)$라 하고 점 P에서 직선 $x=4$에 내린 수선의 발을 H라 하면 포물선의 정의에 의하여
$\overline{\mathrm{PF}}=\overline{\mathrm{PH}}$
$\therefore\ \sqrt{(x-2)^2+(y+2)^2}=|4-x|$
양변을 제곱하여 정리하면 $\boldsymbol{(y+2)^2=-4(x-3)}$

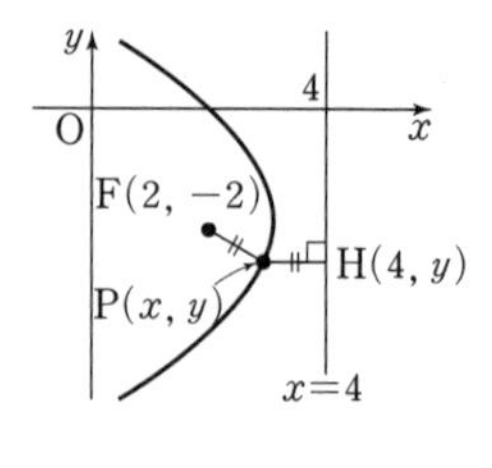

> 다른 풀이 (1) [1단계] 포물선의 꼭짓점은 초점과 준선의 중간이므로
꼭짓점의 좌표는 $(4,\ 3)$
[2단계] p의 절댓값은 초점과 꼭짓점 사이의 거리이고
$p>0$이므로 $p=2$
[3단계] 공식을 이용하여 포물선의 방정식을 구하면
$(y-3)^2=4\times2\times(x-4)$ $\quad\therefore\ (y-3)^2=8(x-4)$

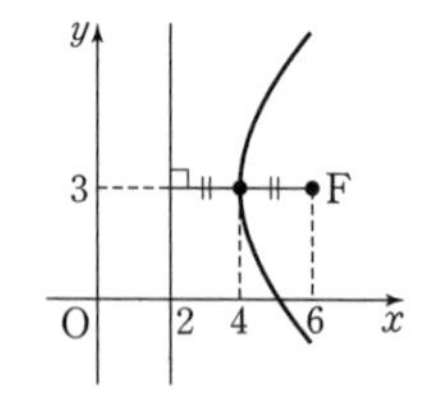

정답과 풀이 2쪽

유제 **008** **다음 포물선의 방정식을 구하여라.**

(1) 초점이 F$(-1,\ 0)$, 준선이 $x=3$인 포물선

(2) 초점이 F$(0,\ 4)$, 준선이 $y=-2$인 포물선

(3) 점 F$(-1,\ 4)$와 직선 $y=0$으로부터 같은 거리에 있는 점의 자취

009 **다음 포물선의 초점의 좌표, 준선의 방정식, 꼭짓점의 좌표를 각각 구하여라.**

(1) $y^2-8x-2y+25=0$　　　　(2) $x^2+2x+4y+9=0$

풍산자曰 앞에서 보았듯이, 표준형이 주어지면 초점, 준선, 꼭짓점은 한 방에 구해진다.
그럼, 표준형이 아닐 때는?
이차항이 있는 문자에 대한 완전제곱의 꼴로 고친 후 평행이동 형태를 관찰한다. 즉,
이차항의 문자가 x일 때 ➡ $(x-m)^2=4p(y-n)$의 꼴
이차항의 문자가 y일 때 ➡ $(y-n)^2=4p(x-m)$의 꼴

> 풀이

(1) [1단계] $y^2-8x-2y+25=0$을 y에 대하여 완전제곱의 꼴로 고치면

$(y^2-2y+1)-1=8x-25$

$\therefore (y-1)^2=8(x-3)$ …… ㉠

[2단계] ㉠은 포물선 $y^2=8x$를 x축의 방향으로 3만큼, y축의 방향으로 1만큼 평행이동한 것이다.

포물선 $y^2=8x=4\times2\times x$에서 $p=2$이므로

초점: $(2, 0)$, 준선: $x=-2$, 꼭짓점: $(0, 0)$

[3단계] 따라서 주어진 포물선에서

초점: $\mathbf{(5,\ 1)}$, 준선: $\boldsymbol{x=1}$, 꼭짓점: $\mathbf{(3,\ 1)}$

(2) [1단계] $x^2+2x+4y+9=0$을 x에 대하여 완전제곱의 꼴로 고치면

$(x^2+2x+1)-1=-4y-9$

$\therefore (x+1)^2=-4(y+2)$ …… ㉠

[2단계] ㉠은 포물선 $x^2=-4y$를 x축의 방향으로 -1만큼, y축의 방향으로 -2만큼 평행이동한 것이다.

포물선 $x^2=-4y=4\times(-1)\times y$에서 $p=-1$이므로

초점: $(0, -1)$, 준선: $y=1$, 꼭짓점: $(0, 0)$

[3단계] 따라서 주어진 포물선에서

초점: $\mathbf{(-1,\ -3)}$, 준선: $\boldsymbol{y=-1}$, 꼭짓점: $\mathbf{(-1,\ -2)}$

정답과 풀이 **3**쪽

유제 **010** **다음 포물선의 초점의 좌표, 준선의 방정식, 꼭짓점의 좌표를 각각 구하여라.**

(1) $y^2+4x-4y+8=0$　　　　(2) $x^2-2x-2y+3=0$

011 **축이 x축에 평행하고 세 점 $(0, 0)$, $(0, 4)$, $(1, 2)$를 지나는 포물선의 방정식을 구하여라.**

풍산자비 축이 x축에 평행한 포물선의 방정식 ➡ $y^2+Ax+By+C=0(A\neq0)$의 꼴

> 풀이 구하는 포물선의 방정식을 $y^2+Ax+By+C=0(A\neq0)$으로 놓으면
이 포물선이 세 점 $(0, 0)$, $(0, 4)$, $(1, 2)$를 지나므로
$C=0$ ······ ㉠
$16+4B+C=0$ ······ ㉡
$4+A+2B+C=0$ ······ ㉢
㉠, ㉡, ㉢을 연립하여 풀면 $A=4$, $B=-4$, $C=0$
따라서 구하는 포물선의 방정식은 $\boldsymbol{y^2+4x-4y=0}$

정답과 풀이 3쪽

유제 **012** **축이 y축에 평행하고 세 점 $(-1, 0)$, $(3, 0)$, $(1, -1)$을 지나는 포물선의 방정식을 구하여라.**

013 **초점이 $\mathrm{F}(2, 3)$이고 점 $(2, 9)$를 지나며 준선이 y축에 평행한 포물선의 방정식을 구하여라.**

풍산자비 준선의 방정식을 $x=a$라 하고 포물선의 정의에 따라 구한다.

> 풀이 오른쪽 그림과 같이 포물선 위의 한 점을 $\mathrm{P}(x, y)$, 점 P에서 준선에 내린 수선의 발을 H라 하고 준선의 방정식을 $x=a$라 하자.
포물선의 정의에 의하여 $\overline{\mathrm{PF}}=\overline{\mathrm{PH}}$이므로
$\sqrt{(x-2)^2+(y-3)^2}=|x-a|$
양변을 제곱하면
$(x-2)^2+(y-3)^2=(x-a)^2$ ······ ㉠
㉠이 점 $(2, 9)$를 지나므로
$36=(2-a)^2$, $2-a=\pm6$ $\therefore a=-4$ 또는 $a=8$
따라서 구하는 포물선의 방정식은
$\boldsymbol{(y-3)^2=12(x+1)}$ 또는 $\boldsymbol{(y-3)^2=-12(x-5)}$

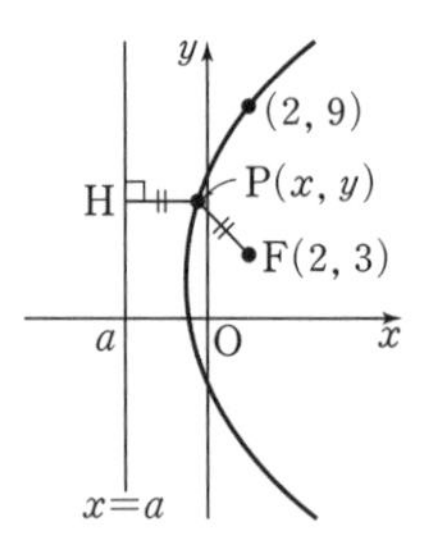

정답과 풀이 3쪽

유제 **014** **초점이 $\mathrm{F}(3, 1)$이고 점 $(6, 5)$를 지나며 준선이 y축에 평행한 포물선의 방정식을 구하여라.**

풍산자 비법

- $(y-n)^2=4p(x-m)$ ➔ 초점: $(p+m, n)$, 준선: $x=-p+m$, 꼭짓점: (m, n)
  $(x-m)^2=4p(y-n)$ ➔ 초점: $(m, p+n)$, 준선: $y=-p+n$, 꼭짓점: (m, n)
- 포물선의 방정식의 일반형에서 초점, 준선, 꼭짓점을 구하려면 표준형으로 고쳐야 한다.

필수 확인 문제

* 더 많은 유형은 **풍산자필수유형 기하** 007쪽

정답과 풀이 3쪽

015

점 F(2, 0)과 직선 $x=-2$로부터의 거리의 비가 1 : 1인 점 P의 자취의 방정식을 구하여라.

016

그림과 같이 포물선 $y^2=8x$와 점 F(2, 0)을 지나는 직선이 두 점 A, B에서 만난다. 두 점 A, B에서 y축에 내린 수선의 발을 각각 C, D라 하고 $\overline{AB}=9$일 때, $\overline{AC}+\overline{BD}$의 값을 구하여라.

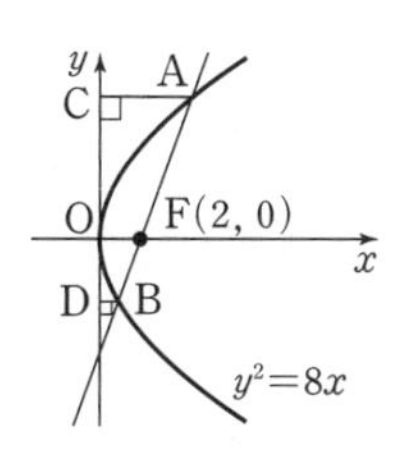

017

두 포물선 $4x+y^2=0$, $x^2-12y=0$의 초점을 각각 A, B라 할 때, △OAB의 넓이를 구하여라.

(단, O는 원점이다.)

018

포물선 $x^2=4y$ 위의 점 P(a, b)와 초점 F 사이의 거리가 5일 때, $a+b$의 값을 구하여라.

(단, $a>0$)

019

다음 포물선의 초점의 좌표, 준선의 방정식, 꼭짓점의 좌표를 각각 구하여라.

(1) $y=\frac{1}{4}x^2+1$

(2) $x=y^2+4y+3$

020

포물선 $y^2=4x$ 위의 한 점과 이 포물선의 초점을 연결하는 선분의 중점의 자취는 포물선이다. 이 포물선의 준선의 방정식을 구하여라.

2 타원

01 타원의 방정식

타원은 두 초점으로부터의 거리의 합이 일정한 점들의 집합이다.

포물선의 초점은 한 개, 타원의 초점은 두 개.

타원의 정의

평면 위의 서로 다른 **두 점 F, F′으로부터의 거리의 합이 일정한 점들의 집합**(또는 자취)을 **타원**이라 한다. 여기서

(1) 주어진 두 점을 타원의 **초점**(점 F, F′)이라 한다.

(2) 타원과 두 축의 교점을 **꼭짓점**(점 A, A′, B, B′)이라 한다.

(3) $\overline{AA'}$을 타원의 **장축**, $\overline{BB'}$을 타원의 **단축**이라 한다.

(4) 장축과 단축의 교점을 **중심**이라 한다.

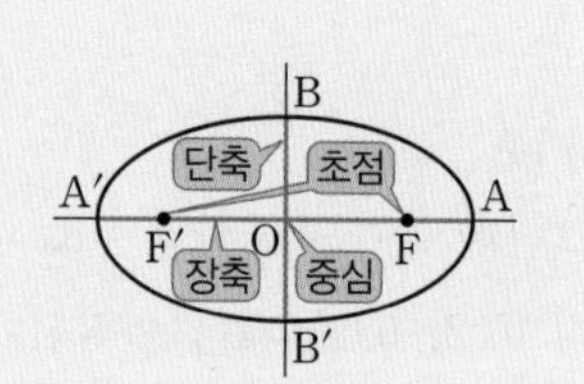

타원의 방정식 중요!

	두 초점 F$(c,\ 0)$, F′$(-c,\ 0)$으로부터의 거리의 합이 $2a$인 타원의 방정식	두 초점 F$(0,\ c)$, F′$(0,\ -c)$로부터의 거리의 합이 $2b$인 타원의 방정식
방정식 (표준형)	$\dfrac{x^2}{a^2}+\dfrac{y^2}{b^2}=1$ (단, $a>b>0$, $c^2=a^2-b^2$)	$\dfrac{x^2}{a^2}+\dfrac{y^2}{b^2}=1$ (단, $b>a>0$, $c^2=b^2-a^2$)
그래프		
초점의 좌표	F$(\sqrt{a^2-b^2},\ 0)$, F′$(-\sqrt{a^2-b^2},\ 0)$	F$(0,\ \sqrt{b^2-a^2})$, F′$(0,\ -\sqrt{b^2-a^2})$
장축의 길이 (=거리의 합)	$\overline{PF}+\overline{PF'}=2a$	$\overline{PF}+\overline{PF'}=2b$
단축의 길이	$2b$	$2a$
꼭짓점의 좌표	$(a,\ 0)$, $(-a,\ 0)$, $(0,\ b)$, $(0,\ -b)$	
중심의 좌표	$(0,\ 0)$	

| 설명 | 타원의 정의에 의하여 다음 성질이 나타난다.

① 타원 위의 점에서 두 초점까지의 거리의 합은 장축의 길이와 같다.
② 타원은 장축과 단축 및 중심에 대하여 대칭이다.
③ 타원의 두 초점은 장축 위에 존재한다.
④ 타원의 중심은 두 초점을 이은 선분의 중점이다.

한걸음 더

(1) 타원의 방정식

① $\frac{x^2}{a^2}+\frac{y^2}{b^2}=1$ (단, $a>b>0$, $c^2=a^2-b^2$)

오른쪽 그림의 좌표축 설정은 타원의 중심이 원점이 되도록 한 설정.
이 설정에서 얻은 타원의 방정식, 즉 두 점 $\mathrm{F}(c,\ 0)$, $\mathrm{F}'(-c,\ 0)$으로부터의 거리의 합이 $2a$인 타원의 방정식을 구해 보자.
(단, $a>c>0$)

(i) 타원 위의 점을 $\mathrm{P}(x,\ y)$로 놓는다.

(ii) 타원의 정의에 의하여 $\overline{\mathrm{PF}}+\overline{\mathrm{PF'}}=2a$

$\therefore\ \sqrt{(x-c)^2+y^2}+\sqrt{(x+c)^2+y^2}=2a$

(iii) 근호 하나를 이항하여 제곱한 후, 다시 제곱하여 정리하면 $(a^2-c^2)x^2+a^2y^2=a^2(a^2-c^2)$
(이 계산은 복잡하기만 하고 중요하지 않으니 그러려니 하고 넘어가자.)

(iv) $a^2-c^2=b^2$으로 놓으면 $b^2x^2+a^2y^2=a^2b^2$ $\quad\therefore\ \frac{x^2}{a^2}+\frac{y^2}{b^2}=1$

② $\frac{x^2}{a^2}+\frac{y^2}{b^2}=1$ (단, $b>a>0$, $c^2=b^2-a^2$)

오른쪽 그림의 타원은 두 점 $\mathrm{F}(0,\ c)$, $\mathrm{F}'(0,\ -c)$로부터의 거리의 합이 $2b$인 타원.

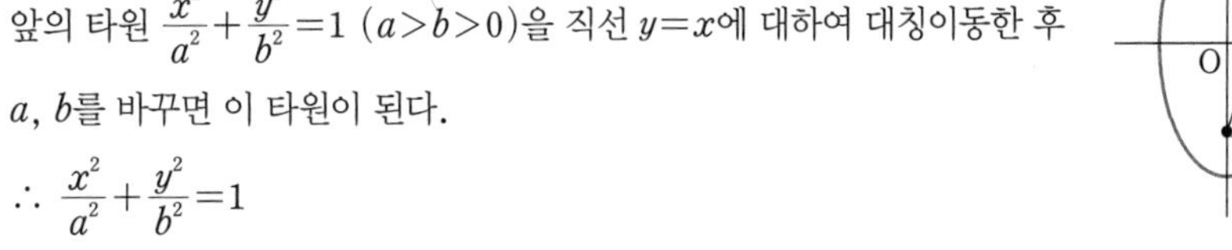

앞의 타원 $\frac{x^2}{a^2}+\frac{y^2}{b^2}=1$ $(a>b>0)$을 직선 $y=x$에 대하여 대칭이동한 후 a, b를 바꾸면 이 타원이 된다.

$\therefore\ \frac{x^2}{a^2}+\frac{y^2}{b^2}=1$

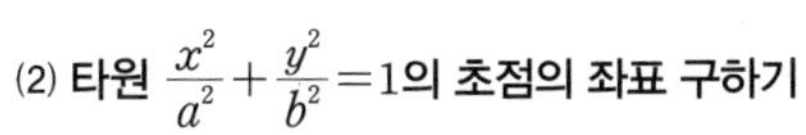

(2) 타원 $\frac{x^2}{a^2}+\frac{y^2}{b^2}=1$의 초점의 좌표 구하기

① $a>b>0$일 때

초점이 x축 위에 있으므로 두 초점을 $\mathrm{F}(c,\ 0)$, $\mathrm{F}'(-c,\ 0)$이라 하면 점 $\mathrm{P}(0,\ b)$에 대하여 $\overline{\mathrm{PF'}}=\overline{\mathrm{PF}}$이므로

$\overline{\mathrm{PF'}}+\overline{\mathrm{PF}}=\overline{\mathrm{PF}}+\overline{\mathrm{PF}}=2a$ $\quad\therefore\ \overline{\mathrm{PF}}=a$

이때 $\triangle\mathrm{POF}$는 직각삼각형이므로

$b^2+c^2=a^2$ $\quad\therefore\ c=\sqrt{a^2-b^2}$

따라서 초점의 좌표는 $\mathrm{F}(\sqrt{a^2-b^2},\ 0)$, $\mathrm{F}'(-\sqrt{a^2-b^2},\ 0)$

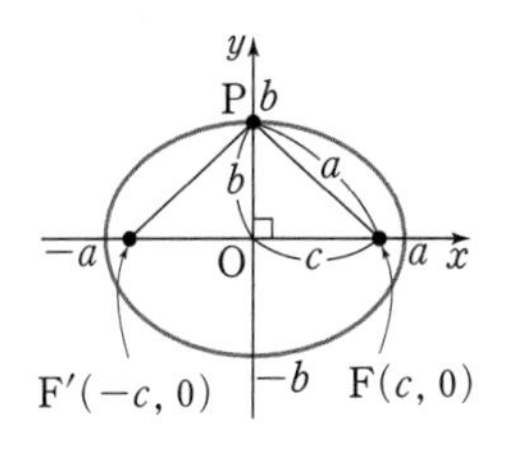

② $b>a>0$일 때

초점이 y축 위에 있으므로 두 초점을 $\mathrm{F}(0,\ c)$, $\mathrm{F}'(0,\ -c)$라 하고 같은 방법으로 구하면 초점의 좌표는 $\mathrm{F}(0,\ \sqrt{b^2-a^2})$, $\mathrm{F}'(0,\ -\sqrt{b^2-a^2})$

大 원칙 ┆ 타원은 초점이 두 개 있다. 초점의 좌표는 $c=\sqrt{(\text{큰 분모})-(\text{작은 분모})}$로 구한다.

021 **다음을 구하여라.**

(1) 두 점 $F(2, 0)$, $F'(-2, 0)$으로부터의 거리의 합이 6인 타원의 방정식

(2) 두 점 $F(0, 3)$, $F'(0, -3)$으로부터의 거리의 합이 8인 타원의 방정식

(3) 두 점 $A(\sqrt{11}, 0)$, $B(-\sqrt{11}, 0)$에 대하여 $\overline{AP}+\overline{BP}=10$을 만족시키는 점 P가 나타내는 자취의 방정식

풍산자비 (1) 두 점 $F(c, 0)$, $F'(-c, 0)$으로부터의 거리의 합이 $2a$인 타원의 방정식

➡ $\frac{x^2}{a^2}+\frac{y^2}{b^2}=1$ (단, $a>b>0$, $c^2=a^2-b^2$)

(2) 두 점 $F(0, c)$, $F'(0, -c)$로부터의 거리의 합이 $2b$인 타원의 방정식

➡ $\frac{x^2}{a^2}+\frac{y^2}{b^2}=1$ (단, $b>a>0$, $c^2=b^2-a^2$)

> 풀이 (1) 초점이 x축 위에 있으므로 구하는 타원의 방정식을 $\frac{x^2}{a^2}+\frac{y^2}{b^2}=1$ $(a>b>0)$이라 하자.

거리의 합이 6이므로 $2a=6$ $\quad\therefore a=3$ …… ㉠

$c^2=a^2-b^2$에서 $2^2=3^2-b^2$ $\quad\therefore b^2=5$ …… ㉡

㉠, ㉡을 $\frac{x^2}{a^2}+\frac{y^2}{b^2}=1$에 대입하면 $\boldsymbol{\frac{x^2}{9}+\frac{y^2}{5}=1}$

(2) 초점이 y축 위에 있으므로 구하는 타원의 방정식을 $\frac{x^2}{a^2}+\frac{y^2}{b^2}=1$ $(b>a>0)$이라 하자.

거리의 합이 8이므로 $2b=8$ $\quad\therefore b=4$ …… ㉠

$c^2=b^2-a^2$에서 $3^2=4^2-a^2$ $\quad\therefore a^2=7$ …… ㉡

㉠, ㉡을 $\frac{x^2}{a^2}+\frac{y^2}{b^2}=1$에 대입하면 $\boldsymbol{\frac{x^2}{7}+\frac{y^2}{16}=1}$

(3) 두 점으로부터의 거리의 합이 일정하므로 점 P가 나타내는 자취는 타원이다.

초점이 x축 위에 있으므로 구하는 타원의 방정식을 $\frac{x^2}{a^2}+\frac{y^2}{b^2}=1$ $(a>b>0)$이라 하면

거리의 합이 10이므로 $2a=10$ $\quad\therefore a=5$ …… ㉠

$c^2=a^2-b^2$에서 $(\sqrt{11})^2=5^2-b^2$ $\quad\therefore b^2=14$ …… ㉡

㉠, ㉡을 $\frac{x^2}{a^2}+\frac{y^2}{b^2}=1$에 대입하면 $\boldsymbol{\frac{x^2}{25}+\frac{y^2}{14}=1}$

정답과 풀이 **5**쪽

유제 **022** **다음을 구하여라.**

(1) 두 점 $F(4, 0)$, $F'(-4, 0)$으로부터의 거리의 합이 10인 타원의 방정식

(2) 두 점 $F(0, 5)$, $F'(0, -5)$로부터의 거리의 합이 12인 타원의 방정식

(3) 두 점 $A(0, \sqrt{5})$, $B(0, -\sqrt{5})$에 대하여 $\overline{AP}+\overline{BP}=6$을 만족시키는 점 P가 나타내는 자취의 방정식

023 다음 타원의 장축, 단축의 길이와 중심, 꼭짓점, 초점의 좌표를 각각 구하고, 그 그래프를 그려라.

(1) $\frac{x^2}{25}+\frac{y^2}{9}=1$　　　　(2) $16x^2+9y^2=144$

풍산자日 (1) 타원 $\frac{x^2}{a^2}+\frac{y^2}{b^2}=1$에서

- $a>b>0$일 때
  ① 장축의 길이: $2a$　　② 단축의 길이: $2b$
  ③ 초점: $(c, 0)$, $(-c, 0)$ (단, $c=\sqrt{a^2-b^2}$)
- $b>a>0$일 때
  ① 장축의 길이: $2b$　　② 단축의 길이: $2a$
  ③ 초점: $(0, c)$, $(0, -c)$ (단, $c=\sqrt{b^2-a^2}$)

(2) $px^2+qy^2=r$ 꼴의 타원의 방정식은 양변을 r로 나누어 $\frac{x^2}{a^2}+\frac{y^2}{b^2}=1$의 꼴로 고친다.

> 풀이 (1) $a=5$, $b=3$이므로 $a>b>0$

$\therefore$ 장축의 길이: $2a=2\times5=\mathbf{10}$

단축의 길이: $2b=2\times3=\mathbf{6}$

중심: $\mathbf{(0,\ 0)}$

꼭짓점: $\mathbf{(5,\ 0),\ (-5,\ 0),\ (0,\ 3),\ (0,\ -3)}$

초점: $c=\sqrt{a^2-b^2}=\sqrt{25-9}=4$이므로

$\mathbf{(4,\ 0),\ (-4,\ 0)}$

따라서 그래프는 오른쪽 그림과 같다.

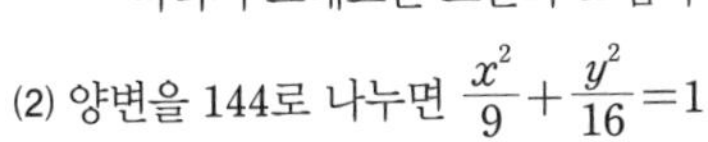

(2) 양변을 144로 나누면 $\frac{x^2}{9}+\frac{y^2}{16}=1$

$a=3$, $b=4$이므로 $b>a>0$

$\therefore$ 장축의 길이: $2b=2\times4=\mathbf{8}$

단축의 길이: $2a=2\times3=\mathbf{6}$

중심: $\mathbf{(0,\ 0)}$

꼭짓점: $\mathbf{(3,\ 0),\ (-3,\ 0),\ (0,\ 4),\ (0,\ -4)}$

초점: $c=\sqrt{b^2-a^2}=\sqrt{16-9}=\sqrt{7}$이므로

$\mathbf{(0,\ \sqrt{7}),\ (0,\ -\sqrt{7})}$

따라서 그래프는 오른쪽 그림과 같다.

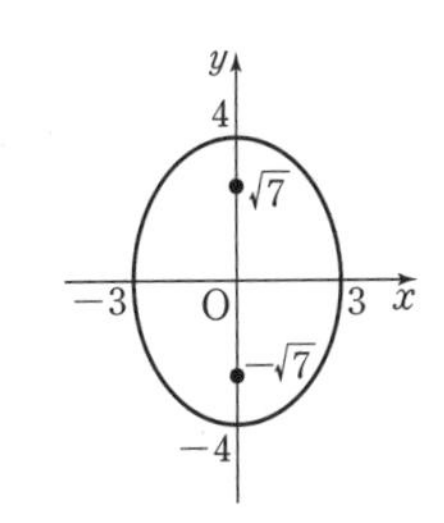

정답과 풀이 5쪽

유제 **024** 다음 타원의 장축, 단축의 길이와 중심, 꼭짓점, 초점의 좌표를 각각 구하고, 그 그래프를 그려라.

(1) $\frac{x^2}{36}+\frac{y^2}{4}=1$　　　　(2) $\frac{x^2}{9}+\frac{y^2}{25}=1$

(3) $4x^2+y^2=4$　　　　(4) $4x^2+9y^2=36$

025 **다음 타원의 방정식을 구하여라.**

(1) 초점이 F(1, 0), F′(−1, 0)이고, 장축의 길이가 6인 타원

(2) 초점이 F(2, 0), F′(−2, 0)이고, 단축의 길이가 8인 타원

풍산자답 초점이 x축 위에 있을 때, 타원 $\frac{x^2}{a^2}+\frac{y^2}{b^2}=1\ (a>b>0)$의 장축의 길이는 $2a$, 단축의 길이는 $2b$

> 풀이 (1) 초점이 x축 위에 있으므로 구하는 타원의 방정식을 $\frac{x^2}{a^2}+\frac{y^2}{b^2}=1\ (a>b>0)$이라 하자.

장축의 길이가 6이므로 $2a=6$ $\quad\therefore a=3$ …… ㉠

$c^2=a^2-b^2$에서 $1^2=3^2-b^2$ $\quad\therefore b^2=8$ …… ㉡

㉠, ㉡을 $\frac{x^2}{a^2}+\frac{y^2}{b^2}=1$에 대입하면 $\boldsymbol{\frac{x^2}{9}+\frac{y^2}{8}=1}$

(2) 초점이 x축 위에 있으므로 구하는 타원의 방정식을 $\frac{x^2}{a^2}+\frac{y^2}{b^2}=1\ (a>b>0)$이라 하자.

단축의 길이가 8이므로 $2b=8$ $\quad\therefore b=4$ …… ㉠

$c^2=a^2-b^2$에서 $2^2=a^2-4^2$ $\quad\therefore a^2=20$ …… ㉡

㉠, ㉡을 $\frac{x^2}{a^2}+\frac{y^2}{b^2}=1$에 대입하면 $\boldsymbol{\frac{x^2}{20}+\frac{y^2}{16}=1}$

정답과 풀이 6쪽

유제 **026** **다음 타원의 방정식을 구하여라.**

(1) 초점이 F(0, $\sqrt{7}$), F′(0, $-\sqrt{7}$)이고, 장축의 길이가 6인 타원

(2) 초점이 F(0, 3), F′(0, −3)이고, 단축의 길이가 8인 타원

027 **중심이 원점이고, 초점이 x축 위에 있으며 장축의 길이가 10이고 단축의 길이가 8인 타원의 방정식을 구하여라.**

풍산자답 먼저 초점이 x축 위에 있는지 y축 위에 있는지를 확인한다.

> 풀이 초점이 x축 위에 있으므로 구하는 타원의 방정식을 $\frac{x^2}{a^2}+\frac{y^2}{b^2}=1\ (a>b>0)$이라 하자.

장축의 길이가 10, 단축의 길이가 8이므로 $2a=10$, $2b=8$ $\quad\therefore a=5,\ b=4$

이것을 $\frac{x^2}{a^2}+\frac{y^2}{b^2}=1$에 대입하면 $\boldsymbol{\frac{x^2}{25}+\frac{y^2}{16}=1}$

정답과 풀이 6쪽

유제 **028** **중심이 원점이고, 초점이 y축 위에 있으며 장축의 길이가 10이고 단축의 길이가 6인 타원의 방정식을 구하여라.**

029 점 D(1, 0)을 지나고 기울기가 양수인 직선이 타원 $\frac{x^2}{4}+\frac{y^2}{3}=1$과 만나는 두 점을 각각 A, B라 할 때, 두 점 A, B와 점 C(−1, 0)을 꼭짓점으로 하는 삼각형 ABC의 둘레의 길이를 구하여라.

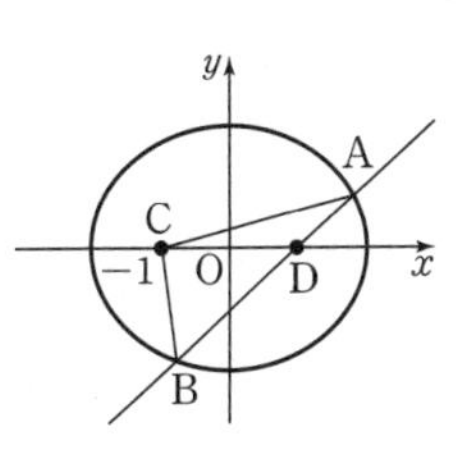

풍산자曰 점 D(1, 0)과 점 C(−1, 0)은 주어진 타원의 초점.
결국, 초점이 개입된 타원 문제.
초점과의 거리가 개입된 문제에서는 무조건 타원의 정의를 떠올린다.

› 풀이 타원 $\frac{x^2}{4}+\frac{y^2}{3}=1$에서
$c=\sqrt{(\text{큰 분모})-(\text{작은 분모})}=\sqrt{4-3}=1$이므로
초점의 좌표는 (1, 0), (−1, 0)
즉, 두 점 C, D가 이 타원의 초점이므로
$\overline{AC}+\overline{AD}=\overline{BC}+\overline{BD}=2a=2\times2=4$
따라서 △ABC의 둘레의 길이는
$(\overline{AC}+\overline{AD})+(\overline{BC}+\overline{BD})=4+4=8$

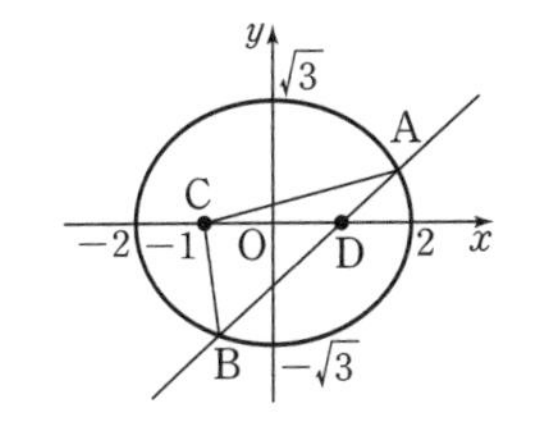

정답과 풀이 6쪽

유제 **030** 점 A(3, 0)을 지나는 직선과 점 B(−3, 0)을 지나는 직선이 타원 $\frac{x^2}{25}+\frac{y^2}{16}=1$ 위의 한 점 P에서 만날 때, 삼각형 APB의 둘레의 길이를 구하여라. (단, 점 P는 x축 위의 점이 아니다.)

풍산자 비법

- 타원은 두 점으로부터의 거리의 합이 일정한 점들의 집합.
- 타원 $\frac{x^2}{a^2}+\frac{y^2}{b^2}=1$ 위의 점 P에서 두 초점 F, F′까지의 거리의 합은 장축의 길이와 같다.

➔ $\overline{PF}+\overline{PF'}=$(장축의 길이)
➔ a의 값이 크면 초점, 장축 등 중요한 건 모두 x축 위에.
➔ b의 값이 크면 초점, 장축 등 중요한 건 모두 y축 위에.

02 타원의 평행이동

타원도 도형이므로 포물선과 마찬가지로 도형의 이동의 원리가 그대로 적용된다.
타원을 평행이동하면 모양은 변하지 않으므로 장축과 단축의 길이는 변하지 않는다.
그러나 초점과 중심, 꼭짓점은 함께 평행이동된다.

타원의 평행이동

타원 $\frac{x^2}{a^2}+\frac{y^2}{b^2}=1$을 x축의 방향으로 m만큼, y축의 방향으로 n만큼 평행이동한 타원의 방정식

➡ $\frac{(x-m)^2}{a^2}+\frac{(y-n)^2}{b^2}=1$

| 개념확인 | 타원 $\frac{x^2}{4}+\frac{y^2}{3}=1$을 x축의 방향으로 3만큼, y축의 방향으로 -2만큼 평행이동한 타원의 방정식과 중심의 좌표, 초점의 좌표, 꼭짓점의 좌표를 각각 구하여라.

> **풀이** 타원의 방정식: $\frac{x^2}{4}+\frac{y^2}{3}=1$

➡ $\frac{(x-3)^2}{4}+\frac{(y+2)^2}{3}=1$

중심의 좌표: $(0, 0)$ ➡ $(3, -2)$

초점의 좌표: $(1, 0), (-1, 0)$ ➡ $(4, -2), (2, -2)$

꼭짓점의 좌표: $(2, 0), (-2, 0), (0, \sqrt{3}), (0, -\sqrt{3})$

➡ $(5, -2), (1, -2), (3, \sqrt{3}-2), (3, -\sqrt{3}-2)$

타원의 방정식의 표준형을 전개하면 다음과 같은 방정식을 얻을 수 있다.

타원의 방정식의 일반형

$Ax^2+By^2+Cx+Dy+E=0$ (단, $AB>0$, $A\neq B$)

| 설명 | 타원의 방정식의 일반형은 평행이동한 식 $\frac{(x-m)^2}{a^2}+\frac{(y-n)^2}{b^2}=1$의 양변에 a^2b^2을 곱한 후 전개하여 얻을 수 있다.

$b^2(x-m)^2+a^2(y-n)^2=a^2b^2 \xrightarrow{\text{전개}} b^2x^2+a^2y^2-2b^2mx-2a^2ny+b^2m^2+a^2n^2-a^2b^2=0$

$\longrightarrow Ax^2+By^2+Cx+Dy+E=0$ (단, $AB>0$, $A\neq B$)

大 원칙 | 타원의 방정식은 x^2항과 y^2항의 계수가 다르고 부호는 같다.

031 **다음을 구하여라.**

(1) 초점이 $\mathrm{F}(5, 2)$, $\mathrm{F}'(1, 2)$이고, 장축의 길이가 6인 타원의 방정식

(2) 두 점 $\mathrm{F}(2, 0)$, $\mathrm{F}'(2, 6)$으로부터의 거리의 합이 10인 점의 자취의 방정식

풍산자目 두 초점이 원점 대칭인 타원의 방정식은 표준형 공식 한방이면 구해진다.
두 초점이 원점 대칭이 아닐 때는? 중심과 c의 값을 구한 후 공식을 이용한다.
➡ 두 초점의 y좌표가 같으면 $\frac{(x-m)^2}{a^2}+\frac{(y-n)^2}{b^2}=1$ (단, $a>b>0$)

> 풀이 (1) [1단계] 타원의 중심은 두 초점을 이은 선분의 중점이므로 $(3, 2)$
따라서 구하는 타원의 방정식은
$$\frac{(x-3)^2}{a^2}+\frac{(y-2)^2}{b^2}=1$$
[2단계] 초점과 중심 사이의 거리가 c이므로 $c=2$
장축의 길이가 6이므로 $2a=6$ $\therefore a=3$
$c^2=a^2-b^2$에서 $2^2=3^2-b^2$ $\therefore b^2=5$
따라서 구하는 타원의 방정식은 $\boldsymbol{\frac{(x-3)^2}{9}+\frac{(y-2)^2}{5}=1}$

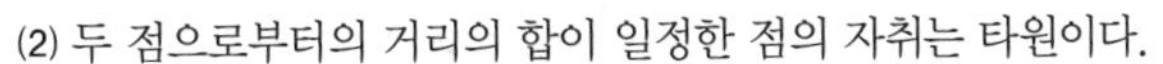
(2) 두 점으로부터의 거리의 합이 일정한 점의 자취는 타원이다.
[1단계] 타원의 중심은 두 초점을 이은 선분의 중점이므로 $(2, 3)$
따라서 구하는 타원의 방정식은
$$\frac{(x-2)^2}{a^2}+\frac{(y-3)^2}{b^2}=1$$

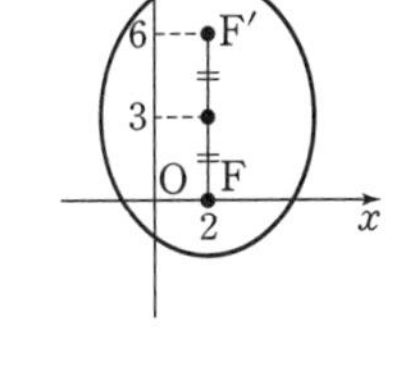

[2단계] 초점과 중심 사이의 거리가 c이므로 $c=3$
거리의 합이 10이므로 $2b=10$ $\therefore b=5$
$c^2=b^2-a^2$에서 $3^2=5^2-a^2$ $\therefore a^2=16$
따라서 구하는 타원의 방정식은 $\boldsymbol{\frac{(x-2)^2}{16}+\frac{(y-3)^2}{25}=1}$

> 다른 풀이 (1) 타원 위의 한 점을 $\mathrm{P}(x, y)$라 하면 타원의 정의에 의하여 $\overline{\mathrm{FP}}+\overline{\mathrm{F'P}}=6$이므로
$\sqrt{(x-5)^2+(y-2)^2}+\sqrt{(x-1)^2+(y-2)^2}=6$
$\sqrt{(x-5)^2+(y-2)^2}=6-\sqrt{(x-1)^2+(y-2)^2}$
양변을 제곱하여 정리하면 $3\sqrt{(x-1)^2+(y-2)^2}=2x+3$
다시 양변을 제곱하여 정리하면 $5(x-3)^2+9(y-2)^2=45$
$\therefore \frac{(x-3)^2}{9}+\frac{(y-2)^2}{5}=1$

정답과 풀이 6쪽

유제 **032** **다음을 구하여라.**

(1) 초점이 $\mathrm{F}(1, 0)$, $\mathrm{F}'(1, 6)$이고, 장축의 길이가 8인 타원의 방정식

(2) 두 점 $\mathrm{F}(0, 0)$, $\mathrm{F}'(4, 0)$으로부터의 거리의 합이 8인 점의 자취의 방정식

033 다음 타원의 장축, 단축의 길이와 초점, 꼭짓점, 중심의 좌표를 각각 구하여라.

(1) $4x^2+9y^2-8x+36y+4=0$　　(2) $9x^2+4y^2-54x-16y+61=0$

풍산자티 앞에서 보았듯이, 표준형이 주어지면 장축, 단축의 길이와 꼭짓점, 초점의 좌표는 모두 공식으로 한 방에 구해진다.

그럼, 표준형이 아닐 때는? 일단, 주어진 타원의 방정식을 $\frac{(x-m)^2}{a^2}+\frac{(y-n)^2}{b^2}=1$의 꼴로 고친 후 평행이동 형태를 관찰한다.

> 풀이 (1) [1단계] 주어진 타원의 방정식을 변형하면 $4(x^2-2x)+9(y^2+4y)+4=0$에서

$$4(x-1)^2+9(y+2)^2=36 \qquad \therefore \frac{(x-1)^2}{9}+\frac{(y+2)^2}{4}=1 \qquad \cdots\cdots ㉠$$

[2단계] ㉠은 타원 $\frac{x^2}{9}+\frac{y^2}{4}=1$을 x축의 방향으로 1만큼, y축의 방향으로 -2만큼 평행이동한 것이다.

타원 $\frac{x^2}{9}+\frac{y^2}{4}=1$에서 $a=3$, $b=2$이므로

장축의 길이: $2\times3=6$, 단축의 길이: $2\times2=4$

초점: $c=\sqrt{9-4}=\sqrt{5}$이므로 $(\sqrt{5}, 0)$, $(-\sqrt{5}, 0)$

꼭짓점: $(3, 0)$, $(-3, 0)$, $(0, 2)$, $(0, -2)$, 중심: $(0, 0)$

[3단계] 따라서 주어진 타원에서

장축의 길이: **6**, 단축의 길이: **4**, 초점: $(\sqrt{5}+1, -2)$, $(-\sqrt{5}+1, -2)$

꼭짓점: $(4, -2)$, $(-2, -2)$, $(1, 0)$, $(1, -4)$, 중심: $(1, -2)$

(2) [1단계] 주어진 타원의 방정식을 변형하면 $9(x^2-6x)+4(y^2-4y)+61=0$에서

$$9(x-3)^2+4(y-2)^2=36 \qquad \therefore \frac{(x-3)^2}{4}+\frac{(y-2)^2}{9}=1 \qquad \cdots\cdots ㉠$$

[2단계] ㉠은 타원 $\frac{x^2}{4}+\frac{y^2}{9}=1$을 x축의 방향으로 3만큼, y축의 방향으로 2만큼 평행이동한 것이다.

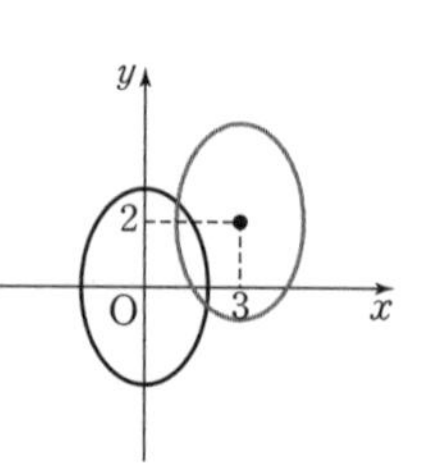

타원 $\frac{x^2}{4}+\frac{y^2}{9}=1$에서 $a=2$, $b=3$이므로

장축의 길이: $2\times3=6$, 단축의 길이: $2\times2=4$

초점: $c=\sqrt{9-4}=\sqrt{5}$이므로 $(0, \sqrt{5})$, $(0, -\sqrt{5})$

꼭짓점: $(2, 0)$, $(-2, 0)$, $(0, 3)$, $(0, -3)$, 중심: $(0, 0)$

[3단계] 따라서 주어진 타원에서

장축의 길이: **6**, 단축의 길이: **4**, 초점: $(3, \sqrt{5}+2)$, $(3, -\sqrt{5}+2)$

꼭짓점: $(5, 2)$, $(1, 2)$, $(3, 5)$, $(3, -1)$, 중심: $(3, 2)$

정답과 풀이 **7**쪽

유제 034 다음 타원의 장축, 단축의 길이와 초점, 꼭짓점, 중심의 좌표를 각각 구하여라.

(1) $x^2+4y^2+4x-8y+4=0$　　(2) $4x^2+3y^2+8x-12y+4=0$

035 **원 $x^2+y^2=16$을 y축의 방향으로 $\frac{5}{4}$배 확대한 도형의 방정식을 구하여라.**

풍산자日 원을 y축의 방향으로 $\frac{5}{4}$배 확대하면 원 위의 점 $\mathrm{P}(a, b)$는 점 $\mathrm{P}'\left(a, \frac{5}{4}b\right)$가 된다.

> 풀이

원 $x^2+y^2=16$ 위의 점 $\mathrm{P}(a, b)$를 y축의 방향으로 $\frac{5}{4}$배 확대한 도형 위의 점을 $\mathrm{P}'(x, y)$라 하면 $x=a$, $y=\frac{5}{4}b$

$\therefore a=x, b=\frac{4}{5}y$ …… ㉠

한편, 점 P는 원 $x^2+y^2=16$ 위의 점이므로

$a^2+b^2=16$ …… ㉡

㉠을 ㉡에 대입하면 구하는 도형의 방정식은

$x^2+\left(\frac{4}{5}y\right)^2=16$ $\quad\therefore \boldsymbol{\frac{x^2}{16}+\frac{y^2}{25}=1}$

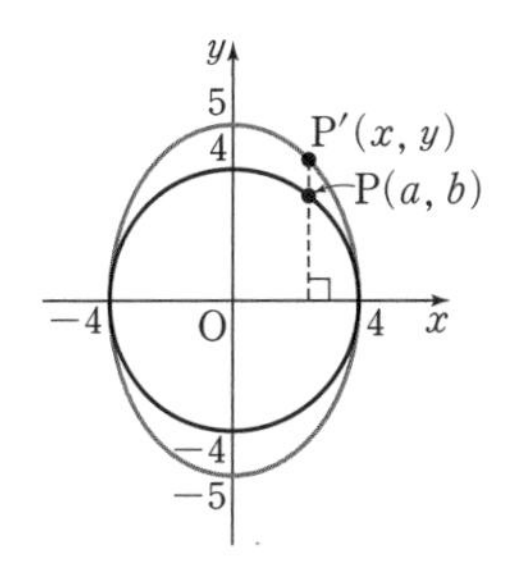

정답과 풀이 7쪽

유제 **036** **원 $x^2+y^2=9$를 x축의 방향으로 2배 확대한 도형의 방정식을 구하여라.**

037 **원 $x^2+y^2=4$ 위의 점 P에서 x축에 내린 수선의 발을 H라 할 때, 선분 PH의 중점 Q가 나타내는 도형의 방정식을 구하여라.**

풍산자日 점 P의 좌표를 (a, b), 점 Q의 좌표를 (x, y)로 놓고 a와 b 사이의 관계식을 x와 y 사이의 관계식으로 나타낸다.

> 풀이

점 P의 좌표를 (a, b), 점 Q의 좌표를 (x, y)라 하자.

점 P는 원 $x^2+y^2=4$ 위의 점이므로 $a^2+b^2=4$ …… ㉠

이때 점 P에서 x축에 내린 수선의 발 H의 좌표는 $(a, 0)$이고 점 Q는 $\overline{\mathrm{PH}}$의 중점이므로

$x=a, y=\frac{b}{2}$ $\quad\therefore a=x, b=2y$ …… ㉡

㉡을 ㉠에 대입하면 구하는 도형의 방정식은

$x^2+(2y)^2=4$ $\quad\therefore \boldsymbol{\frac{x^2}{4}+y^2=1}$

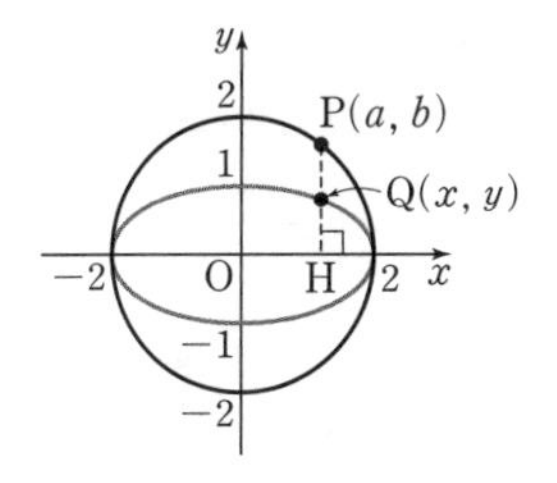

정답과 풀이 7쪽

유제 **038** **원 $x^2+y^2=16$ 위의 점 P에서 x축에 내린 수선의 발을 H라 할 때, 선분 PH의 중점 Q가 나타내는 도형의 방정식을 구하여라.**

풍산자 비법

- 타원을 평행이동해도 타원의 장축의 길이와 단축의 길이는 변하지 않는다.
- 타원의 방정식의 일반형을 표준형으로 고치려면 ➔ 같은 문자끼리 완전제곱식으로 고친 후 우변을 1로 만든다.

필수 확인 문제

* 더 많은 유형은 **풍산자필수유형 기하** 007쪽

정답과 풀이 8쪽

039
점 F(1, 0)과 직선 $x=4$로부터의 거리의 비가 1 : 2인 점 P의 자취의 방정식을 구하여라.

040
타원 $3x^2+y^2=12$ 위의 한 점 P(1, 3)과 이 타원의 두 초점 F, F′을 꼭짓점으로 하는 삼각형 PFF′의 넓이를 구하여라.

041
그림과 같이 타원 $\frac{x^2}{25}+\frac{y^2}{9}=1$의 두 초점을 F, F′이라 하고 타원 위의 두 점을 각각 A, B라 할 때, 사각형 AF′BF의 둘레의 길이를 구하여라. (단, 두 점 A, B는 x축에 대하여 서로 반대쪽에 있다.)

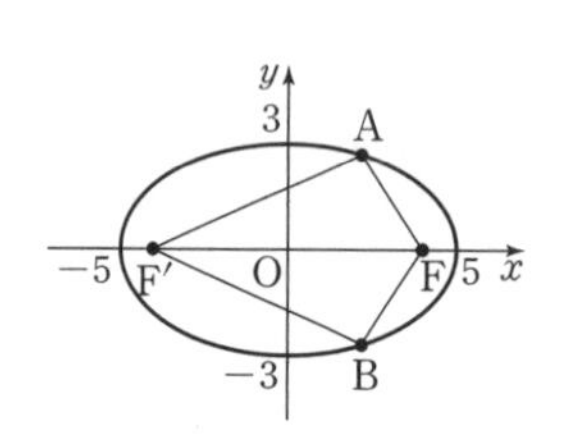

042
타원 $\frac{x^2}{12}+\frac{y^2}{8}=1$의 두 초점 F, F′과 이 타원 위의 점 P를 꼭짓점으로 하는 삼각형 PFF′의 넓이의 최댓값을 구하여라.

043
타원 $8x^2+9y^2+16x-18y-55=0$의 초점의 좌표가 (a, b), (c, d), 중심의 좌표가 (e, f)일 때, $a+b+c+d+e+f$의 값을 구하여라.

044
그림과 같이 중심이 원점이고 두 초점이 F, F′인 타원이 y축과 만나는 점 중에서 y좌표가 양수인 점을 A라 하자. $\overline{AF}=6$일 때, 이 타원의 장축의 길이를 구하여라.

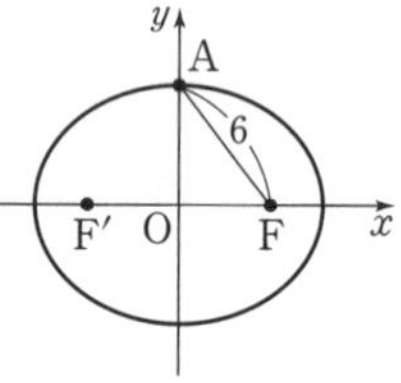

3 쌍곡선

01 쌍곡선의 방정식

타원을 배운 후 쌍곡선을 배운다. 타원 후의 쌍곡선은 거의 거저먹기.
거리의 합이 거리의 차로, 플러스가 마이너스로 바뀌는 것 빼고는 말도 식도 문제도 거의 같게 나간다. 타원과의 공통점과 미묘한 차이점을 비교하며 쌍곡선을 살펴보자.

쌍곡선의 정의

평면 위의 서로 다른 **두 점 F, F′으로부터의 거리의 차가 일정한 점들의 집합**(또는 자취)을 **쌍곡선**이라 한다. 여기서

(1) 주어진 두 점을 쌍곡선의 **초점**(점 F, F′)이라 한다.

(2) 두 초점을 지나는 직선과 쌍곡선의 교점을 **꼭짓점**(점 A, A′)이라 한다.

(3) 두 꼭짓점을 이은 선분을 **주축**($\overline{\mathrm{AA'}}$)이라 한다.

(4) 두 초점을 이은 선분의 중점을 **중심**($\overline{\mathrm{AA'}}$의 중점)이라 한다.

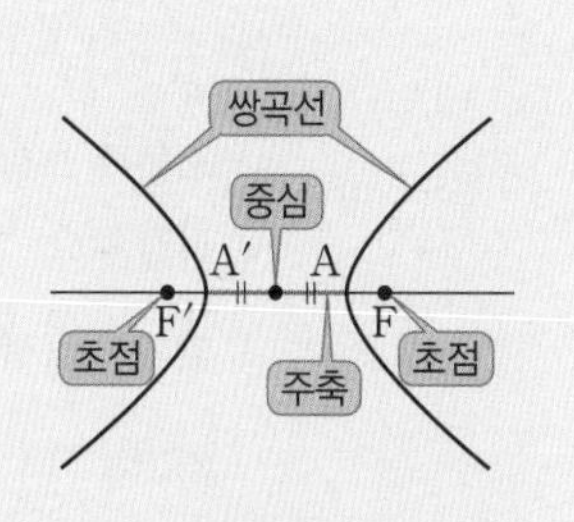

쌍곡선의 방정식 중요!

	두 초점 F$(c, 0)$, F′$(-c, 0)$으로부터의 거리의 차가 $2a$인 쌍곡선의 방정식	두 초점 F$(0, c)$, F′$(0, -c)$로부터의 거리의 차가 $2b$인 쌍곡선의 방정식
방정식 (표준형)	$\dfrac{x^2}{a^2}-\dfrac{y^2}{b^2}=1$ (단, $c>a>0$, $c^2=a^2+b^2$)	$\dfrac{x^2}{a^2}-\dfrac{y^2}{b^2}=-1$ (단, $c>b>0$, $c^2=a^2+b^2$)
그래프		
초점의 좌표	F$(\sqrt{a^2+b^2}, 0)$, F′$(-\sqrt{a^2+b^2}, 0)$	F$(0, \sqrt{a^2+b^2})$, F′$(0, -\sqrt{a^2+b^2})$
주축의 길이 (=거리의 차)	$\lvert\overline{\mathrm{PF}}-\overline{\mathrm{PF'}}\rvert=2a$	$\lvert\overline{\mathrm{PF}}-\overline{\mathrm{PF'}}\rvert=2b$
꼭짓점의 좌표	$(a, 0)$, $(-a, 0)$	$(0, b)$, $(0, -b)$
중심의 좌표	$(0, 0)$	

한걸음 더 **쌍곡선의 방정식**

(1) $\frac{x^2}{a^2}-\frac{y^2}{b^2}=1$ (단, $c>a>0$)

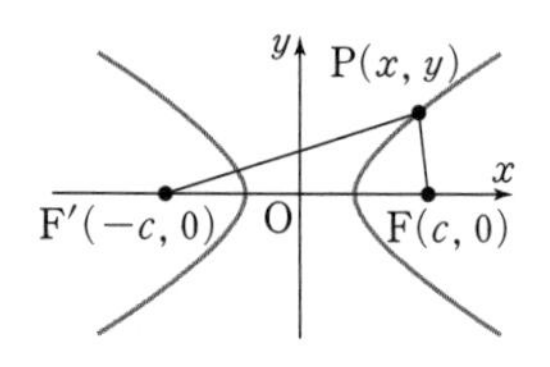

오른쪽 그림의 좌표축 설정은 쌍곡선의 중심이 원점이 되도록 한 설정.
이 설정에서 얻은 쌍곡선의 방정식, 즉 두 점 $F(c,\ 0)$, $F'(-c,\ 0)$으로부터의 거리의 차가 $2a$인 쌍곡선의 방정식이 바로 쌍곡선의 방정식의 표준형. (단, $c>a>0$)
이 쌍곡선의 방정식을 구해 보자.

(i) 쌍곡선 위의 점을 $P(x,\ y)$로 놓는다.

(ii) 쌍곡선의 정의에 의하여 $|\overline{PF}-\overline{PF'}|=2a$

$\therefore \sqrt{(x-c)^2+y^2}-\sqrt{(x+c)^2+y^2}=\pm 2a$

(iii) 근호 하나를 이항하여 제곱한 후, 다시 제곱하여 정리하면 $(c^2-a^2)x^2-a^2y^2=a^2(c^2-a^2)$
(이 계산은 복잡하기만 하고 중요하지 않으니 그러려니 하고 넘어가자.)

(iv) $c^2-a^2=b^2$으로 놓으면 $b^2x^2-a^2y^2=a^2b^2$ $\quad\therefore \frac{x^2}{a^2}-\frac{y^2}{b^2}=1$

(2) $\frac{x^2}{a^2}-\frac{y^2}{b^2}=-1$ (단, $c>b>0$)

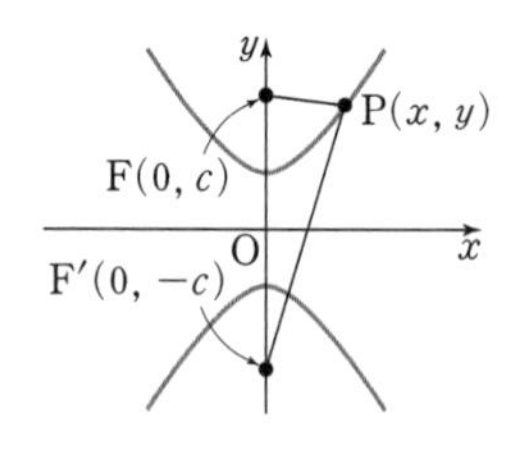

오른쪽 그림의 쌍곡선은 두 점 $F(0,\ c)$, $F'(0,\ -c)$로부터의 거리의 차가 $2b$인 쌍곡선.
앞의 쌍곡선 $\frac{x^2}{a^2}-\frac{y^2}{b^2}=1$을 직선 $y=x$에 대하여 대칭이동한 후 a, b를 바꾸면 이 쌍곡선이 된다.

$\therefore \frac{x^2}{a^2}-\frac{y^2}{b^2}=-1$

곡선이 어떤 직선에 한 없이 가까워질 때, 이 직선을 그 곡선의 **점근선**이라 한다.
쌍곡선은 두 개의 점근선이 존재한다.

쌍곡선의 점근선 중요!

쌍곡선 $\frac{x^2}{a^2}-\frac{y^2}{b^2}=\pm 1$의 점근선의 방정식은 $y=\pm\frac{b}{a}x$

| 설명 | 점근선의 방정식은 쌍곡선의 방정식에서 우변의 ± 1을 0으로 고치면 얻을 수 있다. 즉,

$\frac{x^2}{a^2}-\frac{y^2}{b^2}=0$에서 $y^2=\frac{b^2}{a^2}x^2$ $\quad\therefore y=\pm\frac{b}{a}x$

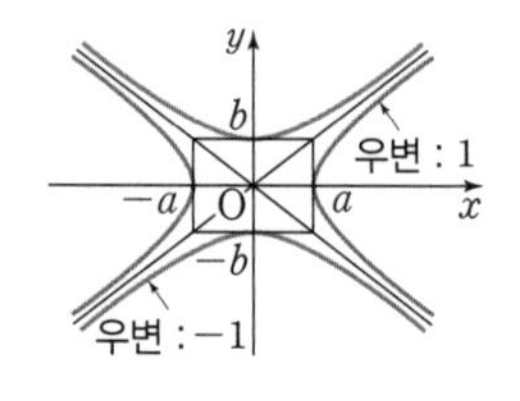

또한 쌍곡선 $\frac{x^2}{a^2}-\frac{y^2}{b^2}=\pm 1$은 네 점 $(a,\ b)$, $(a,\ -b)$, $(-a,\ b)$, $(-a,\ -b)$를 찍어 그림과 같이 직사각형을 만든 후, 점근선을 나타내고 그리면 편하게 그릴 수 있다.

大 원칙 쌍곡선은 초점이 두 개 있다. 초점의 좌표는 $c=\sqrt{(\text{분모의 합})}$으로 구한다.

045 **다음을 구하여라.**

(1) 두 점 $F(2, 0)$, $F'(-2, 0)$으로부터의 거리의 차가 2인 쌍곡선의 방정식

(2) 두 점 $F(0, 3)$, $F'(0, -3)$으로부터의 거리의 차가 4인 쌍곡선의 방정식

(3) 두 점 $A(\sqrt{7}, 0)$, $B(-\sqrt{7}, 0)$에 대하여 $|\overline{PA}-\overline{PB}|=4$를 만족시키는 점 P가 나타내는 자취의 방정식

풍산자日 (1) 두 점 $F(c, 0)$, $F'(-c, 0)$으로부터의 거리의 차가 $2a$인 쌍곡선의 방정식

➡ $\frac{x^2}{a^2}-\frac{y^2}{b^2}=1$ (단, $c^2=a^2+b^2$)

(2) 두 점 $F(0, c)$, $F'(0, -c)$로부터의 거리의 차가 $2b$인 쌍곡선의 방정식

➡ $\frac{x^2}{a^2}-\frac{y^2}{b^2}=-1$ (단, $c^2=a^2+b^2$)

> 풀이 (1) 초점이 x축 위에 있으므로 구하는 쌍곡선의 방정식을 $\frac{x^2}{a^2}-\frac{y^2}{b^2}=1$이라 하자.

거리의 차가 2이므로 $2a=2$ $\quad\therefore a=1$ …… ㉠

$c^2=a^2+b^2$에서 $2^2=1^2+b^2$ $\quad\therefore b^2=3$ …… ㉡

㉠, ㉡을 $\frac{x^2}{a^2}-\frac{y^2}{b^2}=1$에 대입하면 $\boldsymbol{x^2-\frac{y^2}{3}=1}$

(2) 초점이 y축 위에 있으므로 구하는 쌍곡선의 방정식을 $\frac{x^2}{a^2}-\frac{y^2}{b^2}=-1$이라 하자.

거리의 차가 4이므로 $2b=4$ $\quad\therefore b=2$ …… ㉠

$c^2=a^2+b^2$에서 $3^2=a^2+2^2$ $\quad\therefore a^2=5$ …… ㉡

㉠, ㉡을 $\frac{x^2}{a^2}-\frac{y^2}{b^2}=-1$에 대입하면 $\boldsymbol{\frac{x^2}{5}-\frac{y^2}{4}=-1}$

(3) 두 점으로부터의 거리의 차가 일정하므로 점 P가 나타내는 자취는 쌍곡선이다.

초점이 x축 위에 있으므로 구하는 쌍곡선의 방정식을 $\frac{x^2}{a^2}-\frac{y^2}{b^2}=1$이라 하면

거리의 차가 4이므로 $2a=4$ $\quad\therefore a=2$ …… ㉠

$c^2=a^2+b^2$에서 $(\sqrt{7})^2=2^2+b^2$ $\quad\therefore b^2=3$ …… ㉡

㉠, ㉡을 $\frac{x^2}{a^2}-\frac{y^2}{b^2}=1$에 대입하면 $\boldsymbol{\frac{x^2}{4}-\frac{y^2}{3}=1}$

정답과 풀이 **9**쪽

유제 **046** **다음을 구하여라.**

(1) 두 점 $F(4, 0)$, $F'(-4, 0)$으로부터의 거리의 차가 6인 쌍곡선의 방정식

(2) 두 점 $F(0, 5)$, $F'(0, -5)$로부터의 거리의 차가 8인 쌍곡선의 방정식

(3) 두 점 $A(0, 3\sqrt{2})$, $B(0, -3\sqrt{2})$에 대하여 $|\overline{PA}-\overline{PB}|=6$을 만족시키는 점 P가 나타내는 자취의 방정식

047 **다음 쌍곡선의 점근선의 방정식과 주축의 길이 및 중심, 꼭짓점, 초점의 좌표를 각각 구하고, 그 그래프를 그려라.**

(1) $\frac{x^2}{16}-\frac{y^2}{9}=1$　　(2) $\frac{x^2}{16}-\frac{y^2}{9}=-1$

풍산자답 (1) $\frac{x^2}{a^2}-\frac{y^2}{b^2}=1$ (단, $c^2=a^2+b^2$)

① 주축의 길이: $2a$　② 꼭짓점: $(a, 0), (-a, 0)$　③ 초점: $(c, 0), (-c, 0)$

(2) $\frac{x^2}{a^2}-\frac{y^2}{b^2}=-1$ (단, $c^2=a^2+b^2$)

① 주축의 길이: $2b$　② 꼭짓점: $(0, b), (0, -b)$　③ 초점: $(0, c), (0, -c)$

> 풀이 (1) $a=4$, $b=3$이므로

점근선: $\boldsymbol{y=\pm\frac{3}{4}x}$

주축의 길이: $2a=2\times4=\mathbf{8}$

중심: $\mathbf{(0, 0)}$

꼭짓점: $\mathbf{(4, 0), (-4, 0)}$

초점: $c=\sqrt{16+9}=5$이므로 $\mathbf{(5, 0), (-5, 0)}$

따라서 그래프는 오른쪽 그림과 같다.

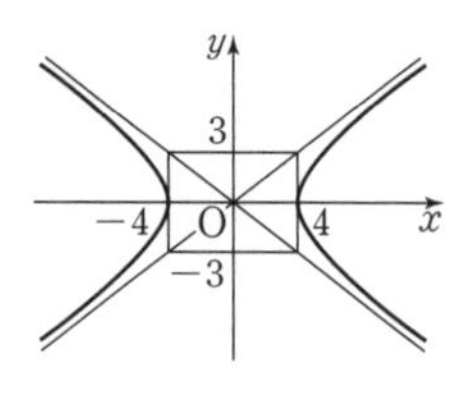

(2) $a=4$, $b=3$이므로

점근선: $\boldsymbol{y=\pm\frac{3}{4}x}$

주축의 길이: $2b=2\times3=\mathbf{6}$

중심: $\mathbf{(0, 0)}$

꼭짓점: $\mathbf{(0, 3), (0, -3)}$

초점: $c=\sqrt{16+9}=5$이므로 $\mathbf{(0, 5), (0, -5)}$

따라서 그래프는 오른쪽 그림과 같다.

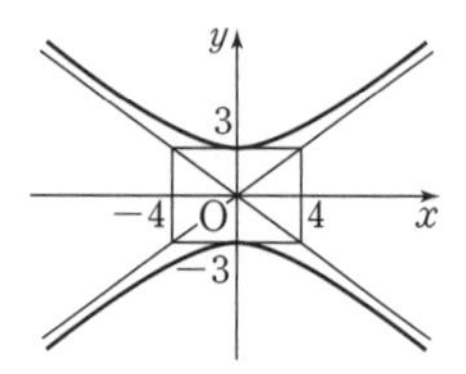

> 참고 위의 그래프를 그릴 때는 네 점 $(4, 3), (4, -3), (-4, 3), (-4, -3)$을 찍어 직사각형을 만든 후 점근선을 먼저 나타낸다.

- 우변이 1일 때는 x축 양방향으로 뻗어나가는 그래프
- 우변이 -1일 때는 y축 양방향으로 뻗어나가는 그래프

이때 위와 같이 우변의 부호만 다른 두 쌍곡선을 켤레쌍곡선이라 한다.

(1)과 (2)는 서로 켤레쌍곡선 관계.

정답과 풀이 9쪽

유제 **048** **다음 쌍곡선의 점근선의 방정식과 주축의 길이 및 중심, 꼭짓점, 초점의 좌표를 각각 구하고, 그 그래프를 그려라.**

(1) $x^2-y^2=4$　　(2) $x^2-y^2=-9$

049 **초점이 $\mathrm{F}(6,\ 0)$, $\mathrm{F}'(-6,\ 0)$이고, 주축의 길이가 10인 쌍곡선의 방정식을 구하여라.**

풍산자日 초점이 x축 위에 있으므로 쌍곡선의 방정식은 $\frac{x^2}{a^2}-\frac{y^2}{b^2}=1$, 주축의 길이는 $2a$

> 풀이 초점이 x축 위에 있으므로 구하는 쌍곡선의 방정식을 $\frac{x^2}{a^2}-\frac{y^2}{b^2}=1$이라 하자.

주축의 길이가 10이므로 $2a=10$ $\therefore a=5$ …… ㉠

$c^2=a^2+b^2$에서 $6^2=5^2+b^2$ $\therefore b^2=11$ …… ㉡

㉠, ㉡을 $\frac{x^2}{a^2}-\frac{y^2}{b^2}=1$에 대입하면 $\boldsymbol{\frac{x^2}{25}-\frac{y^2}{11}=1}$

정답과 풀이 **9**쪽

유제 **050** **초점이 $\mathrm{F}(0,\ 7)$, $\mathrm{F}'(0,\ -7)$이고, 주축의 길이가 12인 쌍곡선의 방정식을 구하여라.**

051 **초점이 $\mathrm{F}(0,\ 5)$, $\mathrm{F}'(0,\ -5)$이고, 점근선의 방정식이 $y=\pm\frac{1}{2}x$인 쌍곡선의 방정식을 구하여라.**

풍산자日 초점이 y축 위에 있으므로 쌍곡선의 방정식은 $\frac{x^2}{a^2}-\frac{y^2}{b^2}=-1$,

주축의 길이는 $2b$, 점근선의 방정식은 $y=\pm\frac{b}{a}x$

> 풀이 초점이 y축 위에 있으므로 구하는 쌍곡선의 방정식을 $\frac{x^2}{a^2}-\frac{y^2}{b^2}=-1$이라 하자.

점근선의 방정식이 $y=\pm\frac{1}{2}x$이므로

$\frac{b}{a}=\frac{1}{2}$ $\therefore a=2b$ …… ㉠

$c^2=a^2+b^2$에서 $5^2=a^2+b^2$ …… ㉡

㉠을 ㉡에 대입하면 $5^2=4b^2+b^2$

$\therefore a^2=20,\ b^2=5$ …… ㉢

㉢을 $\frac{x^2}{a^2}-\frac{y^2}{b^2}=-1$에 대입하면 $\boldsymbol{\frac{x^2}{20}-\frac{y^2}{5}=-1}$

정답과 풀이 **9**쪽

유제 **052** **초점이 $\mathrm{F}(\sqrt{3},\ 0)$, $\mathrm{F}'(-\sqrt{3},\ 0)$이고, 점근선의 방정식이 $y=\pm\sqrt{2}x$인 쌍곡선의 방정식을 구하여라.**

053 그림과 같이 쌍곡선 $\frac{x^2}{16}-\frac{y^2}{9}=1$의 두 초점을 F, F′이라 하고, 점 F를 지나는 직선이 쌍곡선의 $x>0$인 부분과 만나는 두 점을 각각 A, B라 하자. $\overline{AB}=8$일 때, 삼각형 AF′B의 둘레의 길이를 구하여라.

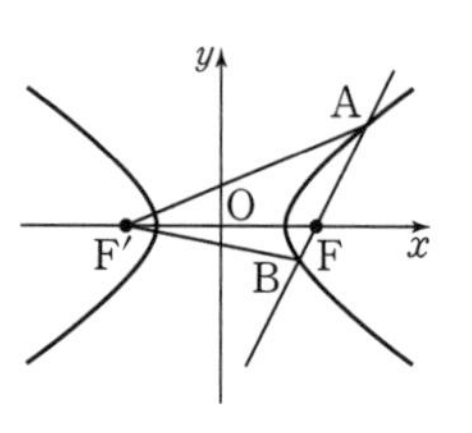

풍산자日 주어진 쌍곡선은 주축의 길이가 8인 쌍곡선.
쌍곡선 위의 점에서 두 초점까지의 거리의 차는 주축의 길이와 같음을 이용한다.

> 풀이 주어진 쌍곡선은 주축의 길이가 8인 쌍곡선이므로 쌍곡선의 정의에 의하여

$\overline{AF'}-\overline{AF}=$(주축의 길이)$=8$ …… ㉠

$\overline{BF'}-\overline{BF}=$(주축의 길이)$=8$ …… ㉡

㉠, ㉡을 변끼리 더하면

$\overline{AF'}-\overline{AF}+\overline{BF'}-\overline{BF}=16$

$(\overline{AF'}+\overline{BF'})-(\overline{AF}+\overline{BF})=16$

그런데 주어진 조건에서 $\overline{AB}=\overline{AF}+\overline{BF}=8$이므로

$\overline{AF'}+\overline{BF'}=24$

$\therefore$ (△AF′B의 둘레의 길이)$=\overline{AF'}+\overline{BF'}+\overline{AB}=24+8=\mathbf{32}$

정답과 풀이 **9**쪽

유제 **054** 쌍곡선 $\frac{x^2}{4}-\frac{y^2}{5}=1$ 위의 한 점 P와 두 초점 F, F′을 꼭짓점으로 하는 삼각형 FPF′의 둘레의 길이가 20일 때, $|\overline{PF}^2-\overline{PF'}^2|$의 값을 구하여라.

풍산자 비법

- 쌍곡선은 두 점으로부터의 거리의 차가 일정한 점들의 집합.
- 쌍곡선 $\frac{x^2}{a^2}-\frac{y^2}{b^2}=\pm1$ 위의 점 P에서 두 초점 F, F′까지의 거리의 차는 주축의 길이와 같다.
  - ➔ $|\overline{PF}-\overline{PF'}|=$(거리의 차)$=$(주축의 길이)
  - ➔ 우변이 1이면 초점, 장축 등 중요한 건 모두 x축 위에.
  - ➔ 우변이 -1이면 초점, 장축 등 중요한 건 모두 y축 위에.

02 쌍곡선의 평행이동

쌍곡선도 도형이므로 포물선, 타원과 마찬가지로 도형의 이동의 원리가 그대로 적용된다.
쌍곡선을 평행이동하면 모양은 변하지 않으므로 주축의 길이는 변하지 않는다.
그러나 초점과 중심, 꼭짓점, 점근선은 함께 평행이동된다.

쌍곡선의 평행이동

쌍곡선 $\frac{x^2}{a^2}-\frac{y^2}{b^2}=\pm1$을 x축의 방향으로 m만큼, y축의 방향으로 n만큼 평행이동한 쌍곡선의 방정식

➡ $\boldsymbol{\frac{(x-m)^2}{a^2}-\frac{(y-n)^2}{b^2}=\pm1}$

| 개념확인 | 쌍곡선 $\frac{x^2}{9}-\frac{y^2}{4}=1$을 x축의 방향으로 1만큼, y축의 방향으로 2만큼 평행이동한 쌍곡선의 방정식과, 중심의 좌표, 초점의 좌표, 꼭짓점의 좌표, 점근선의 방정식을 구하여라.

> 풀이 쌍곡선의 방정식: $\frac{x^2}{9}-\frac{y^2}{4}=1$ ➡ $\boldsymbol{\frac{(x-1)^2}{9}-\frac{(y-2)^2}{4}=1}$

중심의 좌표: $(0,\ 0)$ ➡ $\boldsymbol{(1,\ 2)}$

초점의 좌표: $(\sqrt{13},\ 0)$, $(-\sqrt{13},\ 0)$

➡ $\boldsymbol{(\sqrt{13}+1,\ 2)}$, $\boldsymbol{(-\sqrt{13}+1,\ 2)}$

꼭짓점의 좌표: $(3,\ 0)$, $(-3,\ 0)$

➡ $\boldsymbol{(4,\ 2)}$, $\boldsymbol{(-2,\ 2)}$

점근선의 방정식: $y=\pm\frac{2}{3}x$

➡ $\boldsymbol{y=\pm\frac{2}{3}(x-1)+2}$

$\frac{(x-1)^2}{9}-\frac{(y-2)^2}{4}=1$
y
2
O
1
x
$\frac{x^2}{9}-\frac{y^2}{4}=1$

쌍곡선의 방정식의 표준형을 전개하면 다음과 같은 방정식을 얻을 수 있다.

쌍곡선 방정식의 일반형

$Ax^2+By^2+Cx+Dy+E=0$ (단, $AB<0$)

| 설명 | 쌍곡선의 방정식의 일반형은 평행이동한 식 $\frac{(x-m)^2}{a^2}-\frac{(y-n)^2}{b^2}=\pm1$의 양변에 a^2b^2을 곱한 후 전개하여 얻을 수 있다.

$b^2(x-m)^2-a^2(y-n)^2=\pm a^2b^2 \xrightarrow{\text{전개}} b^2x^2-a^2y^2-2b^2mx+2a^2ny+b^2m^2-a^2n^2\mp a^2b^2=0$

$\longrightarrow Ax^2+By^2+Cx+Dy+E=0$ (단, $AB<0$)

大 원칙 쌍곡선의 방정식은 x^2항과 y^2항의 계수의 부호가 다르다.

055 다음을 구하여라.

(1) 초점이 $F(0,\ 0)$, $F'(10,\ 0)$이고, 주축의 길이가 6인 쌍곡선의 방정식

(2) 두 점 $F(0,\ 0)$, $F'(6,\ 0)$으로부터의 거리의 차가 4인 점의 자취의 방정식

풍산자 두 초점이 원점 대칭이 아닌 쌍곡선의 방정식은 다음과 같이 중심과 c의 값을 구한 후 공식을 이용한다.

(1) 쌍곡선의 중심은 항상 두 초점을 이은 선분의 중점이고, c의 값은 초점과 중심 사이의 거리이다.

(2) 중심의 좌표가 $(m,\ n)$인 쌍곡선: $\dfrac{(x-m)^2}{a^2}-\dfrac{(y-n)^2}{b^2}=\pm1$, $c^2=a^2+b^2$

(단,)(형이면 1이고, ╳ 형이면 -1이다.)

> 풀이 (1) [1단계] 쌍곡선의 중심은 두 초점을 이은 선분의 중점이므로 $(5,\ 0)$

따라서 구하는 쌍곡선의 방정식은 $\dfrac{(x-5)^2}{a^2}-\dfrac{y^2}{b^2}=1$

[2단계] 초점과 중심 사이의 거리가 c이므로 $c=5$

주축의 길이가 6이므로 $2a=6$ $\quad\therefore a=3$

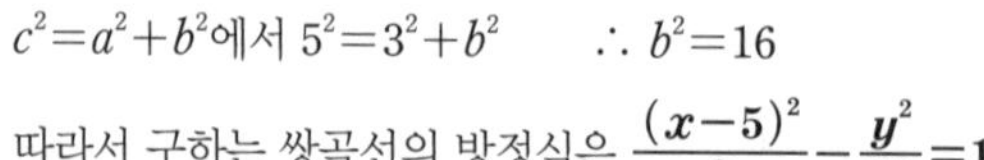

$c^2=a^2+b^2$에서 $5^2=3^2+b^2$ $\quad\therefore b^2=16$

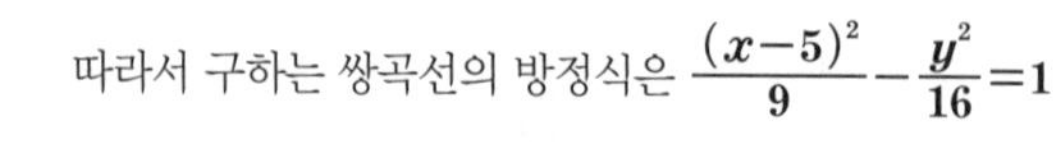

따라서 구하는 쌍곡선의 방정식은 $\boldsymbol{\dfrac{(x-5)^2}{9}-\dfrac{y^2}{16}=1}$

(2) 두 점으로부터의 거리의 차가 일정한 점의 자취는 쌍곡선이다.

[1단계] 쌍곡선의 중심은 두 초점을 이은 선분의 중점이므로 $(3,\ 0)$

따라서 구하는 쌍곡선의 방정식은 $\dfrac{(x-3)^2}{a^2}-\dfrac{y^2}{b^2}=1$

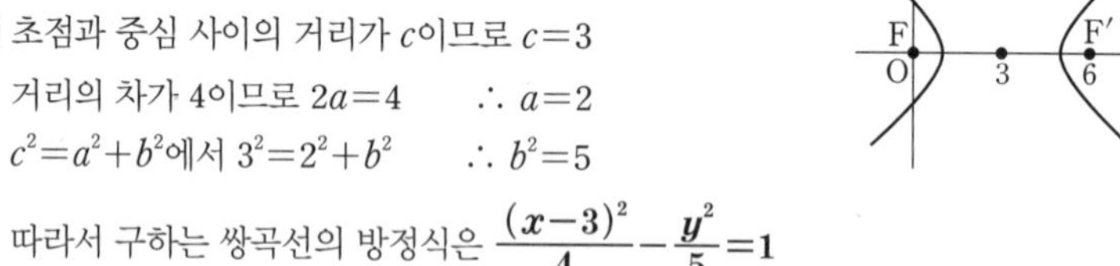

[2단계] 초점과 중심 사이의 거리가 c이므로 $c=3$

거리의 차가 4이므로 $2a=4$ $\quad\therefore a=2$

$c^2=a^2+b^2$에서 $3^2=2^2+b^2$ $\quad\therefore b^2=5$

따라서 구하는 쌍곡선의 방정식은 $\boldsymbol{\dfrac{(x-3)^2}{4}-\dfrac{y^2}{5}=1}$

> 다른 풀이 (1) 쌍곡선 위의 한 점을 $P(x,\ y)$라 하면 쌍곡선의 정의에 의하여

$|\overline{PF}-\overline{PF'}|=$(주축의 길이)$=6$이므로 $|\sqrt{x^2+y^2}-\sqrt{(x-10)^2+y^2}|=6$

$\sqrt{(x-10)^2+y^2}=\sqrt{x^2+y^2}\pm6$ ⇐ $|A|=B\ (B>0)$이면 $A=\pm B$

양변을 제곱하여 정리하면 $\pm3\sqrt{x^2+y^2}=-5x+16$

다시 양변을 제곱하여 정리하면 $16(x-5)^2-9y^2=144$ $\quad\therefore \dfrac{(x-5)^2}{9}-\dfrac{y^2}{16}=1$

정답과 풀이 10쪽

유제 056 다음을 구하여라.

(1) 초점이 $F(1,\ 0)$, $F'(1,\ 8)$이고, 주축의 길이가 6인 쌍곡선의 방정식

(2) 두 점 $F(0,\ 0)$, $F'(0,\ 8)$로부터의 거리의 차가 4인 점의 자취

057 **쌍곡선 $4x^2-9y^2-8x-36y-68=0$의 점근선의 방정식과 주축의 길이 및 초점, 꼭짓점, 중심의 좌표를 각각 구하여라.**

풍산자曰 앞에서 보았듯이, 표준형이 주어지면 점근선의 방정식과 주축의 길이 및 초점, 꼭짓점의 좌표 등은 모두 공식으로 한 방에 구해진다.
그럼, 표준형이 아닐 때는?
일단, $\frac{(x-m)^2}{a^2}-\frac{(y-n)^2}{b^2}=\pm1$의 꼴로 고친 후 평행이동 형태를 관찰한다.

> 풀이 [1단계] 주어진 쌍곡선의 방정식을 변형하면 $4(x^2-2x)-9(y^2+4y)-68=0$에서

$4(x-1)^2-9(y+2)^2=36$

$\therefore \frac{(x-1)^2}{9}-\frac{(y+2)^2}{4}=1$ ······ ㉠

[2단계] ㉠은 쌍곡선 $\frac{x^2}{9}-\frac{y^2}{4}=1$을 x축의 방향으로 1만큼, y축의 방향으로 -2만큼 평행이동한 것이다.

쌍곡선 $\frac{x^2}{9}-\frac{y^2}{4}=1$에서 $a=3$, $b=2$이므로

점근선: $y=\pm\frac{2}{3}x$

주축의 길이: $2a=2\times3=6$

초점: $c=\sqrt{9+4}=\sqrt{13}$이므로 $(\sqrt{13}, 0)$, $(-\sqrt{13}, 0)$

꼭짓점: $(3, 0)$, $(-3, 0)$, 중심: $(0, 0)$

[3단계] 따라서 주어진 쌍곡선에서

점근선: $\boldsymbol{y=\pm\frac{2}{3}(x-1)-2}$, 주축의 길이: **6**

초점: $\boldsymbol{(\sqrt{13}+1,\ -2)}$, $\boldsymbol{(-\sqrt{13}+1,\ -2)}$

꼭짓점: $\boldsymbol{(4,\ -2)}$, $\boldsymbol{(-2,\ -2)}$

중심: $\boldsymbol{(1,\ -2)}$

정답과 풀이 **10**쪽

유제 **058** **다음 쌍곡선의 점근선의 방정식과 주축의 길이 및 초점, 꼭짓점, 중심의 좌표를 각각 구하여라.**

(1) $x^2-4y^2+4x+8y-4=0$

(2) $x^2-y^2-6x+4y+9=0$

풍산자 비법

- 쌍곡선을 평행이동해도 쌍곡선의 주축의 길이는 변하지 않는다.
- 쌍곡선의 방정식의 일반형을 표준형으로 고치는 법
  ➜ 같은 문자끼리 완전제곱식으로 고친 후 우변을 ±1로 만든다.

03 이차곡선의 방정식

포물선을 배우기 전에 이차곡선과 원뿔곡선이 같은 대상을 나타낸다는 것을 소개했다. 포물선, 타원, 쌍곡선의 방정식을 모두 배웠으니 정리하여 비교해 보자.

이차곡선

계수가 실수인 두 일차식의 곱으로 인수분해되지 않는 x, y에 대한 이차방정식

$$Ax^2+By^2+Cx+Dy+E=0 \quad \cdots\cdots ㉠$$

이 나타내는 곡선을 **이차곡선**이라 한다.

| 설명 |

- 다음과 같이 계수의 관계에 따라 방정식 ㉠은 원, 포물선, 타원, 쌍곡선으로 분류된다.
  ① $A=B\neq 0$, $C^2+D^2-4AE>0$ ➡ 원
  ② $A=0$, $BC\neq 0$ 또는 $B=0$, $AD\neq 0$ ➡ 포물선
  ③ $AB>0$, $A\neq B$ ➡ 타원
  ④ $AB<0$ ➡ 쌍곡선
- 이차곡선을 배우면서 흔히 두 가지를 착각한다. 그야말로 착각.
  ① 초점의 위치가 타원은 안쪽, 쌍곡선은 바깥쪽인 것이 이상하다? ➡ 안 이상하다!
  모든 이차곡선은 초점을 싸고 도는 방향으로 뻗어 간다. 따라서 초점의 위치가 타원은 안쪽, 쌍곡선은 바깥쪽이 자연스럽다.

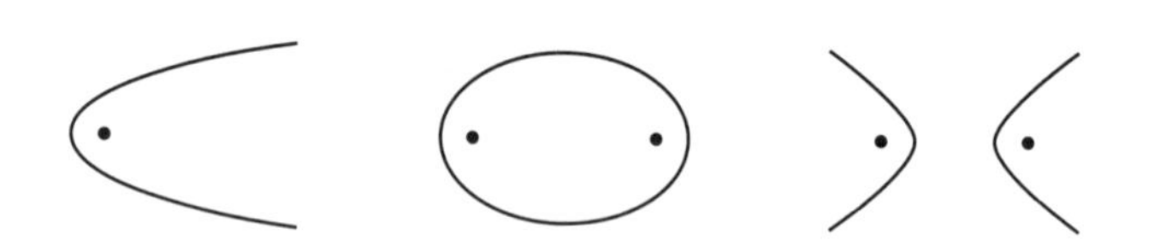

② 쌍곡선이란 결국 포물선 두 개와 같다? ➡ 아니다!
포물선과 쌍곡선은 한 쪽이냐 두 쪽이냐를 떠나 전혀 다른 곡선이다. 가장 큰 차이점은 점근선의 유무, 포물선은 어느 직선과도 한없이 멀어지지만, 쌍곡선은 한없이 가까워지는 점근선이 있다.

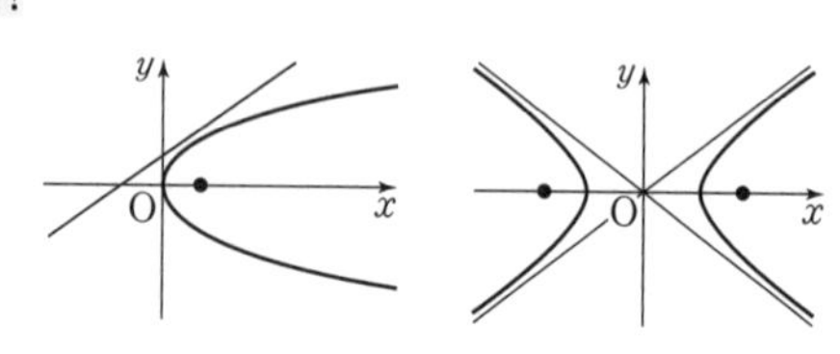

| 개념확인 |

다음 방정식이 나타내는 도형을 말하여라.

(1) $x^2+y^2-2x+4y+3=0$
(2) $y^2+4x+4y-8=0$
(3) $4x^2+y^2-16x-6y+21=0$
(4) $4x^2-y^2-24x+4y+28=0$

> 풀이

(1) x^2항과 y^2항의 계수가 같으므로 **원**이다. 표준형으로 나타내면 $(x-1)^2+(y+2)^2=2$

(2) x^2항과 xy항이 없으므로 **포물선**이다. 표준형으로 나타내면 $(y+2)^2=-4(x-3)$

(3) x^2항과 y^2항의 계수의 곱이 양수이고 서로 다르므로 **타원**이다.

표준형으로 나타내면 $(x-2)^2+\frac{(y-3)^2}{4}=1$

(4) x^2항과 y^2항의 계수의 곱이 음수이므로 **쌍곡선**이다.

표준형으로 나타내면 $(x-3)^2-\frac{(y-2)^2}{4}=1$

필수 확인 문제

＊더 많은 유형은 **풍산자필수유형 기하** 007쪽

정답과 풀이 11쪽

059

타원 $\frac{x^2}{2}+\frac{y^2}{5}=1$과 두 초점을 공유하고, 점 $(1,\ 2)$를 지나는 쌍곡선의 방정식을 구하여라.

060

점근선의 방정식이 $y=\pm 2x$이고, 점 $(2,\ 2)$를 지나는 쌍곡선의 주축의 길이를 구하여라.

061

점 $\mathrm{F}(4,\ 0)$과 직선 $x=1$로부터의 거리의 비가 $2:1$인 점 P의 자취의 방정식을 구하여라.

062

그림과 같이 쌍곡선 $x^2-\frac{y^2}{3}=1$의 두 초점을 F, F′이라 하고, 점 F를 지나는 직선이 쌍곡선의 $x>0$인 부분과 만나는 두 점을 각각 A, B라 하자. 삼각형 AF′B의 둘레의 길이가 24일 때, 선분 AB의 길이를 구하여라.

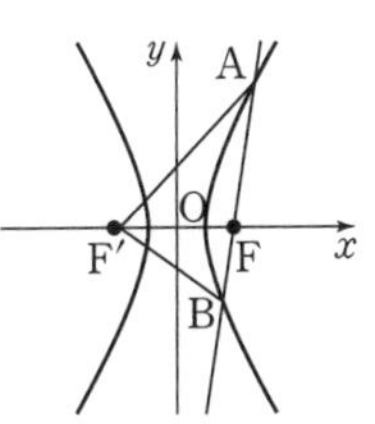

063

그림과 같이 쌍곡선 $\frac{x^2}{6}-\frac{y^2}{3}=1$의 한 초점 F를 지나고 x축에 수직인 직선이 쌍곡선과 만나는 두 점을 각각 P, Q라 할 때, 선분 PQ의 길이를 구하여라.

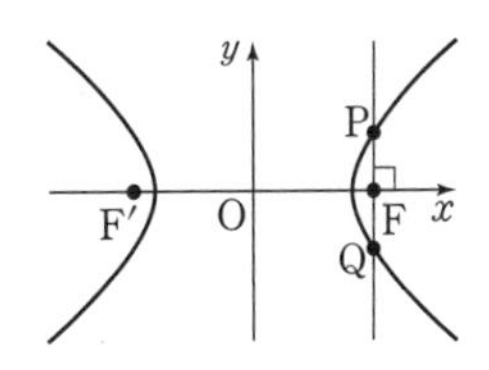

064

쌍곡선 $\frac{x^2}{4}-\frac{y^2}{16}=-1$의 초점에서 이 쌍곡선의 점근선까지의 거리를 구하여라.

중단원 마무리

▶ 포물선

포물선의 정의	평면 위의 한 점 F와 이 점을 지나지 않는 한 직선 l이 있을 때, 점 F와 직선 l에 이르는 거리가 같은 점의 집합(또는 자취)을 포물선이라 한다.
포물선의 방정식	① 초점이 $\mathrm{F}(p,\ 0)$, 준선이 $x=-p$인 포물선의 방정식 ➡ $y^2=4px$ ② 초점이 $\mathrm{F}(0,\ p)$, 준선이 $y=-p$인 포물선의 방정식 ➡ $x^2=4py$

▶ 타원

타원의 정의	평면 위의 서로 다른 두 점 F, F′으로부터의 거리의 합이 일정한 점들의 집합(또는 자취)을 타원이라 한다.
타원의 방정식	① 두 초점 $\mathrm{F}(c,\ 0)$, $\mathrm{F}'(-c,\ 0)$으로부터의 거리의 합이 $2a$인 타원의 방정식 ➡ $\dfrac{x^2}{a^2}+\dfrac{y^2}{b^2}=1$ (단, $a>b>0$, $c^2=a^2-b^2$) ② 두 초점 $\mathrm{F}(0,\ c)$, $\mathrm{F}'(0,\ -c)$로부터의 거리의 합이 $2b$인 타원의 방정식 ➡ $\dfrac{x^2}{a^2}+\dfrac{y^2}{b^2}=1$ (단, $b>a>0$, $c^2=b^2-a^2$)

▶ 쌍곡선

쌍곡선의 정의	평면 위의 서로 다른 두 점 F, F′으로부터의 거리의 차가 일정한 점들의 집합(또는 자취)을 쌍곡선이라 한다.
쌍곡선의 방정식	① 두 초점 $\mathrm{F}(c,\ 0)$, $\mathrm{F}'(-c,\ 0)$으로부터의 거리의 차가 $2a$인 쌍곡선의 방정식 ➡ $\dfrac{x^2}{a^2}-\dfrac{y^2}{b^2}=1$ (단, $c>a>0$, $c^2=a^2+b^2$) ② 두 초점 $\mathrm{F}(0,\ c)$, $\mathrm{F}'(0,\ -c)$로부터의 거리의 차가 $2b$인 쌍곡선의 방정식 ➡ $\dfrac{x^2}{a^2}-\dfrac{y^2}{b^2}=-1$ (단, $c>b>0$, $c^2=a^2+b^2$)

실전 연습문제

정답과 풀이 12쪽

STEP 1

065

점 A(6, 3)을 지나는 x축에 평행한 직선과 포물선 $y^2=12x$의 교점을 B, 이 포물선의 초점을 F라 할 때, $\overline{AB}+\overline{BF}$의 값을 구하여라.

066

두 포물선

$$x^2-2x-4y+9=0,\ y^2-4x-6y+5=0$$

의 초점을 각각 F, F′이라 할 때, $\overline{FF'}$의 길이를 구하여라.

067

포물선 $y^2=8x$ 위의 세 점 A, B, C에 대하여 삼각형 ABC의 무게중심 G가 포물선의 초점과 일치할 때, $\overline{GA}+\overline{GB}+\overline{GC}$의 값을 구하여라.

068

타원 $\dfrac{x^2}{25}+\dfrac{y^2}{9}=1$의 두 초점 F, F′을 지름의 양 끝점으로 하는 원이 있다. 타원과 원이 제1사분면과 제3사분면 위에서 만나는 점을 각각 P, Q라 할 때, 사각형 PF′QF의 둘레의 길이를 구하여라.

069

초점이 F(3, 0), F′(−3, 0)이고, 장축과 단축의 길이의 차가 2인 타원의 장축과 단축의 길이의 합을 구하여라.

070

타원 $3x^2+2y^2-12x+4y-4=0$과 합동인 타원 $9x^2+6y^2=m$의 두 초점의 좌표를 구하여라.

(단, m은 상수이다.)

실전 연습문제

071

쌍곡선 $x^2-3y^2=3$의 두 점근선이 이루는 예각의 크기를 구하여라.

072

그림과 같이 쌍곡선 $\frac{x^2}{9}-\frac{y^2}{18}=1$의 두 초점 F, F′과 쌍곡선 위의 한 점 P에 대하여 $\overline{PF}:\overline{PF'}=1:3$일 때, 삼각형 PFF′의 둘레의 길이를 구하여라.

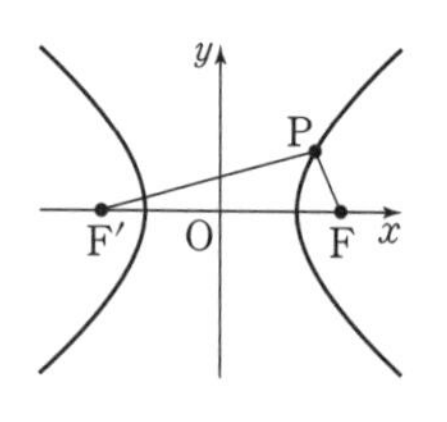

073

쌍곡선 $x^2-\frac{y^2}{4}=1$의 두 초점을 F, F′이라 하고, 쌍곡선 위의 한 점 P에 대하여 $\angle FPF'=90°$일 때, 삼각형 PFF′의 넓이를 구하여라.

STEP 2

074

그림과 같이 포물선의 초점 F를 지나는 직선이 포물선과 만나는 점을 각각 P, Q라 하고, 선분 PQ의 중점을 M이라 하자. 또 세 점 P, M, Q에서 준선 l에 내린 수선의 발을 각각 P′, M′, Q′이라 하자. $\overline{PQ}=10$일 때, $\overline{MM'}$의 길이를 구하여라.

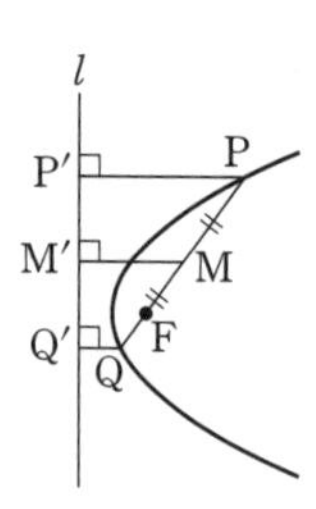

075

그림과 같이 포물선 $y=\frac{1}{4}x^2$의 초점을 F, 이 포물선 위의 점 P에서 포물선의 준선에 내린 수선의 발을 H라 하자. 삼각형 PFH가 정삼각형일 때, 삼각형 PFH의 넓이를 구하여라.

(단, 점 P는 제1사분면 위의 점이다.)

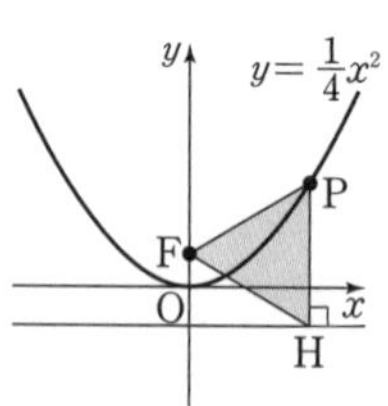

076

그림과 같이 포물선 $y^2=8x$의 초점을 F, 포물선과 직선 $y=x+k$의 두 교점을 각각 A, B라 하자.

$\overline{AF}+\overline{BF}=10$일 때, 상수 k의 값을 구하여라.

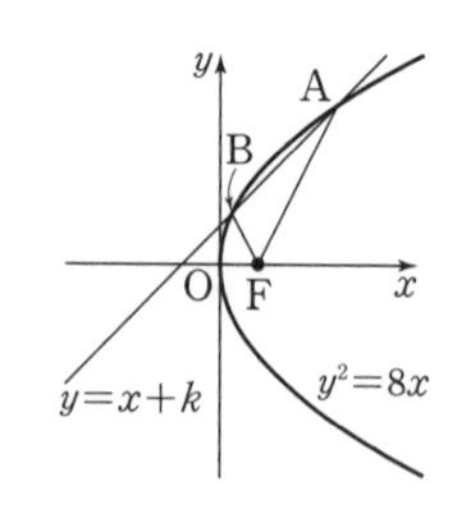

077

그림과 같이 길이가 4인 나무 막대 AB가 벽에 기대어 있고 점 M은 나무 막대의 중점, 점 P는 선분 BM의 중점이다. 이 나무 막대가 벽과 바닥에 닿은 상태로 바닥까지 미끄러질 때, 나무 막대 위의 점 P가 그리는 도형은 어떤 타원의 일부이다. 이 타원의 장축의 길이를 구하여라.

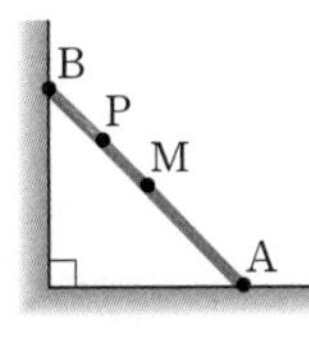

078

타원 $\frac{x^2}{a^2}+\frac{y^2}{4^2}=1$ $(a>4)$의 두 초점 중 한 초점이 포물선 $y^2=-12x$의 초점과 일치한다고 한다. 타원과 포물선의 교점을 각각 A, B, 타원의 두 초점을 F, F′이라 할 때, 사각형 AF′BF의 둘레의 길이를 구하여라.

079

그림은 두 점 F, F′을 초점으로 하는 타원 위의 10개의 점 P_1, P_2, P_3, $\cdots$, P_{10}을 나타낸 것이다. 직선 FF′과 타원의 교점을 각각 A, B라 할 때, 두 점 A, B 사이의 거리는 10이다. $\sum_{k=1}^{10}\overline{P_kF}=40$일 때, $\sum_{k=1}^{10}\overline{P_kF'}$의 값을 구하여라.

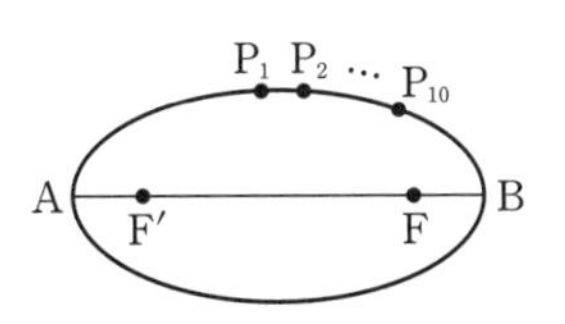

080

그림과 같이 쌍곡선 $\frac{x^2}{9}-\frac{y^2}{16}=1$의 두 초점을 F, F′이라 하고, 꼭짓점이 아닌 쌍곡선 위의 한 점 $P(a, b)$와 원점에 대하여 대칭인 점을 Q라 하자. 사각형 F′QFP의 넓이가 40일 때, a^2+b^2의 값을 구하여라.

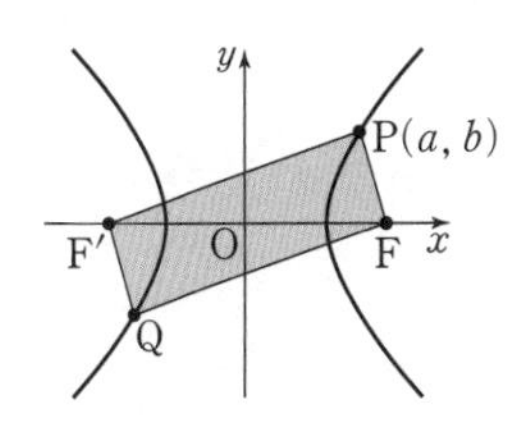

081

점근선의 방정식이 $y=\pm\frac{1}{2}x$인 두 쌍곡선 $\frac{x^2}{a^2}-\frac{y^2}{b^2}=1$, $\frac{x^2}{a^2}-\frac{y^2}{b^2}=-1$의 꼭짓점을 연결하여 만든 사각형의 둘레의 길이가 20일 때, 양수 a, b의 값을 각각 구하여라.

082

그림과 같이 두 초점 F, F′을 공유하는 타원과 쌍곡선이 제1사분면 위에서 만나는 점을 P, 쌍곡선과 타원이 x축의 양의 부분과 만나는 점을 각각 A, B라 하자. $F(1, 0)$, $F'(-1, 0)$, $P(1, 1)$일 때, 선분 AB의 길이를 구하여라.

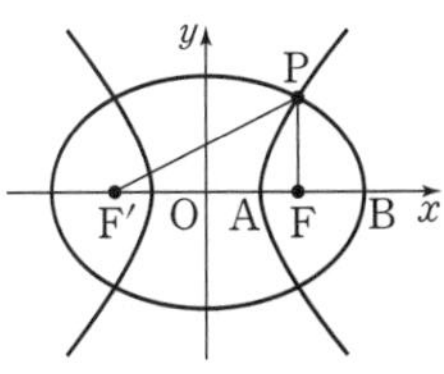

2 이차곡선의 접선

이차곡선의 접선, 전혀 새로운 것이 아니다.
이차함수와 직선의 위치 관계는 이미 배웠고,
이차함수가 이차곡선으로 바뀌었을 뿐이다.

1 이차곡선의 접선

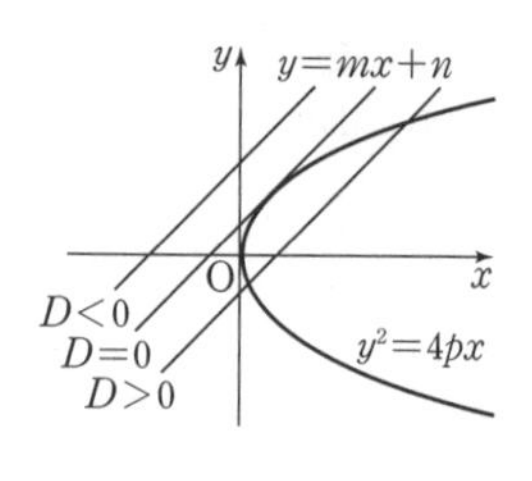

$$y=mx+\frac{p}{m},\ y_1y=2p(x+x_1)$$

$$y=mx\pm\sqrt{a^2m^2+b^2},\ \frac{x_1x}{a^2}+\frac{y_1y}{b^2}=1$$

$$y=mx\pm\sqrt{a^2m^2-b^2},\ \frac{x_1x}{a^2}-\frac{y_1y}{b^2}=\pm1$$

1 이차곡선의 접선

01 이차곡선과 직선의 위치 관계

이차함수와 직선의 방정식을 연립한 이차방정식의 판별식을 이용하면 이차함수의 그래프와 직선의 위치 관계를 알 수 있다.
이차곡선과 직선의 위치 관계도 같은 원리로 알 수 있다.
이차곡선 $f(x,\ y)$와 직선 $g(x,\ y)$의 교점은 두 식을 연립한 방정식의 실근 x와 y의 순서쌍 $(x,\ y)$이고, 연립한 식의 판별식을 통해 교점의 개수를 판별할 수 있다.

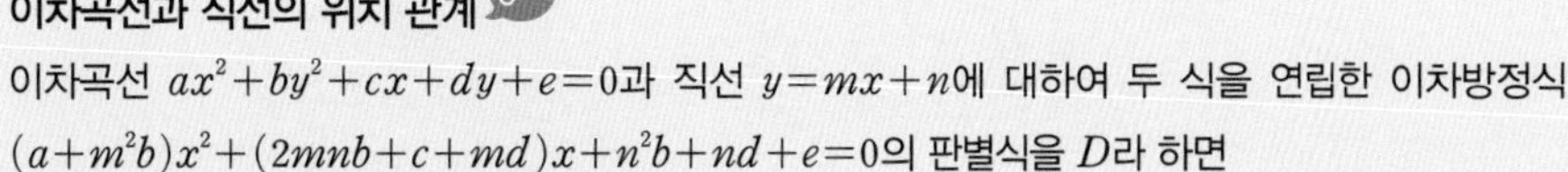

이차곡선과 직선의 위치 관계 중요!

이차곡선 $ax^2+by^2+cx+dy+e=0$과 직선 $y=mx+n$에 대하여 두 식을 연립한 이차방정식 $(a+m^2b)x^2+(2mnb+c+md)x+n^2b+nd+e=0$의 판별식을 D라 하면

(1) $D>0 \Longleftrightarrow$ 서로 다른 두 점에서 만난다.

(2) $D=0 \Longleftrightarrow$ 한 점에서 만난다.(접한다.)

(3) $D<0 \Longleftrightarrow$ 만나지 않는다.

| 설명 |

• 다른 이차곡선과 달리 포물선 $y^2=4px$ 또는 $x^2=4py$는 이차항이 x^2과 y^2중 하나뿐이므로 제곱 계산을 피하도록 대입하면 계산이 더 간단하다.

• 쌍곡선은 점근선과는 만나지 않음을 쌍곡선 $\dfrac{x^2}{a^2}-\dfrac{y^2}{b^2}=1$과 직선 $y=mx+n$의 위치 관계를 통해 살펴보자.
두 식을 연립하여 정리하면
$(b^2-a^2m^2)x^2-2a^2mnx-a^2(n^2+b^2)=0$ …… ㉠
$b^2-a^2m^2\neq0$일 때, ㉠의 판별식을 통해 쌍곡선과 직선의 위치 관계를 판별할 수 있다.
$b^2-a^2m^2=0$일 때, $m=\pm\dfrac{b}{a}$이므로 쌍곡선과 직선은 $n=0$이면 만나지 않고, $n\neq0$이면 한 점에서 만난다.

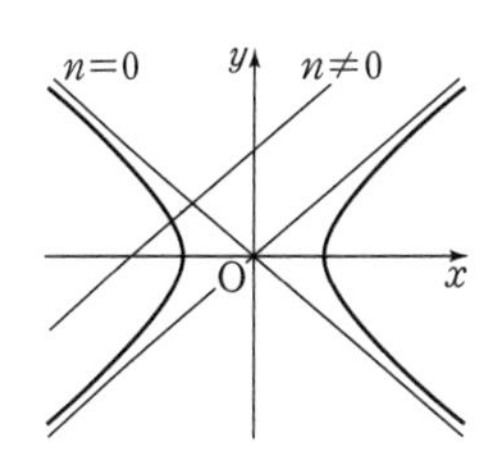

이차곡선과 직선의 위치 관계 세 가지를 각각 그래프로 나타내면 다음과 같다.

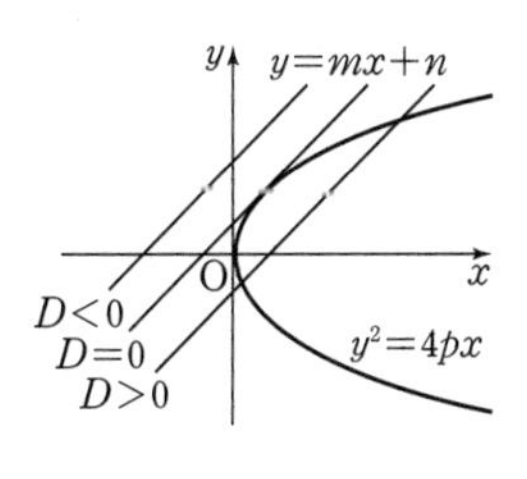

[포물선과 직선]

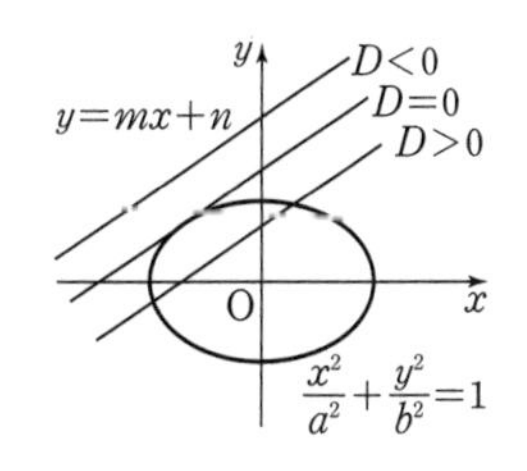

[타원과 직선]

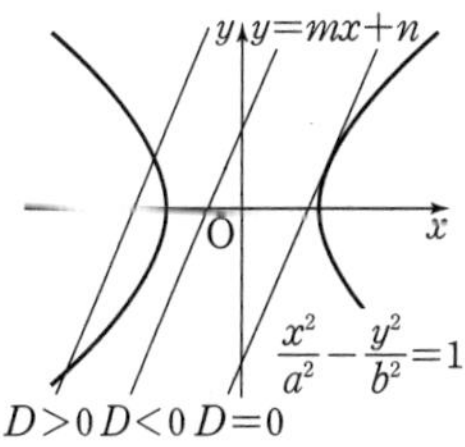

[쌍곡선과 직선]

083 **포물선 $y^2=4x$와 직선 $y=x+k$의 위치 관계가 다음과 같을 때, 실수 k의 값 또는 범위를 구하여라.**

(1) 두 점에서 만난다. (2) 접한다. (3) 만나지 않는다.

풍산자日 직선의 방정식을 포물선의 방정식에 대입해 판별식을 이용한다.
이 문제는 y를 대입하는 것보다 x를 대입하는 것이 제곱 계산을 피하여 계산이 쉽다.

> 풀이 $x=y-k$를 $y^2=4x$에 대입하면 $y^2=4(y-k)$ $\therefore y^2-4y+4k=0$

(1) 두 점에서 만난다. ➡ 서로 다른 두 실근 ➡ $D>0$

즉, $\frac{D}{4}=4-4k>0$에서 $\boldsymbol{k<1}$

(2) 접한다. ➡ 중근 ➡ $D=0$

즉, $\frac{D}{4}=4-4k=0$에서 $\boldsymbol{k=1}$

(3) 만나지 않는다. ➡ 허근 ➡ $D<0$

즉, $\frac{D}{4}=4-4k<0$에서 $\boldsymbol{k>1}$

정답과 풀이 **16**쪽

유제 **084** **포물선 $y^2=2x$와 직선 $y=mx+4$의 위치 관계가 다음과 같을 때, 실수 m의 값 또는 범위를 구하여라.** (단, $m\neq0$)

(1) 두 점에서 만난다. (2) 접한다. (3) 만나지 않는다.

085 **타원 $2x^2+y^2=6$과 직선 $y=mx+3$의 위치 관계가 다음과 같을 때, 실수 k의 값 또는 범위를 구하여라.**

(1) 두 점에서 만난다. (2) 접한다. (3) 만나지 않는다.

풍산자日 직선의 방정식을 타원의 방정식에 대입해 판별식을 이용한다.

> 풀이 $y=mx+3$을 $2x^2+y^2=6$에 대입하면 $2x^2+(mx+3)^2=6$

$\therefore (m^2+2)x^2+6mx+3=0$

(1) $\frac{D}{4}=(3m)^2-3(m^2+2)>0$에서 $6(m+1)(m-1)>0$ $\therefore$ $\boldsymbol{m<-1}$ **또는** $\boldsymbol{m>1}$

(2) $\frac{D}{4}=(3m)^2-3(m^2+2)=0$에서 $6(m+1)(m-1)=0$ $\therefore$ $\boldsymbol{m=-1}$ **또는** $\boldsymbol{m=1}$

(3) $\frac{D}{4}=(3m)^2-3(m^2+2)<0$에서 $6(m+1)(m-1)<0$ $\therefore$ $\boldsymbol{-1<m<1}$

정답과 풀이 **16**쪽

유제 **086** **쌍곡선 $x^2-y^2=2$와 직선 $y=mx+2$의 위치 관계가 다음과 같을 때, 실수 m의 값 또는 범위를 구하여라.** (단, $m^2\neq1$)

(1) 두 점에서 만난다. (2) 접한다. (3) 만나지 않는다.

02 이차곡선의 접선의 방정식

언제 어디서든 접선 문제 유형은 크게 다음 세 가지.

첫째, 기울기가 주어진 접선의 방정식 구하기

둘째, 이차곡선 위의 점에서의 접선의 방정식 구하기

셋째, 이차곡선 밖의 점에서 그은 접선의 방정식 구하기

이차곡선이 포물선, 타원, 쌍곡선으로 달라져도 같은 유형에서 접선의 방정식을 구하는 방법은 동일하다. 그 논리를 반드시 이해한 후 암기하자.

기울기가 주어진 접선의 방정식의 경우는 이차곡선과 직선의 위치 관계를 이용한다.

기울기가 주어진 접선의 방정식

[1단계] 기울기가 m인 접선의 방정식을 $y=mx+n$으로 둔다.

[2단계] 이 접선을 주어진 이차곡선의 방정식에 대입하여 정리한다.

[3단계] 정리한 이차방정식의 판별식이 $D=0$임을 이용하여 n의 값을 구한다.

위의 방법을 통해 구한 접선의 방정식을 ㉠이라 하면 ㉠을 이용하여 이차곡선 위의 점 $\mathrm{P}(x_1,\ y_1)$에서의 접선의 방정식을 구할 수 있다.

이차곡선 위의 점 $\mathrm{P}(x_1,\ y_1)$에서의 접선의 방정식

[1단계] 점 $\mathrm{P}(x_1,\ y_1)$에서의 접선의 기울기를 m이라 하면 접선의 방정식은

$$y-y_1=m(x-x_1) \qquad \cdots\cdots ㉡$$

[2단계] [1단계]에서 구한 ㉡과 ㉠은 같은 직선의 방정식이므로 연립하여 정리한다.

위의 두 가지 방법으로 구한 공식이나 판별식을 이용하면 이차곡선 밖의 점에서의 접선의 방정식을 구할 수 있다.

이차곡선 밖의 점에서의 접선의 방정식

[방법 1] 판별식 $D=0$을 이용.

[방법 2] 접점을 $\mathrm{P}(x_1,\ y_1)$이라 하고 이차곡선 위의 점에서의 접선의 방정식 이용.

[방법 3] 기울기를 m이라 하고 기울기가 주어진 접선의 방정식을 이용.

위의 세 가지 방법을 모두 사용할 수 있으나 판별식을 이용하면 계산이 복잡하고 기울기를 m이라 하면 기울기 $m=0$인 접선을 놓치기 쉽다.

접점을 가정하고 구하는 [방법 2]가 실수할 가능성이 가장 적다.

03 포물선의 접선의 방정식

앞에서 배운 이차곡선의 접선의 방정식 구하는 방법을 포물선에 적용해 보자.

포물선의 접선의 방정식 (1) – 기울기가 주어진 접선의 방정식

포물선 $y^2=4px$에 접하고, 기울기가 m인 접선의 방정식은 ➡ $\boldsymbol{y=mx+\frac{p}{m}}$ (단, $m\neq0$)

| 증명 | 기울기가 m인 접선의 방정식을 $y=mx+n$이라 하고, 이것을 $y^2=4px$에 대입하여 정리하면 $m^2x^2+2(mn-2p)x+n^2=0$

이 이차방정식의 판별식 $D=0$이어야 하므로

$$\frac{D}{4}=(mn-2p)^2-m^2n^2=4p(p-mn)=0 \qquad \therefore n=\frac{p}{m}$$

따라서 구하는 접선의 방정식은 $y=mx+\frac{p}{m}$ (단, $m\neq0$)

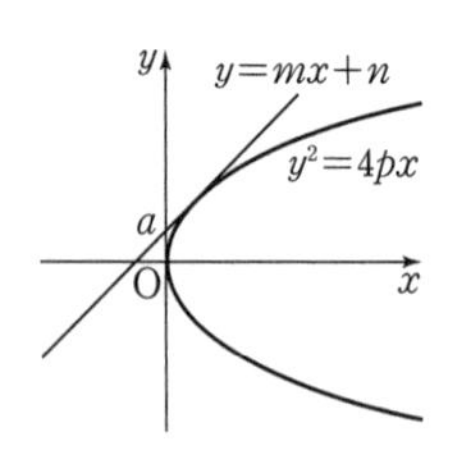

포물선의 접선의 방정식 (2) – 포물선 위의 점에서의 접선의 방정식

(1) 포물선 $y^2=4px$ 위의 점 $\mathrm{P}(x_1, y_1)$에서의 접선의 방정식은 ➡ $\boldsymbol{y_1y=2p(x+x_1)}$

(2) 포물선 $x^2=4py$ 위의 점 $\mathrm{P}(x_1, y_1)$에서의 접선의 방정식은 ➡ $\boldsymbol{x_1x=2p(y+y_1)}$

| 증명 | **포물선 $\boldsymbol{y^2=4px}$ 위의 점 $\mathrm{P}(x_1, y_1)$에서의 접선의 방정식**

(i) $x_1\neq0$일 때, 접선의 기울기를 m이라 하면

접선의 방정식은 $y-y_1=m(x-x_1)$ …… ㉠

한편 기울기가 m인 접선의 방정식은 $y=mx+\frac{p}{m}$ …… ㉡

㉠과 ㉡은 같은 직선의 방정식이므로 $-mx_1+y_1=\frac{p}{m}$ $\qquad\therefore m^2x_1-my_1+p=0$

이때 $y_1^2=4px_1$이므로 m의 값은 $m=\frac{y_1\pm\sqrt{y_1^2-4px_1}}{2x_1}=\frac{y_1}{2x_1}=\frac{2p}{y_1}$

이것을 ㉠에 대입하면 $y-y_1=\frac{2p}{y_1}(x-x_1)$, $y_1y=2p(x-x_1)+y_1^2$

이 식에 $y_1^2=4px_1$을 대입하여 정리하면 $y_1y=2p(x+x_1)$ …… ㉢

(ii) $x_1=0$일 때, $y_1^2=4px_1$에서 $y_1=0$이므로 점 P는 원점이고 접선의 방정식은 $x=0$이다.

이 경우에도 ㉢이 성립한다.

(i), (ii)에서 구하는 접선의 방정식은 $y_1y=2p(x+x_1)$

| 설명 | 이차곡선 위의 점 $\mathrm{P}(x_1, y_1)$에서의 접선의 방정식을 구하는 좀 더 편리한 공식도 있다. 공식의 규칙은 항상 다음과 같다. 이차곡선의 방정식에 다음을 대입한다.

x^2 대신 ➡ x_1x $\quad$ y^2 대신 ➡ y_1y $\quad$ x 대신 ➡ $\frac{x+x_1}{2}$ $\quad$ y 대신 ➡ $\frac{y+y_1}{2}$ 중요!

포물선 밖의 점에서 접선의 방정식을 구하는 공식은 없다.

앞에서 소개한 세 가지 방법을 기억하고 문제를 통해 확인해 보자.

087 **다음 직선의 방정식을 구하여라.**

(1) 포물선 $y^2=12x$에 접하고, 직선 $y=3x+2$에 평행한 직선

(2) 포물선 $y^2=12x$에 접하고, 직선 $y=3x+2$에 수직인 직선

풍산자日 포물선 $y^2=4px$의 기울기가 m인 접선의 방정식은 $y=mx+\frac{p}{m}$ (단, $m\neq0$)

> 풀이 $y^2=12x$에서 $4p=12$ $\quad\therefore p=3$

(1) 평행하면 기울기가 같다. 결국, 기울기가 3이라는 소리.

$$y=mx+\frac{p}{m}=3x+\frac{3}{3} \qquad \therefore \boldsymbol{y=3x+1}$$

(2) 수직이면 기울기의 곱이 -1이다. 결국, 기울기가 $-\frac{1}{3}$이라는 소리.

$$y=mx+\frac{p}{m}=-\frac{1}{3}x+\frac{3}{-\frac{1}{3}} \qquad \therefore \boldsymbol{y=-\frac{1}{3}x-9}$$

정답과 풀이 **16**쪽

유제 **088** **다음 직선의 방정식을 구하여라.**

(1) 포물선 $y^2=-x$에 접하고, 직선 $y=\frac{1}{2}x+1$에 평행한 직선

(2) 포물선 $y^2=2x$에 접하고, 직선 $y=\frac{1}{3}x-3$에 수직인 직선

089 **포물선 $y^2=4x$ 위의 점 $(9,\ -6)$에서의 접선의 방정식을 구하여라.**

풍산자日 포물선 $y^2=4px$ 위의 점 $\mathrm{P}(x_1,\ y_1)$에서의 접선의 방정식은 $yy_1=2p(x+x_1)$

주어진 포물선의 방정식에 y^2 대신에 y_1y, x 대신에 $\frac{x+x_1}{2}$을 대입하면 된다.

> 풀이 $y^2=4x$에서 y^2 대신 $-6y$, x 대신 $\frac{x+9}{2}$를 대입하면

$$-6y=4\times\frac{x+9}{2} \qquad \therefore \boldsymbol{y=-\frac{1}{3}x-3}$$

정답과 풀이 **16**쪽

유제 **090** **포물선 $x^2=8y$ 위의 점 $(4,\ 2)$에서의 접선의 방정식을 구하여라.**

091 **점 $(-2, 1)$에서 포물선 $y^2=4x$에 그은 접선의 방정식을 구하여라.**

풍산자日 포물선 밖의 점에서 그은 접선의 방정식은 접점을 $P(x_1, y_1)$로 두고 푼다.

> 풀이 [방법 1] 판별식을 이용한다.

점 $(-2, 1)$을 지나는 직선의 방정식은 $y-1=m(x+2)$ (단, $m\neq0$) ······ ㉠

$x+2=\frac{y-1}{m}$ $\therefore x=\frac{y-1}{m}-2$

이 식을 $y^2=4x$에 대입하면 $y^2=4\left(\frac{y-1}{m}-2\right)$

양변에 m을 곱해 정리하면 $my^2-4y+4+8m=0$ ······ ㉡

직선이 포물선에 접하려면 ㉡에서 $\frac{D}{4}=4-m(4+8m)=0$, $2m^2+m-1=0$

$(m+1)(2m-1)=0$ $\therefore m=-1$ 또는 $m=\frac{1}{2}$

이 값을 ㉠에 각각 대입하여 정리하면 $\boldsymbol{y=-x-1}$ **또는** $\boldsymbol{y=\frac{1}{2}x+2}$

[방법 2] 이차곡선 위의 점에서의 접선의 방정식을 이용한다.

접점의 좌표를 (x_1, y_1)이라 하면 접선의 방정식은

$y_1y=2(x+x_1)$ ······ ㉠

접선이 점 $(-2, 1)$을 지나므로 $y_1\times1=2(-2+x_1)$

$\therefore y_1=2x_1-4$ ······ ㉡

점 (x_1, y_1)은 포물선 위의 점이므로 $y_1^2=4x_1$ ······ ㉢

㉡, ㉢을 연립하여 풀면 $\begin{cases}x_1=1\\y_1=-2\end{cases}$ 또는 $\begin{cases}x_1=4\\y_1=4\end{cases}$

따라서 접점의 좌표는 $(1, -2)$ 또는 $(4, 4)$이므로

이 값을 ㉠에 각각 대입하여 정리하면 $\boldsymbol{y=-x-1}$ **또는** $\boldsymbol{y=\frac{1}{2}x+2}$

[방법 3] 기울기가 주어진 접선의 방정식을 이용한다.

접선의 기울기를 m이라 하면 접선의 방정식은 $y=mx+\frac{1}{m}$ (단, $m\neq0$) ······ ㉠

접선이 점 $(-2, 1)$을 지나므로 $1=-2m+\frac{1}{m}$, $2m^2+m-1=0$

$(m+1)(2m-1)=0$ $\therefore m=-1$ 또는 $m=\frac{1}{2}$

이 값을 ㉠에 각각 대입하여 정리하면 $\boldsymbol{y=-x-1}$ **또는** $\boldsymbol{y=\frac{1}{2}x+2}$

> 참고 셋 중 어느 방법이 편할까? 당연히 [방법 3]. 하지만 [방법 2]로 풀기를 권한다.
[방법 3]이 좋지만 한 가지 맹점이 있기 때문이다. 바로 기울기가 0인 접선인 $x=a$ 꼴의 접선을 구할 수 없다는 것. 유제 **092**−(2)의 문제가 이를 보여준다.
[방법 2]로 풀면 $x=a$ 꼴의 접선까지 구할 수 있다.

정답과 풀이 **16**쪽

유제 **092** **다음 점에서 포물선 $y^2=-4x$에 그은 접선의 방정식을 구하여라.**

(1) $(1, 0)$ (2) $(0, 1)$

04 타원의 접선의 방정식

타원의 접선의 방정식도 포물선에서 구한 접선의 방정식과 구하는 방법이 동일하다.

타원의 접선의 방정식 (1) — 기울기가 주어진 접선의 방정식

타원 $\frac{x^2}{a^2}+\frac{y^2}{b^2}=1$에 접하고, 기울기가 m인 접선의 방정식은 ➡ $\boldsymbol{y=mx\pm\sqrt{a^2m^2+b^2}}$

| 증명 | 기울기가 m인 접선의 방정식을 $y=mx+n$이라 하고, 이것을 $\frac{x^2}{a^2}+\frac{y^2}{b^2}=1$에 대입하여 정리하면

$(a^2m^2+b^2)x^2+2a^2mnx+a^2n^2-a^2b^2=0$

이 이차방정식의 판별식 $D=0$이어야 하므로

$\frac{D}{4}=a^4m^2n^2-(a^2m^2+b^2)(a^2n^2-a^2b^2)=0$

$n^2=a^2m^2+b^2 \qquad \therefore\ n=\pm\sqrt{a^2m^2+b^2}$

따라서 구하는 접선의 방정식은 $y=mx\pm\sqrt{a^2m^2+b^2}$

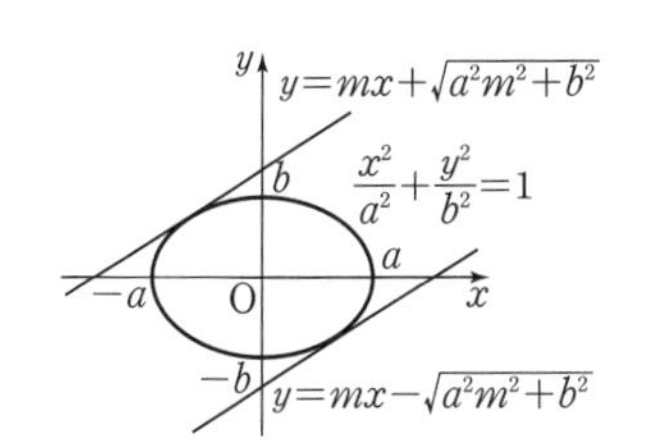

타원의 접선의 방정식 (2) — 타원 위의 점에서의 접선의 방정식

타원 $\frac{x^2}{a^2}+\frac{y^2}{b^2}=1$ 위의 점 $\mathrm{P}(x_1,\ y_1)$에서의 접선의 방정식은 ➡ $\boldsymbol{\frac{x_1x}{a^2}+\frac{y_1y}{b^2}=1}$

| 증명 | 타원 $\frac{x^2}{a^2}+\frac{y^2}{b^2}=1$ 위의 점 $\mathrm{P}(x_1,\ y_1)$에서의 접선의 방정식은

(i) $y_1\neq0$일 때, 접선의 기울기를 m이라 하면

접선의 방정식은 $y-y_1=m(x-x_1)$ …… ㉠

한편 기울기가 m인 접선의 방정식은 $y=mx\pm\sqrt{a^2m^2+b^2}$ …… ㉡

㉠과 ㉡은 같은 직선의 방정식이므로 $-mx_1+y_1=\pm\sqrt{a^2m^2+b^2}$

양변을 제곱하여 정리하면 $(a^2-x_1^{\ 2})m^2+2mx_1y_1+b^2-y_1^{\ 2}=0$

이때 $\frac{x_1^{\ 2}}{a^2}+\frac{y_1^{\ 2}}{b^2}=1$이므로

$\left(\frac{a}{b}y_1m\right)^2+2mx_1y_1+\left(\frac{b}{a}x_1\right)^2=0,\ \left(\frac{a}{b}y_1m+\frac{b}{a}x_1\right)^2=0 \qquad \therefore\ m=-\frac{b^2x_1}{a^2y_1}$

이것을 ㉠에 대입하여 정리하면 $\frac{x_1x}{a^2}+\frac{y_1y}{b^2}=\frac{x_1^{\ 2}}{a^2}+\frac{y_1^{\ 2}}{b^2} \qquad \therefore\ \frac{x_1x}{a^2}+\frac{y_1y}{b^2}=1$ …… ㉢

(ii) $y_1=0$일 때, 접점이 $(a,\ 0)$, $(-a,\ 0)$이므로 접선의 방정식은 $x=a$, $x=-a$

이 경우에도 ㉢이 성립한다.

(i), (ii)에서 구하는 접선의 방정식은 $\frac{x_1x}{a^2}+\frac{y_1y}{b^2}=1$

타원 밖의 점에서 접선의 방정식을 구하는 방법도 세 가지.

접점을 가정하는 것이 계산이 간단하지만, 기울기 조건이 있을 때는 기울기를 가정하고 푼다.

093 **다음 직선의 방정식을 구하여라.**

(1) 타원 $2x^2+y^2=6$에 접하고, 직선 $y=2x+3$에 평행한 직선

(2) 타원 $x^2+3y^2=12$에 접하고, 직선 $y=x+5$에 수직인 직선

풍산자日 타원 $\frac{x^2}{a^2}+\frac{y^2}{b^2}=1$에 접하고, 기울기가 m인 접선의 방정식은 $y=mx\pm\sqrt{a^2m^2+b^2}$

> 풀이 (1) 평행하면 기울기가 같다. 결국 기울기가 2라는 소리.

$2x^2+y^2=6$의 양변을 6으로 나누면 $\frac{x^2}{3}+\frac{y^2}{6}=1$

$m=2$, $a^2=3$, $b^2=6$을 기울기 공식에 대입하면

$y=mx\pm\sqrt{a^2m^2+b^2}=2x\pm\sqrt{3\times4+6}=2x\pm\sqrt{18}$

$\therefore$ $\boldsymbol{y=2x\pm3\sqrt{2}}$

(2) 수직이면 기울기의 곱이 -1이다. 결국, 기울기가 -1이라는 소리.

$x^2+3y^2=12$의 양변을 12로 나누면 $\frac{x^2}{12}+\frac{y^2}{4}=1$

$m=-1$, $a^2=12$, $b^2=4$를 기울기 공식에 대입하면

$y=mx\pm\sqrt{a^2m^2+b^2}=-x\pm\sqrt{12\times1+4}=-x\pm\sqrt{16}$

$\therefore$ $\boldsymbol{y=-x\pm4}$

정답과 풀이 **17**쪽

유제 **094** **다음 직선의 방정식을 구하여라.**

(1) 타원 $3x^2+y^2=12$에 접하고, 직선 $y=\frac{1}{2}x+1$에 평행한 직선

(2) 타원 $x^2+4y^2=24$에 접하고, 직선 $y=\frac{1}{3}x-3$에 수직인 직선

095 **타원 $2x^2+3y^2=14$ 위의 점 $(1,\ -2)$에서의 접선의 방정식을 구하여라.**

풍산자日 타원 $\frac{x^2}{a^2}+\frac{y^2}{b^2}=1$ 위의 점 $\mathrm{P}(x_1,\ y_1)$에서의 접선의 방정식은 $\frac{x_1x}{a^2}+\frac{y_1y}{b^2}=1$

주어진 타원의 방정식에 y^2 대신에 y_1y, x^2 대신에 x_1x를 대입하면 된다.

> 풀이 $2x^2+3y^2=14$에서 x^2 대신 x, y^2 대신 $-2y$를 대입하면

$2x-6y=14$ $\quad\therefore$ $\boldsymbol{x-3y=7}$

정답과 풀이 **17**쪽

유제 **096** **타원 $3x^2+4y^2=16$ 위의 점 $(2,\ -1)$에서의 접선의 방정식을 구하여라.**

097 **점 $(2,\ 4)$에서 타원 $4x^2+3y^2=16$에 그은 접선의 방정식을 구하여라.**

풍산자日 타원 밖의 점에서 그은 접선의 방정식은 접점을 $P(x_1,\ y_1)$로 두고 푼다.

> 풀이 접점의 좌표를 $(x_1,\ y_1)$이라 하면 접선의 방정식은 $4x_1x+3y_1y=16$ …… ㉠

접선이 점 $(2,\ 4)$를 지나므로 $4x_1\times2+3y_1\times4=16$ $\therefore\ 2x_1+3y_1=4$ …… ㉡

점 $(x_1,\ y_1)$은 타원 위의 점이므로 $4x_1^{\ 2}+3y_1^{\ 2}=16$ …… ㉢

㉡, ㉢을 연립하여 풀면 $\begin{cases}x_1=-1\\y_1=2\end{cases}$ 또는 $\begin{cases}x_1=2\\y_1=0\end{cases}$

따라서 접점의 좌표는 $(-1,\ 2)$ 또는 $(2,\ 0)$

이 값을 ㉠에 각각 대입하여 정리하면 $\boldsymbol{-2x+3y=8}$ **또는** $\boldsymbol{x=2}$

정답과 풀이 17쪽

유제 **098** **점 $(1,\ 1)$에서 타원 $x^2+4y^2=4$에 그은 접선의 방정식을 구하여라.**

099 **타원 $x^2+2y^2=6$ 위의 점과 직선 $y=x+5$ 사이의 거리의 최솟값을 구하여라.**

풍산자日 가소롭게 보다가는 큰 코 다칠 유형.
거리의 최솟값이 발생하는 상황을 포착하는 것이 핵심이다.
거리의 최솟값은 직선에 평행한 타원의 접선 중 직선에 가까운 접선과 타원의 접점을 P라 할 때, 점 P와 직선 사이의 거리.

> 풀이 타원 $x^2+2y^2=6$ 위의 점 $P(x_1,\ y_1)$에서의 접선의 방정식은

$x_1x+2y_1y=6$ $\therefore\ y=-\dfrac{x_1}{2y_1}x+\dfrac{3}{y_1}$

이 접선의 기울기가 1이어야 하므로

$-\dfrac{x_1}{2y_1}=1$ $\therefore\ x_1=-2y_1$ …… ㉠

점 $P(x_1,\ y_1)$은 타원 $x^2+2y^2=6$ 위의 점이므로

$x_1^{\ 2}+2y_1^{\ 2}=6$ …… ㉡

㉠을 ㉡에 대입하여 정리하면 $6y_1^{\ 2}=6$ $\therefore\ y_1=\pm1$

즉, 기울기가 1이고 타원에 접하는 접선의 방정식은 $y=x\pm3$

따라서 구하는 최솟값은 직선 $y=x+5$ 위의 점 $(0,\ 5)$와 직선 $x-y+3=0$ 사이의 거리

와 같으므로 $\dfrac{|0-5+3|}{\sqrt{1^2+(-1)^2}}=\boldsymbol{\sqrt{2}}$

정답과 풀이 17쪽

유제 **100** **타원 $9x^2+16y^2=144$ 위의 점과 직선 $y=x+11$ 사이의 거리의 최댓값을 구하여라.**

05 쌍곡선의 접선의 방정식

포물선에서 기울기가 주어진 접선은 1개. 타원에서 기울기가 주어진 접선은 2개.
쌍곡선에서 기울기가 주어진 접선은 2개 존재한다.

쌍곡선의 접선의 방정식 (1) − **기울기가 주어진 접선의 방정식**

쌍곡선 $\frac{x^2}{a^2}-\frac{y^2}{b^2}=1$에 접하고, 기울기가 m $(m\neq0)$인 접선의 방정식은

➡ $\boldsymbol{y=mx\pm\sqrt{a^2m^2-b^2}}$ (단, $a^2m^2>b^2$)

| 증명 | 기울기가 m인 접선의 방정식을 $y=mx+n$이라 하고,

이것을 $\frac{x^2}{a^2}-\frac{y^2}{b^2}=1$에 대입하여 정리하면

$(b^2-a^2m^2)x^2-2a^2mnx-a^2n^2-a^2b^2=0$

이 이차방정식의 판별식 $D=0$이어야 하므로

$\frac{D}{4}=a^4m^2n^2+(b^2-a^2m^2)(a^2n^2+a^2b^2)=0$

$a^2b^2(n^2+b^2-a^2m^2)=0,\ n^2=a^2m^2-b^2\qquad\therefore\ n=\pm\sqrt{a^2m^2-b^2}$

따라서 구하는 접선의 방정식은 $y=mx\pm\sqrt{a^2m^2-b^2}$

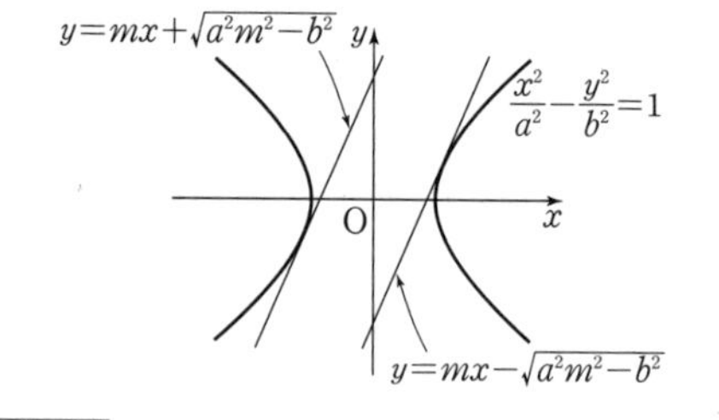

쌍곡선의 접선의 방정식 (2) − **쌍곡선 위의 점에서의 접선의 방정식**

쌍곡선 $\frac{x^2}{a^2}-\frac{y^2}{b^2}=\pm1$ 위의 점 $\mathrm{P}(x_1,\ y_1)$에서의 접선의 방정식은 ➡ $\boldsymbol{\frac{x_1x}{a^2}-\frac{y_1y}{b^2}=\pm1}$

| 증명 | 쌍곡선 $\frac{x^2}{a^2}-\frac{y^2}{b^2}=1$ 위의 점 $\mathrm{P}(x_1,\ y_1)$에서의 접선의 방정식은

(i) $y_1\neq0$일 때, 접선의 기울기를 m이라 하면 $y-y_1=m(x-x_1)$ …… ㉠

한편 기울기가 m인 접선의 방정식은 $y=mx\pm\sqrt{a^2m^2-b^2}$ …… ㉡

㉠과 ㉡은 같은 직선의 방정식이므로 $-mx_1+y_1=\pm\sqrt{a^2m^2-b^2}$

양변을 제곱하여 정리하면 $(a^2-x_1^2)m^2+2mx_1y_1-(b^2+y_1^2)=0$

이때 $\frac{x_1^2}{a^2}-\frac{y_1^2}{b^2}=1$이므로

$-\left(\frac{a}{b}y_1m\right)^2+2mx_1y_1-\left(\frac{b}{a}x_1\right)^2=0,\ \left(\frac{a}{b}y_1m-\frac{b}{a}x_1\right)^2=0\qquad\therefore\ m=\frac{b^2x_1}{a^2y_1}$

이것을 ㉠에 대입하여 정리하면 $\frac{x_1x}{a^2}-\frac{y_1y}{b^2}=\frac{x_1^2}{a^2}-\frac{y_1^2}{b^2}\qquad\therefore\ \frac{x_1x}{a^2}-\frac{y_1y}{b^2}=1$ …… ㉢

(ii) $y_1=0$일 때, 접점이 $(a,\ 0)$, $(-a,\ 0)$이므로 접선의 방정식은 $x=a$, $x=-a$

이 경우에도 ㉢이 성립한다.

(i), (ii)에서 구하는 접선의 방정식은 $\frac{x_1x}{a^2}-\frac{y_1y}{b^2}=1$

쌍곡선 밖의 점에서 접선의 방정식을 구하는 방법은 타원에서 구한 방법과 다르지 않다.
접점을 가정해서 풀면 된다.
이차곡선 밖의 점에서 그은 접선은 포물선, 타원, 쌍곡선 모두 2개임을 반드시 기억하자.

101 다음 직선의 방정식을 구하여라.

(1) 쌍곡선 $2x^2-y^2=6$에 접하고, 직선 $y=-3x+1$에 평행한 직선

(2) 쌍곡선 $x^2-3y^2=12$에 접하고, 직선 $y=\frac{1}{2}x+5$에 수직인 직선

풍산자日 쌍곡선 $\frac{x^2}{a^2}-\frac{y^2}{b^2}=1$에 접하고, 기울기가 m인 접선의 방정식은

$y=mx\pm\sqrt{a^2m^2-b^2}$ (단, $a^2m^2>b^2$)

> 풀이 (1) 평행하면 기울기가 같다. 결국, 기울기가 -3이라는 소리.

$2x^2-y^2=6$의 양변을 6으로 나누면 $\frac{x^2}{3}-\frac{y^2}{6}=1$

$m=-3$, $a^2=3$, $b^2=6$을 기울기 공식에 대입하면

$y=mx\pm\sqrt{a^2m^2-b^2}=-3x\pm\sqrt{3\times9-6}=-3x\pm\sqrt{21}$

$\therefore$ $\boldsymbol{y=-3x\pm\sqrt{21}}$

(2) 수직이면 기울기의 곱이 -1이다. 결국, 기울기가 -2라는 소리.

$x^2-3y^2=12$의 양변을 12로 나누면 $\frac{x^2}{12}-\frac{y^2}{4}=1$

$m=-2$, $a^2=12$, $b^2=4$를 기울기 공식에 대입하면

$y=mx\pm\sqrt{a^2m^2-b^2}=-2x\pm\sqrt{12\times4-4}=-2x\pm\sqrt{44}$

$\therefore$ $\boldsymbol{y=-2x\pm2\sqrt{11}}$

정답과 풀이 **18**쪽

유제 **102** 다음 직선의 방정식을 구하여라.

(1) 쌍곡선 $3x^2-y^2=12$에 접하고, 직선 $y=-\frac{1}{2}x+3$에 평행한 직선

(2) 쌍곡선 $x^2-4y^2=24$에 접하고, 직선 $y=-x-1$에 수직인 직선

103 쌍곡선 $2x^2-3y^2=6$ 위의 점 $(3,\ -2)$에서의 접선의 방정식을 구하여라.

풍산자日 쌍곡선 $\frac{x^2}{a^2}-\frac{y^2}{b^2}=1$ 위의 점 $\mathrm{P}(x_1,\ y_1)$에서의 접선의 방정식은 $\frac{x_1x}{a^2}-\frac{y_1y}{b^2}=1$

주어진 쌍곡선의 방정식에 y^2 대신에 y_1y, x^2 대신에 x_1x를 대입하면 된다.

> 풀이 $2x^2-3y^2=6$에서 x^2 대신 $3x$, y^2 대신 $-2y$를 대입하면

$6x+6y=6$ $\quad\therefore$ $\boldsymbol{x+y=1}$

정답과 풀이 **18**쪽

유제 **104** 쌍곡선 $4x^2-5y^2=-4$ 위의 점 $(-2,\ 2)$에서의 접선의 방정식을 구하여라.

105 점 $(0, 2)$에서 쌍곡선 $x^2-5y^2=5$에 그은 접선의 방정식을 구하여라.

풍산자비법 쌍곡선 밖의 점에서 그은 접선의 방정식은 접점을 $P(x_1, y_1)$로 두고 푼다.

> 풀이

접점의 좌표를 (x_1, y_1)이라 하면 접선의 방정식은

$x_1x-5y_1y=5$ ...... ㉠

접선이 점 $(0, 2)$를 지나므로

$-10y_1=5 \quad \therefore y_1=-\frac{1}{2}$ ...... ㉡

점 (x_1, y_1)은 쌍곡선 위의 점이므로 $x_1{}^2-5y_1{}^2=5$ ...... ㉢

㉡을 ㉢에 대입하여 풀면 $x_1=\pm\frac{5}{2}$

따라서 접점의 좌표는 $\left(\frac{5}{2}, -\frac{1}{2}\right), \left(-\frac{5}{2}, -\frac{1}{2}\right)$

이 값을 ㉠에 각각 대입하여 정리하면 $\boldsymbol{y=-x+2}$ **또는** $\boldsymbol{y=x+2}$

(0, 2)
(x_1, y_1)

정답과 풀이 **18**쪽

유제 **106** 점 $(0, 1)$에서 쌍곡선 $x^2-y^2=1$에 그은 접선의 방정식을 구하여라.

107 점 $(a, 1)$에서 쌍곡선 $\frac{x^2}{4}-\frac{y^2}{2}=1$에 그은 두 접선이 서로 수직일 때, 양수 a의 값을 구하여라.

풍산자비법 곡선 밖의 점에서 그은 접선의 방정식의 문제 중 '수직' 등의 기울기에 관한 문제에서는 기울기 공식을 이용한다.

> 풀이

접선의 기울기를 m이라 하면 접선의 방정식은 $y=mx\pm\sqrt{4m^2-2}$

접선이 점 $(a, 1)$을 지나므로 $1=am\pm\sqrt{4m^2-2}$

$1-am=\pm\sqrt{4m^2-2}$의 양변을 제곱하여 정리하면

$(a^2-4)m^2-2am+3=0$ ...... ㉠

두 접선이 수직 ➡ 기울기의 곱이 -1 ➡ ㉠의 두 근의 곱이 -1

근과 계수의 관계에서 (두 근의 곱)$=\frac{3}{a^2-4}=-1 \quad \therefore a^2=1$

주어진 조건에서 a는 양수이므로 $\boldsymbol{a=1}$

정답과 풀이 **18**쪽

유제 **108** 점 $P(a, b)$에서 쌍곡선 $\frac{x^2}{9}-\frac{y^2}{5}=1$에 그은 두 접선이 서로 수직일 때, 점 P의 자취의 길이를 구하여라.

한걸음 더

06 음함수로 나타낸 이차곡선의 접선의 방정식

미적분을 공부한 학생은 음함수 미분법을 이용하면 이차곡선 위의 점에서의 기울기를 구하고 이를 이용하여 접선의 방정식을 구할 수 있다.

음함수로 나타낸 곡선의 접선의 방정식

음함수의 꼴로 주어진 곡선 $f(x, y)=0$ 위의 점 P에서의 접선의 방정식은 다음과 같은 순서로 구한다.

[1단계] 음함수의 미분법을 이용하여 $\frac{dy}{dx}$를 구한다.

[2단계] [1단계]에서 구한 $\frac{dy}{dx}$에 점 P의 좌표를 대입하여 접선의 기울기를 구한다.

[3단계] 점 P의 좌표와 [2단계]에서 구한 기울기를 이용하여 접선의 방정식을 구한다.

이차곡선 위의 점에서의 접선의 방정식

(1) 포물선 $y^2=4px$ 위의 점 $\mathrm{P}(x_1, y_1)$에서의 접선의 방정식 $y_1y=2p(x+x_1)$

포물선 $x^2=4py$ 위의 점 $\mathrm{P}(x_1, y_1)$에서의 접선의 방정식 $x_1x=2p(y+y_1)$

(2) 타원 $\frac{x^2}{a^2}+\frac{y^2}{b^2}=1$ 위의 점 $\mathrm{P}(x_1, y_1)$에서의 접선의 방정식 $\frac{x_1x}{a^2}+\frac{y_1y}{b^2}=1$

(3) 쌍곡선 $\frac{x^2}{a^2}-\frac{y^2}{b^2}=\pm1$ 위의 점 $\mathrm{P}(x_1, y_1)$에서의 접선의 방정식 $\frac{x_1x}{a^2}-\frac{y_1y}{b^2}=\pm1$

| 증명 | **포물선 $y^2=4px$ 위의 점 $\mathrm{P}(x_1, y_1)$에서의 접선의 방정식**

(i) $y_1\neq0$일 때,

$y^2=4px$의 양변을 x에 대하여 미분하면

$2y\frac{dy}{dx}=4p \qquad \therefore \frac{dy}{dx}=\frac{2p}{y}$

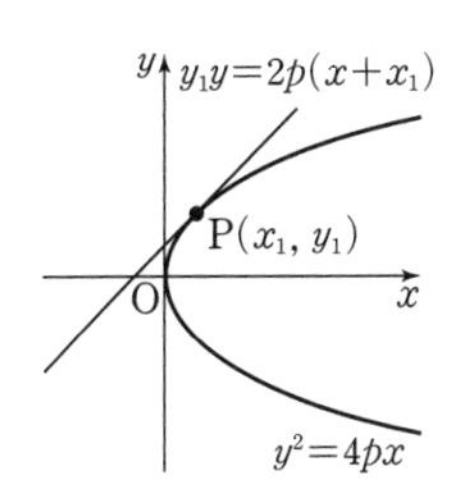

점 $\mathrm{P}(x_1, y_1)$에서의 접선의 접선의 기울기는 $\frac{2p}{y_1}$이므로

접선의 방정식은

$y-y_1=\frac{2p}{y_1}(x-x_1) \qquad \therefore y_1y-{y_1}^2=2p(x-x_1)$ …… ㉠

그런데 점 $\mathrm{P}(x_1, y_1)$은 포물선 $y^2=4px$ 위의 점이므로 ${y_1}^2=4px_1$ …… ㉡

㉡을 ㉠에 대입하면 $y_1y-4px_1=2p(x-x_1) \qquad \therefore y_1y=2p(x+x_1)$ …… ㉢

(ii) $y_1=0$일 때,

${y_1}^2=4px_1$에서 $y_1=0$이면 $x_1=0$이므로 점 P는 원점이다.

따라서 접선의 방정식은 $x=0$이고, 이 경우에도 ㉢이 성립한다.

(i), (ii)에서 포물선 $y^2=4px$ 위의 점 $\mathrm{P}(x_1, y_1)$에서의 접선의 방정식은 $y_1y=2p(x+x_1)$

같은 방법으로 포물선 $x^2=4py$, 타원 $\frac{x^2}{a^2}+\frac{y^2}{b^2}=1$, 쌍곡선 $\frac{x^2}{a^2}-\frac{y^2}{b^2}=\pm1$ 위의 점 $\mathrm{P}(x_1, y_1)$에서의 접선의 방정식도 구할 수 있다.

109 곡선 $x^2-xy+y^2=1$에 대하여 다음 물음에 답하여라.

(1) $\frac{dy}{dx}$를 구하여라.

(2) 점 $(1, 0)$에서의 접선의 기울기를 구하여라.

(3) 점 $(1, 0)$에서의 접선의 방정식을 구하여라.

풍산자日 y를 x의 함수로 보고 양변을 x에 대하여 미분하여 $\frac{dy}{dx}$, 즉 접선의 기울기를 구한다.
한 점 (x_1, y_1)을 지나고 기울기가 m인 직선의 방정식은 $y-y_1=m(x-x_1)$

> 풀이 (1) $x^2-xy+y^2=1$의 양변을 x에 대하여 미분하면 $2x-y-x\frac{dy}{dx}+2y\frac{dy}{dx}=0$

$(x-2y)\frac{dy}{dx}=2x-y$ $\therefore$ $\mathbf{\frac{dy}{dx}=\frac{2x-y}{x-2y}}$ (단, $x-2y\neq0$)

(2) $x=1$, $y=0$을 대입하면 $\frac{dy}{dx}=\frac{2\times1-0}{1-2\times0}=2$

(3) 점 $(1, 0)$을 지나고 기울기가 2이므로 $y=2(x-1)$ $\therefore$ $\mathbf{y=2x-2}$

정답과 풀이 19쪽

유제 **110** 곡선 $x^2+xy+y^2=1$에 대하여 다음 물음에 답하여라.

(1) $\frac{dy}{dx}$를 구하여라.

(2) 점 $(1, 0)$에서의 접선의 기울기를 구하여라.

(3) 점 $(1, 0)$에서의 접선의 방정식을 구하여라.

111 음함수의 미분법을 이용하여 포물선 $y^2=4x$ 위의 점 $(4, -4)$에서의 접선의 방정식을 구하여라.

풍산자日 음함수의 꼴로 주어진 곡선 $f(x, y)=0$ 위의 점에서의 접선의 방정식은 먼저 음함수의 미분법을 이용하여 $\frac{dy}{dx}$를 구한다.

> 풀이 $y^2=4x$의 양변을 x에 대하여 미분하면 $2y\frac{dy}{dx}=4$ $\therefore$ $\frac{dy}{dx}=\frac{2}{y}$ (단, $y\neq0$)

점 $(4, -4)$에서의 접선의 기울기는 $y=-4$를 대입하면 $\frac{dy}{dx}=\frac{2}{-4}=-\frac{1}{2}$

따라서 구하는 접선의 방정식은 $y+4=-\frac{1}{2}(x-4)$ $\therefore$ $\mathbf{y=-\frac{1}{2}x-2}$

정답과 풀이 19쪽

유제 **112** 음함수의 미분법을 이용하여 다음 곡선 위의 주어진 한 점에서의 접선의 방정식을 구하여라.

(1) 원 $x^2+y^2=4$ $(1, \sqrt{3})$

(2) 포물선 $x^2=8y$ $(4, 2)$

(3) 타원 $\frac{x^2}{2}+\frac{y^2}{8}=1$ $(1, -2)$

(4) 쌍곡선 $\frac{x^2}{3}-\frac{y^2}{2}=1$ $(3, -2)$

필수 확인 문제

* 더 많은 유형은 **풍산자필수유형 기하** 026쪽

정답과 풀이 20쪽

113

포물선 $y^2=4x$ 위의 두 점 $(1, 2)$, $(4, -4)$에서 그은 두 접선의 교점의 좌표를 구하여라.

114

포물선 $y^2=4x$ 위의 점과 직선 $x+y+2=0$ 사이의 거리의 최솟값을 구하여라.

115

타원 $\frac{x^2}{8}+\frac{y^2}{18}=1$ 위의 점 $\mathrm{P}(2, 3)$에서의 접선과 x축 및 y축으로 둘러싸인 삼각형의 넓이를 구하여라.

116

점 $(1, 2)$에서 타원 $\frac{x^2}{4}+y^2=1$에 그은 두 접선의 기울기를 m_1, m_2라 할 때, m_1+m_2의 값을 구하여라.

117

쌍곡선 $\frac{x^2}{9}-\frac{y^2}{16}=1$ 위의 점 (a, b)에서의 접선과 x축과 y축으로 둘러싸인 삼각형의 넓이를 a, b를 이용하여 나타내어라. (단, $a>0$, $b>0$)

118

쌍곡선 $x^2-\frac{y^2}{3}=1$에 접하고, 기울기가 2인 직선은 두 개 존재한다. 이 두 직선 사이의 거리를 구하여라.

중단원 마무리

▶ 포물선의 접선의 방정식

기울기가 주어진 경우	포물선 $y^2=4px$에 접하고, 기울기가 m인 접선의 방정식은 ➡ $y=mx+\frac{p}{m}$ (단, $m\neq0$)
포물선 위의 점이 주어진 경우	① 포물선 $y^2=4px$ 위의 점 $\mathrm{P}(x_1,\ y_1)$에서의 접선의 방정식은 ➡ $y_1y=2p(x+x_1)$ ② 포물선 $x^2=4py$ 위의 점 $\mathrm{P}(x_1,\ y_1)$에서의 접선의 방정식은 ➡ $x_1x=2p(y+y_1)$

▶ 타원의 접선의 방정식

기울기가 주어진 경우	타원 $\frac{x^2}{a^2}+\frac{y^2}{b^2}=1$에 접하고, 기울기가 m인 접선의 방정식은 ➡ $y=mx\pm\sqrt{a^2m^2+b^2}$
타원 위의 점이 주어진 경우	타원 $\frac{x^2}{a^2}+\frac{y^2}{b^2}=1$ 위의 점 $\mathrm{P}(x_1,\ y_1)$에서의 접선의 방정식은 ➡ $\frac{x_1x}{a^2}+\frac{y_1y}{b^2}=1$

▶ 쌍곡선의 접선의 방정식

기울기가 주어진 경우	쌍곡선 $\frac{x^2}{a^2}-\frac{y^2}{b^2}=1$에 접하고, 기울기가 m $(m\neq0)$인 접선의 방정식은 ➡ $y=mx\pm\sqrt{a^2m^2-b^2}$ (단, $a^2m^2>b^2$)
쌍곡선 위의 점이 주어진 경우	쌍곡선 $\frac{x^2}{a^2}-\frac{y^2}{b^2}=\pm1$ 위의 점 $\mathrm{P}(x_1,\ y_1)$에서의 접선의 방정식은 ➡ $\frac{x_1x}{a^2}-\frac{y_1y}{b^2}=\pm1$

실전 연습문제

정답과 풀이 21쪽

STEP 1

119

포물선 $y^2=x$ 위의 점 $\mathrm{P}(1,\ 1)$에서 그은 접선과 x축의 교점을 Q, 점 P에서 x축에 내린 수선의 발을 R라 할 때, $\triangle\mathrm{PQR}$의 넓이를 구하여라.

120

직선 $y=2x$를 x축의 방향으로 a만큼 평행이동한 직선이 포물선 $x^2=4y$에 접할 때, 실수 a의 값을 구하여라.

121

타원 $2x^2+3y^2=14$ 위의 점 $(1,\ -2)$에서의 접선이 점 $(a,\ -1)$을 지날 때, a의 값을 구하여라.

122

점 $(1,\ 2)$에서 타원 $\frac{x^2}{a^2}+\frac{y^2}{9a^2}=1$에 그은 두 접선이 서로 수직일 때, 양수 a의 값을 구하여라.

123

쌍곡선 $\frac{x^2}{2}-y^2=1$ 위의 점 $(a,\ b)$에서의 접선의 기울기가 1일 때, a^2+b^2의 값을 구하여라.

124

쌍곡선 $\frac{x^2}{k}-\frac{y^2}{4}=-1$ 밖의 한 점 $(1,\ 1)$에서 이 쌍곡선에 그은 두 접선이 서로 수직일 때, 실수 k의 값을 구하여라.

실전 연습문제

정답과 풀이 22쪽

STEP 2

125

포물선 $y^2=12x$ 위의 점 $\left(\frac{a^2}{12},\ a\right)$에서의 접선의 기울기가 자연수가 되도록 하는 0이 아닌 정수 a의 개수를 구하여라.

126

포물선 $y^2=2x$ 위의 두 점 $\mathrm{P}(a,\ b)$, $\mathrm{Q}(2,\ 2)$에서의 두 접선이 서로 수직일 때, ab의 값을 구하여라.

127

타원 $\frac{x^2}{9}+\frac{y^2}{4}=1$의 제1사분면 위의 점 $\mathrm{P}(x_1,\ y_1)$에서의 접선이 x축, y축과 만나는 점을 각각 A, B라 할 때, △OAB의 넓이의 최솟값을 구하여라.

128

쌍곡선 $4x^2-9y^2=-36$과 직선 $y=mx+n$이 접하지 않고, 한 점에서 만나기 위한 상수 m, n의 조건을 구하여라.

129

쌍곡선 $\frac{x^2}{3}-\frac{y^2}{3}=1$ 위의 점 $(2,\ 1)$에서의 접선과 이 쌍곡선의 점근선의 두 교점을 A, B라 할 때, △OAB의 넓이를 구하여라.

(단, O는 원점이다.)

130

그림과 같은 쌍곡선 $x^2-y^2=4$ 위의 한 점 $\mathrm{A}(3,\ \sqrt{5})$에서의 접선이 y축과 만나는 점을 P, 점 A를 지나고 이 접선에 수직인 직선이 y축과 만나는 점을 Q라 할 때, 선분 PQ의 길이를 구하여라.

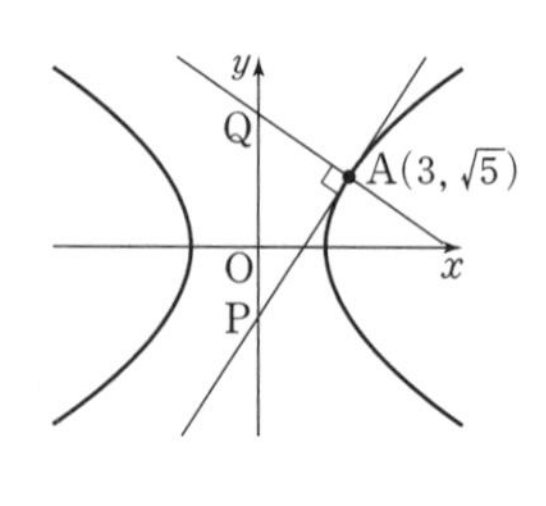

평면벡터

크기와 방향을 모두 갖는 **벡터**

만유인력의 법칙을 발견한 뉴턴은 물체의 속도나 힘을
방향이 있는 선분으로 나타내었는데,
이것이 벡터의 시초이다. 이후
벡터의 개념을 정립하고, 벡터에 좌표를 결합 – 해밀턴
벡터의 내적에 대해 연구 – 그라스만
3차원 공간의 벡터 개념을 확립 – 기브스
등을 거치면서 벡터의 개념이 명확해지게 되었고,
오늘날에는 물리학, 공학, 의학, 경제학 등
여러 분야에서 폭넓게 활용되고 있다.

우주선이 어떤 궤도에 진입하거나 지구로 귀환할 때,
우주선의 속력과 방향을 정확히 맞춰야 한다.
바다에서 요트를 타고 항해할 때,
바람의 세기와 방향을 잘 살펴야 한다.
두 사람이 공을 주고받을 때,
공의 속력과 방향을 함께 생각해야 한다.
이런 상황에서 벡터가 이용된다.

벡터의 연산

양은 두 종류로 분류할 수 있다.
크기만을 갖는 스칼라(scalar)와 크기와 방향을 갖는 벡터(vector).
크기와 방향을 모두 갖는 벡터를 배워 보자.

1 벡터의 뜻과 연산

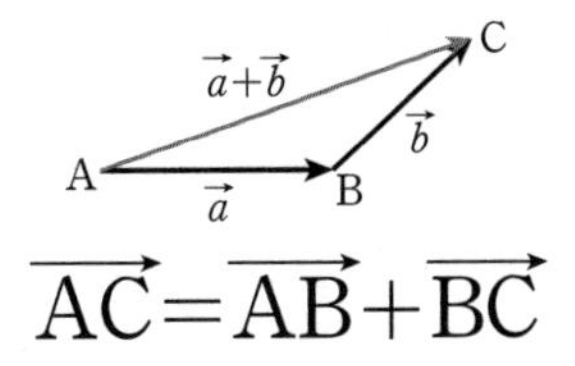

$$\overrightarrow{AC}=\overrightarrow{AB}+\overrightarrow{BC}$$

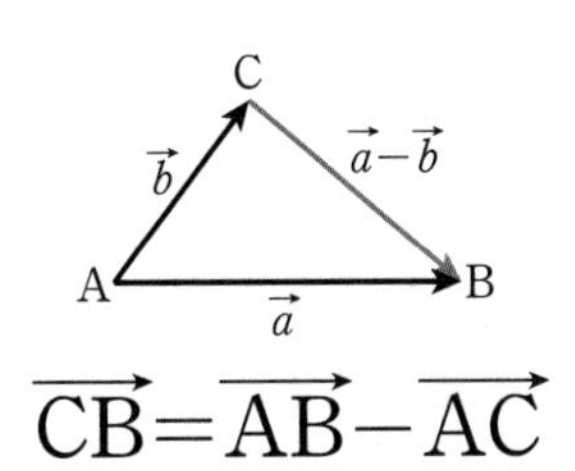

$$\overrightarrow{CB}=\overrightarrow{AB}-\overrightarrow{AC}$$

2 벡터의 실수배

$\vec{a}$

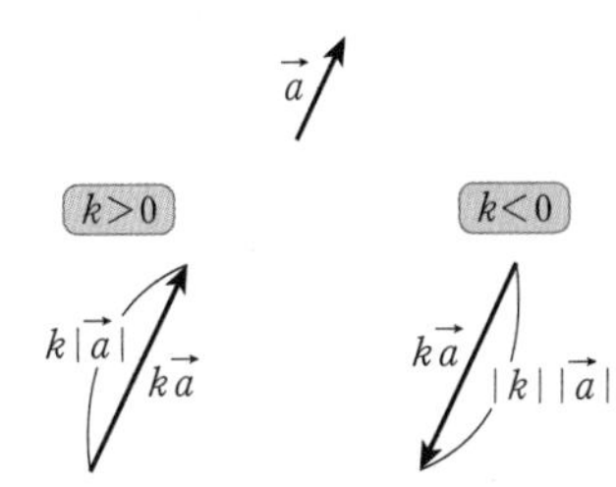

1 벡터의 뜻과 연산

01 벡터의 뜻과 크기

자연계를 해석하는 물리를 공부하다 보면 힘, 속도, 길이, 부피 등 다양한 양(量)을 만나게 되는데, 이러한 양들은 크게 다음과 같이 두 종류로 분류하고 있다.

- 힘, 속도 등과 같이 크기와 방향을 갖는 양 ⇒ 벡터(vector)
- 길이, 부피, 속력 등과 같이 크기만을 갖는 양 ⇒ 스칼라(scalar)

크기만을 갖는 스칼라는 수학에서 실수가 된다. 그럼 벡터는 수학에서 무엇이 될까?
실수는 크기만을 알려줄 뿐, 방향을 알 수 없다.
크기와 방향을 동시에 나타낼 수 있는 도구는 뭘까? 바로 화살표이다!
화살표의 길이와 방향이 벡터의 크기와 방향을 알려준다!
스칼라는 실수, 벡터는 화살표로 나타낸다.

벡터의 뜻과 표현

(1) 벡터: 크기와 방향을 모두 가지는 양
(2) 평면벡터: 평면에서의 벡터
(3) 벡터의 표현: 한 벡터가 점 A에서 점 B로 향하는 화살표로 나타날 때, 이 화살표의 시작점을 이 벡터의 **시점**이라 하고, 종착점을 이 벡터의 **종점**이라 한다. 시점이 점 A이고 종점이 점 B인 벡터를 $\overrightarrow{AB}$로 나타낸다.

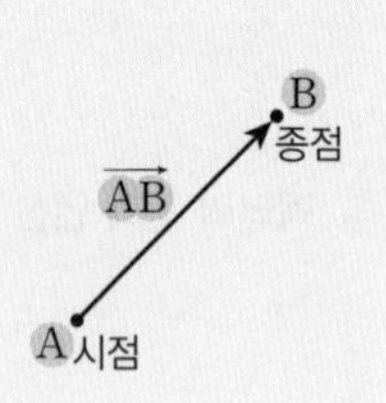

| 설명 | 벡터를 한 문자로 나타낼 때에는 $\vec{a}$, $\vec{b}$, $\vec{c}$ 등과 같은 기호를 사용한다.

| 개념확인 | 다음 벡터의 시점과 종점을 말하여라.

(1) $\overrightarrow{BC}$ (2) $\overrightarrow{CA}$ (3) $\overrightarrow{OP}$

> 풀이 (1) 시점: 점 B, 종점: 점 C, (2) 시점: 점 C, 종점: 점 A, (3) 시점: 점 O, 종점: 점 P

벡터의 크기, 단위벡터, 영벡터

(1) 벡터의 크기: 벡터 $\overrightarrow{AB}$, 즉 벡터 $\vec{a}$에서 선분 AB의 길이를 말하고 $|\overrightarrow{AB}|$ 또는 $|\vec{a}|$로 나타낸다.
(2) 단위벡터: 크기가 1인 벡터
(3) 영벡터: 시점과 종점이 일치하는 벡터, 즉 $\overrightarrow{AA}$, $\overrightarrow{BB}$, $\cdots$를 말하고 $\vec{0}$로 나타낸다. 영벡터는 한 점으로 나타내어지므로 그 크기는 0이다.

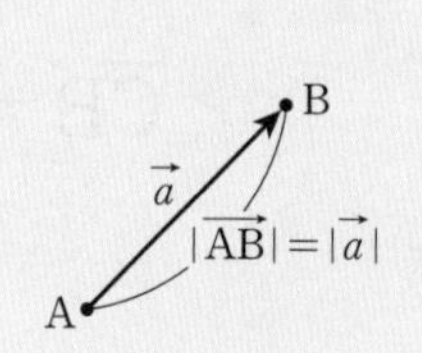

| 설명 | 벡터 $\overrightarrow{AB}$의 크기 $|\overrightarrow{AB}|$는 벡터가 아니라 스칼라이다.

02 두 벡터가 서로 같을 조건

벡터는 크기와 방향을 함께 가지는 양이므로 두 벡터 $\vec{a}$, $\vec{b}$의 크기와 방향이 각각 같을 때, 이 두 벡터는 서로 같다고 하며, $\vec{a}=\vec{b}$로 나타낸다.

서로 같은 벡터

(1) 서로 같은 벡터: 오른쪽 그림에서 두 벡터 $\overrightarrow{AB}$, $\overrightarrow{CD}$와 같이 시점과 종점이 달라도 그 **크기가 같고 방향이 같을 때**, 이들 두 벡터는 서로 같다고 하며, $\overrightarrow{\mathbf{AB}}=\overrightarrow{\mathbf{CD}}$ 또는 $\vec{a}=\vec{b}$로 나타낸다.

(2) 벡터 $\vec{a}$와 크기는 같고 방향이 반대인 벡터는 $-\vec{a}$로 나타낸다.

➡ $\overrightarrow{BA}=-\overrightarrow{AB}$

| 설명 | 벡터는 화살표로 나타내는데 벡터인 화살표와 그냥 화살표의 차이점이 딱 하나 있다.
위의 그림에서 화살표 AB와 화살표 CD는 별개의 화살표이다. 화살표로는 다르다.
그러나 둘은 화살표의 길이가 같고 방향이 같다. 그래서 벡터로는 같다.
오른쪽 그림과 같이 두 벡터 $\overrightarrow{AB}$, $\overrightarrow{CD}$에 대하여 벡터 $\overrightarrow{AB}$를 평행이동하여 벡터 $\overrightarrow{CD}$와 겹칠 수 있을 때, 두 벡터 $\overrightarrow{AB}$, $\overrightarrow{CD}$는 크기와 방향이 같으므로 서로 같은 벡터이다. 즉, $\overrightarrow{AB}=\overrightarrow{CD}$이다.
➡ 평행이동해서 일치하는 두 벡터는 서로 같은 벡터이다.

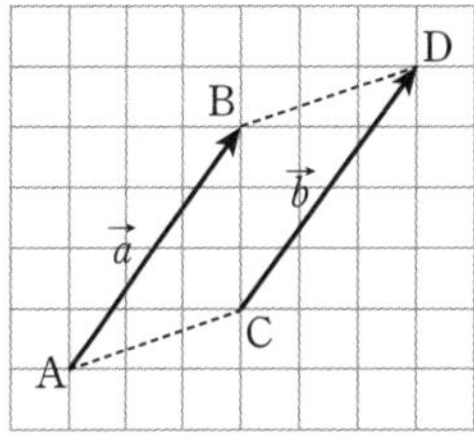

| 참고 | 시점과 종점을 바꾼 벡터를 역벡터라 부르기도 한다.
역벡터는 원래의 벡터와 크기는 같고 방향은 반대이다.
즉, 벡터에 마이너스를 붙이면 방향을 바꾸는 효과를 준다!

| 개념확인 | 그림에서 서로 같은 벡터를 찾아 기호로 나타내라.

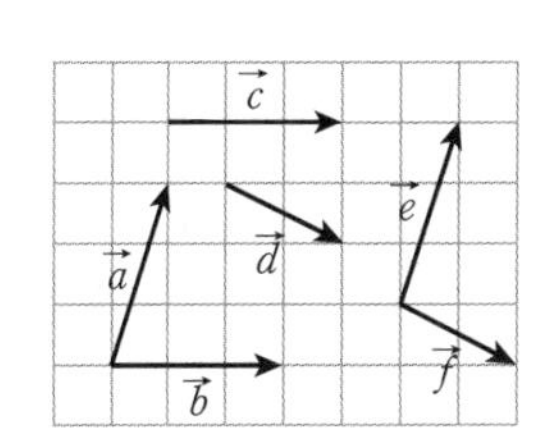

› 풀이 $\vec{a}=\vec{e}$, $\vec{b}=\vec{c}$, $\vec{d}=\vec{f}$

大 원칙

(1) 벡터 $\overrightarrow{AB}$의 크기 ➡ 선분 AB의 길이 ➡ $|\overrightarrow{AB}|=\overline{AB}$
(2) 서로 같은 벡터 ➡ 시점의 위치에 관계없이 크기와 방향이 모두 같은 벡터
(3) 크기는 같고 방향이 반대인 벡터 ➡ $\overrightarrow{BA}=-\overrightarrow{AB}$

131 **그림과 같이 한 변의 길이가 2인 정삼각형 ABC의 세 변 AB, BC, CA의 중점을 각각 D, E, F라 할 때, 다음 벡터의 크기를 구하여라.**

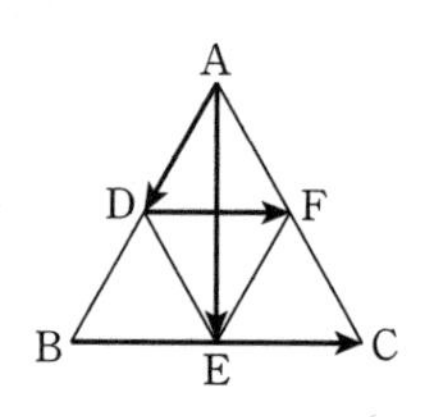

(1) $\overrightarrow{AD}$ (2) $\overrightarrow{BC}$ (3) $\overrightarrow{DF}$ (4) $\overrightarrow{AE}$

풍산자비 벡터의 크기는 선분의 길이와 같다. ➡ $|\overrightarrow{AB}|=\overline{AB}$

> 풀이

(1) $|\overrightarrow{AD}|=\overline{AD}=\frac{1}{2}\overline{AB}=\mathbf{1}$

(2) $|\overrightarrow{BC}|=\overline{BC}=\mathbf{2}$

(3) $|\overrightarrow{DF}|=\overline{DF}=\frac{1}{2}\overline{BC}=\mathbf{1}$

(4) $|\overrightarrow{AE}|=\overline{AE}=\frac{\sqrt{3}}{2}\overline{AB}=\sqrt{\mathbf{3}}$

정답과 풀이 **24쪽**

유제 **132** **그림과 같이 $\overline{AB}=1$, $\overline{AD}=2$인 직사각형 ABCD의 두 변 AD, BC의 중점을 각각 M, N이라 할 때, 다음 벡터의 크기를 구하여라.**

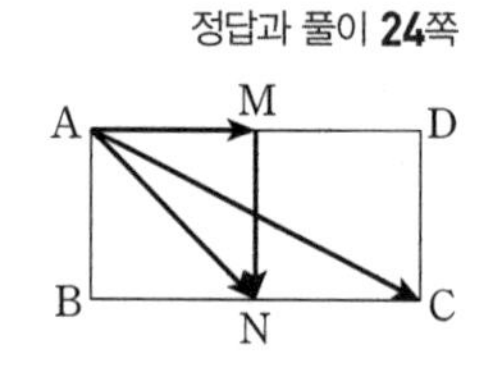

(1) $\overrightarrow{AM}$ (2) $\overrightarrow{AN}$ (3) $\overrightarrow{AC}$ (4) $\overrightarrow{MN}$

133 **그림과 같이 한 변의 길이가 2인 정사각형 ABCD의 두 대각선의 교점을 O라 할 때, 다음 물음에 답하여라.**

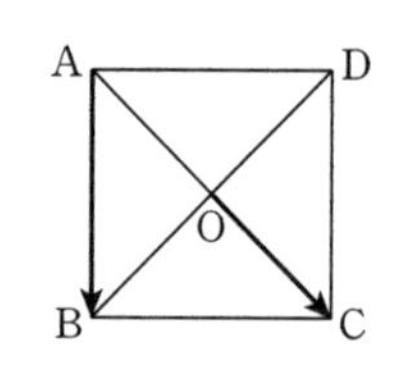

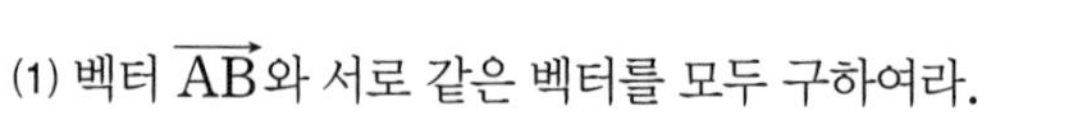

(1) 벡터 $\overrightarrow{AB}$와 서로 같은 벡터를 모두 구하여라.

(2) 벡터 $\overrightarrow{OC}$와 크기는 같고 방향이 반대인 벡터를 모두 구하여라.

풍산자비 크기와 방향이 모두 같을 때, 두 벡터는 서로 같다.
즉, 평행이동해서 겹쳐지는 두 벡터는 서로 같은 벡터이다.

> 풀이

(1) 벡터 $\overrightarrow{AB}$와 크기와 방향이 모두 같은 벡터는 $\overrightarrow{\mathbf{DC}}$

(2) $\overline{OA}=\overline{OC}$이므로 벡터 $\overrightarrow{OC}$와 크기는 같고 방향이 반대인 벡터는 $\overrightarrow{\mathbf{OA}}$, $\overrightarrow{\mathbf{CO}}$

정답과 풀이 **24쪽**

유제 **134** **그림과 같이 한 변의 길이가 1인 정육각형 ABCDEF에서 세 대각선의 교점을 O라 할 때, 다음 물음에 답하여라.**

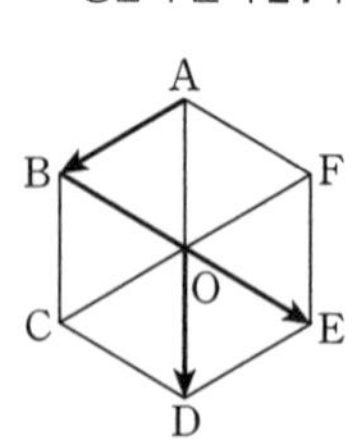

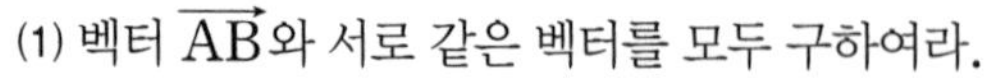

(1) 벡터 $\overrightarrow{AB}$와 서로 같은 벡터를 모두 구하여라.

(2) 벡터 $\overrightarrow{OD}$와 크기는 같고 방향이 반대인 벡터를 모두 구하여라.

(3) 벡터 $\overrightarrow{BE}$의 크기를 구하고, 벡터 $\overrightarrow{BE}$와 크기가 같은 벡터를 모두 구하여라.

03 벡터의 덧셈과 뺄셈

앞으로 배우는 벡터의 연산은 네 가지 ➡ 덧셈, 뺄셈, 실수배 그리고 내적
이 중에서 실수배와 내적은 곱셈이다.
실수배는 실수랑 벡터랑 곱하는 사이비(?) 곱셈. 내적은 벡터랑 벡터를 곱하는 진짜 곱셈이다.
그래서 내적이 특히 중요하고, 내적만 제대로 알면 거의 다 아는 것이다.
우선 덧셈부터!
벡터를 더하는 방법은 크게 두 가지. 삼각형 덧셈과 평행사변형 덧셈이다.

[삼각형 덧셈]
(앞 종점)=(뒤 시점)

$\vec{a}$, $\vec{b}$

[평행사변형 덧셈]
(앞 시점)=(뒤 시점)

더하는 벡터의 종점과 시점을 일치시키면 삼각형 덧셈이 되고
더하는 벡터의 두 시점을 일치시키면 평행사변형 덧셈이 된다.

벡터의 덧셈

(1) 벡터의 덧셈: 임의의 두 벡터 $\vec{a}$, $\vec{b}$와 임의로 정한 점 A에 대하여 $\vec{a}=\overrightarrow{\mathrm{AB}}$, $\vec{b}=\overrightarrow{\mathrm{BC}}$가 되도록 두 점 B, C를 정할 때, 벡터 $\overrightarrow{\mathrm{AC}}$를 두 벡터 $\vec{a}$, $\vec{b}$의 합이라 하고 $\vec{a}+\vec{b}$ 또는 $\overrightarrow{\mathbf{AB}}+\overrightarrow{\mathbf{BC}}=\overrightarrow{\mathbf{AC}}$로 나타낸다.

(2) 평행사변형을 이용한 벡터의 덧셈: 두 벡터 $\vec{a}=\overrightarrow{\mathrm{AB}}$, $\vec{b}=\overrightarrow{\mathrm{AD}}$에 대하여 사각형 ABCD가 평행사변형이 되도록 점 C를 정할 때, $\overrightarrow{\mathrm{AD}}=\overrightarrow{\mathrm{BC}}$이므로

$$\vec{a}+\vec{b}=\overrightarrow{\mathrm{AB}}+\overrightarrow{\mathrm{AD}}=\overrightarrow{\mathrm{AB}}+\overrightarrow{\mathrm{BC}}=\overrightarrow{\mathrm{AC}}$$

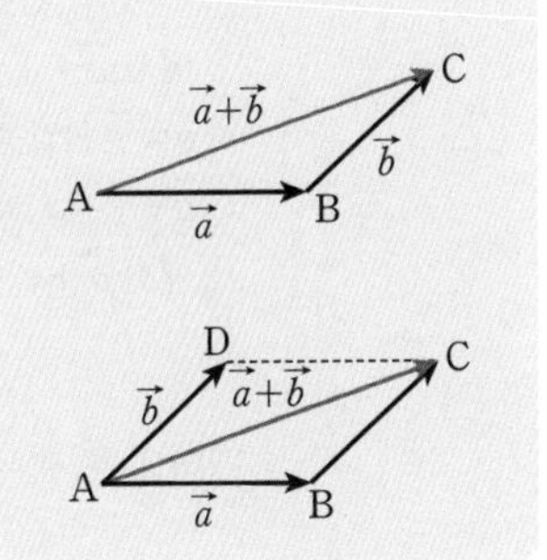

| 설명 | 벡터의 덧셈은 말꼬리 잡기로 생각할 수 있다.
앞 벡터의 종점이 뒤 벡터의 시점이 되면 이 둘이 사라지고 앞 벡터의 시점과 뒤 벡터의 종점만 남게 되기 때문이다.
오른쪽 그림과 같이 아무리 많은 벡터를 더하더라도 말꼬리 잡기로 더하면 하나의 벡터로 간단하게 정리된다.

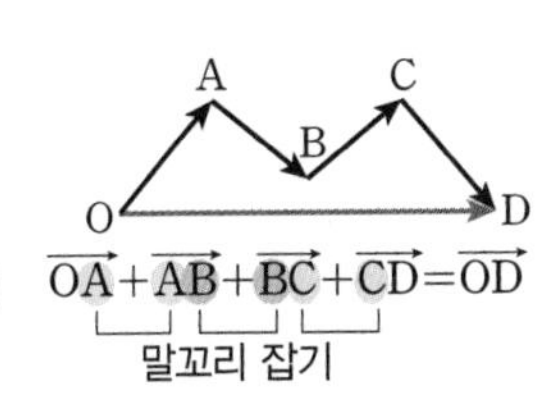

벡터의 덧셈도 수의 계산에서와 같이 교환법칙과 결합법칙이 성립한다.

벡터의 덧셈에 대한 성질

임의의 세 벡터 $\vec{a}$, $\vec{b}$, $\vec{c}$와 영벡터 $\vec{0}$에 대하여

(1) $\vec{a}+\vec{b}=\vec{b}+\vec{a}$ ⬅ 교환법칙

(2) $(\vec{a}+\vec{b})+\vec{c}=\vec{a}+(\vec{b}+\vec{c})=\vec{a}+\vec{b}+\vec{c}$ ⬅ 결합법칙

(3) $\vec{a}+\vec{0}=\vec{0}+\vec{a}=\vec{a}$

(4) $\vec{a}+(-\vec{a})=(-\vec{a})+\vec{a}=\vec{0}$

| 설명 | 벡터의 덧셈은 다음과 같은 4가지 성질을 갖는다.

① 더할 때에는 순서를 바꿔도 된다.
② 여러 개를 더할 때에는 아무거나 먼저 더해도 된다.
③ 영벡터 $\vec{0}$는 더해도 그만, 안 더해도 그만이다.
④ 부호가 반대인 것끼리 더하면 결과는 영벡터 $\vec{0}$이다.

특별할 것은 없다. 실수의 성질에 있는 것들!

한걸음 더

벡터의 덧셈에 대한 성질 확인

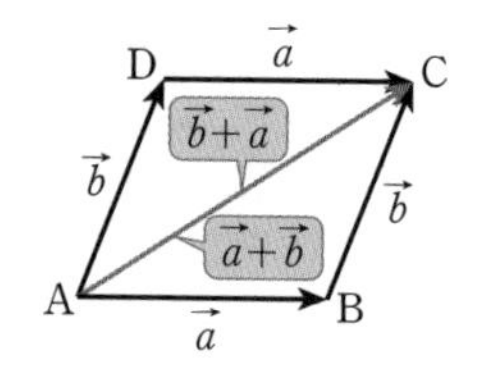

(1) 평행사변형 ABCD에서 $\vec{a}=\overrightarrow{AB}$, $\vec{b}=\overrightarrow{AD}$일 때,
$\vec{a}+\vec{b}=\overrightarrow{AB}+\overrightarrow{AD}=\overrightarrow{AB}+\overrightarrow{BC}=\overrightarrow{AC}$
$\vec{b}+\vec{a}=\overrightarrow{AD}+\overrightarrow{AB}=\overrightarrow{AD}+\overrightarrow{DC}=\overrightarrow{AC}$
이므로 $\vec{a}+\vec{b}=\vec{b}+\vec{a}$가 성립한다.

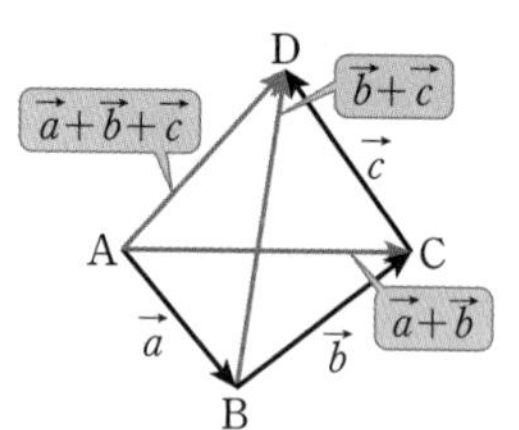

(2) 사각형 ABCD에서 $\vec{a}=\overrightarrow{AB}$, $\vec{b}=\overrightarrow{BC}$, $\vec{c}=\overrightarrow{CD}$일 때,
$(\vec{a}+\vec{b})+\vec{c}=(\overrightarrow{AB}+\overrightarrow{BC})+\overrightarrow{CD}=\overrightarrow{AC}+\overrightarrow{CD}=\overrightarrow{AD}$
$\vec{a}+(\vec{b}+\vec{c})=\overrightarrow{AB}+(\overrightarrow{BC}+\overrightarrow{CD})=\overrightarrow{AB}+\overrightarrow{BD}=\overrightarrow{AD}$
이므로 $(\vec{a}+\vec{b})+\vec{c}=\vec{a}+(\vec{b}+\vec{c})$가 성립한다.

(3) $\vec{a}=\overrightarrow{AB}$일 때, $\vec{0}=\overrightarrow{AA}=\overrightarrow{BB}$이므로
$\vec{a}+\vec{0}=\overrightarrow{AB}+\overrightarrow{BB}=\overrightarrow{AB}=\vec{a}$, $\vec{0}+\vec{a}=\overrightarrow{AA}+\overrightarrow{AB}=\overrightarrow{AB}=\vec{a}$
에서 $\vec{a}+\vec{0}=\vec{0}+\vec{a}=\vec{a}$가 성립한다.

(4) $\vec{a}=\overrightarrow{AB}$일 때, $-\vec{a}=\overrightarrow{BA}$이므로
$\vec{a}+(-\vec{a})=\overrightarrow{AB}+\overrightarrow{BA}=\overrightarrow{AA}=\vec{0}$, $(-\vec{a})+\vec{a}=\overrightarrow{BA}+\overrightarrow{AB}=\overrightarrow{BB}=\vec{0}$
에서 $\vec{a}+(-\vec{a})=(-\vec{a})+\vec{a}=\vec{0}$가 성립한다.

벡터의 뺄셈은 덧셈에서 자연스럽게 끄집어 낼 수 있다.

벡터의 뺄셈

(1) 두 벡터 $\vec{a}$, $\vec{b}$에 대하여 벡터 $\vec{a}$와 벡터 $-\vec{b}$의 합 $\vec{a}+(-\vec{b})$를 벡터 $\vec{a}$에서 벡터 $\vec{b}$를 뺀 차라 하고 $\vec{a}-\vec{b}$로 나타낸다.
➡ $\vec{a}-\vec{b}=\vec{a}+(-\vec{b})$

(2) 임의의 두 벡터 $\vec{a}$, $\vec{b}$와 임의로 정한 점 A에 대하여 $\vec{a}=\overrightarrow{AB}$, $\vec{b}=\overrightarrow{AC}$가 되도록 두 점 B, C를 정할 때,
$\boldsymbol{\vec{a}-\vec{b}=\overrightarrow{AB}-\overrightarrow{AC}=\overrightarrow{CB}}$ 중요!

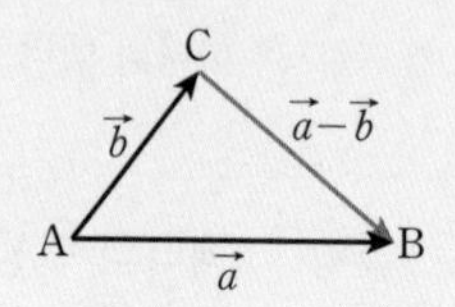

| 설명 | $\overrightarrow{AC}+\overrightarrow{CB}=\overrightarrow{AB}$에서 $\overrightarrow{CB}=\overrightarrow{AB}-\overrightarrow{AC}$ $\therefore$ $\overrightarrow{AB}-\overrightarrow{AC}=\overrightarrow{CB}$

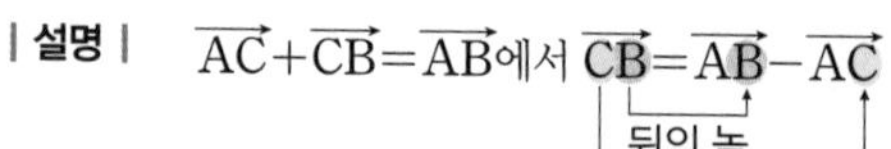

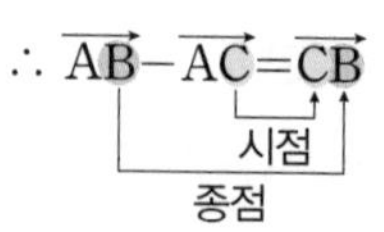

특정한 벡터를 임의의 점을 시점으로 한 뺄셈으로 나타낼 수 있다는 점에서 벡터의 뺄셈은 매우 중요하다.
$\overrightarrow{AB}=\overrightarrow{OB}-\overrightarrow{OA}$는 그 특정한 시점이 원점이 되는 아주 특별한 공식!
이른바 시점 통일 공식!
앞으로 많이 사용하게 될 공식이므로 반드시 기억하자.

$\overrightarrow{AB}=\overrightarrow{OB}-\overrightarrow{OA}$
$=\overrightarrow{CB}-\overrightarrow{CA}$
$=\overrightarrow{PB}-\overrightarrow{PA}$
$\vdots$

135 두 벡터 $\vec{a}$, $\vec{b}$가 다음과 같이 주어질 때, $\vec{a}+\vec{b}$를 그림으로 나타내어라.

(1) 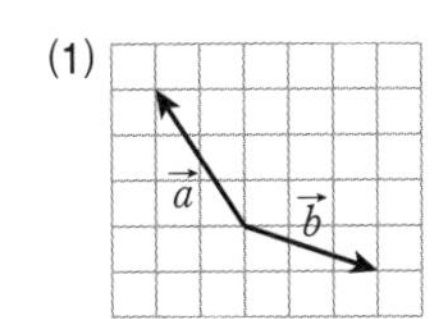
(2) 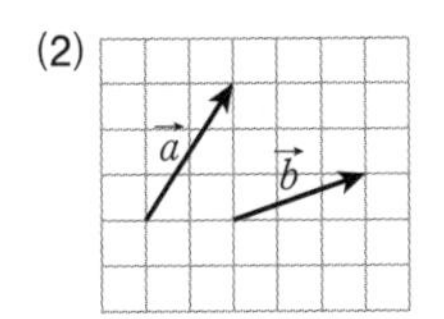
(3) 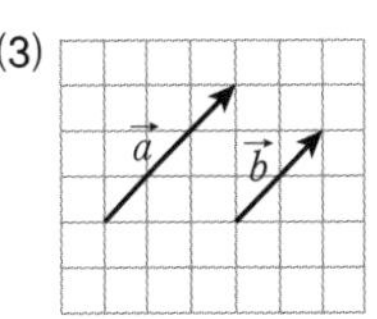

풍산자日
- 평행하지 않은 두 벡터의 덧셈
  ① 두 벡터의 시점을 일치시킨다. ➡ 평행사변형을 그려 덧셈
  ② 앞 벡터 종점과 뒤 벡터 시점을 일치시킨다. ➡ 삼각형을 그려 덧셈
- 평행한 두 벡터의 덧셈 ➡ 앞 벡터 종점에 뒤 벡터 시점을 일치시킨다.

› 풀이 (1) 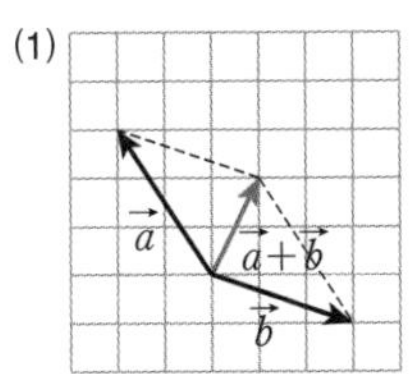
(2) 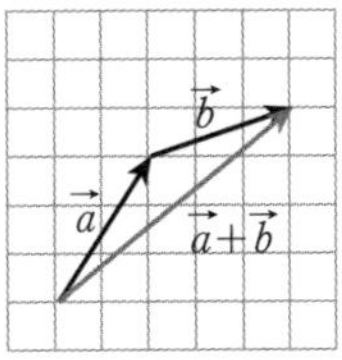
(3) 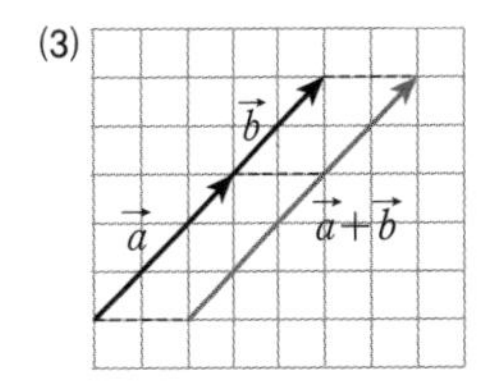

정답과 풀이 24쪽

유제 **136** 네 벡터 $\vec{a}$, $\vec{b}$, $\vec{c}$, $\vec{d}$가 오른쪽과 같이 주어질 때, $\vec{a}+\vec{b}$, $\vec{a}+\vec{d}$, $\vec{c}+\vec{d}$를 그림으로 나타내어라.

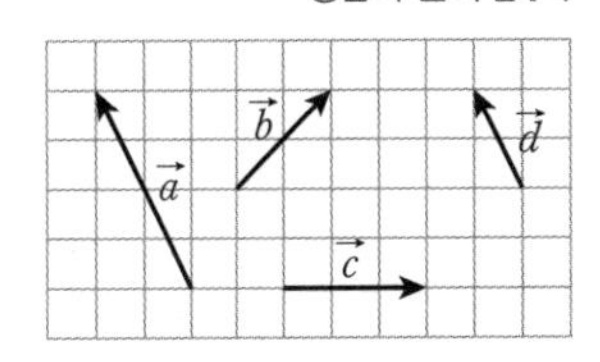

137 평면 위의 서로 다른 네 점 A, B, C, D에 대하여 다음을 간단히 하여라.

(1) $\overrightarrow{AB}+\overrightarrow{BC}+\overrightarrow{CD}$
(2) $\overrightarrow{AB}+\overrightarrow{DA}+\overrightarrow{CD}-\overrightarrow{CB}$

풍산자日 벡터의 덧셈 ➡ 더할 때에는 순서를 바꿔도 된다.
여러 개를 더할 때에는 아무거나 먼저 더해도 된다.
영벡터 $\vec{0}$는 더해도 그만, 안 더해도 그만이다.
부호가 반대인 것끼리 더하면 결과는 영벡터 $\vec{0}$이다.

› 풀이 (1) $\overrightarrow{AB}+\overrightarrow{BC}+\overrightarrow{CD}=(\overrightarrow{AB}+\overrightarrow{BC})+\overrightarrow{CD}=\overrightarrow{AC}+\overrightarrow{CD}=\mathbf{\overrightarrow{AD}}$
(2) $\overrightarrow{AB}+\overrightarrow{DA}+\overrightarrow{CD}-\overrightarrow{CB}=\overrightarrow{AB}+\overrightarrow{DA}+\overrightarrow{CD}+\overrightarrow{BC}=(\overrightarrow{AB}+\overrightarrow{BC})+(\overrightarrow{CD}+\overrightarrow{DA})$
$=\overrightarrow{AC}+\overrightarrow{CA}=\overrightarrow{AC}-\overrightarrow{AC}=\mathbf{\vec{0}}$

정답과 풀이 24쪽

유제 **138** 평면 위의 서로 다른 네 점 A, B, C, D에 대하여 다음 등식이 성립함을 보여라.

(1) $\overrightarrow{AC}+\overrightarrow{DB}+\overrightarrow{CD}=\overrightarrow{AB}$
(2) $\overrightarrow{AB}+\overrightarrow{DA}=\overrightarrow{DC}+\overrightarrow{CA}-\overrightarrow{BA}$

139 두 벡터 $\vec{a}$, $\vec{b}$가 다음과 같이 주어질 때, $\vec{a}-\vec{b}$를 그림으로 나타내어라.

(1)
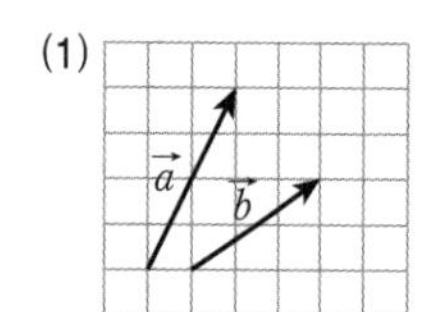

(2)
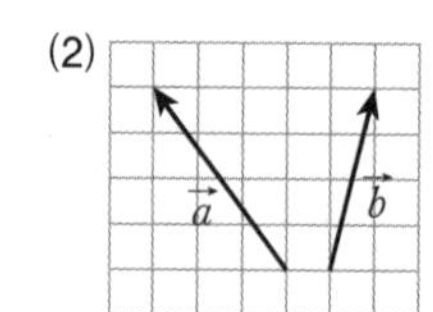

(3)
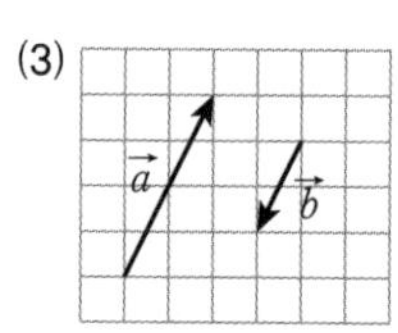

풍산자비 두 벡터의 차 ➡ 두 벡터의 시점을 일치시킨다.
➡ $\vec{a}-\vec{b}$는 벡터 $\vec{b}$의 종점에서 벡터 $\vec{a}$의 종점까지 가는 벡터

> 풀이

(1)
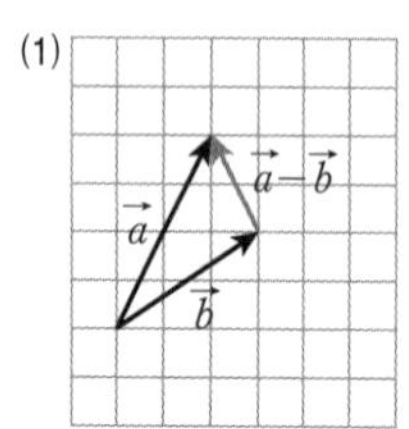

(2) $\vec{a}-\vec{b}$, $\vec{a}$, $\vec{b}$

(3)
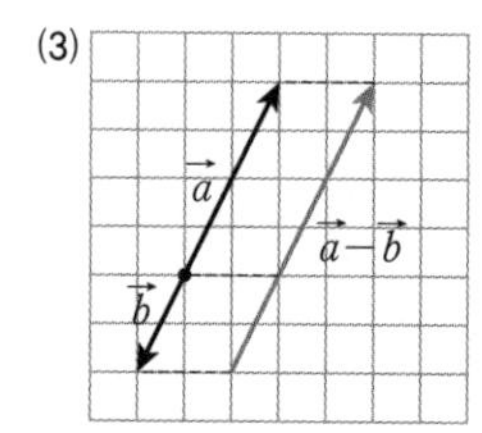

정답과 풀이 **24**쪽

유제 **140** 네 벡터 $\vec{a}$, $\vec{b}$, $\vec{c}$, $\vec{d}$가 오른쪽과 같이 주어질 때, $\vec{a}-\vec{b}$, $\vec{a}-\vec{d}$, $\vec{c}-\vec{d}$를 그림으로 나타내어라.

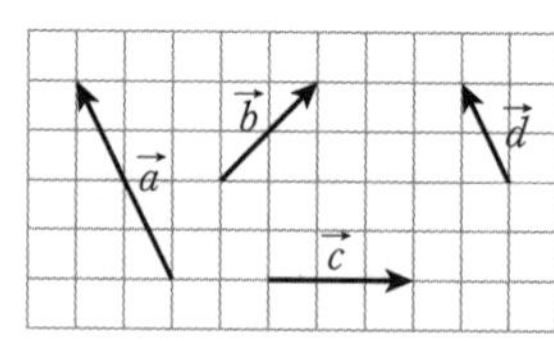

141 그림과 같은 평행사변형 ABCD에서 두 대각선의 교점을 O라 하자. $\overrightarrow{OA}=\vec{a}$, $\overrightarrow{OB}=\vec{b}$라 할 때, 다음 벡터를 $\vec{a}$, $\vec{b}$로 나타내어라.

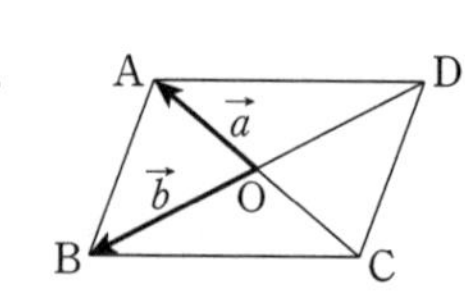

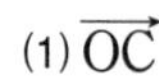
(1) $\overrightarrow{OC}$ (2) $\overrightarrow{AB}$ (3) $\overrightarrow{BC}$ (4) $\overrightarrow{DA}$

풍산자비 시점에서 종점까지 길 찾기 벡터의 덧셈, 뺄셈
➡ 크기와 방향이 모두 같으면 서로 같은 벡터, 크기는 같고 방향이 반대이면 − 등장!!

> 풀이 (1) $\overrightarrow{OC}=\overrightarrow{AO}=-\overrightarrow{OA}=-\vec{a}$
(2) $\overrightarrow{AB}=\overrightarrow{AO}+\overrightarrow{OB}=-\overrightarrow{OA}+\overrightarrow{OB}=-\vec{a}+\vec{b}$
(3) $\overrightarrow{BC}=\overrightarrow{BO}+\overrightarrow{OC}=-\overrightarrow{OB}+\overrightarrow{OC}=-\vec{b}-\vec{a}=-\vec{a}-\vec{b}$
(4) $\overrightarrow{DA}=\overrightarrow{DO}+\overrightarrow{OA}=\overrightarrow{OB}+\overrightarrow{OA}=\vec{b}+\vec{a}=\vec{a}+\vec{b}$

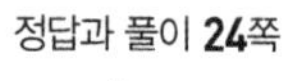
정답과 풀이 **24**쪽

유제 **142** 그림과 같은 정육각형 ABCDEF에서 $\overrightarrow{AB}=a$, $\overrightarrow{BC}=\vec{b}$, $\overrightarrow{CD}=\vec{c}$라 할 때, 다음 벡터를 $\vec{a}$, $\vec{b}$, $\vec{c}$로 나타내어라.

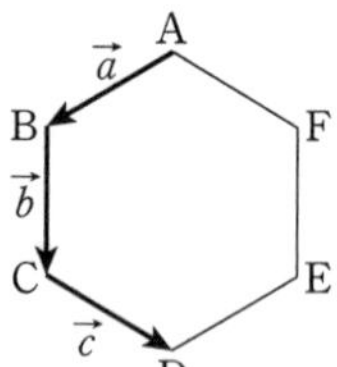

(1) $\overrightarrow{AC}$ (2) $\overrightarrow{AD}$ (3) $\overrightarrow{BD}$
(4) $\overrightarrow{CE}$ (5) $\overrightarrow{CF}$ (6) $\overrightarrow{DF}$

필수 확인 문제

* 더 많은 유형은 **풍산자필수유형 기하** 041쪽

정답과 풀이 24쪽

143

평면 위의 서로 다른 네 점 A, B, C, D에 대하여 다음 중 $\overrightarrow{CB}+\overrightarrow{DC}+\overrightarrow{AD}+\overrightarrow{BD}$와 같은 벡터는?

① $\overrightarrow{AB}$ ② $\overrightarrow{AC}$ ③ $\overrightarrow{AD}$
④ $\overrightarrow{CA}$ ⑤ $\overrightarrow{CD}$

144

삼각형 ABC에서

$$\overline{AC}=2,\ \angle C=90^\circ,\ \angle B=30^\circ$$

이다. 점 P가 $\overrightarrow{PB}+\overrightarrow{PC}=\vec{0}$를 만족시킬 때, $|\overrightarrow{PA}|^2$의 값을 구하여라.

145

한 변의 길이가 1인 정삼각형 ABC에서 $|\overrightarrow{AB}+\overrightarrow{BC}+\overrightarrow{CB}|+|\overrightarrow{AB}+\overrightarrow{BC}+\overrightarrow{CA}|$의 값을 구하여라.

146

그림과 같이 한 변의 길이가 1인 정육각형 ABCDEF에서 $\overrightarrow{AF}=\vec{a}$, $\overrightarrow{AB}=\vec{b}$, $\overrightarrow{AD}=\vec{c}$라 할 때, 다음 벡터의 크기를 구하여라.

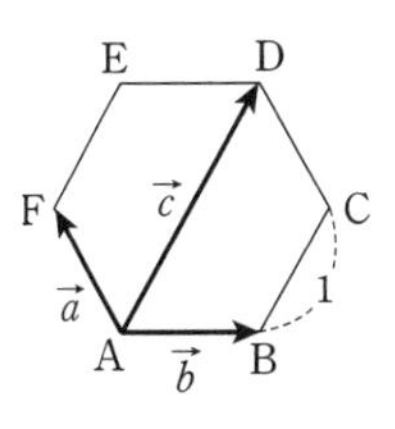

(1) $\vec{a}+\vec{b}$ (2) $\vec{a}-\vec{b}$
(3) $\vec{a}+\vec{b}+\vec{c}$ (4) $\vec{a}+\vec{b}-\vec{c}$

147

그림과 같이 반지름의 길이가 1인 원 O에 내접하는 정팔각형 ABCDEFGH에서 다음 값을 구하여라.

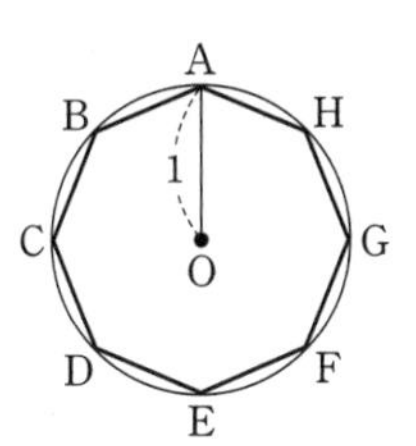

$$|\overrightarrow{OA}+\overrightarrow{OB}+\overrightarrow{OC}+\overrightarrow{OD}+\overrightarrow{OE}+\overrightarrow{OF}+\overrightarrow{OG}+\overrightarrow{OH}|$$

2 벡터의 실수배

01 벡터의 실수배

벡터에 실수를 곱하면 새로운 벡터가 나온다. 어떤 벡터냐?

실수의 부호가 양이면 처음 벡터와 방향은 같고 크기는 실수배로 한 벡터.

실수의 부호가 음이면 처음 벡터와 방향은 반대이고 크기는 실수배로 한 벡터.

왜냐고? 그렇게 하자고 약속한 것.

벡터의 실수배

임의의 실수 k와 벡터 $\vec{a}$의 곱 $k\vec{a}$를 **벡터 $\vec{a}$의 실수배**라 하고 다음과 같이 정의한다.

(1) $\vec{a}\neq\vec{0}$일 때, $k\vec{a}$는

① $k>0$이면, 벡터 $\vec{a}$와 방향이 같고, 크기가 $k|\vec{a}|$인 벡터이다.

② $k<0$이면, 벡터 $\vec{a}$와 방향이 반대이고, 크기가 $|k||\vec{a}|$인 벡터이다.

③ $k=0$이면, $k\vec{a}=\vec{0}$이다.

(2) $\vec{a}=\vec{0}$일 때, $k\vec{a}=\vec{0}$이다.

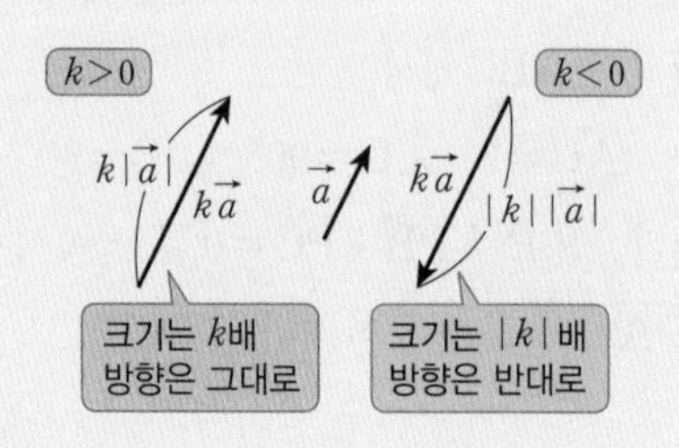

| 설명 | 오른쪽 그림과 같이

벡터 $\vec{a}$에 양수 2를 곱한 벡터 $2\vec{a}$는 방향은 그대로, 크기는 2배로 한 벡터.

벡터 $\vec{a}$에 음수 -2를 곱한 벡터 $-2\vec{a}$는 방향은 반대로, 크기는 2배로 한 벡터.

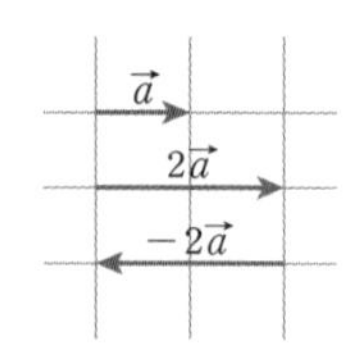

벡터의 덧셈에 대한 성질에 이어 벡터의 실수배도 다음과 같은 성질을 만족시킨다.

벡터의 실수배에 대한 성질

임의의 두 실수 k, l과 두 벡터 $\vec{a}$, $\vec{b}$에 대하여

(1) $k(l\vec{a})=(kl)\vec{a}$ ⇐ 결합법칙

(2) $(k+l)\vec{a}=k\vec{a}+l\vec{a}$ ⇐ 분배법칙

(3) $k(\vec{a}+\vec{b})=k\vec{a}+k\vec{b}$ ⇐ 분배법칙

| 설명 | 벡터의 덧셈, 뺄셈, 실수배의 연산은 수와 식의 연산처럼 아무 생각 없이 해도 된다.

大 원칙 | 벡터의 실수배를 포함한 덧셈과 뺄셈

➡ 실수를 계수, 벡터를 한 문자로 생각하고 수와 식의 계산과 동일하게 한다.

148 다음을 간단히 하여라.

(1) $2(\vec{a}-\vec{b})-(\vec{a}-3\vec{b})$ (2) $\frac{2}{3}(2\vec{a}-3\vec{b})+\frac{1}{6}(4\vec{a}+3\vec{b})$

풍산자비법 벡터의 실수배에서는 벡터를 분배하여 곱할 수도 있고, 실수를 분배하여 곱할 수도 있다.
벡터 분배 ➡ $(k+l)\vec{a}=k\vec{a}+l\vec{a}$ 실수 분배 ➡ $k(\vec{a}+\vec{b})=k\vec{a}+k\vec{b}$
벡터가 괄호로 묶어진 식을 $k(\vec{a}+\vec{b})=k\vec{a}+k\vec{b}$를 이용하여 푼 다음 같은 벡터끼리 동류항으로 생각하여 $k\vec{a}+l\vec{a}=(k+l)\vec{a}$로 정리한다.

> 풀이

(1) $2(\vec{a}-\vec{b})-(\vec{a}-3\vec{b})=2\vec{a}-2\vec{b}-\vec{a}+3\vec{b}=(2-1)\vec{a}+(-2+3)\vec{b}=\boldsymbol{\vec{a}+\vec{b}}$

(2) $\frac{2}{3}(2\vec{a}-3\vec{b})+\frac{1}{6}(4\vec{a}+3\vec{b})=\frac{4}{3}\vec{a}-2\vec{b}+\frac{2}{3}\vec{a}+\frac{1}{2}\vec{b}$
$=\left(\frac{4}{3}+\frac{2}{3}\right)\vec{a}+\left(-2+\frac{1}{2}\right)\vec{b}=\boldsymbol{2\vec{a}-\frac{3}{2}\vec{b}}$

정답과 풀이 25쪽

유제 **149** 다음을 간단히 하여라.

(1) $\vec{b}-3(\vec{a}+\vec{b})-2(2\vec{a}-\vec{b})$ (2) $\frac{5}{2}(4\vec{a}+3\vec{b})-\frac{1}{4}(4\vec{a}-2\vec{b})$

150 다음 물음에 답하여라.

(1) 등식 $2\vec{a}-\vec{x}=-\vec{b}+\vec{x}+3(\vec{a}-\vec{b})$를 만족시키는 벡터 $\vec{x}$를 $\vec{a}$, $\vec{b}$로 나타내어라.

(2) 두 등식 $2\vec{x}+3\vec{y}=\vec{a}$, $3\vec{x}+4\vec{y}=2\vec{a}$를 동시에 만족시키는 두 벡터 $\vec{x}$, $\vec{y}$를 $\vec{a}$로 각각 나타내어라.

풍산자비법 벡터를 문자로 생각하고 수와 식의 계산처럼 해라. 아무 문제 없다.

> 풀이

(1) $2\vec{a}-\vec{x}=-\vec{b}+\vec{x}+3(\vec{a}-\vec{b})$에서 $2\vec{a}-\vec{x}=-\vec{b}+\vec{x}+3\vec{a}-3\vec{b}$
$-\vec{x}-\vec{x}=-\vec{b}+3\vec{a}-3\vec{b}-2\vec{a}$, $-2\vec{x}=\vec{a}-4\vec{b}$ $\therefore$ $\boldsymbol{\vec{x}=-\frac{1}{2}\vec{a}+2\vec{b}}$

(2) $2\vec{x}+3\vec{y}=\vec{a}$ …… ㉠, $3\vec{x}+4\vec{y}=2\vec{a}$ …… ㉡
㉠×3−㉡×2를 하면 $\boldsymbol{\vec{y}=-\vec{a}}$
$\vec{y}=-\vec{a}$를 ㉠에 대입하면 $2\vec{x}-3\vec{a}=\vec{a}$, $2\vec{x}=4\vec{a}$ $\therefore$ $\boldsymbol{\vec{x}=2\vec{a}}$

정답과 풀이 25쪽

유제 **151** 다음 물음에 답하여라.

(1) 등식 $2\vec{x}+(\vec{a}+\vec{b})=2\vec{a}-(\vec{b}-\vec{x})$를 만족시키는 벡터 $\vec{x}$를 $\vec{a}$, $\vec{b}$로 나타내어라.

(2) 두 등식 $\vec{x}+2\vec{y}=-\vec{a}$, $3\vec{x}-\vec{y}=4\vec{a}$를 동시에 만족시키는 두 벡터 $\vec{x}$, $\vec{y}$를 $\vec{a}$로 각각 나타내어라.

02 벡터의 연산의 활용

평행한 직선이 있듯이, 평행한 벡터도 있다.

벡터의 평행은 벡터의 크기와 상관없이 직선과 마찬가지로 방향만 따지면 된다.

벡터의 평행

영벡터가 아닌 두 벡터 $\vec{a}$, $\vec{b}$가 방향이 같거나 반대일 때, 두 벡터 $\vec{a}$, $\vec{b}$는 서로 평행하다고 하며, $\boldsymbol{\vec{a} /\!/ \vec{b}}$로 나타낸다.

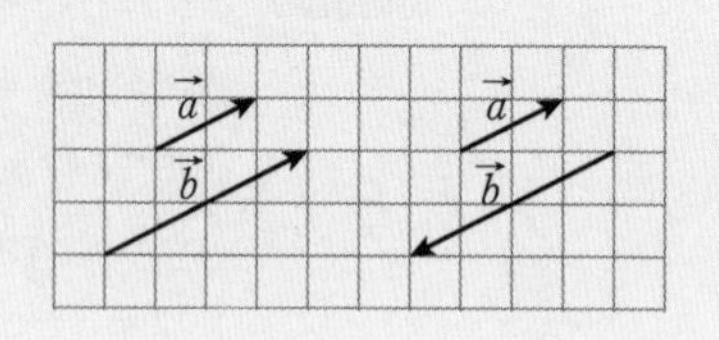

| 설명 | 두 벡터 $\vec{a}=\overrightarrow{\mathrm{OA}}$, $\vec{b}=\overrightarrow{\mathrm{OB}}$에 대하여 $\vec{a} /\!/ \vec{b}$이면 두 선분 OA, OB가 평행하다는 뜻이고 겹치는 것도 포함한다.

두 벡터 $\vec{a}$, $\vec{b}$의 방향이 같을 때

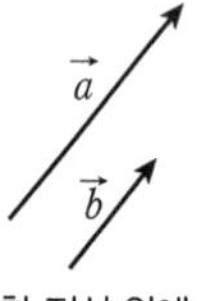

한 직선 위에 있지 않다.

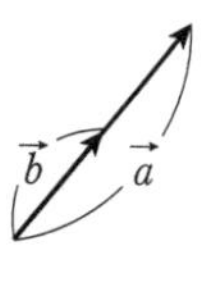

한 직선 위에 있다.

두 벡터 $\vec{a}$, $\vec{b}$의 방향이 반대일 때

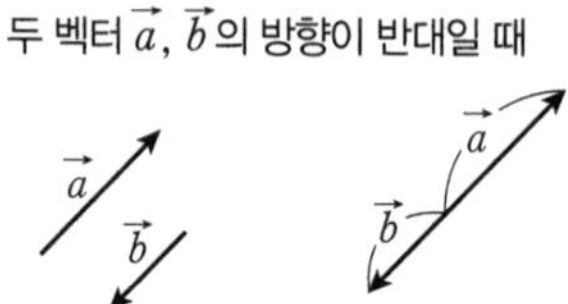

한 직선 위에 있지 않다.

한 직선 위에 있다.

벡터의 실수배는 실수랑 벡터랑 곱하는 사이비 곱셈.

진짜 곱셈은 나중에 배울 내적.

하지만 이 사이비 곱셈이 강력한 파워를 발휘하는 두 가지 상황이 있다.

두 벡터가 평행할 조건을 구할 때와 세 점이 한 직선 위에 있을 조건을 구할 때.

먼저 벡터가 평행할 조건을 알아보자.

벡터의 평행 조건 중요!

(1) 영벡터가 아닌 두 벡터 $\vec{a}$, $\vec{b}$에 대하여

$\vec{a} /\!/ \vec{b} \iff \boldsymbol{\vec{b}=k\vec{a}}$ (단, k는 0이 아닌 실수)

(2) 영벡터가 아닌 두 벡터 $\vec{a}$, $\vec{b}$가 서로 평행하지 않을 때,

$\vec{p}=m\vec{a}+n\vec{b}$, $\vec{q}=m'\vec{a}+n'\vec{b}$에 대하여

$\vec{p} /\!/ \vec{q} \iff \boldsymbol{\vec{q}=k\vec{p}}$ (단, k는 0이 아닌 실수)

$\iff \boldsymbol{m'=km,\ n'=kn}$ (단, k는 0이 아닌 실수, m, n, m', n'은 실수)

| 설명 | 두 벡터가 $\vec{a}$, $\vec{b}$가 평행하다는 것은 방향이 같거나 반대 중 하나.

방향이 같으면 벡터 $\vec{a}$를 적당히 늘이거나 줄여서 벡터 $\vec{b}$랑 같게 만들 수 있다.

크기를 늘이거나 줄이는 것이 바로 실수배!

벡터 $\vec{a}$에 적당한 실수를 곱하면 벡터 $\vec{b}$랑 같게 된다.

방향이 반대이면 벡터 $\vec{a}$를 방향을 바꾸어 적당히 늘이거나 줄여 벡터 $\vec{b}$랑 같게 만들 수 있다.

이것도 음수를 곱하는 실수배.

$\therefore \vec{b}=k\vec{a}$

벡터가 서로 같을 조건

영벡터가 아닌 두 벡터 $\vec{a}$, $\vec{b}$에 대하여 $\vec{a}$, $\vec{b}$가 서로 평행하지 않을 때

(1) $m\vec{a}+n\vec{b}=\vec{0} \iff m=0,\ n=0$ (단, m, n은 실수)

(2) $m\vec{a}+n\vec{b}=p\vec{a}+q\vec{b} \iff m=p,\ n=q$ (단, m, n, p, q는 실수)

| 설명 | (1) $m\vec{a}+n\vec{b}=\vec{0}$에서 $m\vec{a}=-n\vec{b}$

$m\neq0$이면 $\vec{a}=-\frac{n}{m}\vec{b}$

➡ $\vec{a}=k\vec{b}$의 꼴 (단, $k\neq0$인 실수) $\Leftarrow$ $k=0$이면 벡터 $\vec{a}$가 영벡터가 되어 조건에 모순

➡ 두 벡터 $\vec{a}$, $\vec{b}$가 평행? ➡ 조건에 모순!

$\therefore m=0$

같은 방식으로 $n\vec{b}=-m\vec{a}$를 생각하면 $n=0$

물론 $m=n=0$이면 $m\vec{a}+n\vec{b}=\vec{0}$인 건 말 안 해도 당연하고.

(2) $m\vec{a}+n\vec{b}=p\vec{a}+q\vec{b}$에서 모든 항을 좌변으로 이항하여 정리하면

$(m-p)\vec{a}+(n-q)\vec{b}=\vec{0}$

여기에 (1)을 적용하면 끝.

$m-p=0,\ n-q=0$

$\therefore m=p,\ n=q$

벡터가 서로 같을 조건은 결국 두 벡터가 영벡터가 아니고 서로 평행하지 않다는 조건이 있으면 계수비교법을 쓸 수 있다는 소리!

벡터의 사이비 곱셈인 실수배가 강력한 파워를 발휘하는 두 번째 상황.

세 점이 한 직선 위에 있을 조건.

그런데 사실 두 벡터가 서로 평행할 조건과 큰 차이는 없다.

세 점을 이용한 벡터를 만들면 똑같은 이야기!

세 점이 한 직선 위에 있을 조건 중요!

서로 다른 세 점 A, B, C에 대하여 세 점 A, B, C는 한 직선 위에 있다.

➡ $\overrightarrow{\mathrm{AC}}=k\overrightarrow{\mathrm{AB}}$ (단, k는 0이 아닌 실수)

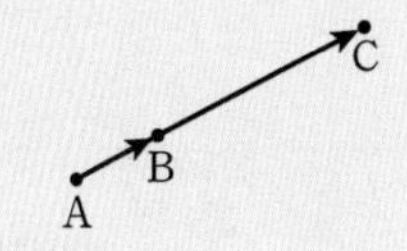

| 설명 | 오른쪽 그림과 같이 세 점 A, B, C가 한 직선 위에 있을 때,

벡터 $\overrightarrow{\mathrm{AB}}$를 적당히 늘이면 벡터 $\overrightarrow{\mathrm{AC}}$랑 같게 된다.

벡터의 길이를 늘이는 건 실수배.

벡터 $\overrightarrow{\mathrm{AB}}$에 적당한 실수를 곱하면 벡터 $\overrightarrow{\mathrm{AC}}$랑 같게 된다.

$\therefore \overrightarrow{\mathrm{AC}}=k\overrightarrow{\mathrm{AB}}$

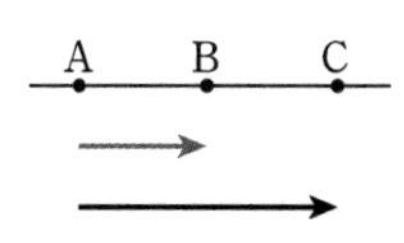

大 원칙 영벡터가 아닌 두 벡터가 평행하면 한 벡터는 다른 벡터의 실수배이다.

152 그림과 같이 정사각형 ABCD의 각 변의 중점이 E, F, G, H이고 $\overrightarrow{AE}=\vec{a}$, $\overrightarrow{AD}=\vec{b}$일 때, 다음 벡터를 $\vec{a}$, $\vec{b}$로 나타내어라.

(1) $\overrightarrow{BF}$ (2) $\overrightarrow{DC}$ (3) $\overrightarrow{AC}$ (4) $\overrightarrow{FG}$

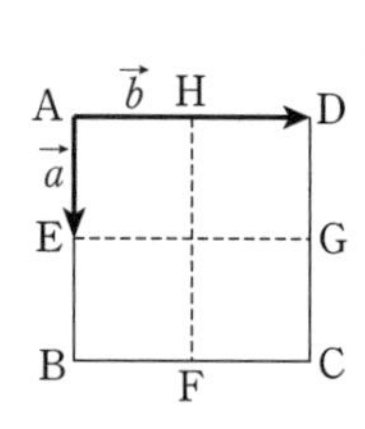

풍산자曰 시점에서 종점까지 변을 따라 길을 찾는다. 해당 길에 벡터가 없다면 평행한 벡터를 데려다 쓴다. ➡ 평행한 벡터가 크기가 다르면 실수배. 방향이 다르면 − 부호 추가!

> 풀이

(1) $\overrightarrow{BF} /\!/ \overrightarrow{AH}$이므로 $\overrightarrow{BF}=\overrightarrow{AH}=\frac{1}{2}\overrightarrow{AD}=\boldsymbol{\frac{1}{2}\vec{b}}$

(2) $\overrightarrow{DC} /\!/ \overrightarrow{AB}$이므로 $\overrightarrow{DC}=\overrightarrow{AB}=2\overrightarrow{AE}=\boldsymbol{2\vec{a}}$

(3) $\overrightarrow{AC}=\overrightarrow{AB}+\overrightarrow{BC}=\overrightarrow{AE}+\overrightarrow{EB}+\overrightarrow{BC}=2\overrightarrow{AE}+\overrightarrow{AD}=\boldsymbol{2\vec{a}+\vec{b}}$

(4) $\overrightarrow{FG}=\overrightarrow{FC}+\overrightarrow{CG}=\overrightarrow{HD}-\overrightarrow{GC}=\frac{1}{2}\overrightarrow{AD}-\overrightarrow{AE}=\frac{1}{2}\vec{b}-\vec{a}=\boldsymbol{-\vec{a}+\frac{1}{2}\vec{b}}$

정답과 풀이 25쪽

유제 **153** 그림과 같은 정육각형 ABCDEF에서 점 O는 세 대각선의 교점이다. $\overrightarrow{AB}=\vec{a}$, $\overrightarrow{BC}=\vec{b}$일 때, 다음 벡터를 $\vec{a}$, $\vec{b}$로 나타내어라.

(1) $\overrightarrow{CD}$ (2) $\overrightarrow{CE}$ (3) $\overrightarrow{BE}$

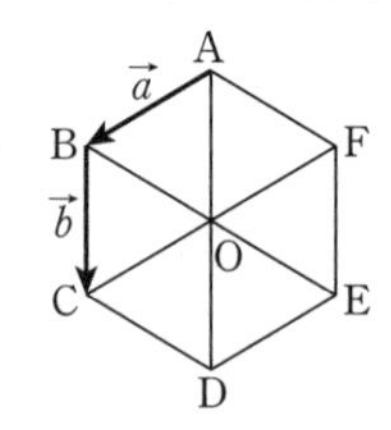

154 그림에서 세 점 P, Q, R는 각각 △ABC의 세 변 AB, BC, CA의 중점이다. $\overrightarrow{AB}=\vec{a}$, $\overrightarrow{AC}=\vec{b}$라 하면 $\overrightarrow{BQ}=m\vec{a}+n\vec{b}$일 때, 실수 m, n의 값을 각각 구하여라.

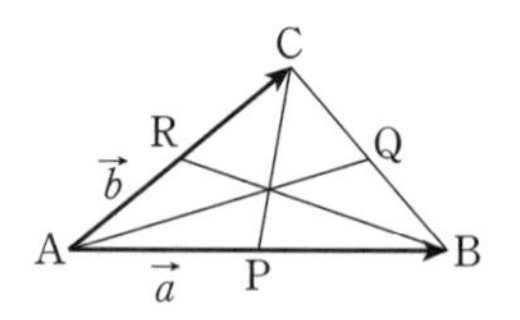

풍산자曰 $\overrightarrow{BQ}$는 B→A→C→Q로 찾아간다고 생각하는 게 자연스럽다.
그러나 C→Q는 막힌 길.
먼저 찾으려는 벡터를 포함한 가장 긴 벡터 $\overrightarrow{BC}$를 구한 후 $\frac{1}{2}$을 곱한다.

> 풀이

$\overrightarrow{BQ}=\frac{1}{2}\overrightarrow{BC}$이고 $\overrightarrow{BC}=\overrightarrow{BA}+\overrightarrow{AC}=-\overrightarrow{AB}+\overrightarrow{AC}=-\vec{a}+\vec{b}$이므로

$\overrightarrow{BQ}=-\frac{1}{2}\vec{a}+\frac{1}{2}\vec{b}$ $\therefore$ $\boldsymbol{m=-\frac{1}{2},\ n=\frac{1}{2}}$

정답과 풀이 25쪽

유제 **155** 그림에서 세 점 P, Q, R는 각각 △ABC의 세 변 AB, BC, CA의 중점이고, 점 G는 $\overline{AQ}$, $\overline{BR}$, $\overline{CP}$의 교점이다. $\overrightarrow{AB}=\vec{a}$, $\overrightarrow{AC}=\vec{b}$라 할 때, 다음 벡터를 $\vec{a}$, $\vec{b}$로 나타내어라.

(1) $\overrightarrow{CQ}$ (2) $\overrightarrow{GR}$ (3) $\overrightarrow{GQ}$

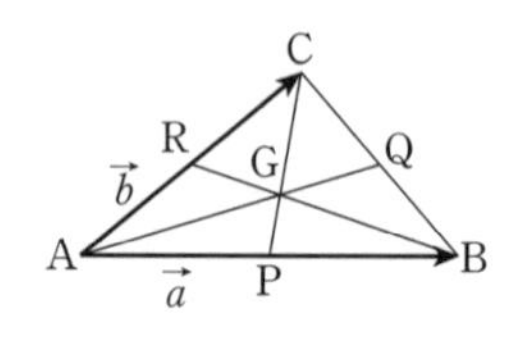

156 그림과 같이 한 변의 길이가 1인 정삼각형 ABC에서 $\overrightarrow{AB}=\vec{a}$, $\overrightarrow{BC}=\vec{b}$, $\overrightarrow{CA}=\vec{c}$라 할 때, 다음 벡터의 크기를 구하여라.

(1) $\vec{a}-\vec{b}+\vec{c}$ (2) $\vec{a}+\vec{b}-\vec{c}$

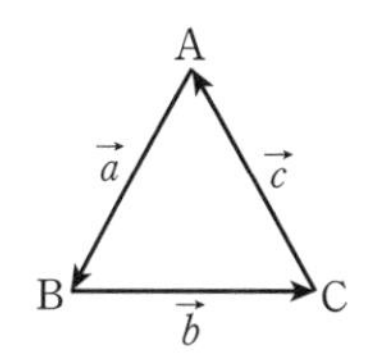

풍산자日 주어진 도형과 합동인 도형을 이어 붙인 그림에서 벡터의 연산에 따라 길을 찾아 시점, 종점을 정한다.

> 풀이 $\triangle$ABC와 합동인 삼각형을 이어 붙인 그림을 이용한다.

(1) 오른쪽 그림에서 $\vec{a}-\vec{b}+\vec{c}=\overrightarrow{AP}$

이때 $\triangle$ABC의 한 변의 길이가 1이므로 $\overline{AP}=2$

$\therefore |\vec{a}-\vec{b}+\vec{c}|=|\overrightarrow{AP}|=\overline{AP}=\mathbf{2}$

(2) 오른쪽 그림에서 $\vec{a}+\vec{b}-\vec{c}=\overrightarrow{AQ}$

이때 $\triangle$ABC의 한 변의 길이가 1이므로 $\overline{AQ}=2$

$\therefore |\vec{a}+\vec{b}-\vec{c}|=|\overrightarrow{AQ}|=\overline{AQ}=\mathbf{2}$

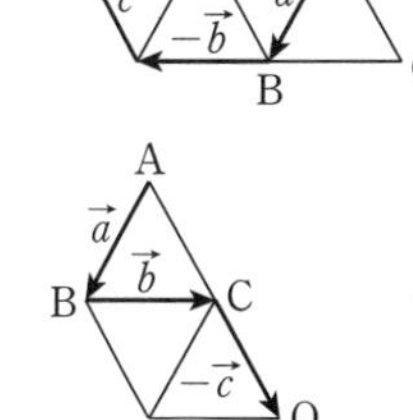

정답과 풀이 **26쪽**

유제 **157** 그림과 같이 한 변의 길이가 6인 정육각형 ABCDEF에서 $\overrightarrow{AB}=\vec{a}$, $\overrightarrow{BC}=\vec{b}$, $\overrightarrow{CD}=\vec{c}$라 할 때, 다음 벡터의 크기를 구하여라.

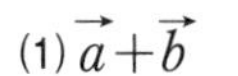

(1) $\vec{a}+\vec{b}$ (2) $\vec{a}+\vec{b}-\vec{c}$ (3) $-\vec{a}+\vec{b}+\vec{c}$

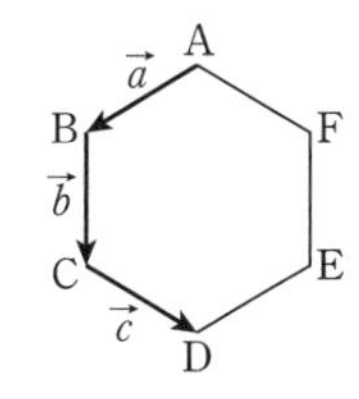

158 서로 평행하지도 않고 영벡터도 아닌 두 벡터 $\vec{a}$, $\vec{b}$에 대하여 등식 $m\vec{a}-n\vec{b}=(n+1)\vec{a}+(3+m)\vec{b}$를 만족시키는 실수 m, n의 값을 각각 구하여라.

풍산자日 무리수가 같을 조건, 복소수가 같을 조건과 동일하다.
무리수가 같을 조건에서 무리수 대신 벡터가, 복소수가 같을 조건에서 복소수 대신 벡터가 들어가 있을 뿐.

> 풀이 $m\vec{a}-n\vec{b}=(n+1)\vec{a}+(3+m)\vec{b}$에서 $m=n+1$, $-n=3+m$

$\therefore \boldsymbol{m=-1,\ n=-2}$

정답과 풀이 **26쪽**

유제 **159** 서로 평행하지도 않고 영벡터도 아닌 두 벡터 $\vec{a}$, $\vec{b}$에 대하여 다음 등식을 만족시키는 실수 m, n의 값을 각각 구하여라.

(1) $(m-2)\vec{a}+(n+1)\vec{b}=\vec{0}$

(2) $m^2\vec{a}-(n+1)\vec{b}=(2m-1)\vec{a}+(m-2)\vec{b}$

160 서로 평행하지도 않고 영벡터도 아닌 두 벡터 $\vec{a}$, $\vec{b}$에 대하여 세 벡터 $\vec{p}$, $\vec{q}$, $\vec{r}$가

$\vec{p}=3\vec{a}-2\vec{b}$, $\vec{q}=3\vec{a}+5\vec{b}$, $\vec{r}=m\vec{a}+4\vec{b}$

일 때, 두 벡터 $\vec{p}+\vec{q}$, $\vec{r}-\vec{p}$가 서로 평행하도록 하는 실수 m의 값을 구하여라.

풍산자타 두 벡터가 서로 평행하다? 딴 생각할 것 없다.
무조건 한 벡터는 다른 벡터의 실수배임을 떠올린다.

> 풀이

$\vec{p}+\vec{q}=6\vec{a}+3\vec{b}$, $\vec{r}-\vec{p}=(m-3)\vec{a}+6\vec{b}$

두 벡터 $\vec{p}+\vec{q}$, $\vec{r}-\vec{p}$가 서로 평행하므로 $\vec{r}-\vec{p}=k(\vec{p}+\vec{q})$ (단, k는 0이 아닌 실수)

즉, $(m-3)\vec{a}+6\vec{b}=6k\vec{a}+3k\vec{b}$에서 $m-3=6k$, $6=3k$

$\therefore k=2$, $m=\mathbf{15}$

정답과 풀이 **26**쪽

유제 **161** 서로 평행하지도 않고 영벡터도 아닌 두 벡터 $\vec{a}$, $\vec{b}$에 대하여 세 벡터 $\vec{p}$, $\vec{q}$, $\vec{r}$가

$\vec{p}=3\vec{a}+\vec{b}$, $\vec{q}=\vec{a}-2\vec{b}$, $\vec{r}=\vec{a}+m\vec{b}$

일 때, 두 벡터 $\vec{p}+\vec{q}$, $\vec{p}+\vec{r}$가 서로 평행하도록 하는 실수 m의 값을 구하여라.

162 서로 평행하지도 않고 영벡터도 아닌 두 벡터 $\vec{a}$, $\vec{b}$에 대하여

$\overrightarrow{OA}=\vec{a}+2\vec{b}$, $\overrightarrow{OB}=2\vec{a}+\vec{b}$, $\overrightarrow{OC}=m\vec{a}-\vec{b}$

일 때, 세 점 A, B, C가 한 직선 위에 있도록 하는 실수 m의 값을 구하여라.

풍산자타 세 점 A, B, C가 한 직선 위에 있다?
두 점씩 골라 벡터를 만들고 한 벡터는 다른 벡터의 실수배임을 이용한다.
이때 주어진 벡터가 전부 시점이 O인 벡터니까 시점 통일 공식을 적용해서 정리하면 끝.

> 풀이

세 점 A, B, C가 한 직선 위에 있으므로

$\overrightarrow{AC}=k\overrightarrow{AB}$ (단, k는 0이 아닌 실수)

$\overrightarrow{OC}-\overrightarrow{OA}=k(\overrightarrow{OB}-\overrightarrow{OA})$이므로

$(m\vec{a}-\vec{b})-(\vec{a}+2\vec{b})=k\{(2\vec{a}+\vec{b})-(\vec{a}+2\vec{b})\}$

$(m-1)\vec{a}-3\vec{b}=k\vec{a}-k\vec{b}$에서 $m-1=k$, $-3=-k$

$\therefore k=3$, $m=\mathbf{4}$

정답과 풀이 **26**쪽

유제 **163** 서로 평행하지도 않고 영벡터도 아닌 두 벡터 $\vec{a}$, $\vec{b}$에 대하여

$\overrightarrow{OA}=\vec{a}+\vec{b}$, $\overrightarrow{OB}=m\vec{a}+3\vec{b}$, $\overrightarrow{OC}=-\vec{a}-3\vec{b}$

일 때, 세 점 A, B, C가 한 직선 위에 있도록 하는 실수 m의 값을 구하여라.

164 △OAB의 변 OA를 1 : 2로 내분하는 점을 M, 변 OB를 2 : 1로 내분하는 점을 N이라 하고, 선분 AN과 선분 BM의 교점을 P라 하자. $\overrightarrow{OA}=\vec{a}$, $\overrightarrow{OB}=\vec{b}$라 할 때, 벡터 $\overrightarrow{OP}$를 $\vec{a}$, $\vec{b}$로 나타내어라.

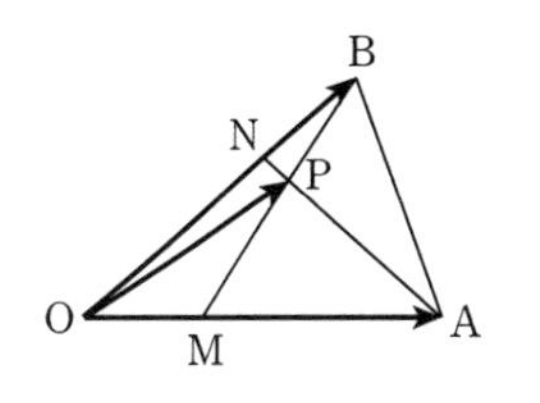

풍산자曰 상당히 어려운 문제이지만 무척 단순한 아이디어로 간단하게 풀린다.
아이디어는 세 점 A, P, N과 B, P, M이 각각 한 직선 위에 있다는 것.

> 풀이 다음과 같이 두 직선의 교점을 가리키는 벡터 $\overrightarrow{OP}$를 두 방향에서 구한다.

세 점 A, P, N이 한 직선 위에 있다. $\therefore \overrightarrow{AP}=k\overrightarrow{AN}$ (단, k는 0이 아닌 실수)	세 점 B, P, M이 한 직선 위에 있다. $\therefore \overrightarrow{BP}=l\overrightarrow{BM}$ (단, l은 0이 아닌 실수)
$\overrightarrow{OP}-\overrightarrow{OA}=k(\overrightarrow{ON}-\overrightarrow{OA})$ $\overrightarrow{OP}-\vec{a}=k\left(\frac{2}{3}\vec{b}-\vec{a}\right)$ $\therefore \overrightarrow{OP}=(1-k)\vec{a}+\frac{2}{3}k\vec{b}$	$\overrightarrow{OP}-\overrightarrow{OB}=l(\overrightarrow{OM}-\overrightarrow{OB})$ $\overrightarrow{OP}-\vec{b}=l\left(\frac{1}{3}\vec{a}-\vec{b}\right)$ $\therefore \overrightarrow{OP}=\frac{1}{3}l\vec{a}+(1-l)\vec{b}$

두 방향에서 구한 $\overrightarrow{OP}$의 계수를 비교하면 $1-k=\frac{1}{3}l$, $\frac{2}{3}k=1-l$

두 식을 연립하여 풀면 $k=\frac{6}{7}$, $l=\frac{3}{7}$

$\therefore \overrightarrow{OP}=\boldsymbol{\frac{1}{7}\vec{a}+\frac{4}{7}\vec{b}}$

정답과 풀이 **26쪽**

유제 **165** △OAB의 변 OA를 1 : 2로 내분하는 점을 M, 변 OB를 3 : 2로 내분하는 점을 N이라 하고, 선분 AN과 선분 BM의 교점을 P라 하자. $\overrightarrow{OA}=\vec{a}$, $\overrightarrow{OB}=\vec{b}$라 할 때, 벡터 $\overrightarrow{OP}$를 $\vec{a}$, $\vec{b}$로 나타내어라.

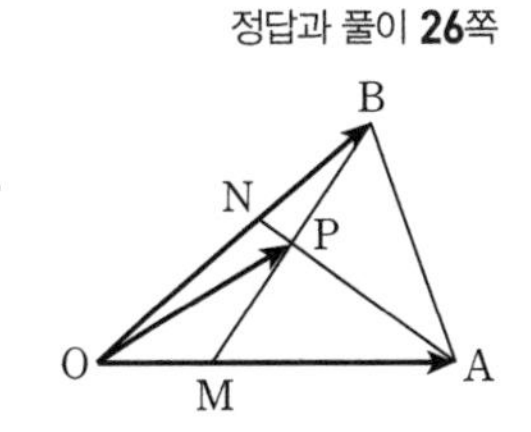

풍산자 비법

'영벡터가 아닌 두 벡터가 평행', '세 점 A, B, C가 한 직선 위'라는 말이 나오면 벡터의 실수배를 이용한다.

➜ $\vec{a} /\!/ \vec{b} \iff \vec{b}=k\vec{a}$ (단, k는 0이 아닌 실수)

필수 확인 문제

* 더 많은 유형은 **풍산자필수유형 기하** 041쪽

정답과 풀이 27쪽

166

$3\vec{b}+\frac{3}{2}(2\vec{a}-4\vec{b})-2(\vec{a}-\vec{b})=m\vec{a}+n\vec{b}$일 때, 실수 m, n의 합 $m+n$의 값을 구하여라.

167

그림과 같이 한 변의 길이가 1인 정사각형 ABCD에서 $\overrightarrow{AB}=\vec{a}$, $\overrightarrow{AD}=\vec{b}$, $\overrightarrow{AC}=\vec{c}$일 때, 다음 벡터의 크기를 구하여라.

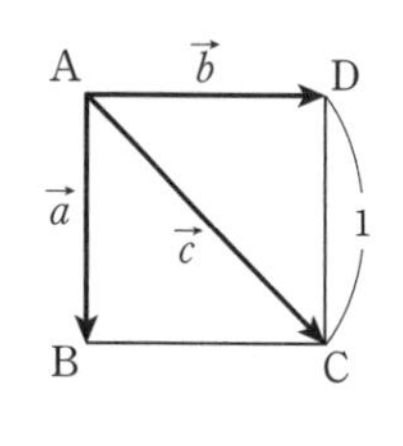

(1) $\vec{a}-\vec{b}+\vec{c}$　　　(2) $2\vec{a}-\vec{b}-\vec{c}$

168

그림과 같은 정육각형 ABCDEF에서 $\overrightarrow{AB}=\vec{a}$, $\overrightarrow{AC}=\vec{b}$일 때, 다음 벡터를 $\vec{a}$, $\vec{b}$로 나타내어라.

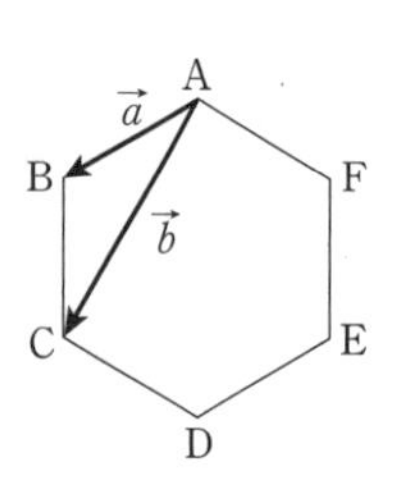

(1) $\overrightarrow{AF}$　　　(2) $\overrightarrow{AE}$

169

서로 평행하지도 않고 영벡터도 아닌 두 벡터 $\vec{a}$, $\vec{b}$에 대하여 두 벡터 $6\vec{a}+2\vec{b}$, $(m+3)\vec{a}+6\vec{b}$가 서로 평행할 때, 실수 m의 값을 구하여라.

170

서로 평행하지도 않고 영벡터도 아닌 두 벡터 $\vec{a}$, $\vec{b}$에 대하여

$\overrightarrow{OA}=2\vec{a}$, $\overrightarrow{OB}=-\vec{b}$, $\overrightarrow{OC}=m\vec{a}-2\vec{b}$

일 때, 세 점 A, B, C가 한 직선 위에 있도록 하는 실수 m의 값을 구하여라.

171

그림과 같이 일정한 간격의 평행선이 서로 만나고 있다. 네 점 O, A, B, C 사이에

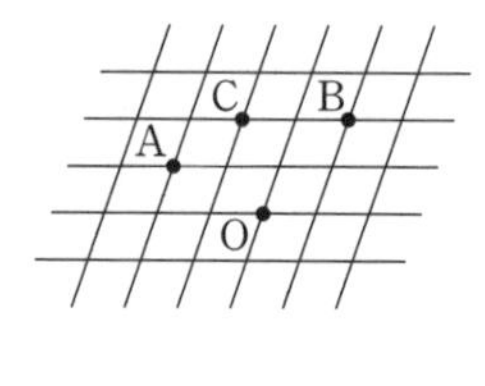

$\overrightarrow{OC}=m\overrightarrow{OA}+n\overrightarrow{OB}$인 관계가 성립할 때, 실수 m, n의 값을 각각 구하여라.

중단원 마무리

▶ 벡터의 뜻과 연산

벡터의 표현과 크기	① 벡터 $\overrightarrow{AB}$: 시점이 점 A이고 종점이 점 B인 벡터 ② 벡터 $\overrightarrow{AB}$의 크기: 선분 AB의 길이 ➡ $\lvert\overrightarrow{AB}\rvert$
서로 같은 벡터	① 두 벡터 $\vec{a}$, $\vec{b}$가 시점과 종점이 달라도 그 크기가 같고 방향이 같을 때, 이들 두 벡터는 서로 같다고 한다. ➡ $\vec{a}=\vec{b}$ ② 벡터 $\vec{a}$와 크기는 같고 방향이 반대인 벡터 ➡ $-\vec{a}$
벡터의 덧셈	$\vec{a}+\vec{b}=\overrightarrow{AB}+\overrightarrow{BC}=\overrightarrow{AC}$
벡터의 뺄셈	$\vec{a}-\vec{b}=\vec{a}+(-\vec{b})=\overrightarrow{AB}-\overrightarrow{AC}=\overrightarrow{CB}$

▶ 벡터의 실수배

벡터의 실수배	① $\vec{a}\neq\vec{0}$일 때, $k\vec{a}$는 • $k>0$이면, 벡터 $\vec{a}$와 방향이 같고, 크기가 $k\lvert\vec{a}\rvert$인 벡터이다. • $k<0$이면, 벡터 $\vec{a}$와 방향이 반대이고, 크기가 $\lvert k\rvert\lvert\vec{a}\rvert$인 벡터이다. • $k=0$이면, $k\vec{a}=\vec{0}$이다. ② $\vec{a}=\vec{0}$일 때, $k\vec{a}=\vec{0}$이다.
벡터의 평행 조건	영벡터가 아닌 두 벡터 $\vec{a}$, $\vec{b}$에 대하여 $\vec{a}\,/\!/\,\vec{b} \iff \vec{b}=k\vec{a}$ (단, k는 0이 아닌 실수)
벡터가 서로 같을 조건	영벡터가 아닌 두 벡터 $\vec{a}$, $\vec{b}$에 대하여 $\vec{a}$, $\vec{b}$가 서로 평행하지 않을 때 $m\vec{a}+n\vec{b}=\vec{0} \iff m=0,\ n=0$ (단, m, n은 실수)
세 점이 한 직선 위에 있을 조건	서로 다른 세 점 A, B, C에 대하여 세 점 A, B, C는 한 직선 위에 있다. ➡ $\overrightarrow{AC}=k\overrightarrow{AB}$ (단, k는 0이 아닌 실수)

실전 연습문제

STEP 1

172

그림과 같이 한 변의 길이가 2인 정육각형 ABCDEF에서 벡터 $\overrightarrow{AE}$의 크기 및 두 꼭짓점을 시점과 종점으로 하는 벡터 중 벡터 $\overrightarrow{AE}$와 크기가 같은 벡터의 개수를 각각 구하여라.

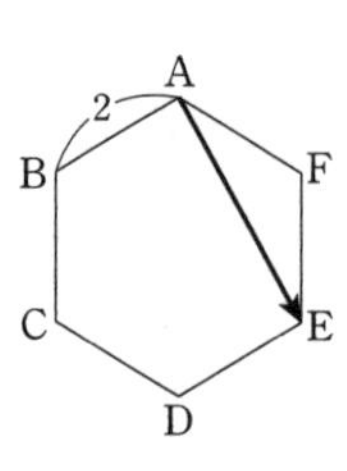

173

평면 위의 서로 다른 다섯 개의 점 A, B, C, D, E에 대하여 다음 중 벡터 $\overrightarrow{AE}$와 항상 같은 벡터는?

① $\overrightarrow{AB}+\overrightarrow{BC}+\overrightarrow{BD}+\overrightarrow{CB}+\overrightarrow{DC}$
② $\overrightarrow{AC}-\overrightarrow{AE}-\overrightarrow{BC}+\overrightarrow{BD}+\overrightarrow{DE}$
③ $\overrightarrow{AC}-\overrightarrow{BC}+\overrightarrow{BE}-\overrightarrow{CD}-\overrightarrow{DC}$
④ $\overrightarrow{AE}+\overrightarrow{BE}-\overrightarrow{BC}-\overrightarrow{CE}+\overrightarrow{EB}$
⑤ $\overrightarrow{AD}-\overrightarrow{BC}-\overrightarrow{CD}-\overrightarrow{CE}-\overrightarrow{EB}$

174

두 벡터 $\vec{a}$, $\vec{b}$에 대하여 $\vec{x}-2\vec{y}=\vec{a}$, $3\vec{x}+2\vec{y}=2\vec{b}$일 때, $\vec{x}+2\vec{y}=m\vec{a}+n\vec{b}$이다. 실수 m, n에 대하여 $2m+n$의 값을 구하여라.

175

그림과 같이 한 변의 길이가 1인 정사각형 ABCD에서 $\overrightarrow{AB}=\vec{a}$, $\overrightarrow{AC}=\vec{b}$, $\overrightarrow{AD}=\vec{c}$일 때, 다음 벡터의 크기를 구하여라.

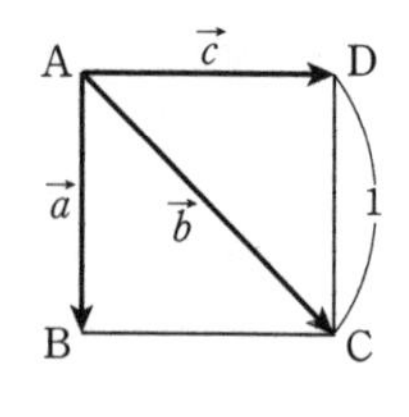

(1) $\vec{a}+\vec{b}+\vec{c}$
(2) $2\vec{a}-\vec{b}-\vec{c}$
(3) $\vec{a}+\vec{b}+3\vec{c}$

176

서로 평행하지도 않고 영벡터도 아닌 두 벡터 $\vec{a}$, $\vec{b}$에 대하여 등식

$(m^2+1)\vec{a}-(2m+3)\vec{b}=(4m-3)\vec{a}+(n-4)\vec{b}$

를 만족시키는 실수 m, n의 값을 각각 구하여라.

177

서로 평행하지도 않고 영벡터도 아닌 두 벡터 $\vec{a}$, $\vec{b}$에 대하여 $\overrightarrow{OA}=\vec{a}-2\vec{b}$, $\overrightarrow{OB}=m\vec{a}$, $\overrightarrow{OC}=-2\vec{a}+\vec{b}$일 때, 세 점 A, B, C가 한 직선 위에 있도록 하는 실수 m의 값을 구하여라.

STEP2

178

사각형 ABCD와 임의의 점 P에 대하여
$\overrightarrow{PA}+\overrightarrow{PC}=\overrightarrow{PB}+\overrightarrow{PD}$가 성립할 때, 사각형 ABCD는 어떤 사각형인지 말하여라.

179

그림과 같이 원 O에 내접하는 정오각형 ABCDE에서 $|\overrightarrow{AB}+\overrightarrow{AC}+\overrightarrow{AD}+\overrightarrow{AE}|$의 값이 100일 때, 원 O의 넓이를 구하여라.

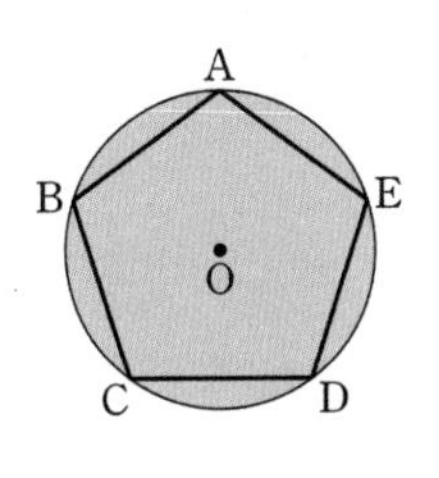

180

그림과 같이 일정한 간격의 평행선이 서로 만나고 있다. 네 점 A, B, C, D에 대하여 $\overrightarrow{AD}=m\overrightarrow{AB}+n\overrightarrow{AC}$일 때, 실수 m, n의 합 $m+n$의 값을 구하여라.

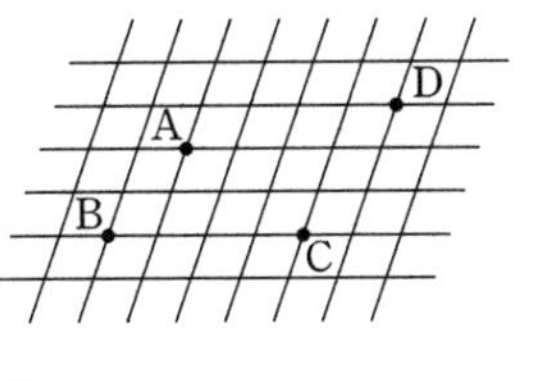

181

서로 평행하지도 않고 영벡터도 아닌 두 벡터 $\vec{a}$, $\vec{b}$에 대하여 등식

$$\vec{x}-3\vec{b}=-\vec{a}+\vec{b},\ \vec{x}+\vec{y}=m(\vec{a}+2\vec{b})+3\vec{b}$$

를 동시에 만족시키는 두 벡터 $\vec{x}$, $\vec{y}$가 서로 평행할 때, 실수 m의 값을 구하여라.

182

그림과 같이 반지름의 길이가 1인 원 O에 내접하는 정팔각형에서 $\overrightarrow{OA}=\vec{a}$, $\overrightarrow{OB}=\vec{b}$일 때, $\overrightarrow{OC}=m\vec{a}+n\vec{b}$이다. 실수 m, n에 대하여 $100mn$의 값을 구하여라.

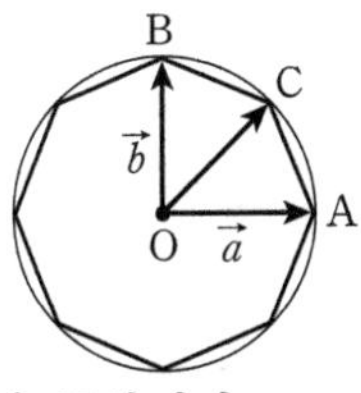

183

그림과 같은 △ABC에서 선분 BC의 중점을 M, 선분 AC를 1 : 2로 내분하는 점을 N이라 하자. 두 선분 AM, BN의 교점 P에 대하여 $\overrightarrow{AP}=m\overrightarrow{AB}+n\overrightarrow{AC}$일 때, 실수 m, n의 합 $m+n$의 값을 구하여라.

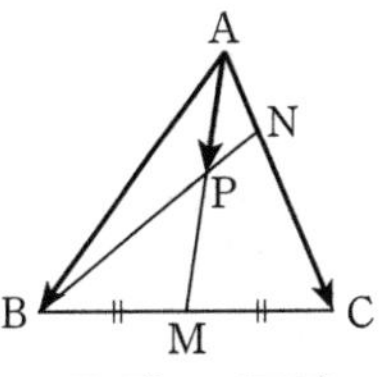

2 평면벡터의 성분과 내적

좌표평면에서 점의 내분점, 외분점, 도형 등을
나타내는 방법에 대해 이미 배웠다.
지금부터는 벡터를 이용하여 나타내는 방법에 대하여 배운다.

1 위치벡터

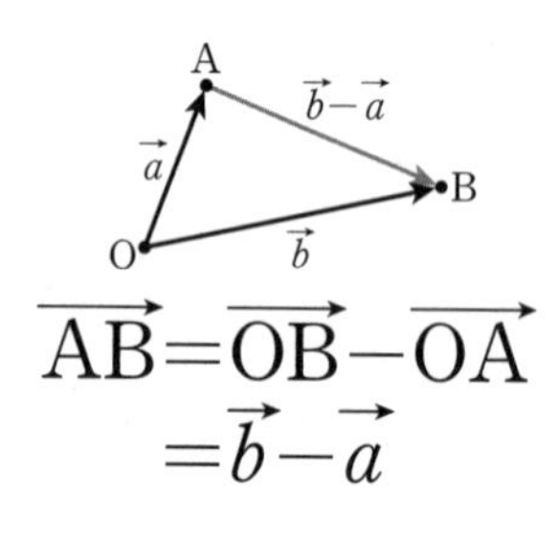

$$\overrightarrow{AB}=\overrightarrow{OB}-\overrightarrow{OA}$$
$$=\vec{b}-\vec{a}$$

2 벡터의 성분과 내적

$$\vec{a}\cdot\vec{b}$$
$$=|\vec{a}||\vec{b}|\cos\theta$$
$$=a_1b_1+a_2b_2$$

3 평면벡터를 이용한 도형의 방정식

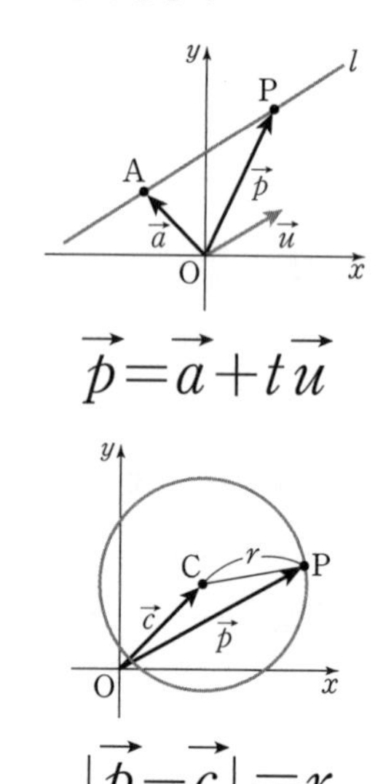

$$\vec{p}=\vec{a}+t\vec{u}$$

$$|\vec{p}-\vec{c}|=r$$

1 위치벡터

01 위치벡터의 정의

벡터는 크기와 방향만 같으면 모두 같은 벡터이다. 그러니 골치가 아프다.
똑같은 놈들이 무한 복제되어 여기저기 깔려 있으니 일단 정신이 너무 없다.
이 녀석들을 한군데로 끌고 오자.

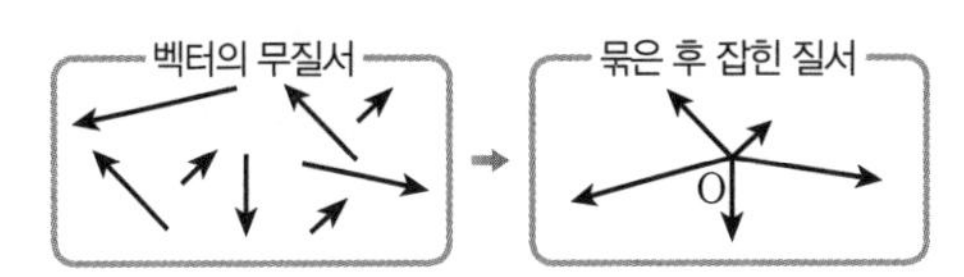

모든 벡터의 시점을 한 점으로 통일하면 멋진 현상이 하나 보인다.
바로 벡터 하나와 점 하나(종점)가 일대일대응한다는 것!
한 점을 가리키는 벡터는 오직 하나뿐이다. 이 벡터를 그 점의 위치벡터라 한다.

위치벡터

(1) 위치벡터: 정해진 점 O를 시점으로 하는 벡터 $\overrightarrow{OP}$를 점 P의 위치벡터라 한다.

(2) 위치벡터의 성질: 두 점 A, B의 위치벡터를 각각 $\vec{a}$, $\vec{b}$라 하면
$\overrightarrow{AB}=\overrightarrow{OB}-\overrightarrow{OA}=\vec{b}-\vec{a}$ 중요!

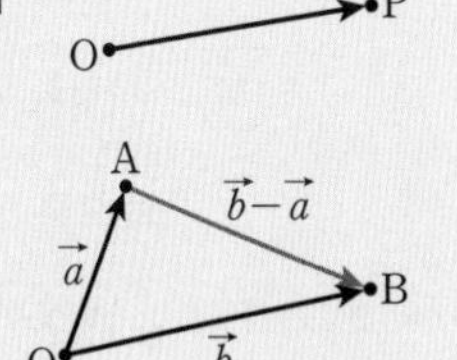

| 설명 | '어떤 점의 위치벡터'란 '일정한 점을 시점으로 하여 그 어떤 점을 가리키는 벡터'
위치벡터를 말하려면 반드시 시점이 먼저 정해져 있어야 한다.
일반적으로 평면에서 위치벡터의 시점은 원점 O로 잡고, 원점 O의 위치벡터는 $\vec{0}$이다.

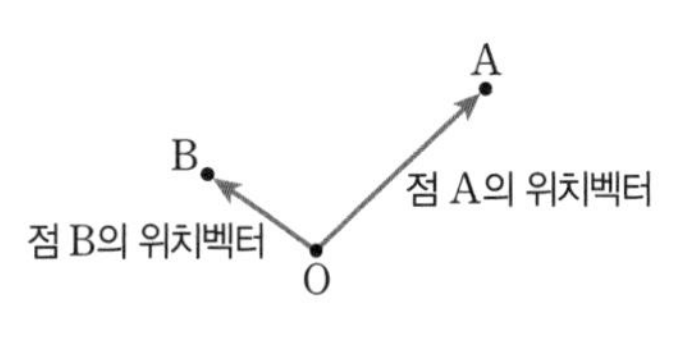

| 개념확인 | 세 점 A, B, C의 위치벡터를 각각 $\vec{a}$, $\vec{b}$, $\vec{c}$라 할 때, 다음 벡터를 $\vec{a}$, $\vec{b}$, $\vec{c}$로 나타내어라.

(1) $\overrightarrow{AC}+3\overrightarrow{BC}$
(2) $2\overrightarrow{AB}+\overrightarrow{BC}-\overrightarrow{CA}$

> 풀이

(1) $\overrightarrow{AC}+3\overrightarrow{BC}=(\overrightarrow{OC}-\overrightarrow{OA})+3(\overrightarrow{OC}-\overrightarrow{OB})$
$=-\overrightarrow{OA}-3\overrightarrow{OB}+4\overrightarrow{OC}=-\vec{a}-3\vec{b}+4\vec{c}$

(2) $2\overrightarrow{AB}+\overrightarrow{BC}-\overrightarrow{CA}=2(\overrightarrow{OB}-\overrightarrow{OA})+(\overrightarrow{OC}-\overrightarrow{OB})-(\overrightarrow{OA}-\overrightarrow{OC})$
$=-3\overrightarrow{OA}+\overrightarrow{OB}+2\overrightarrow{OC}=-3\vec{a}+\vec{b}+2\vec{c}$

02 내분점, 외분점, 무게중심의 위치벡터

시점을 고정해 각 점에 위치벡터를 부여하면 벡터 이론에 어떤 이득을 줄까?
당장 선분의 내분점, 외분점 이야기가 벡터에서도 가능해진다.
또한 평면좌표에서 했던 대부분의 이야기를 벡터에서 할 수 있게 된다.

선분의 내분점과 외분점의 위치벡터

두 점 A, B의 위치벡터를 각각 $\vec{a}$, $\vec{b}$라 할 때,

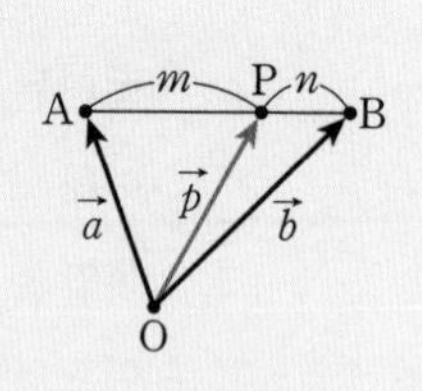

(1) 내분점의 위치벡터: 선분 AB를 $m : n(m>0,\ n>0)$으로 내분하는 점 P의 위치벡터를 $\vec{p}$라 하면

$$\vec{p}=\frac{m\vec{b}+n\vec{a}}{m+n}$$

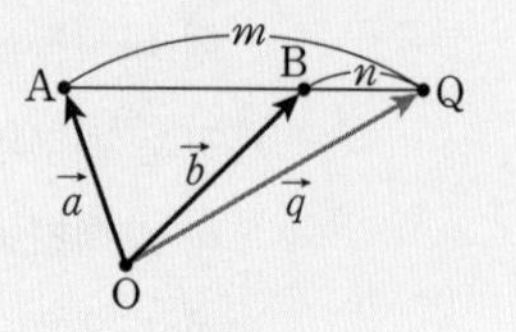

(2) 외분점의 위치벡터: 선분 AB를 $m : n(m>0,\ n>0,\ m\neq n)$으로 외분하는 점 Q의 위치벡터를 $\vec{q}$라 하면

$$\vec{q}=\frac{m\vec{b}-n\vec{a}}{m-n}$$

| 증명 | (1) 오른쪽 그림과 같이 $\overrightarrow{AB}=\vec{b}-\vec{a}$이고, $\overrightarrow{AP}=\frac{m}{m+n}\overrightarrow{AB}$에서

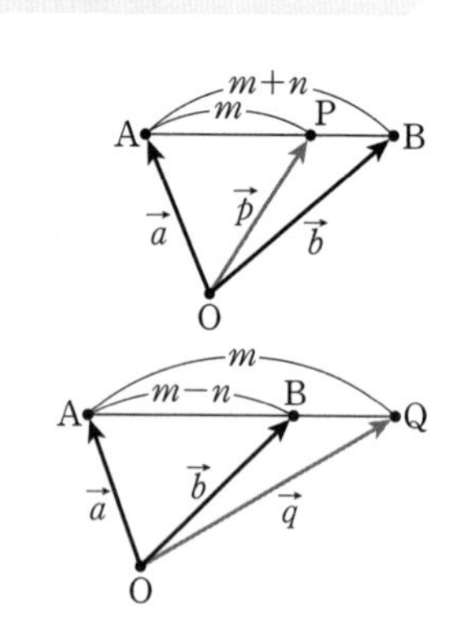

$\overrightarrow{AP}=\frac{m}{m+n}(\vec{b}-\vec{a})$이므로

$\overrightarrow{OP}=\overrightarrow{OA}+\overrightarrow{AP}=\vec{a}+\frac{m}{m+n}(\vec{b}-\vec{a})=\frac{m\vec{b}+n\vec{a}}{m+n}$

(2) 오른쪽 그림과 같이 $m>n$일 때, $\overrightarrow{AB}=\vec{b}-\vec{a}$이고,

$\overrightarrow{AQ}=\frac{m}{m-n}\overrightarrow{AB}$에서 $\overrightarrow{AQ}=\frac{m}{m-n}(\vec{b}-\vec{a})$이므로

$\overrightarrow{OQ}=\overrightarrow{OA}+\overrightarrow{AQ}=\vec{a}+\frac{m}{m-n}(\vec{b}-\vec{a})=\frac{m\vec{b}-n\vec{a}}{m-n}$

| 참고 | 선분의 중점은 그 선분을 $1 : 1$로 내분하는 점이다.
선분의 중점의 위치벡터는 내분점의 위치벡터 공식에 $m=1,\ n=1$을 대입한 것과 같다.

삼각형의 무게중심의 위치벡터

세 점 A, B, C의 위치벡터를 각각 $\vec{a}$, $\vec{b}$, $\vec{c}$라 하고 삼각형 ABC의 무게중심 G의 위치벡터를 $\vec{g}$라 하면

$$\vec{g}=\frac{\vec{a}+\vec{b}+\vec{c}}{3}$$

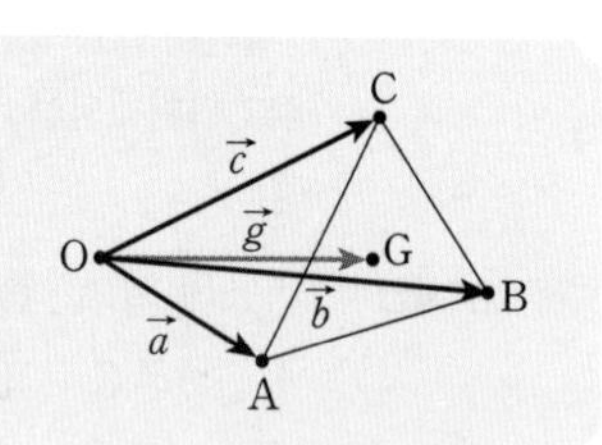

| 증명 | 오른쪽 그림에서 선분 AB의 중점 M의 위치벡터를 $\vec{m}$이라 하면

$\vec{m}=\frac{\vec{a}+\vec{b}}{2}$

삼각형 ABC의 무게중심 G는 선분 CM을 $2 : 1$로 내분하므로

$\overrightarrow{OG}=\frac{2\vec{m}+\vec{c}}{2+1}=\frac{2\times\frac{\vec{a}+\vec{b}}{2}+\vec{c}}{3}=\frac{\vec{a}+\vec{b}+\vec{c}}{3}$

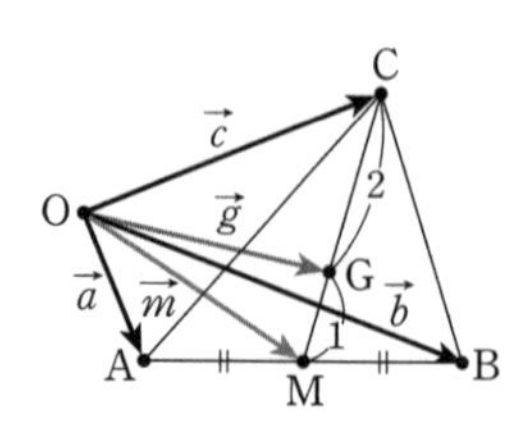

184 **세 점 A, B, C의 위치벡터를 각각 $\vec{a}$, $\vec{b}$, $\vec{c}$라 할 때, 다음 물음에 답하여라.**

(1) 선분 AB를 $2:1$로 내분하는 점 P의 위치벡터를 구하여라.

(2) 선분 AB를 $3:2$로 외분하는 점 Q의 위치벡터를 구하여라.

(3) 선분 AB를 $2:1$로 내분하는 점 P와 $3:2$로 외분하는 점 Q에 대하여 선분 PQ의 중점 M의 위치벡터를 구하여라.

풍산자비법 내분점 ➡ $\dfrac{m\vec{b}+n\vec{a}}{m+n}$, 외분점 ➡ $\dfrac{m\vec{b}-n\vec{a}}{m-n}$, 중점 ➡ $\dfrac{\vec{a}+\vec{b}}{2}$

풀이 (1) 점 P의 위치벡터는 $\dfrac{2\vec{b}+\vec{a}}{2+1}=\mathbf{\dfrac{1}{3}\vec{a}+\dfrac{2}{3}\vec{b}}$

(2) 점 Q의 위치벡터는 $\dfrac{3\vec{b}-2\vec{a}}{3-2}=\mathbf{-2\vec{a}+3\vec{b}}$

(3) 두 점 P, Q의 위치벡터가 각각 $\dfrac{1}{3}\vec{a}+\dfrac{2}{3}\vec{b}$, $-2\vec{a}+3\vec{b}$이므로 선분 PQ의 중점 M의 위치벡터는 $\dfrac{\left(\dfrac{1}{3}\vec{a}+\dfrac{2}{3}\vec{b}\right)+(-2\vec{a}+3\vec{b})}{2}=\mathbf{-\dfrac{5}{6}\vec{a}+\dfrac{11}{6}\vec{b}}$

정답과 풀이 30쪽

유제 **185** **두 점 A, B의 위치벡터를 각각 $\vec{a}$, $\vec{b}$라 하고 선분 AB를 $1:2$로 내분하는 점 P의 위치벡터를 $\vec{p}$, 외분하는 점 Q의 위치벡터를 $\vec{q}$라 하자. $\vec{p}+\vec{q}=m\vec{a}+n\vec{b}$를 만족시키는 실수 m, n의 합 $m+n$의 값을 구하여라.**

186 **그림과 같은 삼각형 OAB에서 변 OA의 중점을 P, 변 AB를 $2:1$로 내분하는 점을 Q라 할 때, $\overrightarrow{PQ}=m\overrightarrow{OA}+n\overrightarrow{OB}$를 만족시키는 실수 m, n의 값을 각각 구하여라.**

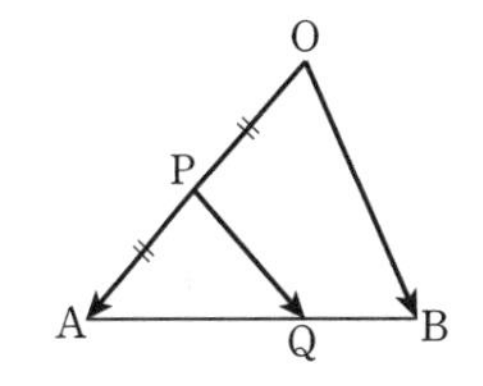

풍산자비법 $\overrightarrow{PQ}=m\overrightarrow{OA}+n\overrightarrow{OB}$의 우변이 시점이 O인 벡터들로 이루어져 있음에 착안한다.
➡ 좌변의 벡터를 시점이 O인 벡터로 만든다.

풀이 $\overrightarrow{PQ}=\overrightarrow{OQ}-\overrightarrow{OP}$이고 $\overrightarrow{OP}=\dfrac{1}{2}\overrightarrow{OA}$, $\overrightarrow{OQ}=\dfrac{2\overrightarrow{OB}+\overrightarrow{OA}}{2+1}=\dfrac{1}{3}\overrightarrow{OA}+\dfrac{2}{3}\overrightarrow{OB}$이므로

$\overrightarrow{PQ}=\left(\dfrac{1}{3}\overrightarrow{OA}+\dfrac{2}{3}\overrightarrow{OB}\right)-\dfrac{1}{2}\overrightarrow{OA}=-\dfrac{1}{6}\overrightarrow{OA}+\dfrac{2}{3}\overrightarrow{OB}$

$\therefore\ \mathbf{m=-\dfrac{1}{6},\ n=\dfrac{2}{3}}$

정답과 풀이 30쪽

유제 **187** **삼각형 ABC에서 세 점 A, B, C의 위치벡터를 각각 $\vec{a}$, $\vec{b}$, $\vec{c}$라 하자. 선분 AB의 중점을 M, 선분 BC를 $1:2$로 내분하는 점을 N이라 할 때, 벡터 $\overrightarrow{MN}$을 $\vec{a}$, $\vec{b}$, $\vec{c}$로 나타내어라.**

188 세 점 A, B, C의 위치벡터를 각각 $\vec{a}$, $\vec{b}$, $\vec{c}$라 하고 삼각형 ABC의 무게중심을 G라 하자. $\overline{\mathrm{BC}}$를 $3:1$로 내분하는 점을 P라 할 때, 벡터 $\overrightarrow{\mathrm{GP}}$를 $\vec{a}$, $\vec{b}$, $\vec{c}$로 나타내어라.

풍산자日 벡터 $\overrightarrow{\mathrm{GP}}$를 시점이 O인 벡터로 바꾸고 필요한 위치벡터는 내분점과 삼각형의 무게중심의 위치벡터 공식을 이용하여 구한다.

> 풀이 $\overrightarrow{\mathrm{GP}}=\overrightarrow{\mathrm{OP}}-\overrightarrow{\mathrm{OG}}$에서 $\overrightarrow{\mathrm{OP}}=\frac{3\vec{c}+\vec{b}}{3+1}=\frac{1}{4}\vec{b}+\frac{3}{4}\vec{c}$, $\overrightarrow{\mathrm{OG}}=\frac{\vec{a}+\vec{b}+\vec{c}}{3}$이므로

$\overrightarrow{\mathrm{GP}}=\left(\frac{1}{4}\vec{b}+\frac{3}{4}\vec{c}\right)-\frac{\vec{a}+\vec{b}+\vec{c}}{3}=\boldsymbol{-\frac{1}{3}\vec{a}-\frac{1}{12}\vec{b}+\frac{5}{12}\vec{c}}$

정답과 풀이 30쪽

유제 **189** 삼각형 ABC의 무게중심을 G라 할 때, $\overrightarrow{\mathrm{GA}}+\overrightarrow{\mathrm{GB}}=k\overrightarrow{\mathrm{GC}}$를 만족시키는 실수 k의 값을 구하여라.

190 평면 위의 점 P와 삼각형 ABC에 대하여 $\overrightarrow{\mathrm{PA}}+\overrightarrow{\mathrm{PB}}+\overrightarrow{\mathrm{PC}}=\overrightarrow{\mathrm{BC}}$일 때, 삼각형 PAC와 삼각형 PBC의 넓이의 비를 구하여라.

풍산자日 두 양수 m, n에 대하여 $n\overrightarrow{\mathrm{PA}}=-m\overrightarrow{\mathrm{PB}}$이면 점 P는 선분 AB를 $m:n$으로 내분하는 점이다.

> 풀이 (i) 우변의 시점을 P로 통일하면

$\overrightarrow{\mathrm{PA}}+\overrightarrow{\mathrm{PB}}+\overrightarrow{\mathrm{PC}}=\overrightarrow{\mathrm{PC}}-\overrightarrow{\mathrm{PB}}$

$\therefore \overrightarrow{\mathrm{PA}}=-2\overrightarrow{\mathrm{PB}}$ ➡ 요게 뭔 소리?

벡터 $\overrightarrow{\mathrm{PB}}$를 2배로 늘려 방향을 바꾸면 벡터 $\overrightarrow{\mathrm{PA}}$가 된다는 소리.

따라서 점 P는 오른쪽 그림과 같이 선분 AB를 $2:1$로 내분하는 점.

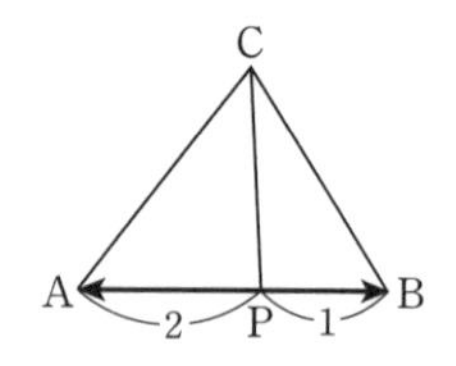

(ii) △PAC와 △PBC는 높이가 같으므로 밑변의 길이의 비가 넓이의 비.

$\therefore$ △PAC : △PBC$=$**2 : 1**

정답과 풀이 30쪽

유제 **191** 평면 위의 점 P와 삼각형 ABC에 대하여 $2\overrightarrow{\mathrm{PA}}+\overrightarrow{\mathrm{PB}}+2\overrightarrow{\mathrm{PC}}=\overrightarrow{\mathrm{AB}}$일 때, 삼각형 PAB와 삼각형 PBC의 넓이의 비를 구하여라.

풍산자 비법

위치벡터가 주어지면 공통으로 갖는 시점이 있다는 것이다. 시점 통일 공식을 이용해서 벡터를 나타낸다.

필수 확인 문제

＊더 많은 유형은 **풍산자필수유형 기하** 050쪽

정답과 풀이 30쪽

192

세 점 A, B, C의 위치벡터를 각각 $\vec{a}$, $\vec{b}$, $\vec{c}$라 하고, 선분 AB를 2 : 3으로 내분하는 점을 P, 선분 PC를 2 : 3으로 외분하는 점을 Q라 하자. 점 Q의 위치벡터를 $\vec{a}$, $\vec{b}$, $\vec{c}$로 나타내어라.

193

세 점 A, B, P의 위치벡터를 각각 $\vec{a}$, $\vec{b}$, $\vec{p}$라 하면 $3\vec{a}+\vec{b}=4\vec{p}$가 성립할 때, 점 P의 위치를 말하여라.

194

그림과 같은 직사각형 OACB에서 선분 BC를 3 : 1로 내분하는 점을 P라 할 때, $\overrightarrow{OP}=m\overrightarrow{OA}+n\overrightarrow{OB}$를 만족시키는 실수 m, n의 값을 각각 구하여라.

195

그림과 같은 삼각형 ABC에서 ∠A의 이등분선과 변 BC가 만나는 점을 D라 하자. $\overline{AB}=4$, $\overline{AC}=3$일 때, $\overrightarrow{AD}=m\overrightarrow{AB}+n\overrightarrow{AC}$를 만족시키는 실수 m, n의 곱 mn의 값을 구하여라.

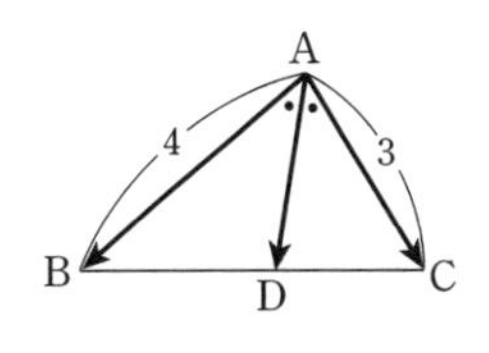

196

삼각형 ABC에서 세 점 A, B, C의 위치벡터를 각각 $\vec{a}$, $\vec{b}$, $\vec{c}$라 하자. 두 선분 AB, AC의 중점을 각각 M, N이라 하고 삼각형 ABC의 무게중심을 G라 할 때, 벡터 $\overrightarrow{GM}+\overrightarrow{GN}$을 $\vec{a}$, $\vec{b}$, $\vec{c}$로 나타내어라.

2 벡터의 성분과 내적

01 벡터의 성분

시점을 고정해 벡터와 점을 일대일대응이 되도록 만들면 내분점, 외분점, 무게중심을 벡터에서도 이야기 할 수 있었다.

하지만 이보다 훨씬 더 중요한 것은 벡터와 좌표평면이 한 몸이 된다는 것!

좌표평면에서의 좌표가 점의 위치를 나타내는 거라면

여기서 배우는 벡터의 성분은 벡터의 크기와 방향을 함께 나타낸다.

평면벡터의 성분

(1) 평면에서의 단위벡터: 좌표평면 위에서 원점 O를 시점으로 하고, 두 점 $\mathrm{E}_1(1,\ 0)$, $\mathrm{E}_2(0,\ 1)$을 각각 종점으로 하는 두 단위벡터를 다음과 같이 나타낸다.

$\overrightarrow{\mathrm{OE}_1}=\vec{e_1}$, $\overrightarrow{\mathrm{OE}_2}=\vec{e_2}$

(2) 평면벡터의 성분: 좌표평면 위의 임의의 벡터 $\vec{a}$에 대하여 $\vec{a}=\overrightarrow{\mathrm{OA}}$가 되는 점 $\mathrm{A}(a_1,\ a_2)$에서

$\vec{a}=\overrightarrow{\mathrm{OA}}=\overrightarrow{\mathrm{OA}_1}+\overrightarrow{\mathrm{OA}_2}=a_1\vec{e_1}+a_2\vec{e_2}$

① 두 실수 a_1, a_2를 벡터 $\vec{a}$의 성분이라 한다.

➡ a_1은 벡터 $\vec{a}$의 x성분, a_2는 벡터 $\vec{a}$의 y성분

② 벡터 $\vec{a}$를 성분으로 나타내면 $\vec{a}=(a_1,\ a_2)$

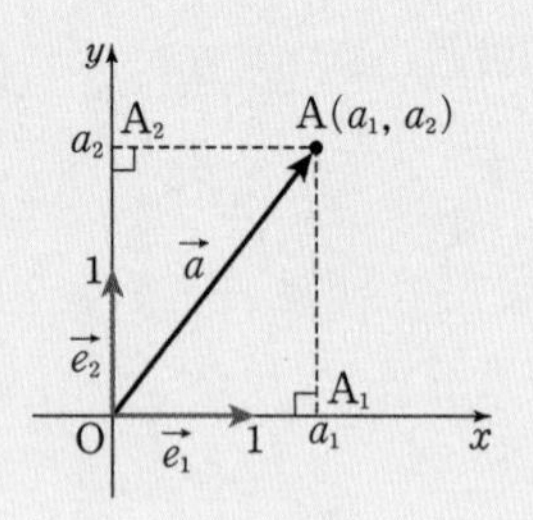

| 설명 | 누군가가 "벡터는 화살표인데 벡터의 성분을 종점으로만 나타내다니 말이 돼?"라 할 때의 확실한 대답은 "시점은 늘 O야."이다.

시점은 원점 O로 고정돼 있으니 종점만 알면 화살표는 언제든지 그릴 수 있다.

이 말은 좌표평면에서 벡터의 시점을 원점 O로 딱 정해버리면 종점이 되는 점 A가 바로 벡터 $\overrightarrow{\mathrm{OA}}$를 나타낼 수 있다는 것이다.

좌표평면 위의 점 $\mathrm{A}(a_1,\ a_2)$의 위치벡터를 $\vec{a}$라 하면 $\vec{a}=a_1\vec{e_1}+a_2\vec{e_2}=(a_1,\ a_2)$

평면벡터의 크기와 평면벡터가 서로 같을 조건 중요!

두 평면벡터 $\vec{a}=(a_1,\ a_2)$, $\vec{b}=(b_1,\ b_2)$에 대하여

(1) 평면벡터의 크기: $|\vec{a}|=\sqrt{a_1^2+a_2^2}$

(2) 평면벡터가 서로 같을 조건: $\vec{a}=\vec{b} \iff a_1=b_1,\ a_2=b_2$

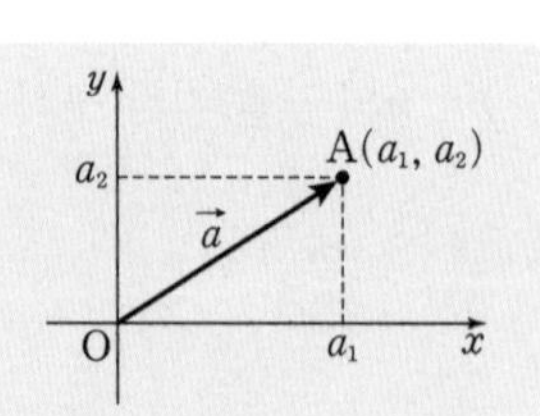

| 설명 | 두 벡터가 서로 같다는 건 크기와 방향이 같다는 것. 즉, 평행이동하면 겹쳐진다는 것이다.

시점이 고정되어 있는 평면벡터에서는 두 벡터가 서로 같다는 것은 종점이 서로 같다는 이야기!

$\overrightarrow{\mathrm{OA}}=\overrightarrow{\mathrm{OB}} \Rightarrow$ (점 A)=(점 B) $\Rightarrow$ x좌표는 x좌표끼리, y좌표는 y좌표끼리 같다.

02 벡터의 성분에 의한 연산

벡터의 성분을 이용하면 앞에서 배웠던 벡터의 덧셈과 뺄셈 등의 연산을 아주 쉽게 할 수 있다. 벡터의 연산을 성분의 연산으로 바로 바꿀 수 있기 때문이다.

평면벡터의 덧셈, 뺄셈, 실수배

두 평면벡터 $\vec{a}=(a_1, a_2)$, $\vec{b}=(b_1, b_2)$에 대하여

(1) 덧셈: $\vec{a}+\vec{b}=(a_1+b_1, a_2+b_2)$

(2) 뺄셈: $\vec{a}-\vec{b}=(a_1-b_1, a_2-b_2)$

(3) 실수배: $k\vec{a}=(ka_1, ka_2)$ (단, k는 실수)

| 설명 | 벡터의 덧셈, 뺄셈, 실수배는 x성분은 x성분끼리, y성분은 y성분끼리 더하고 뺀다.
벡터의 실수배는 그냥 모든 성분에 실수를 다 곱하면 된다.

| 증명 | 두 평면벡터 $\vec{a}=(a_1, a_2)$, $\vec{b}=(b_1, b_2)$에 대하여
$\vec{a}=a_1\vec{e_1}+a_2\vec{e_2}$, $\vec{b}=b_1\vec{e_1}+b_2\vec{e_2}$이므로

(1) 덧셈: $\vec{a}+\vec{b}=(a_1\vec{e_1}+a_2\vec{e_2})+(b_1\vec{e_1}+b_2\vec{e_2})=(a_1+b_1)\vec{e_1}+(a_2+b_2)\vec{e_2}=(a_1+b_1, a_2+b_2)$

(2) 뺄셈: $\vec{a}-\vec{b}=(a_1\vec{e_1}+a_2\vec{e_2})-(b_1\vec{e_1}+b_2\vec{e_2})=(a_1-b_1)\vec{e_1}+(a_2-b_2)\vec{e_2}=(a_1-b_1, a_2-b_2)$

(3) 실수배: $k\vec{a}=k(a_1\vec{e_1}+a_2\vec{e_2})=ka_1\vec{e_1}+ka_2\vec{e_2}=(ka_1, ka_2)$

(1)

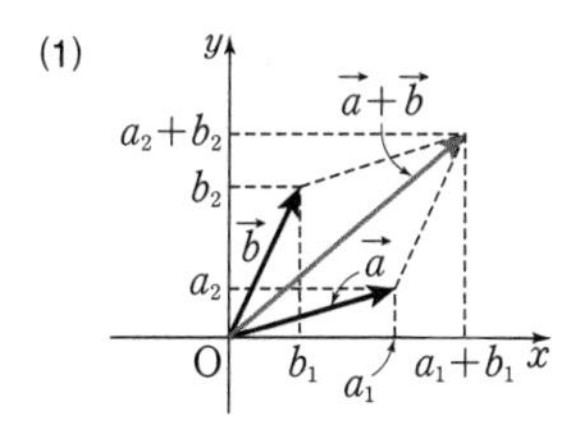

(2)

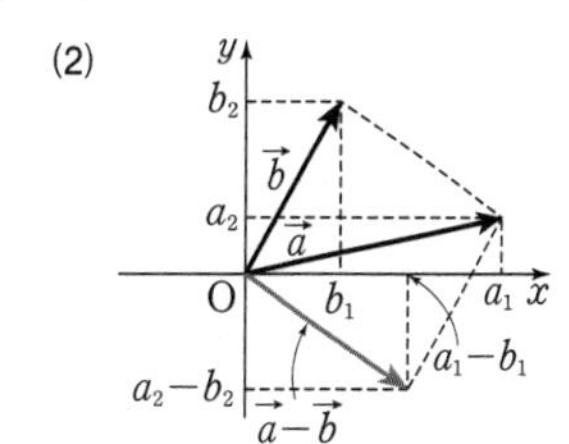

두 점에 대한 평면벡터의 성분과 크기 중요!

두 점 $\mathrm{A}(a_1, a_2)$, $\mathrm{B}(b_1, b_2)$에 대하여

(1) $\overrightarrow{\mathbf{AB}}=\overrightarrow{\mathbf{OB}}-\overrightarrow{\mathbf{OA}}=(\boldsymbol{b_1-a_1},\ \boldsymbol{b_2-a_2})$

(2) $|\overrightarrow{\mathbf{AB}}|=\sqrt{(\boldsymbol{b_1-a_1})^2+(\boldsymbol{b_2-a_2})^2}$

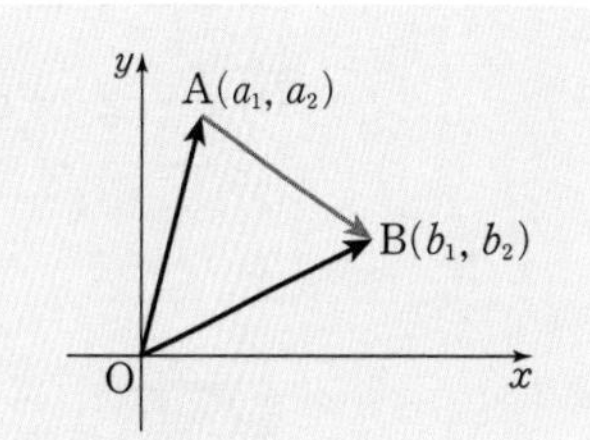

| 설명 | 두 점 A, B의 좌표를 이용하여 벡터 $\overrightarrow{\mathrm{AB}}$를 구할 때는 시점을 O, 종점을 A, B로 하는 위치벡터를 생각.
벡터의 성분은 종점의 좌표와 같기 때문이다.
$\overrightarrow{\mathrm{AB}}=\overrightarrow{\mathrm{OB}}-\overrightarrow{\mathrm{OA}}$
즉, 구하고자 하는 벡터 $\overrightarrow{\mathrm{AB}}$는 점 B의 좌표에서 점 A의 좌표를 뺀 값을 성분으로 하는 벡터가 된다.

大원칙 벡터를 성분으로 나타냈을 때에는 원점을 시점으로 하는 위치벡터로 간주한다.

197 **다음 물음에 답하여라. (단, $\vec{e_1}=(1,\ 0)$, $\vec{e_2}=(0,\ 1)$이다.)**

(1) 세 평면벡터 $\vec{a}=3\vec{e_1}+5\vec{e_2}$, $\vec{b}=-\vec{e_1}+2\vec{e_2}$, $\vec{c}=\vec{e_1}-4\vec{e_2}$를 각각 성분으로 나타내어라.

(2) 오른쪽 그림과 같은 두 평면벡터 $\vec{a}$, $\vec{b}$를 각각 $\vec{e_1}$, $\vec{e_2}$로 나타낸 후 성분으로 나타내어라.

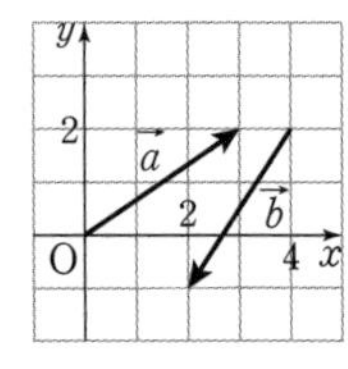

풍산자日 $\vec{a}=\overrightarrow{OA}=\overrightarrow{OA_1}+\overrightarrow{OA_2}=a_1\vec{e_1}+a_2\vec{e_2}$를 성분으로 나타내면 $\vec{a}=(a_1,\ a_2)$

> 풀이 (1) $\vec{a}=(3,\ 5)$, $\vec{b}=(-1,\ 2)$, $\vec{c}=(1,\ -4)$

(2) $\vec{a}=3\vec{e_1}+2\vec{e_2}=(3,\ 2)$

벡터 $\vec{b}$를 시점이 원점 O가 되도록 평행이동하면 오른쪽 그림과 같으므로

$\vec{b}=-2\vec{e_1}-3\vec{e_2}=(-2,\ -3)$

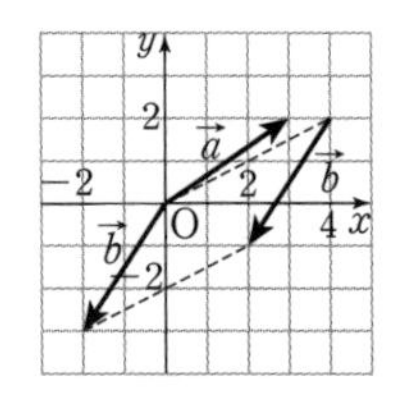

정답과 풀이 31쪽

유제 **198** **다음 물음에 답하여라. (단, $\vec{e_1}=(1,\ 0)$, $\vec{e_2}=(0,\ 1)$이다.)**

(1) 세 평면벡터 $\vec{a}=4\vec{e_1}+3\vec{e_2}$, $\vec{b}=-2\vec{e_1}+4\vec{e_2}$, $\vec{c}=2\vec{e_1}-3\vec{e_2}$를 각각 성분으로 나타내어라.

(2) 오른쪽 그림과 같은 두 평면벡터 $\vec{a}$, $\vec{b}$를 각각 $\vec{e_1}$, $\vec{e_2}$로 나타낸 후 성분으로 나타내어라.

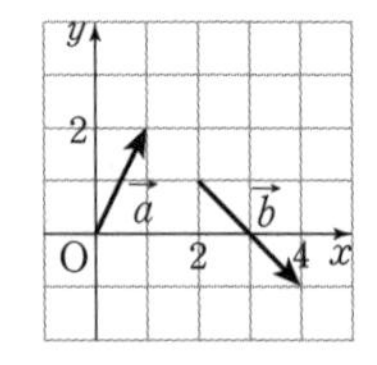

199 **세 평면벡터 $\vec{a}=(1,\ 3)$, $\vec{b}=(-2,\ 3)$, $\vec{c}=(-3,\ 2)$에 대하여 다음 물음에 답하여라.**

(1) $\vec{a}-(2\vec{b}+\vec{c})$를 성분으로 나타내어라.

(2) $(\vec{a}-3\vec{c})-2(\vec{a}+\vec{b}-2\vec{c})$의 크기를 구하여라.

풍산자日 $\vec{a}=(a_1,\ a_2)$, $\vec{b}=(b_1,\ b_2)$일 때,

$\vec{a}\pm\vec{b}=(a_1\pm b_1,\ a_2\pm b_2)$, $k\vec{a}=(ka_1,\ ka_2)$, $|\vec{a}|=\sqrt{a_1^2+a_2^2}$

> 풀이 (1) $\vec{a}-(2\vec{b}+\vec{c})=\vec{a}-2\vec{b}-\vec{c}=(1,\ 3)-2(-2,\ 3)-(-3,\ 2)$

$=(1,\ 3)-(-4,\ 6)-(-3,\ 2)=\mathbf{(8,\ -5)}$

(2) $(\vec{a}-3\vec{c})-2(\vec{a}+\vec{b}-2\vec{c})=-\vec{a}-2\vec{b}+\vec{c}=-(1,\ 3)-2(-2,\ 3)+(-3,\ 2)$

$=(-1,\ -3)-(-4,\ 6)+(-3,\ 2)=(0,\ -7)$

$\therefore\ |(\vec{a}-3\vec{c})-2(\vec{a}+\vec{b}-2\vec{c})|=\sqrt{0^2+(-7)^2}=\mathbf{7}$

정답과 풀이 31쪽

유제 **200** **세 평면벡터 $\vec{a}=(1,\ 2)$, $\vec{b}=(-2,\ 1)$, $\vec{c}=(-1,\ 1)$에 대하여 $|\vec{c}-2\vec{a}-3\vec{b}|$의 값을 구하여라.**

201 **세 평면벡터 $\vec{a}=(-1,\ 4)$, $\vec{b}=(-1,\ 3)$, $\vec{c}=(-2,\ 5)$에 대하여 $\vec{a}=m\vec{b}+n\vec{c}$일 때, m^2+n^2의 값을 구하여라. (단, m, n은 실수이다.)**

풍산자비 성분으로 나타낸 두 벡터가 서로 같다. ➡ x좌표는 x좌표끼리, y좌표는 y좌표끼리 같다.

> 풀이

$\vec{a}=m\vec{b}+n\vec{c}$를 성분으로 나타내면

$(-1,\ 4)=m(-1,\ 3)+n(-2,\ 5)$

$=(-m,\ 3m)+(-2n,\ 5n)$

$=(-m-2n,\ 3m+5n)$

이므로 $-m-2n=-1$, $3m+5n=4$

두 식을 연립하여 풀면 $m=3$, $n=-1$

$\therefore\ m^2+n^2=3^2+(-1)^2=\mathbf{10}$

정답과 풀이 **31**쪽

유제 **202** **세 평면벡터 $\vec{a}=(1,\ 1)$, $\vec{b}=(-1,\ 2)$, $\vec{c}=(5,\ 7)$에 대하여 $\vec{c}=k\vec{a}+l\vec{b}$일 때, $k+5l$의 값을 구하여라. (단, k, l은 실수이다.)**

203 **좌표평면 위의 세 점 $\mathrm{A}(7,\ 3)$, $\mathrm{B}(10,\ -1)$, $\mathrm{C}(3,\ 6)$에 대하여 다음을 구하여라.**

(1) 벡터 $\overrightarrow{\mathrm{AB}}$의 성분

(2) 벡터 $\overrightarrow{\mathrm{AB}}$의 크기

(3) 벡터 $\overrightarrow{\mathrm{CA}}$의 성분

(4) 벡터 $\overrightarrow{\mathrm{CA}}$의 크기

풍산자비 점의 좌표와 벡터가 주어지면 ➡ [1단계] 시점이 O인 벡터를 만든다.
[2단계] 시점 통일 공식 $\overrightarrow{\mathrm{AB}}=\overrightarrow{\mathrm{OB}}-\overrightarrow{\mathrm{OA}}$를 이용한다.

> 풀이

[1단계] $\overrightarrow{\mathrm{OA}}=(7,\ 3)$, $\overrightarrow{\mathrm{OB}}=(10,\ -1)$, $\overrightarrow{\mathrm{OC}}=(3,\ 6)$이므로

[2단계] (1) $\overrightarrow{\mathrm{AB}}=\overrightarrow{\mathrm{OB}}-\overrightarrow{\mathrm{OA}}=(10,\ -1)-(7,\ 3)=\mathbf{(3,\ -4)}$

(2) $|\overrightarrow{\mathrm{AB}}|=\sqrt{3^2+(-4)^2}=\mathbf{5}$

(3) $\overrightarrow{\mathrm{CA}}=\overrightarrow{\mathrm{OA}}-\overrightarrow{\mathrm{OC}}=(7,\ 3)-(3,\ 6)=\mathbf{(4,\ -3)}$

(4) $|\overrightarrow{\mathrm{CA}}|=\sqrt{4^2+(-3)^2}=\mathbf{5}$

정답과 풀이 **31**쪽

유제 **204** **좌표평면 위의 세 점 $\mathrm{A}(2,\ 3)$, $\mathrm{B}(5,\ -1)$, $\mathrm{C}(-2,\ 2)$에 대하여 점 D가 $\overrightarrow{\mathrm{AB}}=\overrightarrow{\mathrm{CD}}$를 만족시킬 때, 점 D의 좌표를 구하여라.**

205 세 평면벡터 $\vec{a}=(1, 3)$, $\vec{b}=(2, -1)$, $\vec{c}=(-2, 3)$에 대하여 두 벡터 $2\vec{a}+\vec{b}$, $m\vec{b}-\vec{c}$가 서로 평행하도록 하는 실수 m의 값을 구하여라.

풍산자日 두 벡터가 평행하다? ➡ 한 벡터는 다른 벡터의 실수배임을 떠올린다.

> 풀이

$2\vec{a}+\vec{b}=2(1, 3)+(2, -1)=(4, 5)$

$m\vec{b}-\vec{c}=m(2, -1)-(-2, 3)=(2m+2, -m-3)$

두 벡터 $2\vec{a}+\vec{b}$, $m\vec{b}-\vec{c}$가 서로 평행하므로

$m\vec{b}-\vec{c}=k(2\vec{a}+\vec{b})$ (단, k는 0이 아닌 실수)

즉, $(2m+2, -m-3)=k(4, 5)$에서

$2m+2=4k$, $-m-3=5k$

두 식을 연립하여 풀면 $k=-\frac{2}{7}$, $m=-\mathbf{\frac{11}{7}}$

정답과 풀이 **31**쪽

유제 **206** 두 평면벡터 $\vec{a}=(1, 4)$, $\vec{b}=(x, 1)$에 대하여 두 벡터 $\vec{a}+2\vec{b}$, $2\vec{a}+\vec{b}$가 서로 평행하도록 하는 x의 값을 구하여라.

207 두 점 $\mathrm{A}(3, 1)$, $\mathrm{B}(1, 3)$에 대하여 $|\overrightarrow{\mathrm{PA}}+\overrightarrow{\mathrm{PB}}|=10$을 만족시키는 점 P의 자취의 방정식을 구하여라.

풍산자日 벡터의 크기 조건이 주어진 경우, 점 $\mathrm{P}(x, y)$의 자취의 방정식을 구할 때에는 $\vec{a}=(a_1, a_2)$일 때, $|\vec{a}|=\sqrt{a_1^2+a_2^2}$임을 이용하여 x와 y 사이의 관계식을 구한다.

> 풀이

$\mathrm{P}(x, y)$라 하면

$\overrightarrow{\mathrm{PA}}+\overrightarrow{\mathrm{PB}}=(\overrightarrow{\mathrm{OA}}-\overrightarrow{\mathrm{OP}})+(\overrightarrow{\mathrm{OB}}-\overrightarrow{\mathrm{OP}})=\overrightarrow{\mathrm{OA}}+\overrightarrow{\mathrm{OB}}-2\overrightarrow{\mathrm{OP}}$

$=(3, 1)+(1, 3)-2(x, y)=(4-2x, 4-2y)$

이때 $|\overrightarrow{\mathrm{PA}}+\overrightarrow{\mathrm{PB}}|=10$이므로 $\sqrt{(4-2x)^2+(4-2y)^2}=10$

양변을 제곱하면 $(4-2x)^2+(4-2y)^2=100$

$\therefore$ $\mathbf{(x-2)^2+(y-2)^2=25}$

정답과 풀이 **32**쪽

유제 **208** 세 점 $\mathrm{A}(1, 1)$, $\mathrm{B}(4, 1)$, $\mathrm{C}(1, 4)$에 대하여 $|\overrightarrow{\mathrm{PA}}+\overrightarrow{\mathrm{PB}}+\overrightarrow{\mathrm{PC}}|=3$을 만족시키는 점 P의 자취의 길이를 구하여라.

풍산자 비법

시점이 O인 벡터의 종점의 좌표는 그 벡터의 성분! 성분을 이용하면 벡터의 연산이 매우 간단해 진다.

03 벡터의 내적

벡터와 벡터를 곱하는 진정한 벡터의 곱셈. 벡터의 내적.

벡터의 덧셈, 뺄셈, 실수배의 결과는 벡터였지만 벡터의 내적의 결과는 스칼라, 즉 실수!

따라서 내적을 스칼라곱이라고도 한다.

평면벡터의 내적 중요!

(1) 평면벡터의 내적: 영벡터가 아닌 두 평면벡터 $\vec{a}$, $\vec{b}$가 이루는 각의 크기가 θ $(0^\circ \le \theta \le 180^\circ)$일 때,

$$\vec{a} \cdot \vec{b} = |\vec{a}||\vec{b}|\cos\theta$$

를 두 벡터 $\vec{a}$, $\vec{b}$의 **내적**이라 한다.

(2) $\vec{a}=\vec{0}$ 또는 $\vec{b}=\vec{0}$이면 $\vec{a} \cdot \vec{b}=0$

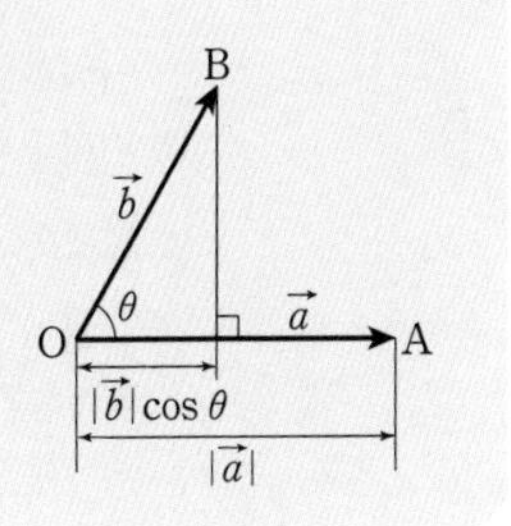

| 설명 | 영벡터가 아닌 두 벡터 $\vec{a}$, $\vec{b}$를 각각 점 O를 시점으로 하는 두 위치벡터 $\overrightarrow{OA}$, $\overrightarrow{OB}$로 나타낼 때, $\angle AOB=\theta$ $(0^\circ \le \theta \le 180^\circ)$는 두 벡터 $\vec{a}$, $\vec{b}$가 이루는 각의 크기이다.

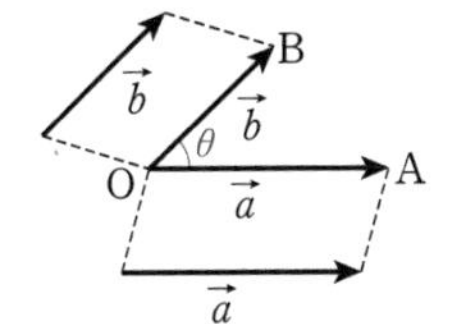

두 벡터 $\vec{a}$, $\vec{b}$가 영벡터가 아니면 $|\vec{a}|>0$, $|\vec{b}|>0$이므로 $\cos\theta$의 값의 부호에 따라 내적 $\vec{a} \cdot \vec{b}$는 양수일 수도, 0일 수도, 음수일 수도 있다.

이때 $90^\circ < \theta \le 180^\circ$이면 $\cos\theta = -\cos(180^\circ - \theta)$가 성립하므로 다음과 같다.

$0^\circ \le \theta < 90^\circ$	$\theta=90^\circ$	$90^\circ < \theta \le 180^\circ$
$\vec{b}$, θ, $\vec{a}$ $\vec{a} \cdot \vec{b} > 0$	$\vec{b}$, θ, $\vec{a}$ $\vec{a} \cdot \vec{b} = 0$	$\vec{b}$, θ, $\vec{a}$ $\vec{a} \cdot \vec{b} < 0$
왜냐? $0^\circ \le \theta < 90^\circ$이면 $\cos\theta > 0$	왜냐? $\theta=90^\circ$이면 $\cos\theta=0$	왜냐? $90^\circ < \theta \le 180^\circ$이면 $\cos\theta < 0$

특히 이 중에서 두 벡터가 수직이면 내적이 0이라는 사실은 훗날 각종 벡터 문제에서 맹활약을 펼치게 될 내용!

| 참고 | $\vec{a}=\vec{b}$이면 $\theta=0^\circ$이고 $\cos\theta=1$이므로 $\vec{a} \cdot \vec{a} = |\vec{a}|^2$이다.

벡터의 성분은 벡터의 모든 것을 알려준다.

따라서 벡터의 내적도 벡터의 성분을 이용하여 구할 수 있다.

평면벡터의 내적과 성분

두 평면벡터 $\vec{a}=(a_1, a_2)$, $\vec{b}=(b_1, b_2)$에 대하여 ⇒ $\boldsymbol{\vec{a} \cdot \vec{b} = a_1b_1 + a_2b_2}$ 중요!

| 참고 | 이 식은 $\vec{a}=\vec{0}$ 또는 $\vec{b}=\vec{0}$일 때도 성립한다.

한걸음 더 **평면벡터의 내적과 성분의 확인**

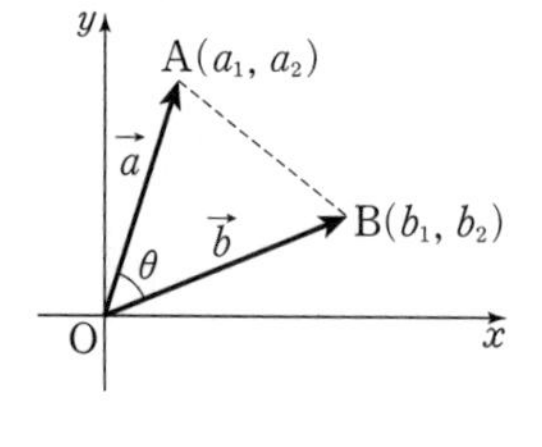

영벡터가 아닌 두 평면벡터 $\vec{a}$, $\vec{b}$가 이루는 각의 크기가 θ일 때, 두 벡터 $\vec{a}$, $\vec{b}$를 각각 원점 O를 시점으로 하는 위치벡터

$\vec{a}=\overrightarrow{OA}=(a_1, a_2)$, $\vec{b}=\overrightarrow{OB}=(b_1, b_2)$로 나타내자.

(1) 내적의 성질 이용

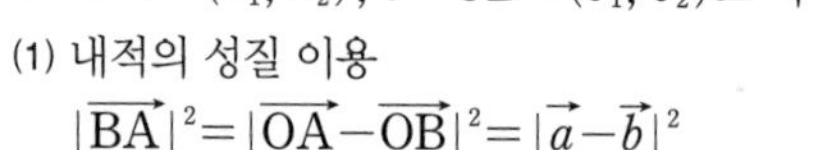

$|\overrightarrow{BA}|^2=|\overrightarrow{OA}-\overrightarrow{OB}|^2=|\vec{a}-\vec{b}|^2$

$=(\vec{a}-\vec{b})\cdot(\vec{a}-\vec{b})=|\vec{a}|^2-2\vec{a}\cdot\vec{b}+|\vec{b}|^2$

위 등식을 성분으로 나타내면

$(a_1-b_1)^2+(a_2-b_2)^2=(a_1^2+a_2^2)-2\vec{a}\cdot\vec{b}+(b_1^2+b_2^2)$

이것을 정리하면 $\vec{a}\cdot\vec{b}=a_1b_1+a_2b_2$

(2) 피타고라스 정리 이용

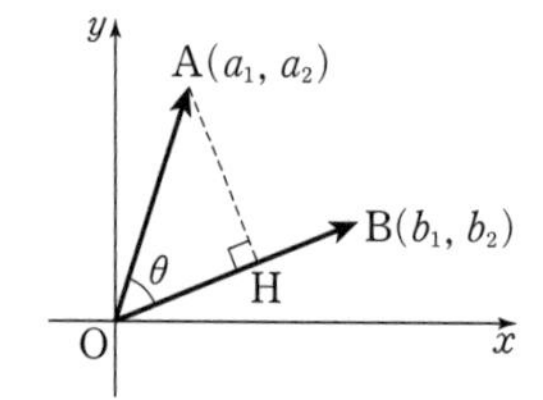

$0°<\theta<90°$일 때, 점 A에서 $\overline{OB}$에 내린 수선의 발을 H라 하면

삼각형 AHB가 직각삼각형이므로

$\overline{AB}^2=\overline{AH}^2+\overline{HB}^2=(\overline{OA}\sin\theta)^2+(\overline{OB}-\overline{OA}\cos\theta)^2$

$=\overline{OA}^2+\overline{OB}^2-2\times\overline{OA}\times\overline{OB}\cos\theta$

따라서 (1)과 같은 방법으로 $\vec{a}\cdot\vec{b}=a_1b_1+a_2b_2$

같은 방법으로 위의 식은 $\theta=0°$, $90°\le\theta\le180°$일 때에도 성립한다.

벡터의 내적은 교환법칙, 분배법칙에 자유롭고, 내적과 실수배를 함께 해도 결합법칙이 성립한다.

그러므로 수나 식의 연산에서처럼 모든 법칙을 편안하게 다루어도 좋다.

평면벡터의 내적의 연산법칙

세 평면벡터 $\vec{a}$, $\vec{b}$, $\vec{c}$와 실수 k에 대하여

(1) $\vec{a}\cdot\vec{b}=\vec{b}\cdot\vec{a}$ ⬅ 교환법칙

(2) $\vec{a}\cdot(\vec{b}+\vec{c})=\vec{a}\cdot\vec{b}+\vec{a}\cdot\vec{c}$ ⬅ 분배법칙

$(\vec{a}+\vec{b})\cdot\vec{c}=\vec{a}\cdot\vec{c}+\vec{b}\cdot\vec{c}$

(3) $(k\vec{a})\cdot\vec{b}=\vec{a}\cdot(k\vec{b})=k(\vec{a}\cdot\vec{b})$ ⬅ 결합법칙

| 설명 | 세 평면벡터 $\vec{a}=(a_1, a_2)$, $\vec{b}=(b_1, b_2)$, $\vec{c}=(c_1, c_2)$와 실수 k에 대하여

(1) 교환법칙: $\vec{a}\cdot\vec{b}=a_1b_1+a_2b_2=b_1a_1+b_2a_2=\vec{b}\cdot\vec{a}$

(2) 분배법칙: $\vec{a}\cdot(\vec{b}+\vec{c})=(a_1, a_2)\cdot(b_1+c_1, b_2+c_2)=a_1(b_1+c_1)+a_2(b_2+c_2)$

$=(a_1b_1+a_1c_1)+(a_2b_2+a_2c_2)=(a_1b_1+a_2b_2)+(a_1c_1+a_2c_2)$

$=\vec{a}\cdot\vec{b}+\vec{a}\cdot\vec{c}$

(3) 결합법칙: $(k\vec{a})\cdot\vec{b}=(ka_1, ka_2)\cdot(b_1, b_2)=ka_1b_1+ka_2b_2$

$=(a_1, a_2)\cdot(kb_1, kb_2)=\vec{a}\cdot(k\vec{b})$

$=k(a_1b_1+a_2b_2)=k(\vec{a}\cdot\vec{b})$

| 참고 | 이러한 연산법칙을 이용하면 두 평면벡터 $\vec{a}$, $\vec{b}$에 대하여 다음이 성립함을 알 수 있다.

$|\vec{a}+\vec{b}|^2=(\vec{a}+\vec{b})\cdot(\vec{a}+\vec{b})=\vec{a}\cdot\vec{a}+\vec{a}\cdot\vec{b}+\vec{b}\cdot\vec{a}+\vec{b}\cdot\vec{b}=|\vec{a}|^2+2\vec{a}\cdot\vec{b}+|\vec{b}|^2$

$(\vec{a}+\vec{b})\cdot(\vec{a}-\vec{b})=\vec{a}\cdot\vec{a}-\vec{a}\cdot\vec{b}+\vec{b}\cdot\vec{a}-\vec{b}\cdot\vec{b}=|\vec{a}|^2-|\vec{b}|^2$

209 그림과 같이 한 변의 길이가 2인 정사각형 ABCD에서 다음을 구하여라.

(1) $\overrightarrow{AB}\cdot\overrightarrow{AD}$　　(2) $\overrightarrow{AB}\cdot\overrightarrow{AC}$　　(3) $\overrightarrow{AD}\cdot\overrightarrow{DB}$

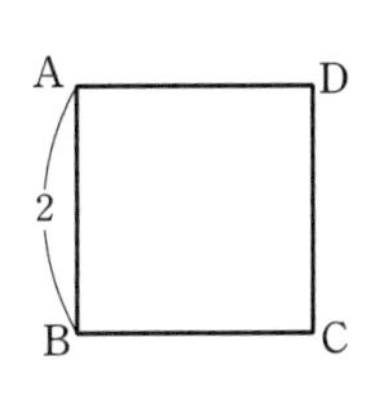

풍산자비 두 벡터 $\vec{a}$, $\vec{b}$의 내적은 $\vec{a}\cdot\vec{b}=|\vec{a}||\vec{b}|\cos\theta$

➡ (크기)×(크기)×(코사인)으로 계산한다.

이때 (3)과 같이 벡터가 물고 늘어지는 상황에서는 반드시 시점을 같게 한 후 θ를 찾아야 한다.

> 풀이 (1) 정사각형의 한 내각의 크기는 90°이므로

$\overrightarrow{AB}\cdot\overrightarrow{AD}=2\times2\times\cos 90°=\mathbf{0}$

(2) $\angle CAB=45°$이므로

$\overrightarrow{AB}\cdot\overrightarrow{AC}=2\times2\sqrt{2}\times\cos 45°=\mathbf{4}$

(3) 오른쪽 그림에서 $\overrightarrow{AD}=\overrightarrow{DE}$이므로

(두 벡터 $\overrightarrow{AD}$, $\overrightarrow{DB}$가 이루는 각의 크기)$=\angle BDE=135°$

$\therefore\ \overrightarrow{AD}\cdot\overrightarrow{DB}=2\times2\sqrt{2}\times\cos 135°=\mathbf{-4}$

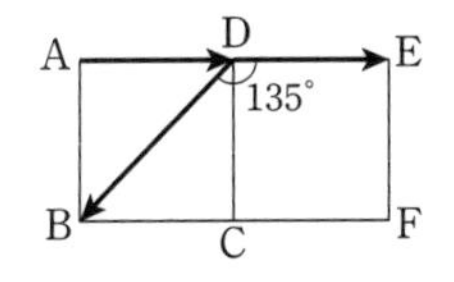

정답과 풀이 32쪽

유제 **210** 그림과 같이 한 변의 길이가 2인 정육각형 ABCDEF에서 세 대각선의 교점을 O라 할 때, 다음을 구하여라.

(1) $\overrightarrow{OA}\cdot\overrightarrow{OB}$　　(2) $\overrightarrow{AB}\cdot\overrightarrow{AF}$

(3) $\overrightarrow{AB}\cdot\overrightarrow{BC}$　　(4) $\overrightarrow{AB}\cdot\overrightarrow{CF}$

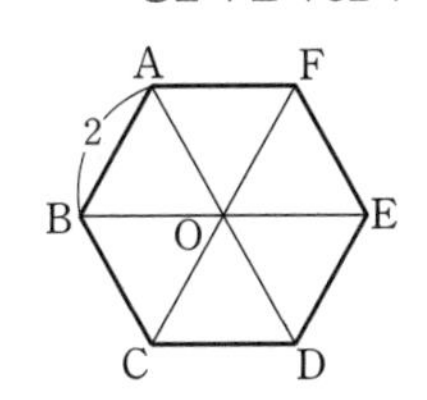

211 다음 물음에 답하여라.

(1) 두 평면벡터 $\vec{a}=(1,\ -2)$, $\vec{b}=(-2,\ -3)$에 대하여 $\vec{a}\cdot\vec{b}$의 값을 구하여라.

(2) 두 평면벡터 $\vec{a}=(-2,\ 3)$, $\vec{b}=(x,\ 2)$에 대하여 $\vec{a}\cdot\vec{b}=0$일 때, x의 값을 구하여라.

풍산자비 성분으로 나타내어진 평면벡터의 내적은 $(a_1,\ a_2)\cdot(b_1,\ b_2)=a_1b_1+a_2b_2$

➡ (x성분끼리의 곱)+(y성분끼리의 곱)으로 계산한다.

> 풀이 (1) $\vec{a}\cdot\vec{b}=1\times(-2)+(-2)\times(-3)=\mathbf{4}$

(2) $\vec{a}\cdot\vec{b}=0$이므로 $-2\times x+3\times2=0$　　$\therefore\ x=\mathbf{3}$

정답과 풀이 32쪽

유제 **212** 두 평면벡터 $\vec{a}=(2x+1,\ 3)$, $\vec{b}=(x-2,\ -2)$에 대하여 $\vec{a}\cdot\vec{b}=1$일 때, 양수 x의 값을 구하여라.

213 두 평면벡터 $\vec{a}$, $\vec{b}$가 이루는 각의 크기가 $60°$이고 $|\vec{a}|=2$, $|\vec{b}|=3$일 때, $(2\vec{a}-3\vec{b})\cdot(\vec{a}+2\vec{b})$의 값을 구하여라.

풍산자Ti 벡터의 내적의 연산에서는 교환법칙, 결합법칙, 분배법칙을 자유롭게 사용할 수 있다.
수나 식의 계산처럼 편안하게 해라.
이때 $\vec{a}\cdot\vec{a}=|\vec{a}||\vec{a}|\cos 0°=|\vec{a}|^2$의 성질이 요긴하게 쓰인다.

> 풀이 $\vec{a}\cdot\vec{b}=|\vec{a}||\vec{b}|\cos 60°=2\times3\times\frac{1}{2}=3$이므로

$(2\vec{a}-3\vec{b})\cdot(\vec{a}+2\vec{b})=2\vec{a}\cdot\vec{a}+4\vec{a}\cdot\vec{b}-3\vec{b}\cdot\vec{a}-6\vec{b}\cdot\vec{b}=2|\vec{a}|^2+\vec{a}\cdot\vec{b}-6|\vec{b}|^2$

$=2\times2^2+3-6\times3^2=\mathbf{-43}$

정답과 풀이 **32쪽**

유제 **214** 두 평면벡터 $\vec{a}$, $\vec{b}$가 이루는 각의 크기가 $60°$이고 $|\vec{a}|=1$, $|\vec{b}|=2$일 때, $(\vec{a}+k\vec{b})\cdot(\vec{a}-\vec{b})=6$을 만족시키는 실수 k의 값을 구하여라.

215 두 평면벡터 $\vec{a}$, $\vec{b}$에 대하여 $|\vec{a}|=1$, $|\vec{b}|=3$, $|\vec{a}+\vec{b}|=2\sqrt{3}$일 때, 다음을 구하여라.

(1) $\vec{a}\cdot\vec{b}$ (2) $|\vec{a}-\vec{b}|$ (3) $|3\vec{a}-2\vec{b}|$

풍산자Ti $|k\vec{a}+l\vec{b}|$의 꼴은 다음과 같이 해결한다.
[1단계] 조건으로 주어진 $|\vec{a}+\vec{b}|=2\sqrt{3}$의 양변을 제곱하여 $\vec{a}\cdot\vec{b}$를 구한다.
[2단계] $|k\vec{a}+l\vec{b}|$를 제곱하여 $|\vec{a}|$, $|\vec{b}|$, $\vec{a}\cdot\vec{b}$를 대입한다.

> 풀이 (1) $|\vec{a}+\vec{b}|=2\sqrt{3}$의 양변을 제곱하면 $|\vec{a}|^2+2\vec{a}\cdot\vec{b}+|\vec{b}|^2=12$

$1^2+2\vec{a}\cdot\vec{b}+3^2=12$ $\quad\therefore\ \vec{a}\cdot\vec{b}=\mathbf{1}$

(2) $|\vec{a}-\vec{b}|^2=|\vec{a}|^2-2\vec{a}\cdot\vec{b}+|\vec{b}|^2=1^2-2\times1+3^2=8$

$\therefore\ |\vec{a}-\vec{b}|=\mathbf{2\sqrt{2}}$

(3) $|3\vec{a}-2\vec{b}|^2=9|\vec{a}|^2-12\vec{a}\cdot\vec{b}+4|\vec{b}|^2=9\times1^2-12\times1+4\times3^2=33$

$\therefore\ |3\vec{a}-2\vec{b}|=\mathbf{\sqrt{33}}$

정답과 풀이 **32쪽**

유제 **216** 두 평면벡터 $\vec{a}$, $\vec{b}$에 대하여 $|\vec{a}|=4$, $|\vec{b}|=3$, $|\vec{a}-\vec{b}|=\sqrt{13}$일 때, $|2\vec{a}+\vec{b}|$의 값을 구하여라.

풍산자 비법

$|\vec{a}+\vec{b}|$ 꼴의 식이 주어지거나 값을 구할 때에는 다음 두 가지 원칙만 기억!
(1) 제곱할 때에는 반드시 절댓값을 씌운 뒤 제곱한다.
(2) 곱셈은 내적으로 이해한다.

04 벡터의 내적의 활용

두 벡터의 시점을 같게 만들면 두 벡터가 이루는 각을 눈으로 확인하는 것은 어렵지 않다.
그러나 그 각을 실제로 구하고 싶을 땐? 바로 내적을 이용!

두 평면벡터가 이루는 각의 크기 중요!

영벡터가 아닌 두 평면벡터 $\vec{a}=(a_1, a_2)$, $\vec{b}=(b_1, b_2)$가 이루는 각의 크기를 θ $(0°\le\theta\le180°)$라 하면

$$\cos\theta=\frac{\vec{a}\cdot\vec{b}}{|\vec{a}||\vec{b}|}=\frac{a_1b_1+a_2b_2}{\sqrt{a_1^2+a_2^2}\sqrt{b_1^2+b_2^2}}$$

| 설명 | (1) 두 벡터의 크기와 내적을 알면?

➡ $\vec{a}\cdot\vec{b}=|\vec{a}||\vec{b}|\cos\theta$에서 $\cos\theta=\dfrac{\vec{a}\cdot\vec{b}}{|\vec{a}||\vec{b}|}$로 구한다.

(2) 두 벡터가 성분으로 나타내어져 있다면?

➡ $\vec{a}\cdot\vec{b}=a_1b_1+a_2b_2$이므로 $\cos\theta=\dfrac{a_1b_1+a_2b_2}{\sqrt{a_1^2+a_2^2}\sqrt{b_1^2+b_2^2}}$로 구한다.

평면에서든 공간에서든 모든 기하 이론에서는 평행과 수직의 두 위치 관계 문제가 특히 중요하다.
이 중 평행 문제를 벡터로 처리하고 싶을 때는 무조건 벡터의 실수배를 떠올리면 된다.
그럼 수직 문제 처리는? ➡ 무조건 내적을 떠올리면 된다.

평면벡터의 수직 조건과 평행 조건

영벡터가 아닌 두 평면벡터 $\vec{a}$, $\vec{b}$에 대하여

(1) 수직 조건: $\vec{a}\perp\vec{b} \iff \vec{a}\cdot\vec{b}=0$ 중요!

(2) 평행 조건: $\vec{a}/\!/\vec{b} \iff \vec{a}\cdot\vec{b}=\pm|\vec{a}||\vec{b}| \iff \vec{b}=k\vec{a}$ (단, k는 0이 아닌 실수)

| 설명 | 영벡터가 아닌 두 벡터가 수직일 땐 $\cos 90°=0$이므로
$\vec{a}\cdot\vec{b}=|a||b|\cos 90°=0$이고 그 역도 성립한다.
$\therefore\ \vec{a}\perp\vec{b} \iff \vec{a}\cdot\vec{b}=0$

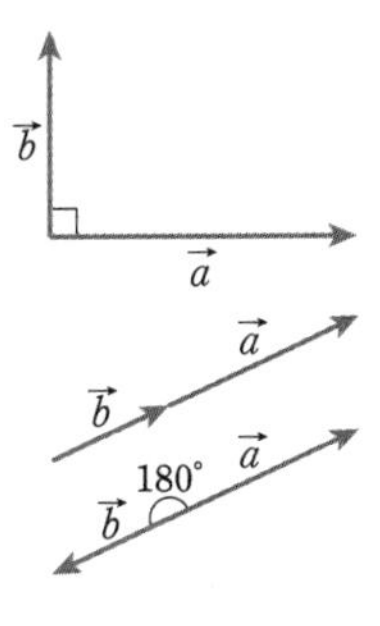

영벡터가 아닌 두 벡터 $\vec{a}$, $\vec{b}$가 평행한 경우는 오른쪽과 같이 같은 방향이거나 반대 방향 중 하나.
즉, 두 벡터 $\vec{a}$, $\vec{b}$가 이루는 각의 크기가 $\theta=0°$이거나 $\theta=180°$.
이때 $\cos 0°=1$, $\cos 180°=-1$이므로
$\vec{a}\cdot\vec{b}=|a||b|\cos\theta=\pm|a||b|$이고 그 역도 성립한다.
$\therefore\ \vec{a}/\!/\vec{b} \iff \vec{a}\cdot\vec{b}=\pm|\vec{a}||\vec{b}|$

217 다음 물음에 답하여라.

(1) 두 평면벡터 $\vec{a}=(0,\ -2)$, $\vec{b}=(3,\ 3)$이 이루는 각의 크기를 구하여라.

(2) 두 평면벡터 $\vec{a}=(3,\ 1)$, $\vec{b}=(-2,\ 1)$에 대하여 두 벡터 $\vec{a}+\vec{b}$, $\vec{a}+2\vec{b}$가 이루는 각의 크기를 구하여라.

풍산자팁 벡터가 성분으로 주어지면 $\vec{a}\cdot\vec{b}=\sqrt{a_1^2+a_2^2}\sqrt{b_1^2+b_2^2}\cos\theta=a_1b_1+a_2b_2$

➡ $\cos\theta=\dfrac{a_1b_1+a_2b_2}{\sqrt{a_1^2+a_2^2}\sqrt{b_1^2+b_2^2}}$

> 풀이 (1) 두 벡터 $\vec{a}$, $\vec{b}$가 이루는 각의 크기를 θ $(0°\le\theta\le180°)$라 하면

$$\cos\theta=\frac{\vec{a}\cdot\vec{b}}{|\vec{a}||\vec{b}|}=\frac{0\times3+(-2)\times3}{\sqrt{0^2+(-2)^2}\sqrt{3^2+3^2}}=\frac{-6}{2\times3\sqrt{2}}=-\frac{\sqrt{2}}{2}$$

$\therefore\ \theta=\mathbf{135°}$

(2) $\vec{a}+\vec{b}=(3,\ 1)+(-2,\ 1)=(1,\ 2)$, $\vec{a}+2\vec{b}=(3,\ 1)+2(-2,\ 1)=(-1,\ 3)$이므로

두 벡터 $\vec{a}+\vec{b}$, $\vec{a}+2\vec{b}$가 이루는 각의 크기를 θ $(0°\le\theta\le180°)$라 하면

$$\cos\theta=\frac{(\vec{a}+\vec{b})\cdot(\vec{a}+2\vec{b})}{|\vec{a}+\vec{b}||\vec{a}+2\vec{b}|}=\frac{1\times(-1)+2\times3}{\sqrt{1^2+2^2}\sqrt{(-1)^2+3^2}}=\frac{5}{\sqrt{5}\sqrt{10}}=\frac{\sqrt{2}}{2}$$

$\therefore\ \theta=\mathbf{45°}$

정답과 풀이 32쪽

유제 218 세 평면벡터 $\vec{a}=(1,\ 2)$, $\vec{b}=(-1,\ 3)$, $\vec{c}=(2,\ -1)$에 대하여 두 벡터 $\vec{a}-\vec{b}$, $\vec{a}-\vec{c}$가 이루는 각의 크기를 구하여라.

219 두 평면벡터 $\vec{a}$, $\vec{b}$에 대하여 $|\vec{a}|=2$, $|\vec{b}|=3$, $|\vec{a}-\vec{b}|=\sqrt{7}$일 때, 두 벡터 $\vec{a}$, $\vec{b}$가 이루는 각의 크기를 구하여라.

풍산자팁 $|k\vec{a}+l\vec{b}|$의 꼴이 보이면? 무조건 제곱부터 하고 필요한 걸 찾자.

➡ $|k\vec{a}+l\vec{b}|^2$에서 $\vec{a}\cdot\vec{b}$를 구한 다음 $|\vec{a}|$, $|\vec{b}|$, $\vec{a}\cdot\vec{b}$를 $\cos\theta=\dfrac{\vec{a}\cdot\vec{b}}{|\vec{a}||\vec{b}|}$에 대입한다.

> 풀이 $|\vec{a}-\vec{b}|=\sqrt{7}$의 양변을 제곱하면 $|\vec{a}|^2-2\vec{a}\cdot\vec{b}+|\vec{b}|^2=7$

$2^2-2\vec{a}\cdot\vec{b}+3^2=7$ $\qquad\therefore\ \vec{a}\cdot\vec{b}=3$

두 벡터 $\vec{a}$, $\vec{b}$가 이루는 각의 크기를 θ $(0°\le\theta\le180°)$라 하면

$$\cos\theta=\frac{\vec{a}\cdot\vec{b}}{|\vec{a}||\vec{b}|}=\frac{3}{2\times3}=\frac{1}{2}\qquad\therefore\ \theta=\mathbf{60°}$$

정답과 풀이 32쪽

유제 220 두 평면벡터 $\vec{a}$, $\vec{b}$에 대하여 $|\vec{a}|=3$, $|\vec{b}|=2$, $|\vec{a}+3\vec{b}|=3\sqrt{3}$일 때, 두 벡터 $\vec{a}$, $\vec{b}$가 이루는 각의 크기를 구하여라.

221 좌표평면 위의 세 점 $O(0, 0)$, $A(a_1, a_2)$, $B(b_1, b_2)$를 꼭짓점으로 하는 삼각형 OAB의 넓이를 a_1, a_2, b_1, b_2를 이용하여 나타내어라.

풍산자日 삼각형의 두 변의 길이와 그 끼인각의 크기를 알면 삼각형의 넓이를 구할 수 있다.
바로 끼인각의 크기를 구하는 것이 핵심.
끼인각의 크기는 벡터의 내적에서 나온다. $\cos\theta = \dfrac{\vec{a}\cdot\vec{b}}{|\vec{a}||\vec{b}|}$를 이용.
그럼 자동으로 끼인각에 대한 사인값도 나온다.

> 풀이 $\overrightarrow{OA}=\vec{a}$, $\overrightarrow{OB}=\vec{b}$라 하면 $|\vec{a}|=\sqrt{a_1^2+a_2^2}$, $|\vec{b}|=\sqrt{b_1^2+b_2^2}$, $\vec{a}\cdot\vec{b}=a_1b_1+a_2b_2$
따라서 $\angle AOB=\theta$라 하면 $\cos\theta=\dfrac{\vec{a}\cdot\vec{b}}{|\vec{a}||\vec{b}|}$이므로
$$\triangle OAB=\frac{1}{2}|\vec{a}||\vec{b}|\sin\theta=\frac{1}{2}|\vec{a}||\vec{b}|\sqrt{1-\cos^2\theta}=\frac{1}{2}\sqrt{|\vec{a}|^2|\vec{b}|^2-(\vec{a}\cdot\vec{b})^2}$$
$$=\frac{1}{2}\sqrt{(a_1^2+a_2^2)(b_1^2+b_2^2)-(a_1b_1+a_2b_2)^2}=\mathbf{\frac{1}{2}|a_1b_2-a_2b_1|}$$

정답과 풀이 33쪽

유제 **222** 세 점 $O(0, 0)$, $A(2, 4)$, $B(4, 2)$를 꼭짓점으로 하는 삼각형 OAB의 넓이를 구하여라.

223 두 벡터 $\vec{a}=(1, 2)$, $\vec{b}=(3, -4)$에 대하여 두 벡터 $\vec{a}$, $\vec{p}-\vec{b}$가 서로 평행하고 두 벡터 $\vec{b}$, $\vec{p}$가 서로 수직일 때, $|\vec{p}|$의 값을 구하여라.

풍산자日 평행 조건과 수직 조건이 한꺼번에 등장하면 일단 평행 조건을 먼저 생각한다.
두 벡터가 평행하다? 한 벡터는 다른 벡터의 실수배!
두 벡터가 수직이다? 두 벡터의 내적은 0!

> 풀이 $\vec{p}=(x, y)$라 하면 $\vec{p}-\vec{b}=(x-3, y+4)$
두 벡터 $\vec{a}$, $\vec{p}-\vec{b}$가 서로 평행하므로 $\vec{p}-\vec{b}=k\vec{a}$ (단, k는 0이 아닌 실수)
즉, $x-3=k$, $y+4=2k$에서 $x=k+3$, $y=2k-4$ …… ㉠
또, 두 벡터 $\vec{b}$, $\vec{p}$가 서로 수직이므로 $\vec{b}\cdot\vec{p}=0$에서 $3x-4y=0$ …… ㉡
㉠을 ㉡에 대입하면 $3(k+3)-4(2k-4)=0$, $-5k+25=0$ $\therefore k=5$
따라서 ㉠에 의해 $\vec{p}=(8, 6)$이므로 $|\vec{p}|=\sqrt{8^2+6^2}=\mathbf{10}$

정답과 풀이 33쪽

유제 **224** 두 벡터 $\vec{a}=(-1, 3)$, $\vec{b}=(2, 1)$에 대하여 두 벡터 $\vec{a}$, $\vec{c}$가 서로 평행하고, 두 벡터 $\vec{a}$, $\vec{d}$가 서로 수직이다. $\vec{b}=\vec{c}+\vec{d}$일 때, 두 벡터 $\vec{c}$, $\vec{d}$를 각각 성분으로 나타내어라.

필수 확인 문제

* 더 많은 유형은 **풍산자필수유형 기하** 050쪽

정답과 풀이 33쪽

225

좌표평면 위의 세 점 A$(1, -2)$, B$(-3, 0)$, C$(1, 4)$에 대하여 $\overrightarrow{PA}+\overrightarrow{PB}+\overrightarrow{PC}=\overrightarrow{AB}+\overrightarrow{CA}$를 만족시키는 점 P의 좌표가 P$(x, y)$일 때, $x+y$의 값을 구하여라.

226

두 평면벡터

$$\vec{a}=(x+1, -2), \vec{b}=(-2, x-2)$$

가 서로 평행할 때, 모든 x의 값의 합을 구하여라.

227

두 평면벡터 $\vec{a}$, $\vec{b}$가 이루는 각의 크기가 30°이고 $|\vec{a}|=2$, $|\vec{b}|=2\sqrt{3}$일 때, $3\vec{a}+2\vec{b}$의 크기를 구하여라.

228

영벡터가 아닌 두 평면벡터 $\vec{a}$, $\vec{b}$에 대하여

$$|\vec{a}|=|\vec{b}|, |2\vec{a}+\vec{b}|=|\vec{a}-3\vec{b}|$$

일 때, 두 벡터 $\vec{a}$, $\vec{b}$가 이루는 각의 크기를 구하여라.

229

그림과 같이 $\overline{OA}=3$, $\overline{OB}=4$인 삼각형 OAB에서 $\overrightarrow{OA}\cdot\overrightarrow{OB}=6$일 때, 삼각형 OAB의 넓이를 구하여라.

230

세 평면벡터

$$\vec{a}=(x, -2), \vec{b}=(4, 4-y), \vec{c}=(2, 3)$$

에 대하여 두 벡터 $\vec{a}$, $\vec{b}$가 서로 수직이고 두 벡터 $\vec{b}$, $\vec{c}$가 서로 평행할 때, x^2+y^2의 값을 구하여라.

3 평면벡터를 이용한 도형의 방정식

01 평면벡터를 이용한 직선의 방정식

좌표평면에서 직선의 방정식을 구할 때 한 점의 좌표와 기울기가 필요했다.
여기서 기울기를 대체하는 것이 바로 방향벡터!

방향벡터를 이용한 직선의 방정식

(1) 점 A를 지나고 영벡터가 아닌 벡터 $\vec{u}$에 평행한 직선 l 위의 임의의 한 점을 P라 하고, 두 점 A, P의 위치벡터를 각각 $\vec{a}$, $\vec{p}$라 하면

$\boldsymbol{\vec{p}=\vec{a}+t\vec{u}}$ (단, t는 실수) ⬅ 직선 l의 벡터방정식

이때 벡터 $\vec{u}$를 직선 l의 **방향벡터**라 한다.

(2) 방향벡터를 이용한 직선의 방정식: 점 $\mathrm{A}(x_1,\ y_1)$을 지나고, 방향벡터가 $\vec{u}=(u_1,\ u_2)$인 직선의 방정식은

$$\frac{x-x_1}{u_1}=\frac{y-y_1}{u_2}\ (\text{단, } u_1u_2\neq0)$$

| 설명 |

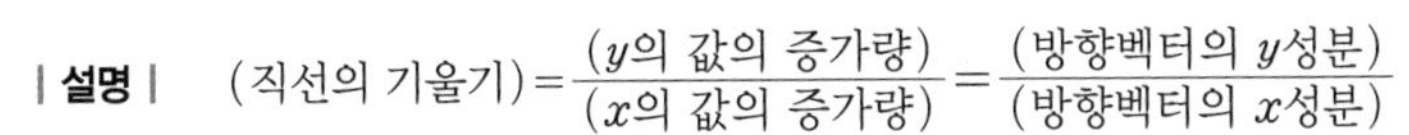

$(\text{직선의 기울기})=\dfrac{(y\text{의 값의 증가량})}{(x\text{의 값의 증가량})}=\dfrac{(\text{방향벡터의 } y\text{성분})}{(\text{방향벡터의 } x\text{성분})}$

방향벡터를 이용한 직선의 방정식을 구할 때 방향벡터의 성분 중 0이 있으면 분모가 0이 되므로 난감하다.
이럴 때의 규칙 ➡ 분모가 0이 되면 등호의 연결 고리를 끊고 (분자)=0으로 정리하면 끝.
남는 건 어떻게 하느냐고? 간단하다. 그냥 버린다.
도형의 방정식은 등호가 있는 등식이니까 등호로 연결되지 못하면 바로 탈락.

(1) 점 $\mathrm{A}(x_1,\ y_1)$을 지나고, 방향벡터가 $\vec{u}=(u_1,\ 0)$일 때, 벡터 $\vec{u}$는 x축에 평행하므로 직선의 방정식은 $y=y_1$

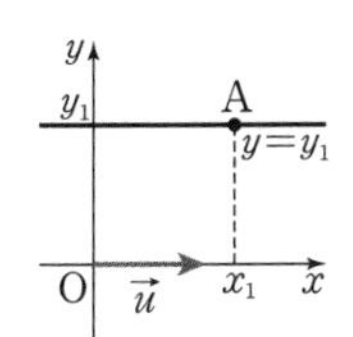

공식을 이용하면 직선의 방정식은 $\dfrac{x-x_1}{u_1}=\dfrac{y-y_1}{0}$

➡ 등호 연결을 끊고 $\dfrac{x-x_1}{u_1}$은 버린다. ➡ $y-y_1=0$에서 $y=y_1$

(2) 점 $\mathrm{A}(x_1,\ y_1)$을 지나고, 방향벡터가 $\vec{u}=(0,\ u_2)$일 때, 벡터 $\vec{u}$는 y축에 평행하므로 직선의 방정식은 $x=x_1$

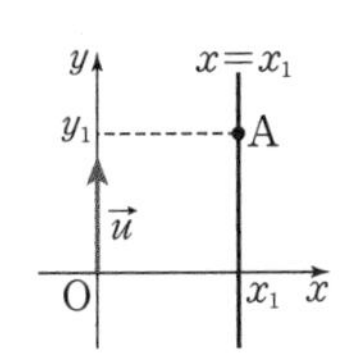

공식을 이용하면 직선의 방정식은 $\dfrac{x-x_1}{0}=\dfrac{y-y_1}{u_2}$

➡ 등호 연결을 끊고 $\dfrac{y-y_1}{u_2}$은 버린다. ➡ $x-x_1=0$에서 $x=x_1$

| 개념확인 |

점 $(-1,\ 4)$를 지나고 방향벡터가 $\vec{u}=(3,\ -1)$인 직선의 방정식을 구하여라.

> 풀이 $\dfrac{x+1}{3}=\dfrac{y-4}{-1}$ $\quad\therefore\ \boldsymbol{\dfrac{x+1}{3}=4-y}$

한걸음 더 **방향벡터를 이용한 직선의 방정식의 확인**

점 $\mathrm{A}(x_1, y_1)$을 지나고 영벡터가 아닌 벡터 $\vec{u}=(u_1, u_2)$에 평행한 직선 l 위의 임의의 점을 $\mathrm{P}(x, y)$라 하고, 두 점 A, P의 위치벡터를 각각 $\vec{a}$, $\vec{p}$라 하자.

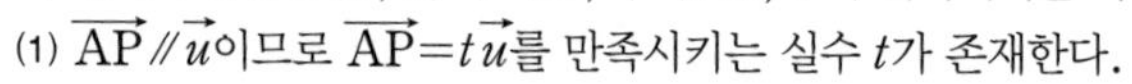

(1) $\overrightarrow{\mathrm{AP}} /\!/ \vec{u}$이므로 $\overrightarrow{\mathrm{AP}}=t\vec{u}$를 만족시키는 실수 t가 존재한다.

이때 벡터의 덧셈에 의하여 $\overrightarrow{\mathrm{OP}}=\overrightarrow{\mathrm{OA}}+\overrightarrow{\mathrm{AP}}$이므로

$\vec{p}=\vec{a}+t\vec{u}$ (단, t는 실수) …… ㉠

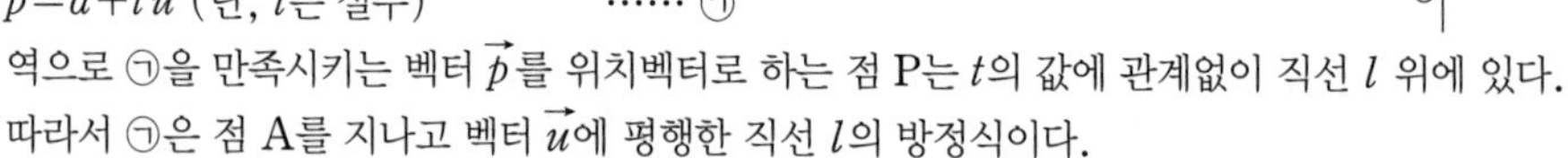

역으로 ㉠을 만족시키는 벡터 $\vec{p}$를 위치벡터로 하는 점 P는 t의 값에 관계없이 직선 l 위에 있다.

따라서 ㉠은 점 A를 지나고 벡터 $\vec{u}$에 평행한 직선 l의 방정식이다.

(2) ㉠에서 $\vec{a}=(x_1, y_1)$, $\vec{u}=(u_1, u_2)$, $\vec{p}=(x, y)$이므로

$(x, y)=(x_1, y_1)+t(u_1, u_2)=(x_1+tu_1, y_1+tu_2)$

이때 두 벡터가 서로 같은 조건에 의하여

$\begin{cases} x=x_1+tu_1 \\ y=y_1+tu_2 \end{cases}$ (t는 실수) …… ㉡

따라서 ㉡은 점 A를 지나고 벡터 $\vec{u}$에 평행한 직선 l을 매개변수 t를 이용하여 나타낸 것이다.

(3) $u_1u_2 \neq 0$일 때, ㉡에서 $t=\dfrac{x-x_1}{u_1}$, $t=\dfrac{y-y_1}{u_2}$이므로 매개변수 t를 소거하면

$\dfrac{x-x_1}{u_1}=\dfrac{y-y_1}{u_2}$ (단, $u_1u_2 \neq 0$) …… ㉢

따라서 ㉢은 점 $\mathrm{A}(x_1, y_1)$을 지나고 방향벡터가 $\vec{u}=(u_1, u_2)$인 직선 l의 방정식이다.

| **참고** |
- 벡터의 평행 조건에 사용되는 t는 0이 아닌 실수이지만 직선의 방정식에서 사용되는 t는 0을 포함한 실수이다. 이는 점 P가 직선 l 위의 임의의 점이므로 점 A도 될 수 있어야 하기 때문이다.
- 일반적으로 직선의 방정식은 (1) 또는 (3)을 사용하고, 직선 위의 임의의 점의 좌표를 한 문자로 나타낼 때 (2)의 방법을 사용한다.

두 점을 지나는 직선의 방정식

두 점 $\mathrm{A}(x_1, y_1)$, $\mathrm{B}(x_2, y_2)$를 지나는 직선의 방정식은

$$\boldsymbol{\frac{x-x_1}{x_2-x_1}=\frac{y-y_1}{y_2-y_1}} \text{ (단, } x_1 \neq x_2,\ y_1 \neq y_2)$$

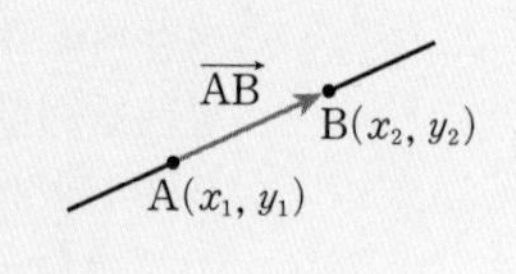

| **설명** | 직선의 방정식을 구하려면 직선이 지나는 한 점의 좌표와 방향벡터가 필요하다.
그런데 직선이 지나는 점만 두 개 주어지고 방향벡터를 모르면? 방향벡터를 찾으면 된다.
방향벡터란 직선에 평행한 벡터. 직선에 평행하기만 하면 그 크기는 상관이 없다.
즉, 두 점 $\mathrm{A}(x_1, y_1)$, $\mathrm{B}(x_2, y_2)$를 지나는 직선의 방향벡터는 $\vec{u}=(x_2-x_1, y_2-y_1)$이다.

법선벡터를 이용한 직선의 방정식

(1) 점 A를 지나고 영벡터가 아닌 벡터 $\vec{n}$에 수직인 직선 l 위의 임의의 한 점을 P라 하고, 두 점 A, P의 위치벡터를 각각 $\vec{a}$, $\vec{p}$라 하면

$\boldsymbol{(\vec{p}-\vec{a})\cdot\vec{n}=0}$ ⬅ 직선 l의 벡터방정식

이때 $\vec{n}$을 직선 l의 **법선벡터**라 한다.

(2) 법선벡터를 이용한 직선의 방정식: 점 $\mathrm{A}(x_1, y_1)$을 지나고, 법선벡터가 $\vec{n}=(a, b)$인 직선의 방정식은

$\boldsymbol{a(x-x_1)+b(y-y_1)=0}$

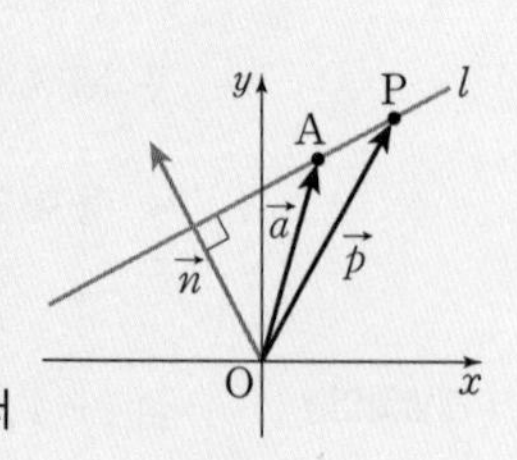

| 설명 | 법선벡터를 이용한 직선의 방정식을 정리하면 우리에게 익숙한 일차방정식이다.

$a(x-x_1)+b(y-y_1)=0$ ➡ $ax+by-(ax_1+by_1)=0$

➡ $ax+by+c=0$ (단, $-(ax_1+by_1)=c$)

즉, 일차방정식 $ax+by+c=0$은 법선벡터가 $\vec{n}=(a, b)$인 직선을 나타내는 것이라는 사실!

한걸음 더 **법선벡터를 이용한 직선의 방정식의 확인**

점 $A(x_1, y_1)$을 지나고 영벡터가 아닌 벡터 $\vec{n}=(a, b)$에 수직인 직선 l 위의 임의의 점을 $P(x, y)$라 하고, 두 점 A, P의 위치벡터를 각각 $\vec{a}$, $\vec{p}$라 하자.

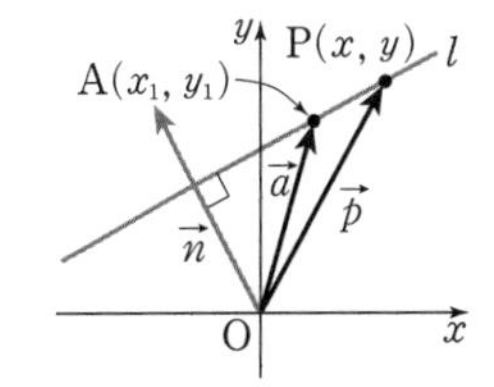

(1) $\overrightarrow{AP}\perp\vec{n}$이므로 $\overrightarrow{AP}\cdot\vec{n}=0$이다. 즉,

$(\vec{p}-\vec{a})\cdot\vec{n}=0$ …… ㉠

역으로 ㉠을 만족시키는 벡터 $\vec{p}$를 위치벡터로 하는 점 P는 직선 l 위에 있다.

따라서 ㉠은 점 A를 지나고 벡터 $\vec{n}$에 수직인 직선 l의 벡터방정식이다.

(2) ㉠에서 $\vec{p}-\vec{a}=(x-x_1, y-y_1)$이므로 $(x-x_1, y-y_1)\cdot(a, b)=0$

$a(x-x_1)+b(y-y_1)=0$ …… ㉡

따라서 ㉡은 점 A를 지나고 벡터 $\vec{n}$에 수직인 직선 l의 방정식을 음함수로 나타낸 표현이다.

| 방향벡터가 주어진 직선의 방정식 |

231 **다음 직선의 방정식을 구하여라.**

(1) 점 (2, 3)을 지나고 방향벡터가 $\vec{u}=(2, 3)$인 직선

(2) 점 (3, −2)를 지나고 벡터 $\vec{u}=(2, 0)$에 평행한 직선

풍산자日 일단 지나는 한 점과 방향벡터부터 확인할 것!
지나는 점과 방향벡터를 이용한 직선의 방정식 공식에 대입하면 끝.
특히 방향벡터의 한 성분이 0이면 좌표축에 평행한 직선이다.

> 풀이

(1) $\boldsymbol{\frac{x-2}{2}=\frac{y-3}{3}}$

(2) 방향벡터의 y성분이 0이므로 직선의 방정식은 $\boldsymbol{y=-2}$

정답과 풀이 **34**쪽

유제 **232** **다음 직선의 방정식을 구하여라.**

(1) 점 (2, 1)을 지나고 방향벡터가 $\vec{u}=(-2, 3)$인 직선

(2) 점 (−1, 3)을 지나고 벡터 $\vec{u}=(0, -3)$에 평행한 직선

233 **다음 직선의 방정식을 구하여라.**

(1) 두 점 A$(-2,\ 2)$, B$(-1,\ -1)$을 지나는 직선

(2) 점 $(-1,\ 4)$를 지나고 벡터 $\vec{n}=(3,\ -1)$에 수직인 직선

풍산자Tip (1) 방향벡터란 직선에 평행한 벡터. 직선에 평행하기만 하면 어떤 벡터라도 방향벡터가 될 수 있다. 두 점 A, B를 지나는 직선의 방향벡터는 $\overrightarrow{AB}$, $\overrightarrow{BA}$, …로 무수히 많다.

(2) 일단 지나는 한 점과 법선벡터가 확인되면 직선의 방정식 공식에 대입!

> **풀이**

(1) $\dfrac{x+2}{-2+1}=\dfrac{y-2}{2+1}$ $\quad\therefore\ \boldsymbol{-x-2=\dfrac{y-2}{3}}$

(2) $3(x+1)-(y-4)=0$ $\quad\therefore\ \boldsymbol{3x-y+7=0}$

정답과 풀이 **34**쪽

유제 **234** **다음 직선의 방정식을 구하여라.**

(1) 두 점 A$(2,\ 3)$, B$(3,\ 1)$을 지나는 직선

(2) 점 $(2,\ 3)$을 지나고 법선벡터가 $\vec{n}=(2,\ 3)$인 직선

235 **점 $(1,\ 2)$를 지나고 다음 조건을 만족시키는 직선의 방정식을 구하여라.**

(1) 직선 $3x-2y+4=0$에 평행한 직선

(2) 직선 $\dfrac{x+2}{5}=\dfrac{y-4}{3}$에 수직인 직선

풍산자Tip 일차방정식 $ax+by+c=0$을 직선의 방정식이라 부르는 이유는? 좌표평면 위에서 직선을 나타내기 때문이다.
특히 이 일차방정식은 법선벡터가 $\vec{n}=(a,\ b)$인 직선을 나타낸다.

> **풀이**

(1) 직선 $3x-2y+4=0$의 법선벡터가 $\vec{n}=(3,\ -2)$이므로
구하는 직선의 법선벡터도 $\vec{n}=(3,\ -2)$이다.
따라서 구하는 직선의 방정식은
$3(x-1)-2(y-2)=0$ $\quad\therefore\ \boldsymbol{3x-2y+1=0}$

(2) 직선 $\dfrac{x+2}{5}=\dfrac{y-4}{3}$의 방향벡터가 $\vec{u}=(5,\ 3)$이므로
구하는 직선의 법선벡터가 $\vec{u}=(5,\ 3)$이다.
따라서 구하는 직선의 방정식은
$5(x-1)+3(y-2)=0$ $\quad\therefore\ \boldsymbol{5x+3y-11=0}$

정답과 풀이 **34**쪽

유제 **236** **직선 $2x-y-5=0$ 위의 점 $(2,\ -1)$을 지나면서 이 직선에 수직인 직선의 방정식을 구하여라.**

02 직선의 방정식의 활용

직선은 항상 자신과 평행한 방향벡터를 업고 다니고, 자신과 수직인 법선벡터를 꽂고 다닌다.
두 직선이 이루는 각은 바로 두 직선의 방향벡터가 이루는 각!
또한 두 직선이 이루는 각은 두 직선의 법선벡터가 이루는 각!
즉, 두 직선이 이루는 각은 두 벡터가 이루는 각 이야기로 바꿔 생각하자.

두 직선이 이루는 각 중요!

(1) 방향벡터가 각각 $\vec{u}=(u_1,\ u_2)$, $\vec{v}=(v_1,\ v_2)$인 두 직선 l, m이 이루는 각의 크기를 θ $(0°\le\theta\le90°)$라 하면

$$\cos\theta=\frac{|\vec{u}\cdot\vec{v}|}{|\vec{u}||\vec{v}|}=\frac{|u_1v_1+u_2v_2|}{\sqrt{u_1^2+u_2^2}\sqrt{v_1^2+v_2^2}}$$

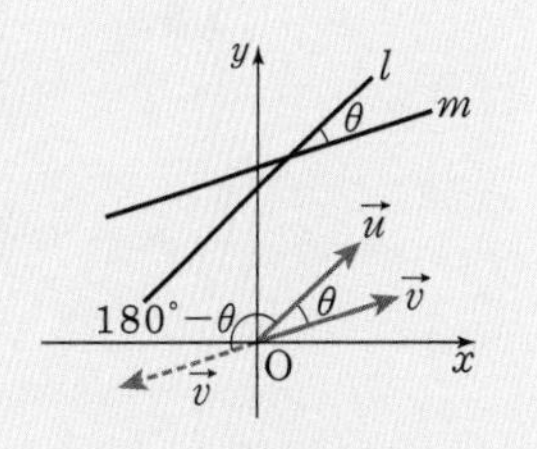

(2) 법선벡터가 각각 $\vec{n_1}$, $\vec{n_2}$인 두 직선 l, m이 이루는 각의 크기를 θ $(0°\le\theta\le90°)$라 하면

$$\cos\theta=|\cos(180°-\theta)|=\frac{|\vec{n_1}\cdot\vec{n_2}|}{|\vec{n_1}||\vec{n_2}|}$$

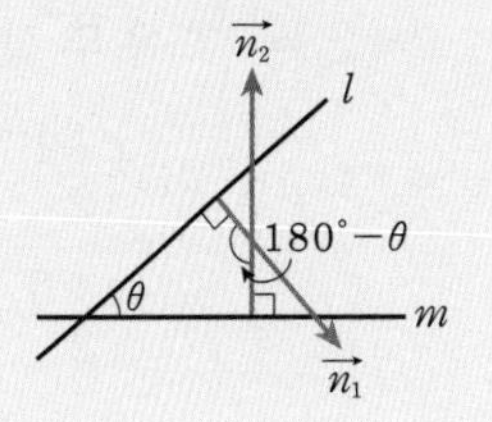

| 설명 | 두 직선이 이루는 각의 크기는 일반적으로 항상 예각을 다룬다.
내가 구한 각이 둔각이면 180°에서 빼서 예각으로 바꾸면 된다.
그런데 $\cos\theta$의 값의 부호에 주목하면 빼는 작업 없이 바로 예각을 구할 수 있다는 사실!
$\cos\theta$의 값이 양수이면 예각, 음수이면 둔각이다.
$0°\le\theta\le90°$일 때, $\cos\theta=-\cos(180°-\theta)$이므로 절댓값을 씌워서 구하면 항상 예각이 구해진다.

두 직선의 평행과 수직

두 직선 l, m의 방향벡터가 각각 $\vec{u}=(u_1,\ u_2)$, $\vec{v}=(v_1,\ v_2)$일 때,

(1) 평행 조건: $l\,/\!/\,m \iff \vec{u}\,/\!/\,\vec{v} \iff \vec{u}=k\vec{v}$

$\iff u_1=kv_1,\ u_2=kv_2$

(단, k는 0이 아닌 실수)

(2) 수직 조건: $l\perp m \iff \vec{u}\perp\vec{v} \iff \vec{u}\cdot\vec{v}=0$

$\iff u_1v_1+u_2v_2=0$

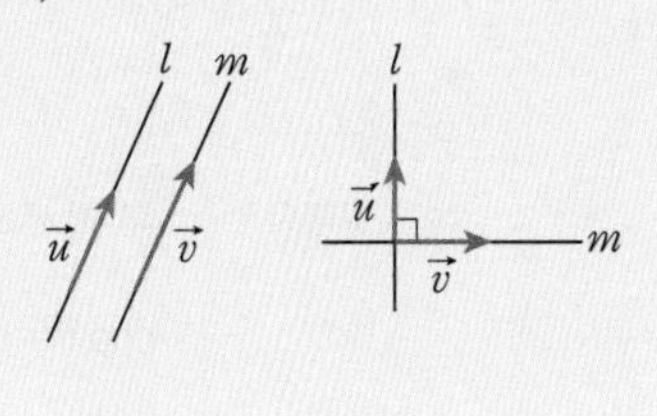

| 설명 | 두 직선이 평행하면 두 직선의 방향벡터도 평행하다.
두 직선이 수직이면 두 직선의 방향벡터도 수직이다.
계속 강조하는 이야기지만 평행하면 실수배! 수직이면 내적이 0! 반드시 기억하자!

大원칙 두 직선의 방향벡터가 각각 $\vec{u}$, $\vec{v}$일 때,
(1) 평행 조건: $\vec{u}=k\vec{v}$ (2) 수직 조건: $\vec{u}\cdot\vec{v}=0$

237 두 직선 $\frac{x+1}{3}=y-2$, $\frac{x-3}{2}=1-y$가 이루는 예각의 크기를 구하여라.

풍산자日 직선은 항상 자신과 평행한 방향벡터를 업고 다닌다.
두 직선이 이루는 각의 크기는 예각을 다룬다.
$\cos\theta=\frac{|\vec{u}\cdot\vec{v}|}{|\vec{u}||\vec{v}|}$를 이용한다.

> 풀이 두 직선의 방향벡터는 각각 $\vec{u}=(3, 1)$, $\vec{v}=(2, -1)$이므로
두 직선이 이루는 예각의 크기를 θ $(0^\circ\le\theta\le90^\circ)$라 하면
$$\cos\theta=\frac{|\vec{u}\cdot\vec{v}|}{|\vec{u}||\vec{v}|}=\frac{|3\times2+1\times(-1)|}{\sqrt{3^2+1^2}\sqrt{2^2+(-1)^2}}=\frac{5}{\sqrt{10}\sqrt{5}}=\frac{\sqrt{2}}{2}$$
$\therefore$ $\theta=$**45°**

정답과 풀이 **34**쪽

유제 **238** 다음 두 직선이 이루는 각의 크기를 θ라 할 때, $\sin\theta$의 값을 구하여라. (단, $0^\circ\le\theta\le90^\circ$)

(1) $\frac{x+1}{2}=-y$, $\frac{x}{4}=\frac{y-1}{3}$

(2) $\frac{x+3}{2}=y+3$, $x-2=\frac{y+1}{3}$

239 두 직선 $2x-y+3=0$, $4x+2y-3=0$이 이루는 각의 크기를 θ라 할 때, $\cos\theta$의 값을 구하여라. (단, $0^\circ\le\theta\le90^\circ$)

풍산자日 직선은 항상 자신에게 수직인 법선벡터를 꽂고 다닌다.
두 직선이 이루는 각의 크기는 예각을 다룬다.
$\cos\theta=|\cos(180^\circ-\theta)|=\frac{|\vec{n_1}\cdot\vec{n_2}|}{|\vec{n_1}||\vec{n_2}|}$를 이용한다.

> 풀이 두 직선의 법선벡터는 각각 $\vec{n_1}=(2, -1)$, $\vec{n_2}=(4, 2)$이므로
$$\cos\theta=\frac{|\vec{n_1}\cdot\vec{n_2}|}{|\vec{n_1}||\vec{n_2}|}=\frac{|2\times4+(-1)\times2|}{\sqrt{2^2+(-1)^2}\sqrt{4^2+2^2}}=\frac{6}{\sqrt{5}\times2\sqrt{5}}=\mathbf{\frac{3}{5}}$$

정답과 풀이 **34**쪽

유제 **240** 다음 두 직선이 이루는 예각의 크기를 구하여라.

(1) $x+2y-5=0$, $3x+y+2=0$

(2) $\sqrt{3}x+y-2=0$, $x+\sqrt{3}y+\sqrt{3}=0$

241 **다음 조건을 만족시키는 상수 a의 값을 구하여라. (단, $a\neq0$)**

(1) 두 직선 $\frac{x-2}{3}=\frac{y+1}{a}$, $-\frac{x}{2}=y+3$이 서로 평행하다.

(2) 두 직선 $2x-3y+5=0$, $ax+4y-3=0$이 서로 수직이다.

풍산자日 두 직선이 평행! 방향벡터끼리 평행 또는 법선벡터끼리 평행 ➡ 실수배!
두 직선이 수직! 방향벡터끼리 수직 또는 법선벡터끼리 수직 ➡ 내적이 0!

> 풀이 (1) 두 직선의 방향벡터는 각각 $\vec{u}=(3, a)$, $\vec{v}=(-2, 1)$이므로
$\vec{u}=k\vec{v}$ (단, k는 0이 아닌 실수)
즉, $(3, a)=k(-2, 1)$에서 $3=-2k$, $a=k$
$\therefore k=-\frac{3}{2}$, $a=-\frac{\mathbf{3}}{\mathbf{2}}$

(2) 두 직선의 법선벡터는 각각 $\vec{n_1}=(2, -3)$, $\vec{n_2}=(a, 4)$이므로 $\vec{n_1}\cdot\vec{n_2}=0$
즉, $2\times a+(-3)\times4=0$에서 $2a=12$ $\therefore a=\mathbf{6}$

정답과 풀이 **35**쪽

유제 **242** **다음 두 직선이 평행할 때와 수직일 때의 상수 a의 값을 각각 구하여라.**

(1) $\frac{x+1}{2}=\frac{y-1}{3}$, $\frac{x+4}{a}=y+3$

(2) $3x+ay-1=0$, $2x-y+5=0$

243 **점 $\mathrm{A}(-3, 2)$에서 직선 $\frac{x+2}{2}=\frac{y+1}{4}$에 내린 수선의 발을 H라 할 때, 점 H의 좌표를 구하여라.**

풍산자日 [1단계] 주어진 직선 위의 점
➡ 이제껏 사용하지 않은 '매개변수로 나타낸 직선의 방정식'을 도입!
[2단계] 수선과 직선이 수직! 직선의 방향벡터와 벡터 $\overrightarrow{\mathrm{AH}}$의 내적이 0!

> 풀이 점 H는 주어진 직선 위의 점이므로 $\frac{x+2}{2}=\frac{y+1}{4}=t$ (t는 실수)로 놓으면
$x=2t-2$, $y=4t-1$ $\therefore \mathrm{H}(2t-2, 4t-1)$
$\therefore \overrightarrow{\mathrm{AH}}=\overrightarrow{\mathrm{OH}}-\overrightarrow{\mathrm{OA}}=(2t+1, 4t-3)$
직선의 방향벡터는 $\vec{u}=(2, 4)$이므로 $\vec{u}\cdot\overrightarrow{\mathrm{AH}}=0$에서
$2(2t+1)+4(4t-3)=0$ $\therefore t=\frac{1}{2}$
$\therefore \mathbf{H(-1, 1)}$

정답과 풀이 **35**쪽

유제 **244** **점 $\mathrm{A}(-1, 4)$에서 직선 $\frac{x-4}{2}=\frac{y-5}{3}$에 내린 수선의 발을 $\mathrm{H}(a, b)$라 할 때, $a+b$의 값을 구하여라.**

03 평면벡터를 이용한 원의 방정식

원의 정의를 기억하는가?

평면 위의 한 점(원의 중심)에서 거리(반지름)가 일정한 점의 집합이 원이다.

원의 벡터방정식은 이 정의를 벡터로 고스란히 바꾼 것일 뿐.

말로 된 정의를 식으로 바꿔 쓰면 끝.

평면벡터를 이용한 원의 방정식 (1)

중심이 $\mathrm{C}(x_1, y_1)$, 반지름의 길이가 r인 원 위의 한 점을 $\mathrm{P}(x, y)$라 하고 두 점 C, P의 위치벡터를 각각 $\vec{c}$, $\vec{p}$라 할 때, 원의 방정식은

$|\vec{p}-\vec{c}|=r \iff (\vec{p}-\vec{c})\cdot(\vec{p}-\vec{c})=r^2$ ⬅ 원의 벡터방정식

$\iff (x-x_1)^2+(y-y_1)^2=r^2$

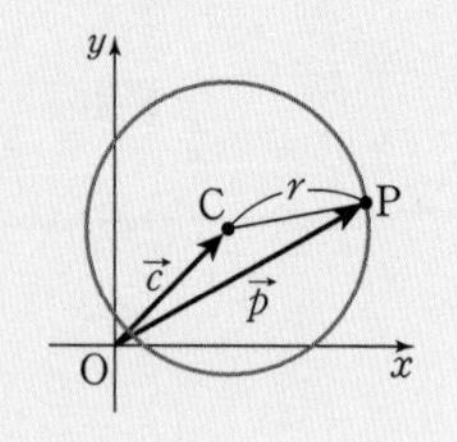

| 설명 | 중심이 점 C, 반지름의 길이가 r인 원 위의 한 점을 P라 하고 두 점 C, P의 위치벡터를 각각 $\vec{c}$, $\vec{p}$라 하자.

벡터 $\overrightarrow{\mathrm{CP}}$의 크기는 r로 일정하므로 $|\overrightarrow{\mathrm{CP}}|=r \iff |\vec{p}-\vec{c}|=r$ ...... ㉠

㉠의 양변을 제곱하면 $|\vec{p}-\vec{c}|^2=r^2 \iff (\vec{p}-\vec{c})\cdot(\vec{p}-\vec{c})=r^2$ ...... ㉡

역으로 ㉠, ㉡을 만족시키는 벡터 $\vec{p}$를 위치벡터로 하는 점 P는 중심이 점 C, 반지름의 길이가 r인 원 위에 있다.

잊을 만하면 튀어나오는 원의 성질!

반원에 대한 원주각의 크기가 90°라는 걸 이용하여 원의 방정식을 구할 수도 있다.

지름의 양 끝점 A, B를 잇는 선분을 빗변으로 하는 직각삼각형의 나머지 한 꼭짓점 P는 바로 원 위의 점!

평면벡터를 이용한 원의 방정식 (2)

두 점 $\mathrm{A}(x_1, y_1)$, $\mathrm{B}(x_2, y_2)$를 지름의 양 끝점으로 하는 원 위의 한 점을 $\mathrm{P}(x, y)$라 하고 세 점 A, B, P의 위치벡터를 각각 $\vec{a}$, $\vec{b}$, $\vec{p}$라 할 때, 원의 방정식은

$(\vec{p}-\vec{a})\cdot(\vec{p}-\vec{b})=0$ ⬅ 원의 벡터방정식

$\iff (x-x_1)(x-x_2)+(y-y_1)(y-y_2)=0$

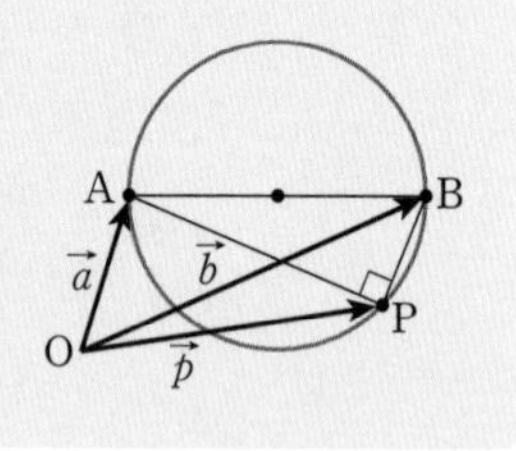

| 설명 | 두 점 A, B를 지름의 양 끝점으로 하는 원 위의 한 점을 P라 하고 세 점 A, B, P의 위치벡터를 각각 $\vec{a}$, $\vec{b}$, $\vec{p}$라 하자.

삼각형 PAB는 $\angle\mathrm{APB}=90°$인 직각삼각형이므로

$\overrightarrow{\mathrm{AP}}\perp\overrightarrow{\mathrm{BP}} \iff \overrightarrow{\mathrm{AP}}\cdot\overrightarrow{\mathrm{BP}}=0 \iff (\vec{p}-\vec{a})\cdot(\vec{p}-\vec{b})=0$ ...... ㉠

역으로 ㉠을 만족시키는 벡터 $\vec{p}$를 위치벡터로 하는 점 P는 두 점 A, B를 지름의 양 끝점으로 하는 원 위에 있다.

245 **다음 조건을 만족시키는 원의 방정식을 벡터를 이용하여 구하여라.**

(1) 점 $(3,\ -2)$를 중심으로 하고 반지름의 길이가 3인 원

(2) 두 점 $(-2,\ 5)$, $(4,\ 3)$을 지름의 양 끝점으로 하는 원

풍산자비법 (1) 원 ➡ (중심 C와 원 위의 점 P 사이의 거리)=(반지름의 길이)

➡ $\overline{\mathrm{CP}}=r$ ➡ $|\overrightarrow{\mathrm{CP}}|=r$ ➡ $|\vec{p}-\vec{c}|=r$

(2) $\overline{\mathrm{AB}}$가 원의 지름 ➡ $\angle \mathrm{P}=90°$인 직각삼각형 PAB

➡ $\overrightarrow{\mathrm{AP}}\perp\overrightarrow{\mathrm{BP}}$ ➡ $\overrightarrow{\mathrm{AP}}\cdot\overrightarrow{\mathrm{BP}}=0$

> 풀이 (1) 원 위의 점을 $\mathrm{P}(x,\ y)$, 원의 중심을 $\mathrm{C}(3,\ -2)$라 하고 두 점 P, C의 위치벡터를 각각 $\vec{p}$, $\vec{c}$라 하면

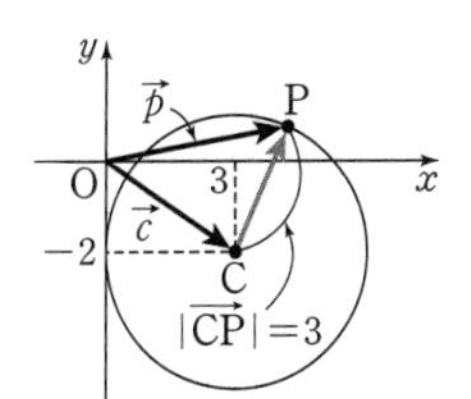

$|\vec{p}-\vec{c}|=3$

이때 $\vec{p}-\vec{c}=(x-3,\ y+2)$이므로

$\sqrt{(x-3)^2+(y+2)^2}=3$

$\therefore\ \boldsymbol{(x-3)^2+(y+2)^2=9}$

(2) 원 위의 점을 $\mathrm{P}(x,\ y)$, 지름의 양 끝점을 $\mathrm{A}(-2,\ 5)$, $\mathrm{B}(4,\ 3)$이라 하고 세 점 P, A, B의 위치벡터를 각각 $\vec{p}$, $\vec{a}$, $\vec{b}$라 하자.

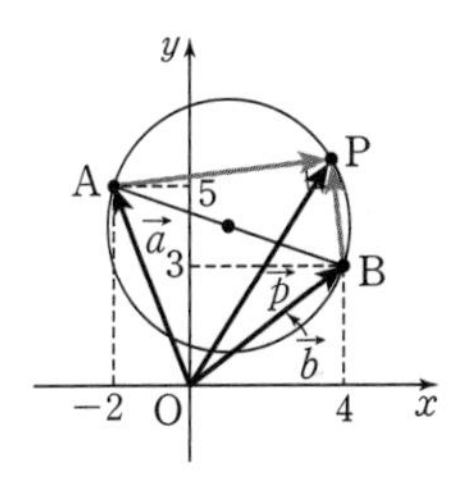

$\triangle$PAB는 $\angle \mathrm{APB}=90°$인 직각삼각형이므로

$\overrightarrow{\mathrm{AP}}\perp\overrightarrow{\mathrm{BP}} \iff \overrightarrow{\mathrm{AP}}\cdot\overrightarrow{\mathrm{BP}}=0 \iff (\vec{p}-\vec{a})\cdot(\vec{p}-\vec{b})=0$

이때 $\vec{p}-\vec{a}=(x+2,\ y-5)$, $\vec{p}-\vec{b}=(x-4,\ y-3)$이므로

$(x+2)(x-4)+(y-5)(y-3)=0$

$x^2-2x+y^2-8y+7=0$

$\therefore\ \boldsymbol{(x-1)^2+(y-4)^2=10}$

정답과 풀이 **35**쪽

유제 **246** **다음 조건을 만족시키는 원의 방정식을 벡터를 이용하여 구하여라.**

(1) 점 $(1,\ 2)$를 중심으로 하고 반지름의 길이가 2인 원

(2) 두 점 $(-3,\ 1)$, $(5,\ -5)$를 지름의 양 끝점으로 하는 원

풍산자 비법

원의 방정식을 벡터를 이용하여 구할 때에는

(1) 중심 C의 좌표와 반지름의 길이 r가 주어졌을 때, 원 위의 점 P에 대하여 다음을 이용한다.

➜ $|\overrightarrow{\mathrm{CP}}|=r \iff |\vec{p}-\vec{c}|=r$

(2) 지름의 양 끝점 A, B가 주어졌을 때, 원 위의 점 P에 대하여 다음을 이용한다.

➜ $\overrightarrow{\mathrm{AP}}\cdot\overrightarrow{\mathrm{BP}}=0 \iff (\vec{p}-\vec{a})\cdot(\vec{p}-\vec{b})=0$

필수 확인 문제

* 더 많은 유형은 **풍산자필수유형 기하** 050쪽

정답과 풀이 35쪽

247

두 점 $(2,\ -1)$, $(-1,\ 5)$를 지나는 직선에 평행하고 점 $A(4,\ 1)$을 지나는 직선의 방정식이 $\frac{x-a}{b}=\frac{y-1}{-2}$일 때, 상수 a, b의 곱 ab의 값을 구하여라.

248

두 점 $(-1,\ 3)$, $(2,\ 4)$를 지나는 직선 l과 직선 $\frac{x+1}{a}=\frac{y-3}{2}$이 서로 수직일 때, 상수 a의 값을 구하여라.

249

직선 $\frac{x-2}{3}=\frac{y+3}{4}$이 x축과 이루는 각의 크기가 α, y축과 이루는 각의 크기가 β일 때, $\cos\alpha+\cos\beta$의 값을 구하여라.

(단, $0^\circ\le\alpha\le90^\circ$, $0^\circ\le\beta\le90^\circ$)

250

좌표평면 위의 두 점 $A(1,\ 2)$, $P(x,\ y)$와 원점 O에 대하여 $\overrightarrow{OA}=\vec{a}$, $\overrightarrow{OP}=\vec{p}$라 할 때, 다음을 만족시키는 점 P는 어떤 도형 위에 있는지 말하여라.

(1) $\vec{p}\cdot(\vec{p}-\vec{a})=0$

(2) $\vec{a}\cdot(\vec{p}-\vec{a})=0$

251

좌표평면 위의 두 점 $C(2,\ -1)$, $P(x,\ y)$의 위치벡터를 각각 $\vec{c}$, $\vec{p}$라 할 때, 다음을 만족시키는 점 P는 어떤 도형 위에 있는지 말하여라.

(1) $|\vec{p}|=3$ (2) $|\vec{p}-\vec{c}|=1$

252

두 점 $A(4,\ -3)$, $B(2,\ -1)$에 대하여 $\overrightarrow{PA}\cdot\overrightarrow{PB}=0$을 만족시키는 점 P의 자취는 중심의 좌표가 $(a,\ b)$이고 반지름의 길이가 r인 원이다. 이때 abr의 값을 구하여라.

중단원 마무리

▶ 위치벡터

내분점과 외분점의 위치벡터	두 점 A, B의 위치벡터를 각각 $\vec{a}$, $\vec{b}$라 할 때, 선분 AB를 $m : n$ $(m>0,\ n>0)$으로 내분하는 점 P와 외분하는 점 Q의 위치벡터를 각각 $\vec{p}$, $\vec{q}$라 하면 ➡ $\vec{p}=\dfrac{m\vec{b}+n\vec{a}}{m+n}$, $\vec{q}=\dfrac{m\vec{b}-n\vec{a}}{m-n}$ $(m\neq n)$
무게중심의 위치벡터	세 점 A, B, C의 위치벡터를 각각 $\vec{a}$, $\vec{b}$, $\vec{c}$라 하고 삼각형 ABC의 무게중심 G의 위치벡터를 $\vec{g}$라 하면 ➡ $\vec{g}=\dfrac{\vec{a}+\vec{b}+\vec{c}}{3}$

▶ 평면벡터의 성분과 내적

성분으로 나타낸 벡터의 크기	평면벡터 $\vec{a}=(a_1,\ a_2)$에 대하여 $\lvert\vec{a}\rvert=\sqrt{a_1^2+a_2^2}$
벡터의 성분에 의한 연산	두 평면벡터 $\vec{a}=(a_1,\ a_2)$, $\vec{b}=(b_1,\ b_2)$에 대하여 $\vec{a}\pm\vec{b}=(a_1\pm b_1,\ a_2\pm b_2)$ (복부호동순), $k\vec{a}=(ka_1,\ ka_2)$ (단, k는 실수)
벡터의 내적	① $\vec{a}\cdot\vec{b}=\lvert\vec{a}\rvert\lvert\vec{b}\rvert\cos\theta$ ② 두 평면벡터 $\vec{a}=(a_1,\ a_2)$, $\vec{b}=(b_1,\ b_2)$에 대하여 $\vec{a}\cdot\vec{b}=a_1b_1+a_2b_2$ $\vec{b}$ θ $\vec{a}$
두 벡터가 이루는 각의 크기	영벡터가 아닌 두 평면벡터 $\vec{a}=(a_1,\ a_2)$, $\vec{b}=(b_1,\ b_2)$가 이루는 각의 크기를 θ $(0°\leq\theta\leq180°)$라 하면 ➡ $\cos\theta=\dfrac{\vec{a}\cdot\vec{b}}{\lvert\vec{a}\rvert\lvert\vec{b}\rvert}=\dfrac{a_1b_1+a_2b_2}{\sqrt{a_1^2+a_2^2}\sqrt{b_1^2+b_2^2}}$

▶ 평면벡터를 이용한 도형의 방정식

직선의 방정식	① 점 $\mathrm{A}(x_1,\ y_1)$을 지나고, 방향벡터가 $\vec{u}=(u_1,\ u_2)$인 직선의 방정식은 ➡ $\dfrac{x-x_1}{u_1}=\dfrac{y-y_1}{u_2}$ (단, $u_1u_2\neq0$) ② 점 $\mathrm{A}(x_1,\ y_1)$을 지나고, 법선벡터가 $\vec{n}=(a,\ b)$인 직선의 방정식은 ➡ $a(x-x_1)+b(y-y_1)=0$
원의 방정식	중심이 $\mathrm{C}(x_1,\ y_1)$, 반지름의 길이가 r인 원 위의 한 점을 $\mathrm{P}(x,\ y)$라 하고 두 점 C, P의 위치벡터를 각각 $\vec{c}$, $\vec{p}$라 할 때, 원의 방정식은 ➡ $\lvert\vec{p}-\vec{c}\rvert=r \iff (\vec{p}-\vec{c})\cdot(\vec{p}-\vec{c})=r^2$

실전 연습문제

STEP1

253
좌표평면 위의 삼각형 ABC의 무게중심 G의 좌표가 G(3, 4)이다. 원점 O에 대한 세 점 A, B, C의 위치벡터를 각각 $\vec{a}$, $\vec{b}$, $\vec{c}$라 할 때, $|\vec{a}+\vec{b}+\vec{c}|$의 값을 구하여라.

254
세 점 A, B, C의 위치벡터를 각각 $\vec{a}$, $\vec{b}$, $\vec{c}$라 할 때, $5\vec{a}=3\vec{b}+2\vec{c}$, $|\vec{b}-\vec{c}|=20$이 성립한다. 이때 선분 AB의 길이를 구하여라.

255
넓이가 20인 삼각형 ABC의 내부의 점 P에 대하여 $5\overrightarrow{PA}+2\overrightarrow{PB}+3\overrightarrow{PC}=\vec{0}$일 때, 삼각형 PAB, 삼각형 PBC, 삼각형 PCA의 넓이의 비를 가장 간단한 자연수의 비로 나타내어라.

256
두 평면벡터 $\vec{a}=(k+1,\ 3)$, $\vec{b}=(-2,\ k-1)$에 대하여 $|\vec{a}|=5$일 때, $\vec{a}\cdot\vec{b}$의 값을 모두 구하여라.

257
두 벡터 $\vec{a}=(1,\ -x)$, $\vec{b}=(x+4,\ -1)$에 대하여 두 벡터 $\vec{a}+\vec{b}$, $\vec{a}-\vec{b}$가 서로 수직일 때, x의 값을 구하여라.

258
평면벡터 $\vec{a}=(2,\ -1)$에 수직이고 크기가 $2\sqrt{5}$인 평면벡터를 $\vec{b}=(x,\ y)$라 할 때, $x+y$의 값을 모두 구하여라.

259

영벡터가 아닌 두 평면벡터 $\vec{a}$, $\vec{b}$에 대하여 $2|\vec{a}|=|\vec{b}|$이고 두 벡터 $\vec{a}-\vec{b}$, $5\vec{a}+2\vec{b}$가 서로 수직일 때, 두 벡터 $\vec{a}$, $\vec{b}$가 이루는 각의 크기를 구하여라.

260

두 직선

$$l: \frac{x+2}{3}=2-y,\ m: x-2y+3=0$$

이 이루는 예각의 크기를 구하여라.

261

두 점 $C(3, -1)$, $P(x, y)$의 위치벡터를 각각 $\vec{c}$, $\vec{p}$라 하면 $(\vec{p}-\vec{c})\cdot(\vec{p}-\vec{c})=10$일 때, $|\vec{p}|$의 값이 최대가 되도록 하는 점 P의 좌표를 구하여라.

STEP2

262

삼각형 OAB에서 $\overline{OA}$의 중점을 C, $\overline{BC}$의 중점을 D, $\overline{AB}$를 $2:1$로 내분하는 점을 E라 할 때, $\overrightarrow{DE}=m\overrightarrow{OE}$를 만족시키는 실수 m의 값을 구하여라.

263

좌표평면 위의 세 점 $O(0, 0)$, $A(3, 4)$, $B(4, 3)$과 음이 아닌 실수 m, n에 대하여 $\overrightarrow{OP}=m\overrightarrow{OA}+n\overrightarrow{OB}$, $m+n\le1$을 모두 만족시키는 점 P가 나타내는 도형의 둘레의 길이를 구하여라.

264

두 평면벡터 $\vec{a}=(1, 2)$, $\vec{b}=(-3, 1)$과 실수 t에 대하여 $f(t)=(\vec{a}+t\vec{b})\cdot(t\vec{a}-\vec{b})$일 때, $f(t)$의 최댓값을 구하여라.

265

그림과 같이 $\angle B=90°$, $\overline{AB}=3$, $\overline{AC}=6$인 직각삼각형 ABC에서 $\angle B$를 삼등분하는 직선이 $\overline{AC}$와 만나는 점을 각각 D, E라 하자.

$a=\overrightarrow{BA}\cdot\overrightarrow{BD}$, $b=\overrightarrow{BD}\cdot\overrightarrow{BE}$, $c=\overrightarrow{BA}\cdot\overrightarrow{BC}$일 때, 실수 a, b, c 사이의 대소 관계를 구하여라.

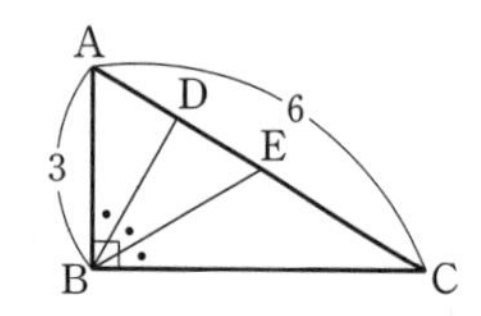

266

두 평면벡터 $\vec{a}$, $\vec{b}$에 대하여

$$|\vec{a}+\vec{b}|=4,\ |\vec{a}-\vec{b}|=2$$

일 때, $|\vec{a}-2\vec{b}|^2+|2\vec{a}-\vec{b}|^2$의 값을 구하여라.

267

세 평면벡터 $\vec{a}$, $\vec{b}$, $\vec{c}$에 대하여 $|\vec{a}|=3$, $|\vec{b}|=5$, $|\vec{c}|=7$이고 $\vec{a}+\vec{b}+\vec{c}=\vec{0}$일 때, 두 벡터 $\vec{a}$, $\vec{b}$가 이루는 각의 크기를 구하여라.

268

그림과 같이 좌표평면 위의 네 점 $O(0,\ 0)$, $A(2,\ 1)$, $B(4,\ -3)$, $C(6,\ -2)$를 꼭짓점으로 하는 평행사변형 AOBC의 넓이를 구하여라.

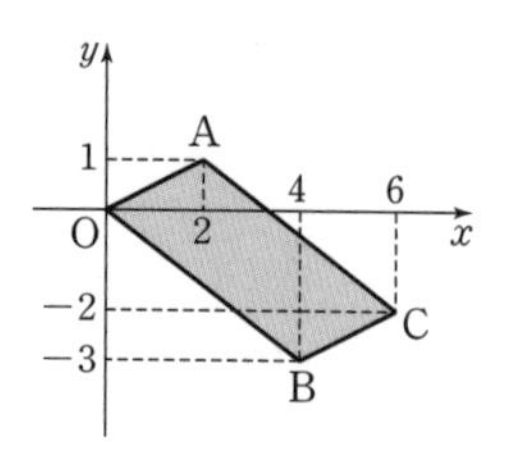

269

점 $A(0,\ -5)$에서 직선 $\frac{x+1}{2}=\frac{3-y}{3}$에 내린 수선의 발을 H라 할 때, 두 점 A, H를 지나는 직선의 방정식을 구하여라.

270

점 $(-1,\ 2)$를 지나고 방향벡터가 $\vec{u}=(1,\ -3)$인 직선과 두 점 $(0,\ 3)$, $(2,\ -1)$을 지름의 양 끝점으로 하는 원이 두 점 A, B에서 만날 때, $\overline{AB}^2$의 값을 구하여라.

공간도형과 공간좌표

1 공간도형

2 공간좌표

우리의 생활과 밀접한 **공간도형**

우리가 살고 있는 공간은 3차원 공간이다.
공간도형의 기본 성질에 대한 이해는
우리가 사는 세상을 이해하는 데 중요한 역할을 한다.

공간도형은 다음과 같이 일상생활이나 예술, 건축, 공학 등
폭넓은 분야에 활용되고 있다.

1. 자연의 여러 가지 형태를 기하학적으로 표현한 예술품
2. 선과 면을 이용하여 만드는 건축물
3. 좌표를 기초로 하는 컴퓨터 그래픽
4. 공간벡터를 활용하는 항공 우주 공학

공간도형

평면에서의 도형의 위치 관계는 많이 해봤다.
평면을 공간으로 확장하여
공간에서의 도형의 위치 관계를 배워 보자.

1 직선과 평면의 위치 관계

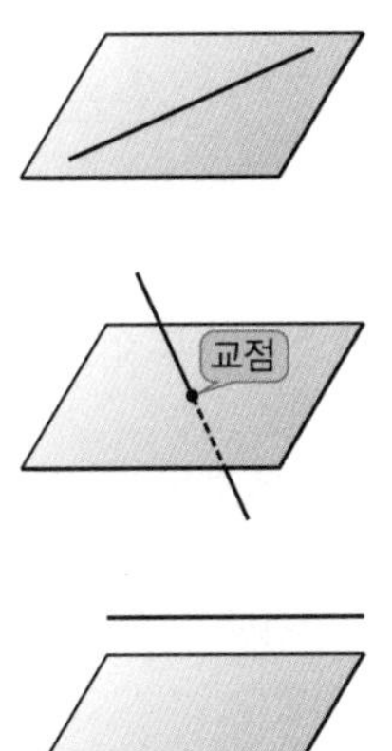

2 삼수선의 정리와 정사영

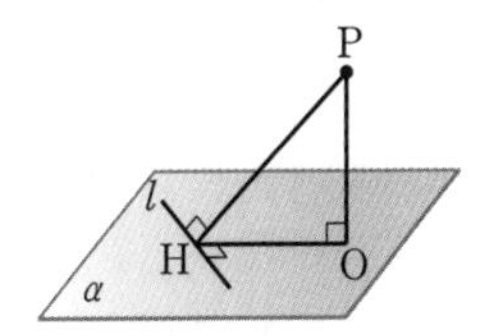

1 직선과 평면의 위치 관계

01 평면의 결정조건

두 점이 주어지면 직선은 하나로 결정된다.

직선을 결정한 것처럼 하나의 평면을 결정하는 조건이 바로 평면의 결정조건이다.

평면의 결정조건 중요!

(1) 한 직선 위에 있지 않은 서로 다른 세 점

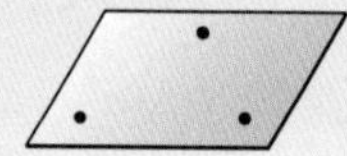

(2) 한 직선과 그 위에 있지 않은 한 점

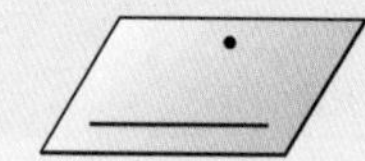

(3) 한 점에서 만나는 두 직선

(4) 평행한 두 직선

| 설명 | 평면의 결정조건을 잘 보면 직선 때와는 달리 '그냥 세 점'이라던가 '그냥 두 직선'이라 하지 않는다. 왜일까?

(1) '그냥 세 점'이 아닌 이유

하나의 평면으로 결정되지 않는 경우가 있기 때문이다.

오른쪽 그림과 같이 한 직선 위의 세 점일 때, 이 세 점을 지나는 평면은 무수히 많다.

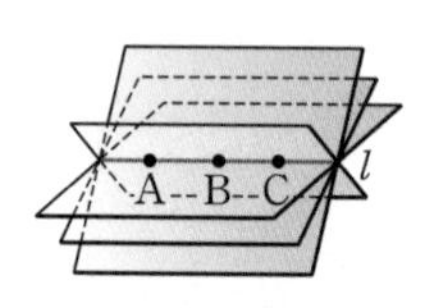

(2) '그냥 두 직선'이 아닌 이유

평면이 만들어지지 않는 경우가 있기 때문이다.

오른쪽 그림과 같은 두 직선이 주어질 때, 한 직선을 포함하는 평면을 그려 놓고 보면 다른 직선이 그 평면을 꿰뚫어 버린다.

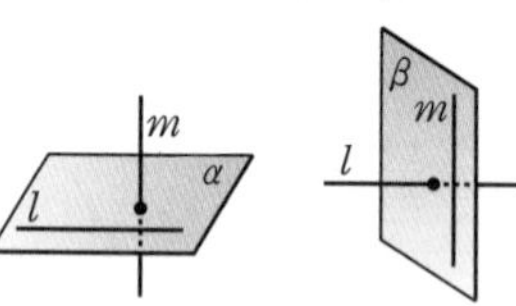

한걸음 더 **평면의 결정조건의 확인**

(1) 공간에서 두 점 A, B를 지나는 직선 AB를 포함하는 평면은 무수히 많지만 직선 AB 위에 있지 않은 점 C를 지나는 평면은 오직 하나뿐이다.
따라서 한 직선 위에 있지 않은 서로 다른 세 점은 하나의 평면을 결정한다.
이로부터 나머지 세 조건 (2), (3), (4)도 이끌어낼 수 있다.

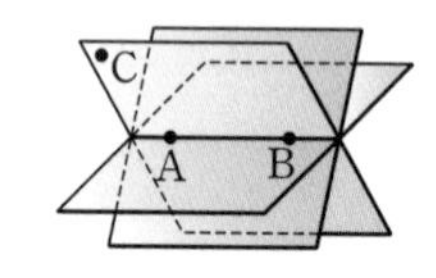

(2) 오른쪽 그림과 같은 세 점 A, B, C는 (1)에 의해 한 평면 α를 결정한다.
➡ 한 직선 l과 그 위에 있지 않은 한 점 A는 한 평면 α를 결정한다.

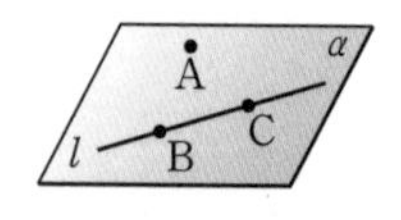

(3) 오른쪽 그림과 같은 세 점 A, B, C는 (1)에 의해 한 평면 α를 결정하고 직선 l, m은 이 평면 위에 있다.
➡ 한 점 A에서 만나는 두 직선 l, m은 한 평면 α를 결정한다.

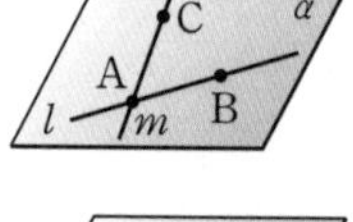

(4) 오른쪽 그림과 같은 직선 l과 점 A는 (2)에 의해 한 평면 α를 결정하고 직선 l, m은 이 평면 위에 있다.
➡ 평행한 두 직선 l, m은 한 평면 α를 결정한다.

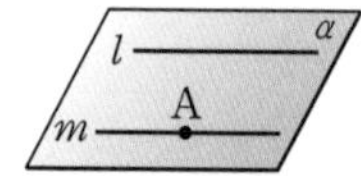

02 직선과 평면의 위치 관계

직선과 평면의 위치 관계는 이미 중학교에서 배웠다.
간단히 복습하고 넘어가자.

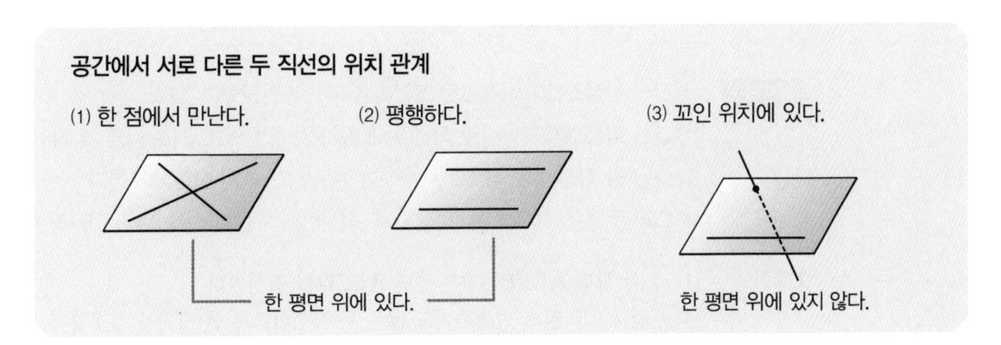

| 설명 | 공간에서 한 평면 위에 있지 않은 두 직선은 서로 만나지 않고 평행하지도 않다.
이때 두 직선은 꼬인 위치에 있다고 한다.
평면의 결정조건 중 그냥 두 직선으로는 평면이 만들어지지 않을 때가 있다고 했다.
그게 바로 꼬인 위치의 두 직선이 주어질 때이다.
즉, 주어진 두 직선이 ➡ 만날 거면 한 점에서 만나야 한 평면을 결정한다.
➡ 안 만날 거면 평행해야 한 평면을 결정한다.

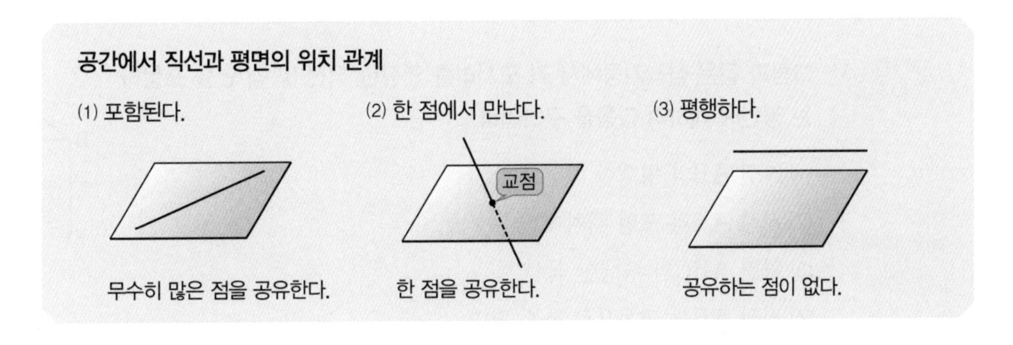

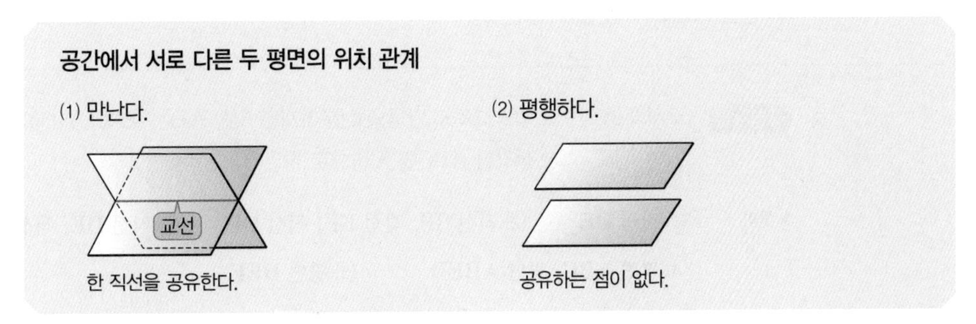

| 설명 | 혹시 오른쪽 첫 번째 그림처럼 만나지도 않는 서로 다른 두 평면이 있다고 할 수 있을까?
평면이란 그런 것이 아니라 무한히 뻗어 있는 면.
결국 평면을 연장하여 그리면 두 평면은 만나게 된다.

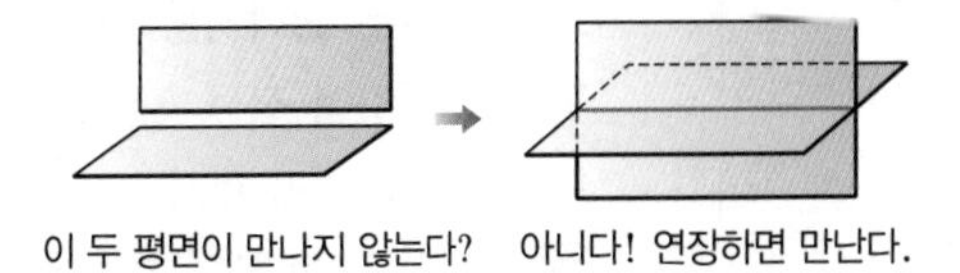

271 **그림과 같은 직육면체에 대하여 평면이 결정되는 것을 모두 말하여라.**

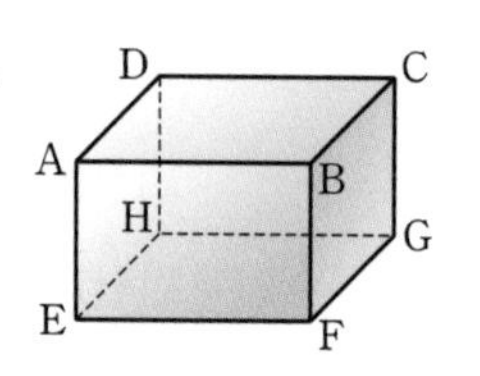

(1) 세 점 A, B, E　　(2) 직선 AB와 점 F

(3) 직선 AB와 직선 BC　　(4) 직선 AB와 직선 CG

풍산자曰 평면의 결정조건에서 제한된 조건에 주의하여 판단해야 한다.

(1) 그냥 세점 NO! ➡ 한 직선 위에 있지 않아야 하고, 서로 다른 세 점이어야 한다.

(2) 그냥 한 직선과 한 점 NO! ➡ 한 점은 직선 밖의 점이어야 한다.

(3) 그냥 두 직선 NO! ➡ 평행한 두 직선이거나 한 점에서 만나는 두 직선이어야 한다.

> 풀이 (1), (2)는 평면 AEFB, (3)은 평면 ABCD를 결정한다.
(4)는 만나지도 않고 평행하지도 않은 두 직선이므로 한 평면을 결정할 수 없다.
따라서 평면이 결정되는 것은 (1), (2), (3)이다.

정답과 풀이 40쪽

유제 **272** **그림과 같은 직육면체에서 세 점 E, G, H와 두 직선 AF, CF로 결정되는 서로 다른 평면의 개수를 구하여라.**

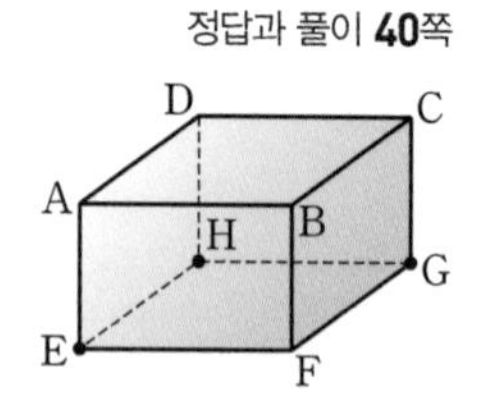

273 **그림과 같은 삼각기둥에서 각 모서리를 연장한 직선 및 각 면을 포함하는 평면에 대하여 다음을 구하여라.**

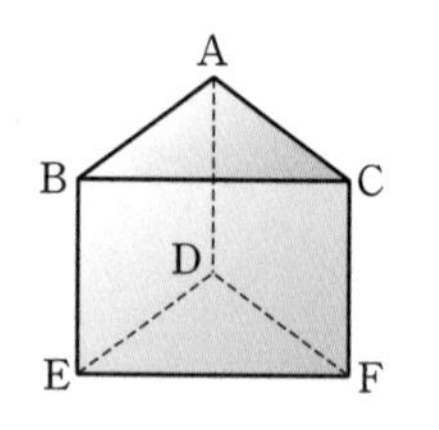

(1) 직선 AB와 평행한 직선

(2) 직선 AB와 꼬인 위치에 있는 직선

(3) 평면 ABC와 평행한 직선

(4) 직선 AB를 교선으로 하는 평면

(5) 평면 ABC와 평행한 평면

풍산자曰 모서리 AB는 그림에 그려지 만큼의 선분이지만 직선 AB는 모서리 AB를 한없이 늘인 것.
평면 ABC 역시 삼각형 ABC를 사방으로 한없이 늘인 평면.

> 풀이 (1) 직선 **DE**　(2) 직선 **CF**, 직선 **EF**, 직선 **DF**　(3) 직선 **DE**, 직선 **EF**, 직선 **DF**
(4) 평면 **ABC**, 평면 **ABED**　(5) 평면 **DEF**

정답과 풀이 40쪽

유제 **274** **그림과 같은 오각기둥에서 각 모서리를 연장한 직선 및 각 면을 포함하는 평면에 대하여 직선 AB와 꼬인 위치에 있는 직선의 개수를 a, 평행한 평면의 개수를 b라 하자. 또 평면 ABCDE와 만나는 평면의 개수를 c라 할 때, $a+b+c$의 값을 구하여라.**

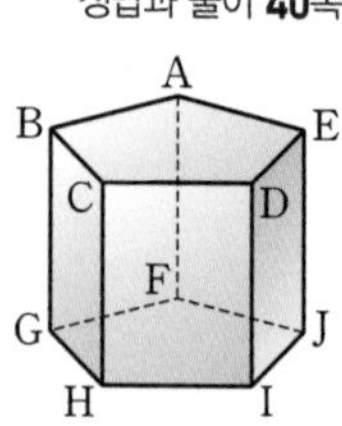

03 직선과 평면의 평행

직선과 평면의 평행을 이해하는 것은 어려워 보이지만 그 실상은 어렵지 않다.
공책과 펜을 이용하여 펜을 직선처럼 공책을 평면처럼 생각하고 위치를 옮겨가며 생각하면 좀 더 쉽게 이해된다.

공간에서 직선과 직선의 평행

(1) 평행한 두 평면 α, β와 다른 평면 γ가 만나서 생기는 교선이 l, m일 때, $l /\!/ m$이다.

(2) 직선 l과 평면 α가 평행하고, 직선 l을 포함하는 평면 β와 평면 α의 교선이 m일 때, $l /\!/ m$이다.

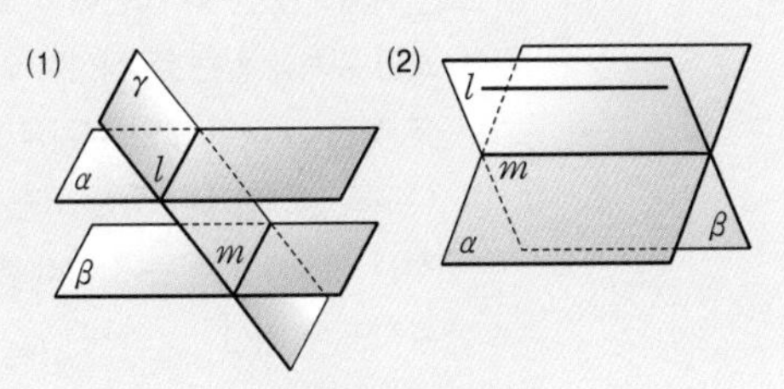

| 설명 | (1) 두 평면 α, β가 안 만나므로 각 평면 위의 두 직선 l, m도 안 만난다.
그런데 두 직선 l, m은 한 평면 γ 위에 있다.
한 평면 위에 있는데 안 만나는 두 직선은 어떻게 되는가? 당연히 평행하다.
(2) 직선 l은 평면 α와 안 만나므로 평면 α 위의 직선 m과도 안 만난다.
그런데 두 직선 l, m은 한 평면 β 위에 있다.
한 평면 위에 있는데 안 만나는 두 직선은 역시나 평행!

공간에서 직선과 평면의 평행

두 직선 l, m이 평행할 때, 직선 l을 포함하고 직선 m을 포함하지 않는 평면 α에 대하여 $m /\!/ \alpha$이다.

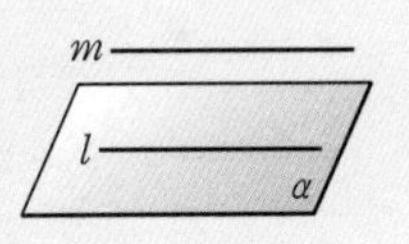

| 설명 | $l /\!/ m$이므로 두 직선 l, m을 포함하는 평면 β가 하나로 결정된다.
그러므로 직선 m 위의 점 중 혹시 하나라도 평면 α 위에 있다면 그 점은 직선 l 위의 점이다.
그런데 l, m이 평행하다는 조건에 모순이므로 직선 m 위의 점은 절대 평면 α 위에 있을 수 없다.
이런 직선 m과 평면 α의 위치 관계는 바로 평행!

공간에서 평면과 평면의 평행

(1) 평면 α 위에 있지 않은 한 점 P에서 만나는 두 직선 l, m이 모두 평면 α에 평행하면 두 직선 l, m을 포함하는 평면 β에 대하여 $\alpha /\!/ \beta$이다.

(2) 서로 다른 세 평면 α, β, γ에 대하여 $\alpha /\!/ \beta$, $\beta /\!/ \gamma$이면 $\alpha /\!/ \gamma$이다.

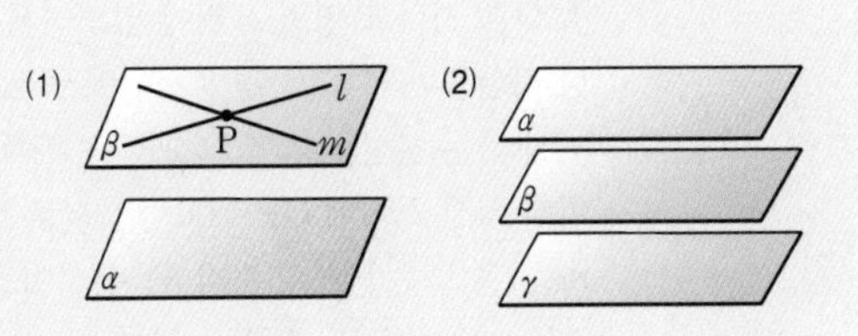

| 설명 | 평면의 평행은 귀류법을 이용하면 쉽게 확인 가능하다.
(1) 두 평면 α, β가 평행하지 않다고 가정하면 두 평면의 교선 n이 존재한다.
이때 교선 n은 평면 α에 포함되고 $l /\!/ \alpha$, $m /\!/ \alpha$이므로 직선 n은 두 직선 l, m과 만나지 않는다.
그런데 세 직선 l, m, n은 모두 평면 β에 포함되므로 $l /\!/ n$, $m /\!/ n$ $\quad \therefore l /\!/ m$
이는 두 직선 l, m이 한 점에서 만난다는 가정에 모순이므로 두 평면 α, β는 평행하다.

04 직선과 평면의 수직

공간에서 만나는 두 직선은 한 평면을 결정하므로 그 평면 위에서 두 직선이 이루는 각을 정할 수 있다. 하지만 두 직선이 꼬인 위치에 있으면 평면을 결정할 수가 없어서 각을 알아내기 힘들다. 그러면 꼬인 위치에 있는 두 직선이 이루는 각은 어떻게 알아낼까?

꼬인 위치에 있는 두 직선이 이루는 각

(1) **꼬인 위치에 있는 두 직선이 이루는 각**

두 직선 l, m이 꼬인 위치에 있을 때, 직선 l을 직선 m과 한 점에서 만나도록 평행이동한 직선 l'과 직선 m이 이루는 각 중 크지 않은 것을 두 직선 l, m이 이루는 각이라 한다.

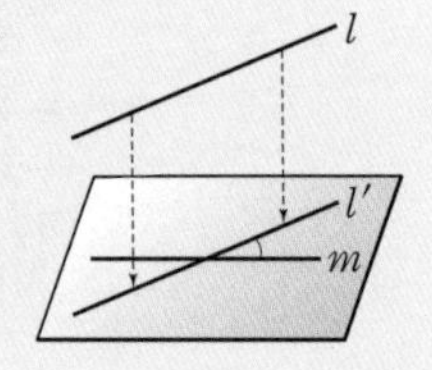

(2) **수직인 두 직선**

두 직선 l, m이 이루는 각의 크기가 $90°$일 때, 두 직선 l, m은 서로 수직이라 하고, $l \perp m$으로 나타낸다.

평면과 수직인 직선은 그 평면의 많은 정보를 담고 있기 때문에 매우 중요하다.
평면에 수직인 직선의 방향벡터는 단 하나이기 때문이다.

직선과 평면의 수직

직선 l이 평면 α와 한 점 O에서 만나고 점 O를 지나는 평면 α 위의 모든 직선과 수직일 때, 직선 l과 평면 α는 수직이라 하고, $l \perp \alpha$로 나타낸다.
이때 직선 l을 평면 α의 수선, 점 O를 수선의 발이라 한다.

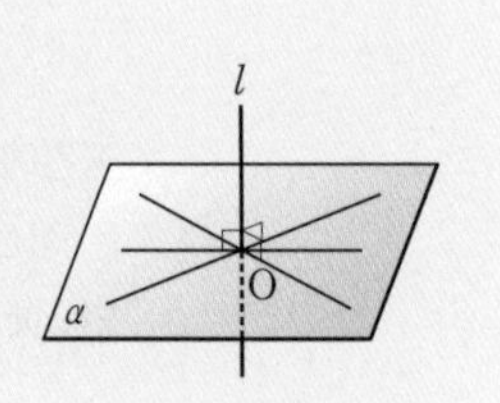

| 설명 | 직선이 평면과 수직임을 보이려면 평면 위의 모든 직선과 수직임을 보여야 하는가? 아니다.
평면 위의 서로 다른 두 직선과 수직이면 직선이 평면과 수직이다. 이것이 바로 '직⊥평의 정리'.
직⊥평의 정리가 응용되는 대표적인 상황은 꼬인 위치에 있는 두 직선이 수직임을 보일 때이다.

한걸음 더

[직⊥평의 정리] 확인

점 O를 지나고 평면 α 위에 있으면서 두 직선 m, n과 서로 다른 임의의 한 직선을 c라 하고, 평면 α 위에서 세 직선 m, n, c와 점 O 이외의 점에서 만나는 직선을 그어 그 교점을 차례로 A, B, C라 하자.

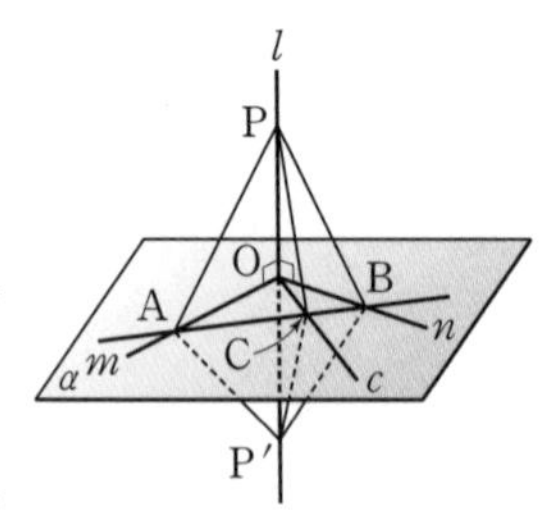

이때 직선 l 위에 $\overline{OP}=\overline{OP'}$인 서로 다른 두 점 P, P'을 잡으면 두 직선 m, n은 모두 $\overline{PP'}$의 수직이등분선이므로

$\overline{AP}=\overline{AP'}$, $\overline{BP}=\overline{BP'}$

이때 $\triangle PAB \equiv \triangle P'AB$이므로 ⬅ $\overline{AP}=\overline{AP'}$, $\overline{BP}=\overline{BP'}$, $\overline{AB}$는 공통

$\angle PAB = \angle P'AB$

또 $\triangle PAC \equiv \triangle P'AC$이므로 ⬅ $\overline{AP}=\overline{AP'}$, $\angle PAC = \angle P'AC$, $\overline{AC}$는 공통

$\overline{PC}=\overline{P'C}$

따라서 $\triangle CPP'$은 이등변삼각형이고, 점 O는 $\overline{PP'}$의 중점이므로 $\overline{PP'} \perp \overline{OC}$ ➡ $l \perp c$

즉, 직선 l은 점 O를 지나는 평면 α 위의 임의의 직선과 수직이므로 $l \perp \alpha$

275 **서로 다른 세 직선 l, m, n과 서로 다른 세 평면 α, β, γ에 대하여 〈보기〉에서 옳은 것만을 있는 대로 골라라.**

보기

ㄱ. $l /\!/ m$이고 $l /\!/ n$이면 $m /\!/ n$이다.

ㄴ. $\alpha \perp \beta$이고 $\beta \perp \gamma$이면 $\alpha /\!/ \gamma$이다.

ㄷ. $l \perp \alpha$이고 $m \perp \alpha$이면 $l /\!/ m$이다.

ㄹ. $l \perp \alpha$이고 $l \perp m$이면 $m \perp \alpha$이다.

풍산자日 여러 개의 직선끼리, 평면끼리, 직선과 평면끼리의 평행과 수직 관계를 상상만으로 확인하라? 어렵다.

이때 모든 모서리끼리, 평면끼리, 직선과 평면끼리 수직 또는 평행으로만 이루어진 도형을 도입!

바로 정육면체를 활용한다.

> 풀이 정육면체의 모서리를 직선으로, 면을 평면으로 생각하면 다음 그림과 같다.

ㄱ.

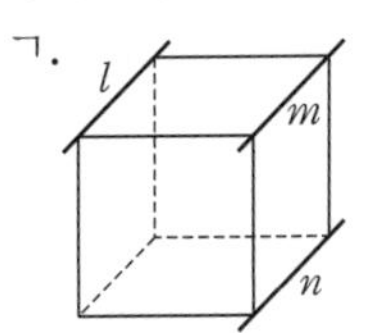

ㄴ.

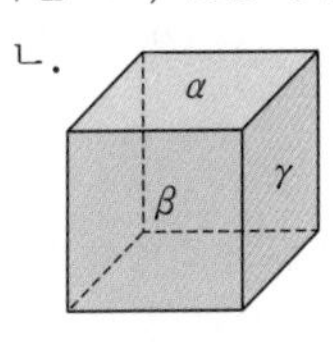

ㄷ.

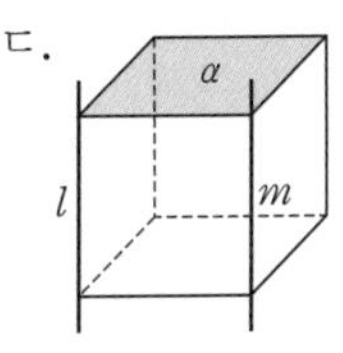

ㄹ.

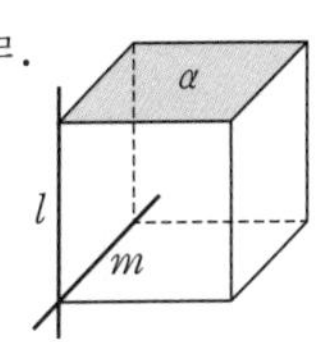

ㄴ. $\alpha \perp \beta$이고 $\beta \perp \gamma$이면 $\alpha \perp \gamma$일 수도 있다. (거짓)

ㄹ. $l \perp \alpha$이고 $l \perp m$이면 $m /\!/ \alpha$일 수도 있다. (거짓)

따라서 옳은 것은 ㄱ, ㄷ이다.

> 참고 정육면체를 도입하지 않고도 반례를 떠올릴 수 있는 공간 감각의 소유자라면 정육면체 없이 접근해도 OK!

ㄴ, ㄹ의 반례는 오른쪽 그림과 같다.

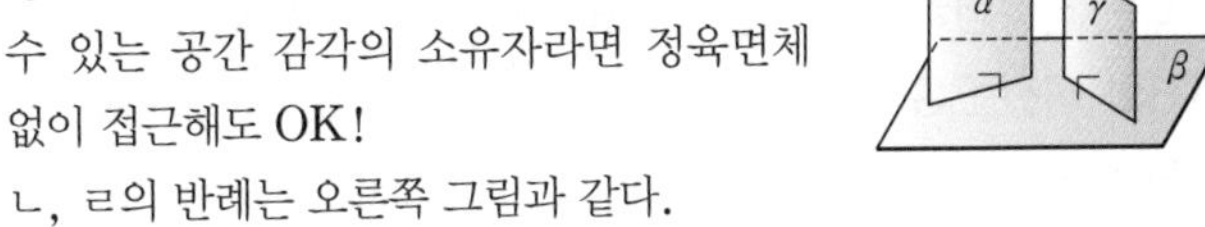

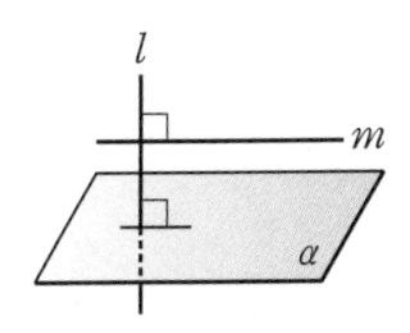

정답과 풀이 40쪽

유제 **276** **서로 다른 세 직선 l, m, n과 서로 다른 두 평면 α, β에 대하여 〈보기〉에서 옳은 것만을 있는 대로 골라라.**

보기

ㄱ. $l \perp m$이고 $m \perp n$이면 $l /\!/ n$이다.

ㄴ. $l \perp \alpha$이고 $l \perp \beta$이면 $\alpha /\!/ \beta$이다.

ㄷ. $l /\!/ \alpha$이고 $m /\!/ \alpha$이면 $l /\!/ m$이다.

ㄹ. $l /\!/ \alpha$이고 $\alpha \perp \beta$이면 $l \perp \beta$이다.

277 **그림과 같은 정육면체에서 다음 두 직선이 이루는 각의 크기를 구하여라.**

(1) 직선 AC와 직선 GH

(2) 직선 AC와 직선 DE

(3) 직선 AC와 직선 HF

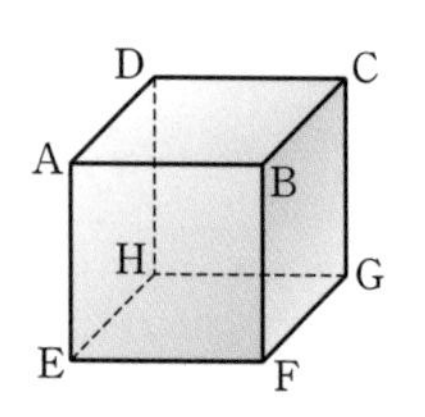

풍산자日 이루는 각을 구하려니 꼬인 위치에 있다고? 두 직선이 한 점에서 만나도록 (1) 직선 GH를 직선 CD로, (2) 직선 DE를 직선 CF로, (3) 직선 HF를 직선 DB로 각각 평행이동하여 두 직선이 이루는 각의 크기를 구한다.

> 풀이

(1) 직선 GH는 직선 CD와 평행하고 직선 AC와 직선 CD가 이루는 각의 크기는 $45°$이다.
따라서 직선 AC와 직선 GH가 이루는 각의 크기도 **$45°$**이다.

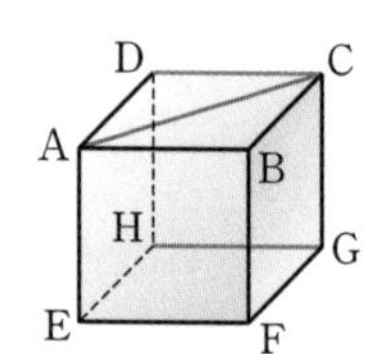

(2) 직선 DE는 직선 CF와 평행하고 $\triangle$AFC가 정삼각형이므로 직선 AC와 직선 CF가 이루는 각의 크기는 $60°$이다.
따라서 직선 AC와 직선 DE가 이루는 각의 크기도 **$60°$**이다.

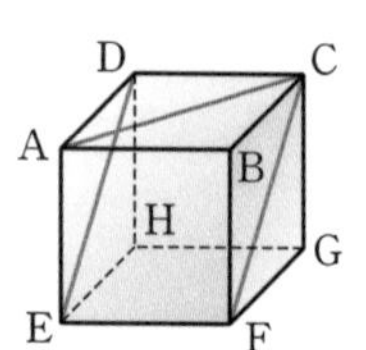

(3) 직선 HF는 직선 DB와 평행하고 정사각형 ABCD의 두 대각선은 서로를 수직이등분하므로 직선 AC와 직선 DB가 이루는 각의 크기는 $90°$이다.
따라서 직선 AC와 직선 HF가 이루는 각의 크기도 **$90°$**이다.

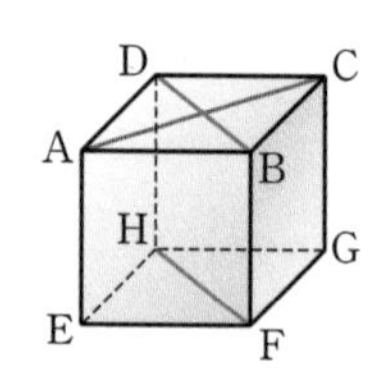

정답과 풀이 41쪽

유제 **278** **그림과 같은 정육면체에서 직선 AB와 직선 CE가 이루는 각의 크기를 α, 직선 AB와 직선 EG가 이루는 각의 크기를 β라 할 때, $\cos\alpha \times \cos\beta$의 값을 구하여라.**

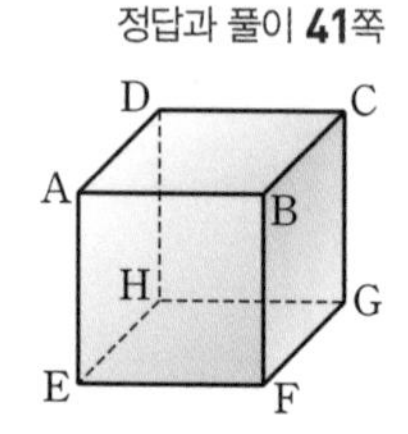

풍산자 비법

(1) 꼬인 위치에 있는 두 직선이 이루는 각의 크기를 구할 때에는 한 직선을 평행이동하여 다른 직선과 한 점에서 만나도록 만든 다음 두 직선이 이루는 각의 크기를 구한다.

(2) 꼬인 위치에 있는 두 직선 l, m이 수직임을 보일 때에는 다음과 같이 한다.

[1단계] 직선 m을 포함한 평면 중 직선 l과 수직인 두 직선을 포함한 평면 α를 찾는다.

[2단계] 직⊥평의 정리를 활용한다. ➜ 직선 l이 평면 α 위의 두 직선과 수직이면 직선 l과 평면 α는 수직이다.

[3단계] 직선 l은 평면 α 위의 모든 직선과 수직이므로 두 직선 l, m이 수직이다.

필수 확인 문제

*더 많은 유형은 **풍산자필수유형 기하** 067쪽

정답과 풀이 41쪽

279

그림과 같은 정육면체에서 두 직선 AG, EG와 네 점 B, F, H, D로 만들 수 있는 서로 다른 평면의 개수를 구하여라.

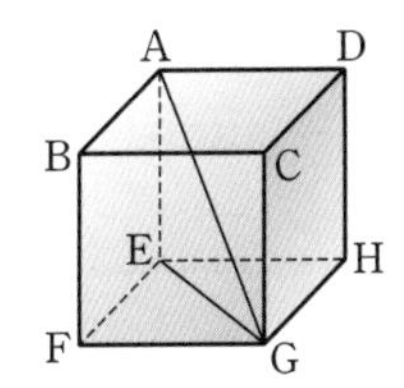

280

그림과 같이 밑면이 정육각형인 육각기둥에서 모서리 AG와 평행한 면의 개수를 a, 면 ABHG와 평행한 모서리의 개수를 b라 할 때, $a+b$의 값을 구하여라.

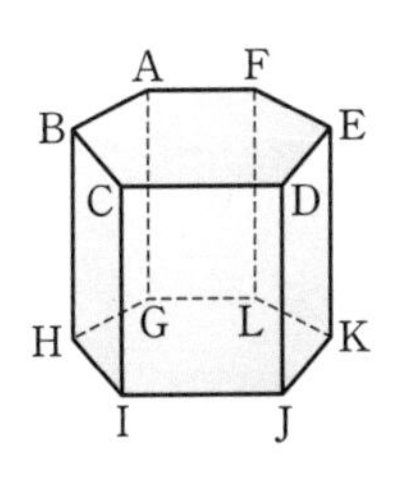

281

공간에서 서로 다른 세 직선 l, m, n과 서로 다른 두 평면 α, β에 대하여 〈보기〉에서 옳은 것만을 있는 대로 골라라.

보기

ㄱ. $l\perp m$이고 $m\perp n$이면 $l\perp n$이다.

ㄴ. $l\perp\alpha$이고 $m\perp\alpha$이면 $l\,/\!/\,m$이다.

ㄷ. $l\,/\!/\,\alpha$이고 $\alpha\perp\beta$이면 $l\perp\beta$이다.

282

그림과 같이 한 모서리의 길이가 3인 정육면체에서 두 모서리 AB, CE가 이루는 각을 θ라 할 때, $\cos\theta$의 값을 구하여라.

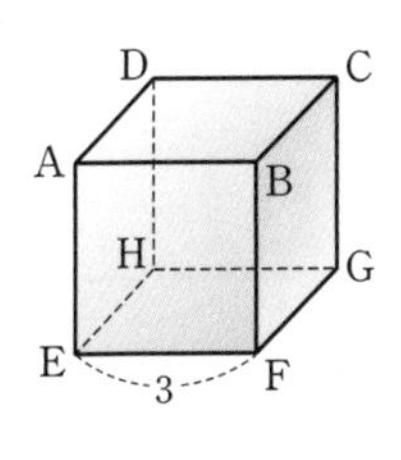

283

그림과 같은 정육면체에 대하여 〈보기〉에서 옳은 것만을 있는 대로 골라라.

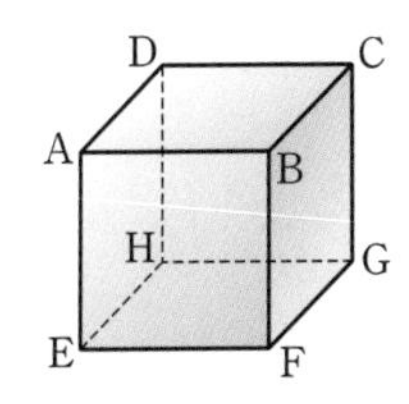

보기

ㄱ. $\overline{BD}\perp\overline{AC}$　　ㄴ. $\overline{BD}\perp\overline{CG}$

ㄷ. $\overline{BD}\perp$(평면 ACG)　　ㄹ. $\overline{BD}\perp\overline{AG}$

284

그림과 같은 정육면체에서 네 모서리 AB, BC, BF, FG의 중점을 각각 I, J, M, N이라 하자. 두 선분 IJ, MN이 이루는 예각의 크기를 θ라 할 때, $\cos\theta$의 값을 구하여라.

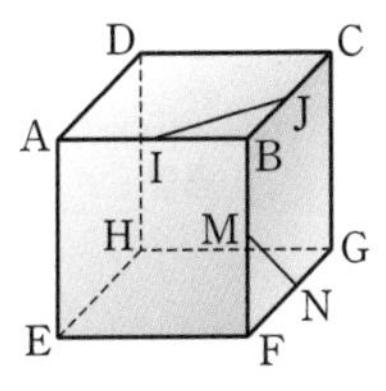

2 삼수선의 정리와 정사영

01 삼수선의 정리

삼수선의 정리란 3개의 수선이 어우러져 노래하는 정리.
다음 단원에서 배울 정사영의 정리와 함께 공간도형의 양대 산맥을 형성한다.

삼수선의 정리 중요!

평면 α 위에 있지 않은 한 점 P와 평면 α 위의 직선 l, 직선 l 위의 한 점 H, 평면 α 위에 있으면서 직선 l 위에 있지 않은 점 O에 대하여 다음이 성립한다. 이를 삼수선의 정리라 한다.

(1) $\overline{PO}\perp\alpha$, $\overline{OH}\perp l$이면 $\overline{PH}\perp l$

(2) $\overline{PO}\perp\alpha$, $\overline{PH}\perp l$이면 $\overline{OH}\perp l$

(3) $\overline{PH}\perp l$, $\overline{OH}\perp l$, $\overline{PO}\perp\overline{OH}$이면 $\overline{PO}\perp\alpha$

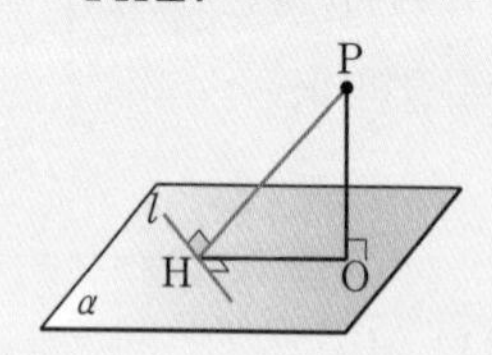

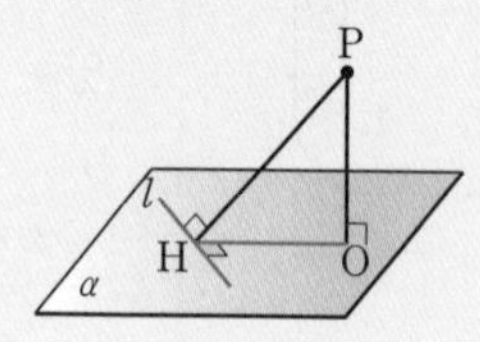

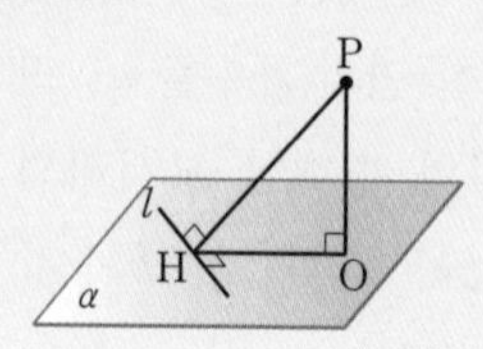

| 설명 | 삼수선의 정리란 도대체 무엇인가?

다음 그림과 같이 태초에 점 P와 직선 l, 평면 α가 있었노라.

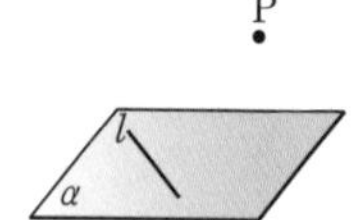

점 P에서 평면 α에 수선의 발 O를 내린다.

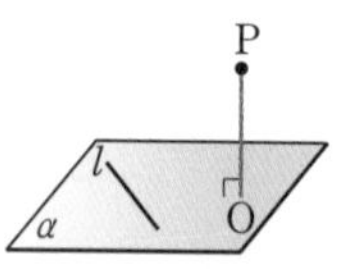

점 O에서 직선 l에 수선의 발 H를 내린다.

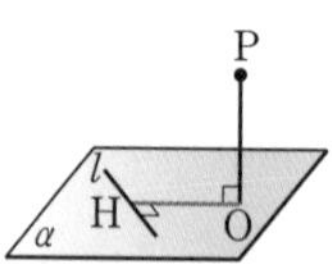

이때 묻는다. 직선 l과 $\overline{PH}$는 수직인가? 그렇다는 것이 바로 삼수선의 정리 (1)이다.
나머지 (2), (3)도 순서대로 따라가면서 생각해 보면 비슷한 이야기!

| 증명 | (1) $\overline{PO}\perp\alpha$이고 직선 l은 평면 α 위의 직선이므로 $\overline{PO}\perp l$이다.
$\overline{OH}\perp l$이므로 $\overline{PO}$와 $\overline{OH}$로 결정되는 평면을 β라 하면 직선 l은 평면 β와 수직이다.
즉, $\beta\perp l$이다. 그런데 $\overline{PH}$는 평면 β 위에 있으므로 $\overline{PH}\perp l$이다.

(2) $\overline{PO}\perp\alpha$이고 직선 l은 평면 α 위의 직선이므로 $\overline{PO}\perp l$이다.
$\overline{PH}\perp l$이므로 $\overline{PO}$와 $\overline{PH}$로 결정되는 평면을 β라 하면 직선 l은 평면 β와 수직이다.
즉, $\beta\perp l$이다. 그런데 $\overline{OH}$는 평면 β 위에 있으므로 $\overline{OH}\perp l$이다.

(3) $\overline{PH}\perp l$, $\overline{OH}\perp l$이므로 $\overline{PH}$와 $\overline{OH}$로 결정되는 평면 β에 대하여 $\beta\perp l$이다.
따라서 평면 β 위에 있는 $\overline{PO}$에 대하여 $\overline{PO}\perp l$이다.
그런데 $\overline{PO}\perp\overline{OH}$이므로 $\overline{PO}$는 만나는 두 직선 OH와 l로 결정되는 평면 α와 수직이다.
즉, $\overline{PO}\perp\alpha$이다.

285 **그림과 같이 평면 α 위에 있지 않은 한 점 P에서 평면 α에 내린 수선의 발을 O라 하고, 점 O에서 평면 α 위의 선분 AB에 내린 수선의 발을 H라 하자. $\overline{OP}=5$, $\overline{OH}=4$, $\overline{AH}=3$일 때, $\overline{AP}$의 길이를 구하여라.**

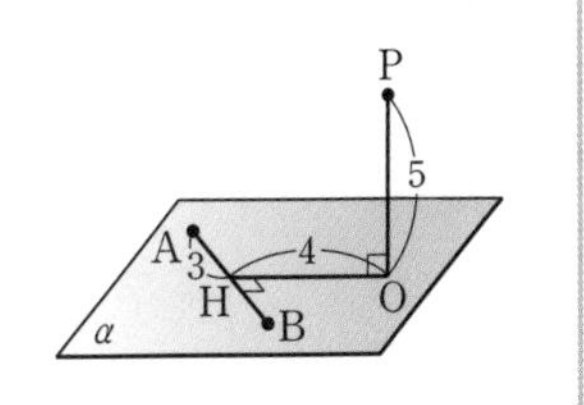

풍산자日 평면, 평면 위의 선분, 평면 밖의 점과 함께 직각이 2개 등장하면 삼수선의 정리를 이용한다.

➡ 수선 PO, 수선 OH가 주어졌으므로 $\overline{PH}$도 수선

> 풀이 오른쪽 그림과 같이 두 점 P, H를 연결하면

△PHO는 직각삼각형이므로

$\overline{PH}=\sqrt{\overline{OH}^2+\overline{OP}^2}=\sqrt{4^2+5^2}=\sqrt{41}$

이때 $\overline{PO}\perp\alpha$이고 $\overline{OH}\perp\overline{AB}$이므로

삼수선의 정리에 의하여 $\overline{PH}\perp\overline{AB}$

따라서 두 점 P, A를 연결하면 △PAH도 직각삼각형이므로

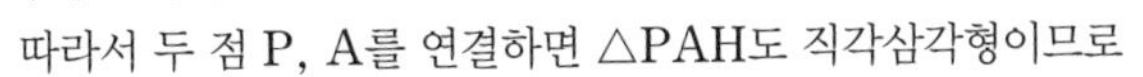

$\overline{AP}=\sqrt{\overline{AH}^2+\overline{PH}^2}=\sqrt{3^2+(\sqrt{41})^2}=\mathbf{5\sqrt{2}}$

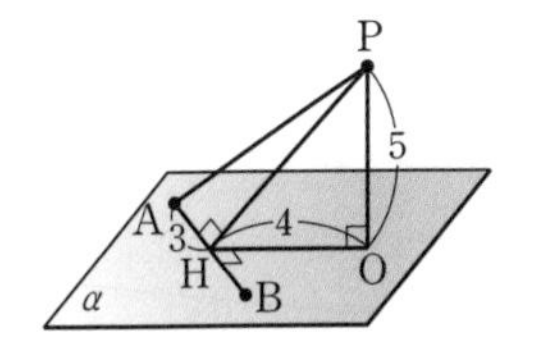

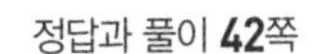
정답과 풀이 42쪽

유제 **286** **그림과 같이 서로 직각으로 만나는 $\overline{OA}$, $\overline{OB}$, $\overline{OC}$의 길이가 순서대로 1, 2, 3이다. 점 C에서 $\overline{AB}$에 내린 수선의 발을 H라 할 때, $\overline{CH}$의 길이를 구하여라.**

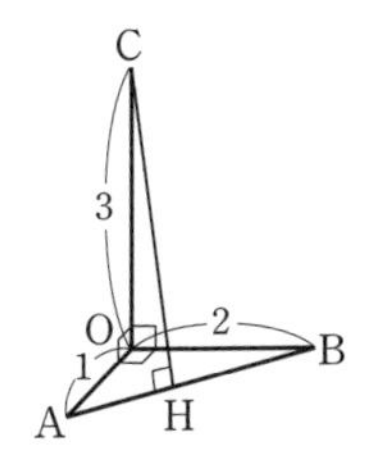

풍산자 비법

오른쪽 그림의 빨간색인 세 직각 중 두 개만 직각이면

➜ 나머지 하나는 자동으로 직각

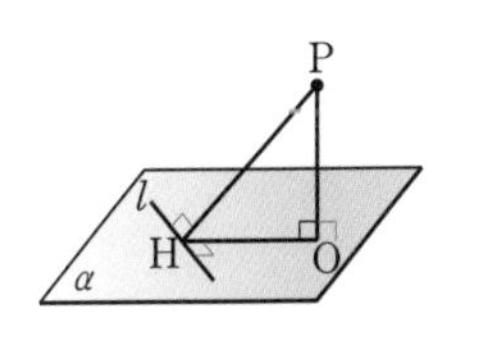

02 두 평면이 이루는 각

두 직선이 만날 때 각이 생기듯이 두 평면이 만나면 각이 만들어진다.
이때 두 평면이 이루는 각을 구하는 키는 바로 이면각!

이면각

(1) **이면각:** 한 직선을 공유하는 두 반평면으로 이루어진 도형
(2) **이면각의 변:** 이면각을 만드는 두 반평면의 교선 ➡ 직선 l
(3) **이면각의 면:** 이면각을 만드는 두 반평면 ➡ 반평면 α, β
(4) **이면각의 크기:** 직선 l에서 만나는 두 반평면 α, β에 대하여 직선 l 위의 점 O를 지나고 직선 l에 수직인 두 반직선 OA, OB를 각각 반평면 α, β 위에 그을 때 점 O의 위치에 관계없이 일정한 $\angle$AOB의 크기

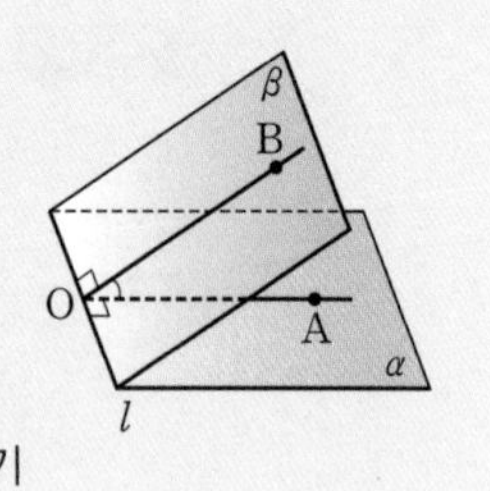

| 설명 | 이면각의 크기란 교선에서 수직으로 각각 뻗어나간 두 직선이 이루는 각의 크기.
이면각의 크기를 구할 때에는 다음의 순서를 잘 밟으면 쉽다.
교선 찾기 ➡ 교선에서 수직으로 뻗어나간 두 직선 찾기 ➡ 두 직선이 이루는 각의 크기 구하기

두 평면이 이루는 각의 크기는 이면각의 크기를 구하면 알 수 있다.

두 평면이 이루는 각

(1) **두 평면이 이루는 각**
두 평면 α, β에 의해 생기는 두 쌍의 이면각의 크기 중 작은 것으로 두 평면 α, β가 이루는 각의 크기를 θ라 하면
$0° \leq \theta \leq 90°$

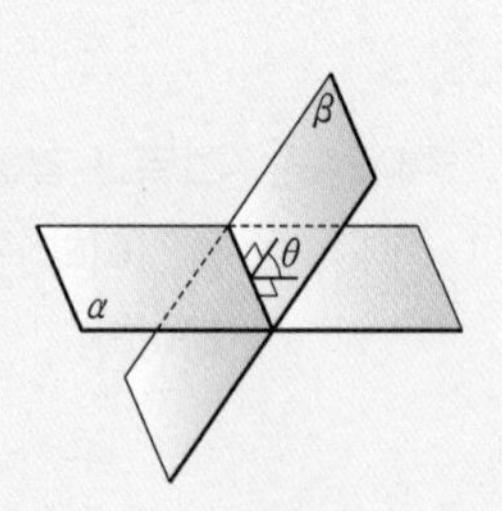

(2) **수직인 두 평면**
두 평면 α, β가 이루는 각의 크기가 $90°$일 때, 두 평면 α, β는 서로 수직이라 하고, $\alpha \perp \beta$로 나타낸다.

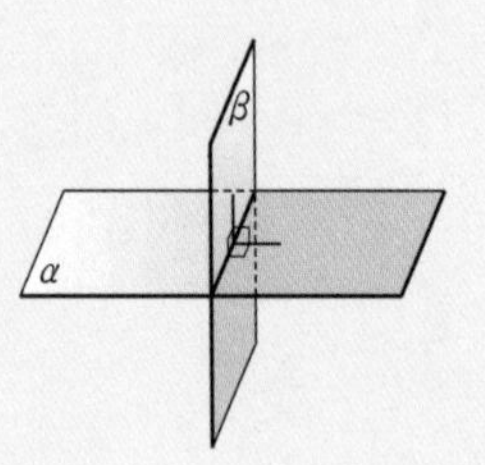

| 설명 | 두 직선이 이루는 각을 크기가 크지 않은 쪽의 각을 택한 것처럼 두 평면이 이루는 각도 마찬가지로 크기가 크지 않은 쪽의 각을 택하는 걸로 약속한다.

287 **그림과 같이 한 모서리의 길이가 2인 정사면체 A−BCD에 대하여 평면 ABC와 평면 BCD가 이루는 각의 크기를 θ라 할 때, $\cos\theta$의 값을 구하여라.**

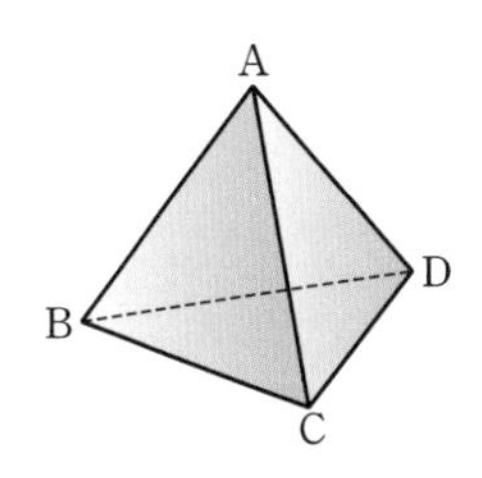

풍산자팁 이면각의 크기를 구할 때에는 다음과 같이 한다.

[1단계] 두 평면의 교선 위의 한 점에서 각각 교선에 수직인 두 직선을 긋는다.
이때 기왕이면 주어진 도형의 성질을 잘 활용할 수 있게 긋는 것이 보조선 긋기의 센스!

[2단계] [1단계]에서 그은 두 직선이 이루는 각의 크기를 구한다.

> 풀이 [1단계] 정사면체의 각 면이 정삼각형이므로 평면 ABC와 평면 BCD의 교선 BC의 중점 M에서 수직으로 뻗어나간 두 직선은 오른쪽 그림과 같이 각각 점 A, 점 D를 지나고 $\theta=\angle\text{AMD}$이다.

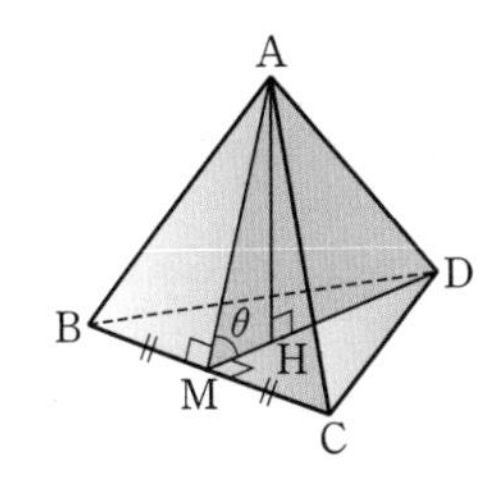

[2단계] 꼭짓점 A에서 평면 BCD에 내린 수선의 발을 H라 하면

$\overline{\text{AM}}=\overline{\text{DM}}=\frac{\sqrt{3}}{2}\overline{\text{AB}}=\sqrt{3}$, $\overline{\text{MH}}=\frac{1}{3}\overline{\text{DM}}=\frac{\sqrt{3}}{3}$

따라서 직각삼각형 AMH에서 $\cos\theta=\frac{\overline{\text{MH}}}{\overline{\text{AM}}}=\frac{\frac{\sqrt{3}}{3}}{\sqrt{3}}=\mathbf{\frac{1}{3}}$

정답과 풀이 **42쪽**

유제 **288** **그림과 같이 밑면은 정사각형이고 옆면은 모두 정삼각형인 사각뿔 O−ABCD에서 평면 OAB와 평면 ABCD가 이루는 각의 크기를 θ라 할 때, $\cos\theta$의 값을 구하여라.**

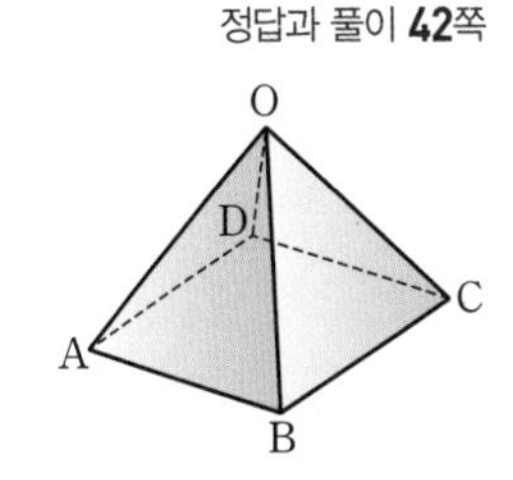

풍산자 비법

두 평면이 이루는 각의 크기는 교선 위의 한 점에서 수직인 두 직선을 긋고, 삼수선의 정리를 이용해서 보조선을 그으면 쉽게 구할 수 있다.

[1단계] 두 평면의 교선 위의 한 점에서 교선에 수직인 두 직선을 긋는다.

[2단계] 삼수선의 정리를 이용해 보조선을 그려 직각삼각형을 만든다.

[3단계] 피타고라스 정리나 삼각비를 이용해 각의 크기를 구한다.

03 정사영

정사영이 무엇일까? 겁먹지 말자. 정사영은 우리가 흔히 보는 그림자와 크게 다르지 않다. 비스듬히 생긴 그림자가 아니라 수직으로 비춰진 그림자 그게 바로 정사영이다.

정사영

(1) 점 P의 평면 α 위로의 정사영

평면 α 위에 있지 않은 한 점 P에서 평면 α에 내린 수선의 발 P′

(2) 도형 F의 평면 α 위로의 정사영

도형 F에 속하는 각 점의 평면 α 위로의 정사영으로 이루어진 도형 F'

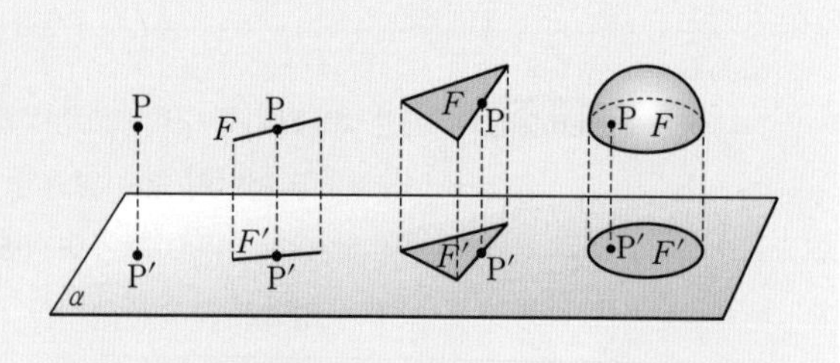

| 설명 | 평면에 수직이 되도록 빛을 쏘아 생기는 도형의 그림자가 바로 정사영이다. 비스듬히 빛을 쏘아 만들어진 그림자는 정사영이 아니다.

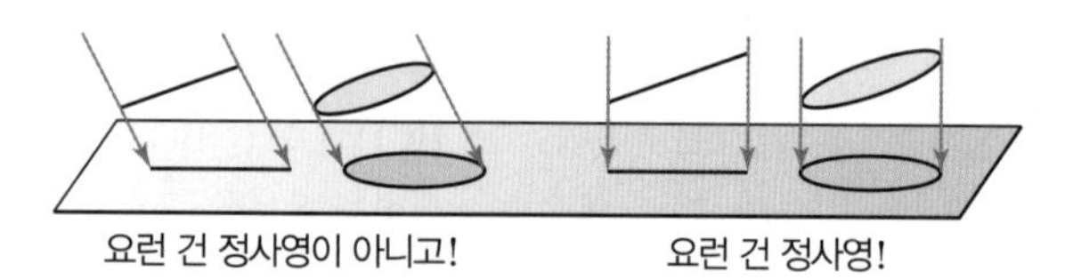

직선과 평면이 이루는 각

직선 l과 평면 α가 수직이 아닐 때, 직선 l의 평면 α 위로의 정사영인 직선 l'과 직선 l이 이루는 각을 직선 l과 평면 α가 이루는 각이라 한다.
한편 $l \parallel \alpha$일 때, 직선 l과 평면 α가 이루는 각의 크기는 $0°$이다.

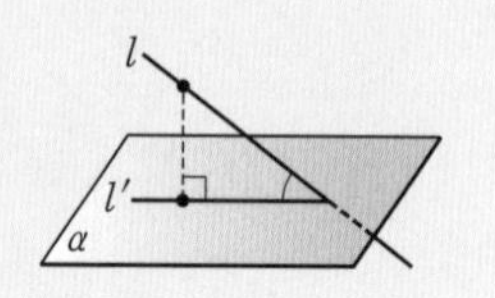

| 참고 | 직선과 평면이 이루는 각은 크기가 크지 않은 쪽의 각을 생각한다.

정사영의 길이와 넓이 중요!

(1) 정사영의 길이

선분 AB의 평면 α 위로의 정사영을 선분 A′B′이라 하고 직선 AB와 평면 α가 이루는 각의 크기를 θ라 하면

$$\overline{\mathrm{A'B'}}=\overline{\mathrm{AB}}\cos\theta\ (0°<\theta<90°)$$

(2) 정사영의 넓이

평면 α 위에 있는 도형의 넓이를 S, 이 도형의 평면 β 위로의 정사영의 넓이를 S'이라 하고 두 평면 α, β가 이루는 각의 크기를 θ라 하면

$$S'=S\cos\theta\ (0°<\theta<90°)$$

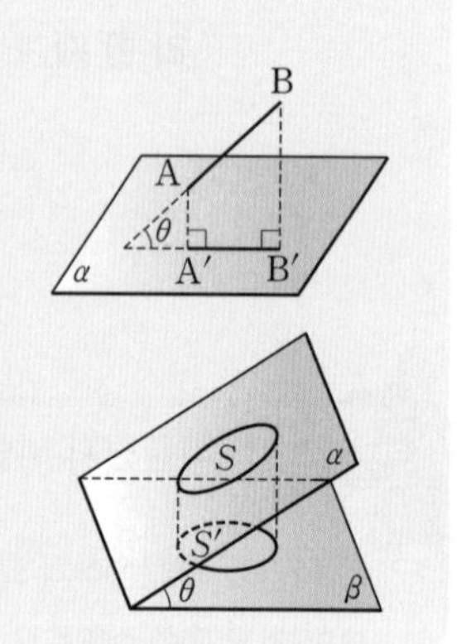

| 설명 | (1) 길이에 대한 정리 ➡ 원래 선분의 길이에 $\cos\theta$를 곱하면 정사영의 길이가 된다.
(2) 넓이에 대한 정리 ➡ 원래 도형의 넓이에 $\cos\theta$를 곱하면 정사영의 넓이가 된다.
따라서 정사영 문제는 θ만 정확히 찾아내면 끝.

289 선분 AB의 평면 α 위로의 정사영이 선분 $A'B'$이다. 직선 AB와 평면 α가 이루는 각의 크기가 $30°$일 때, 다음을 구하여라.

(1) 선분 AB의 길이가 10일 때, 선분 $A'B'$의 길이

(2) 선분 $A'B'$의 길이가 30일 때, 선분 AB의 길이

풍산자日 처음 도형과 그림자가 생기는 평면이 이루는 각의 크기가 θ
➡ (정사영의 길이)=(처음 도형의 길이)$\times\cos\theta$

> 풀이 $\overline{A'B'}=\overline{AB}\cos 30°$이므로

(1) $\overline{A'B'}=10\times\cos 30°=10\times\dfrac{\sqrt{3}}{2}=\mathbf{5\sqrt{3}}$

(2) $30=\overline{AB}\cos 30°$에서 $\overline{AB}=\dfrac{30}{\cos 30°}=\dfrac{30}{\frac{\sqrt{3}}{2}}=\mathbf{20\sqrt{3}}$

정답과 풀이 43쪽

유제 **290** 그림과 같이 밑면인 원의 반지름의 길이가 3인 원기둥을 밑면과 이루는 각의 크기가 $60°$인 평면으로 자른 단면은 타원이다. 이때 이 타원의 장축의 길이를 구하여라.

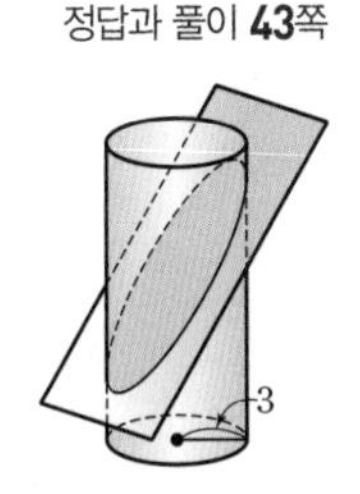

291 한 변의 길이가 4인 정삼각형 ABC의 평면 α 위로의 정사영이 삼각형 $A'B'C'$이라 한다. 정삼각형 ABC를 포함하는 평면과 평면 α가 이루는 각의 크기가 $60°$일 때, 삼각형 $A'B'C'$의 넓이를 구하여라.

풍산자日 처음 도형과 그림자가 생기는 평면이 이루는 각의 크기가 θ
➡ (정사영의 넓이)=(처음 도형의 넓이)$\times\cos\theta$

> 풀이 $\triangle ABC=\dfrac{\sqrt{3}}{4}\times 4^2=4\sqrt{3}$

$\therefore\ \triangle A'B'C'=\triangle ABC\times\cos 60°=4\sqrt{3}\times\dfrac{1}{2}=\mathbf{2\sqrt{3}}$

정답과 풀이 43쪽

유제 **292** 그림과 같이 한 변의 길이가 4인 정삼각형을 밑면으로 하고 높이가 6인 삼각기둥에서 사각형 ABED의 평면 BEFC 위로의 정사영의 넓이를 구하여라.

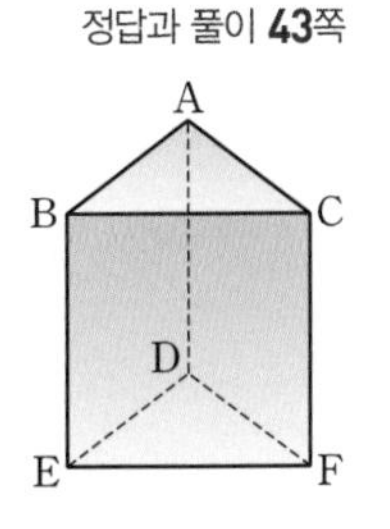

293 그림과 같이 한 모서리의 길이가 8인 정육면체에서 평면 BDE와 평면 EFGH가 이루는 각의 크기가 θ일 때, $\cos\theta$의 값을 구하여라.

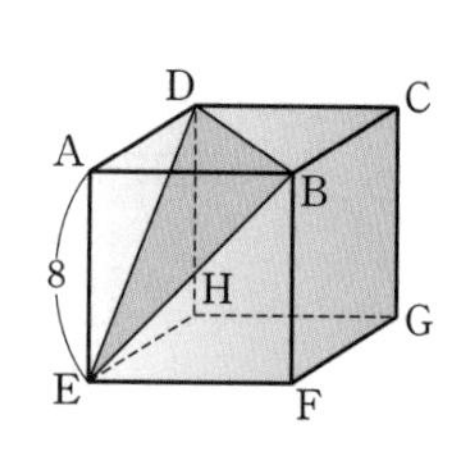

풍산자日 묻는 것은 θ가 아니고 $\cos\theta$의 값.

처음 도형과 그림자가 생기는 평면이 이루는 각의 크기가 θ이면

(정사영의 넓이)=(처음 도형의 넓이)$\times\cos\theta$ ➡ $\cos\theta=\dfrac{(\text{정사영의 넓이})}{(\text{처음 도형의 넓이})}$

처음 도형과 정사영만 찾으면 끝.

그림자가 생길 평면에 수직으로 빛을 비추어 정사영을 찾아야 하니까 처음 도형을 □EFGH로 정하면 △BDE 위에 그림자를 만들기가 어렵다.

상대적으로 더 작은 △BDE가 처음 도형!

> 풀이 △BDE의 평면 EFGH 위로의 정사영은 △FHE이므로

$\triangle\text{FHE}=\triangle\text{BDE}\times\cos\theta$ ······ ㉠

△BDE는 한 변의 길이가 $8\sqrt{2}$인 정삼각형이므로

$\triangle\text{BDE}=\dfrac{\sqrt{3}}{4}\times(8\sqrt{2})^2=32\sqrt{3}$

△FHE는 $\overline{\text{FE}}=\overline{\text{HE}}=8$인 직각이등변삼각형이므로

$\triangle\text{FHE}=\dfrac{1}{2}\times8\times8=32$

따라서 ㉠에 의해 $32=32\sqrt{3}\cos\theta$

$\therefore\ \cos\theta=\dfrac{32}{32\sqrt{3}}=\mathbf{\dfrac{\sqrt{3}}{3}}$

> 참고 교선에 수직인 두 직선을 그어서 이면각을 찾자니 정육면체에서 생각하기 참 애매하다.
이럴 때 정사영의 넓이를 활용하면 이면각의 크기에 대한 코사인 값을 간단히 구할 수 있다.

정답과 풀이 **43**쪽

유제 **294** 그림과 같이 한 모서리의 길이가 4인 정육면체에서 평면 CHF와 평면 EFGH가 이루는 각의 크기가 θ일 때, $\cos\theta$의 값을 구하여라.

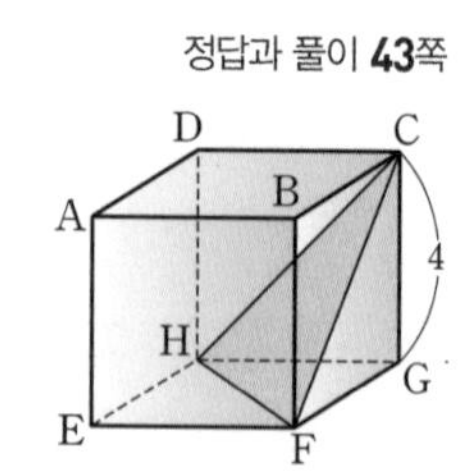

295 **그림과 같이 해변에 설치된 차광막에 수직으로 햇빛이 비춰 그림자가 생겼다. 햇빛과 그림자가 이루는 각의 크기는 $60°$이고 차광막의 넓이가 $30\ \mathrm{m}^2$일 때, 그림자의 넓이를 구하여라.**

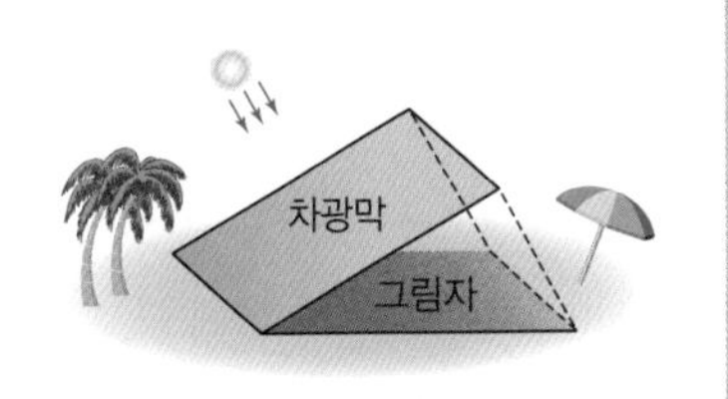

풍산자日 실생활 문제에서는 처음 도형과 정사영을 정확히 판단해야 한다.
차광막에 햇빛이 비춰 그림자가 생겼으니까 차광막이 처음 도형, 그림자가 정사영이라 오해하면 NO!
정사영은 빛에 수직인 평면 위에 생기는 것!
빛이 차광막을 거쳐 그림자를 만들고 있는 상황이지만 빛에 수직인 건 차광막!
따라서 이를 수학적으로 해석하면 그림자의 정사영이 차광막이다.

> 풀이 정면에서 본 상황을 간단하게 그림으로 나타내면 오른쪽과 같다.

햇빛
차광막
θ 그림자 $60°$ 지면

이때 그림자와 차광막이 이루는 각의 크기를 θ라 하면 햇빛은 차광막에 수직으로 비추므로

$\theta=90°-$(햇빛과 그림자가 이루는 각의 크기)

$\quad=90°-60°=30°$

그림자의 넓이를 $S\ \mathrm{m}^2$라 하면 그림자의 정사영이 차광막이므로

$30=S\times\cos 30°\qquad \therefore S=\dfrac{30}{\cos 30°}=\dfrac{30}{\frac{\sqrt{3}}{2}}=\mathbf{20\sqrt{3}\,(m^2)}$

정답과 풀이 **43**쪽

유제 **296** **그림과 같이 하늘에 구 모양의 애드벌룬이 떠 있다. 햇빛과 지면이 이루는 각의 크기가 $60°$일 때, 지면 위에 생긴 애드벌룬의 그림자의 넓이가 $12\sqrt{3}\pi\ \mathrm{m}^2$이다. 이때 이 애드벌룬의 반지름의 길이를 구하여라.**

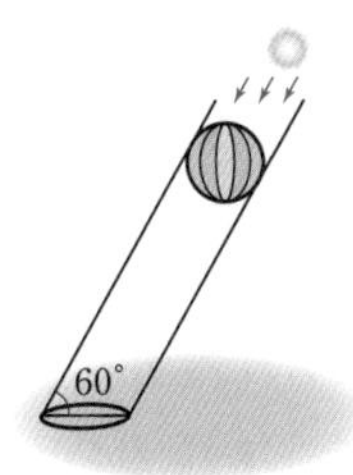

풍산자 비법

처음 도형과 그림자가 생기는 평면이 이루는 각의 크기가 θ이면

- (정사영의 길이)$=$(처음 도형의 길이)$\times\cos\theta$ ➔ (처음 도형의 길이)$=$(정사영의 길이)$\times\dfrac{1}{\cos\theta}$
- (정사영의 넓이)$=$(처음 도형의 넓이)$\times\cos\theta$ ➔ (처음 도형의 넓이)$=$(정사영의 넓이)$\times\dfrac{1}{\cos\theta}$

필수 확인 문제

* 더 많은 유형은 **풍산자필수유형 기하** 067쪽

정답과 풀이 43쪽

297

그림과 같이 평면 α 위에 있지 않은 한 점 P에서 평면 α에 내린 수선의 발을 O라 하고, 점 O에서 평면 α 위의 선분 AB에 내린 수선의 발을 H라 하자. $\overline{AP}=5$, $\overline{AH}=3$, $\overline{OP}=2\sqrt{3}$이고 $\angle PHO=\theta$라 할 때, $\cos\theta$의 값을 구하여라.

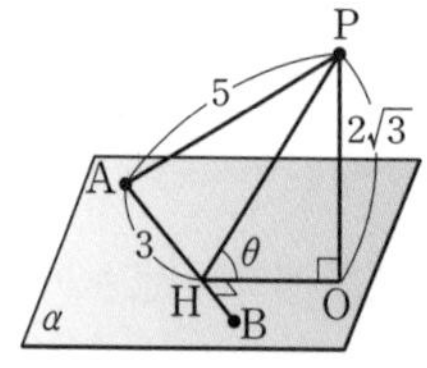

298

그림과 같이 한 변의 길이가 4인 정사각형을 밑면으로 하는 직육면체가 있다. 평면 DEG와 평면 EFGH가 이루는 각의 크기가 60°일 때, 직육면체의 높이를 구하여라.

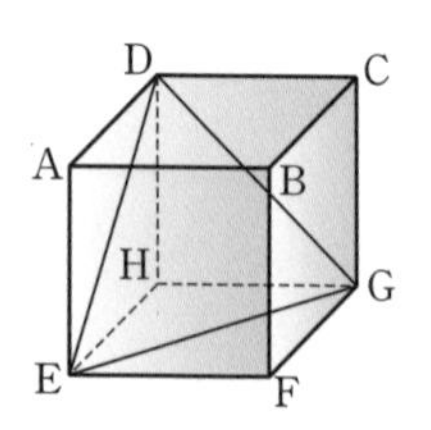

299

그림과 같이 한 모서리의 길이가 8인 정육면체에서 세 모서리 AB, BF, BC의 중점을 각각 P, Q, R라 하자. 평면 PQR와 평면 EFGH가 이루는 각의 크기가 θ일 때, $\cos\theta$의 값을 구하여라.

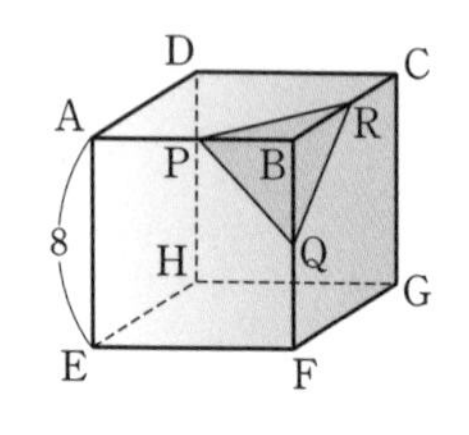

300

그림과 같이 한 변의 길이가 8인 정삼각형을 밑면으로 하는 삼각기둥을 밑면과 30°의 각을 이루는 평면으로 잘랐을 때, 잘린 단면의 넓이를 구하여라.

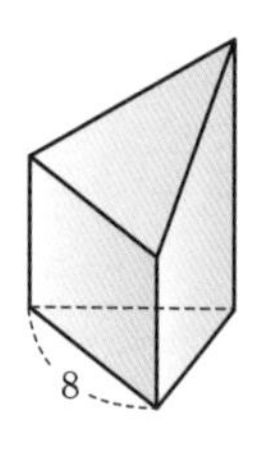

301

그림과 같은 사각뿔에서 밑면 BCDE는 한 변의 길이가 2인 정사각형이다. $\overline{AB}=\overline{AC}=\overline{AD}=\overline{AE}$이고, 한 옆면의 넓이가 4일 때, 두 면 ABC, BCDE가 이루는 각의 크기를 θ라 하자. 이때 $\cos\theta$의 값을 구하여라.

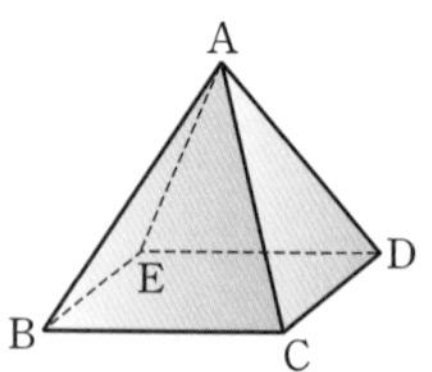

302

그림과 같이 밑면인 원의 반지름의 길이가 3, 높이가 8인 원기둥 모양의 컵에 높이가 6만큼 물이 들어 있다. 컵을 기울여 물이 쏟아지기 직전의 상태로 만들 때, 수면의 넓이를 구하여라.

(단, 컵의 두께는 고려하지 않는다.)

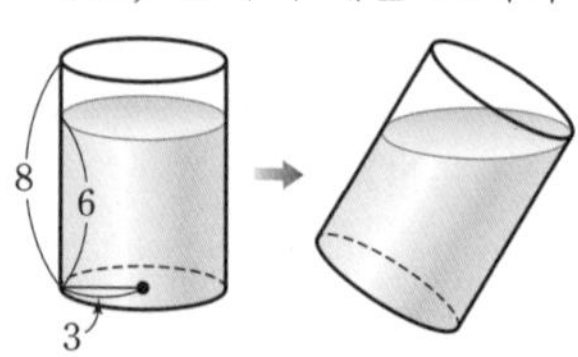

중단원 마무리

▶ 직선과 평면의 위치 관계

평면의 결정조건	(1) 한 직선 위에 있지 않은 서로 다른 세 점 (2) 한 직선과 그 위에 있지 않은 한 점 (3) 한 점에서 만나는 두 직선 (4) 평행한 두 직선
직선과 평면의 위치 관계	(1) 공간에서 서로 다른 두 직선의 위치 관계 ① 한 점에서 만난다. ② 평행하다. ③ 꼬인 위치에 있다. (2) 공간에서 직선과 평면의 위치 ① 포함된다. ② 한 점에서 만난다. ③ 평행하다. (3) 공간에서 서로 다른 두 평면의 위치 관계 ① 만난다. ② 평행하다.
직선과 평면의 수직	직선 l이 평면 α와 한 점 O에서 만나고 점 O를 지나는 평면 α 위의 모든 직선과 수직일 때, 직선 l과 평면 α는 수직이라 하고, $l \perp \alpha$로 나타낸다.

▶ 삼수선의 정리와 정사영

삼수선의 정리	평면 α 위에 있지 않은 한 점 P와 평면 α 위의 직선 l, 직선 l 위의 한 점 H, 평면 α 위에 있으면서 직선 l 위에 있지 않은 점 O에 대하여 다음이 성립한다. (1) $\overline{PO} \perp \alpha$, $\overline{OH} \perp l$이면 $\overline{PH} \perp l$ (2) $\overline{PO} \perp \alpha$, $\overline{PH} \perp l$이면 $\overline{OH} \perp l$ (3) $\overline{PH} \perp l$, $\overline{OH} \perp l$, $\overline{PO} \perp \overline{OH}$이면 $\overline{PO} \perp \alpha$ (그림: P, l, H, O, α)
이면각	한 직선을 공유하는 두 반평면으로 이루어진 도형
정사영	(1) 정사영의 길이: 선분 AB의 평면 α 위로의 정사영을 선분 A′B′이라 하고 직선 AB와 평면 α가 이루는 각의 크기를 θ라 하면 $\overline{A'B'} = \overline{AB}\cos\theta \ (0° < \theta < 90°)$ (2) 정사영의 넓이: 평면 α 위에 있는 도형의 넓이를 S, 이 도형의 평면 β 위로의 정사영의 넓이를 S'이라 하고 두 평면 α, β가 이루는 각의 크기를 θ라 하면 $S' = S\cos\theta \ (0° < \theta < 90°)$

실전 연습문제

STEP 1

303

공간도형에 대한 다음 설명 중 옳지 <u>않은</u> 것은?

① 평행한 두 직선은 한 평면 위에 있다.

② 한 직선 위에 있지 않은 서로 다른 세 점은 한 평면 위에 있다.

③ 한 점에서 만나는 두 직선은 한 평면 위에 있다.

④ 한 직선과 그 위에 있지 않은 한 점은 한 평면 위에 있다.

⑤ 꼬인 위치에 있는 두 직선은 한 평면 위에 있다.

304

그림과 같은 정육면체에서 세 점 D, F, G와 세 직선 AB, BC, EH로 결정되는 서로 다른 평면의 개수를 구하여라.

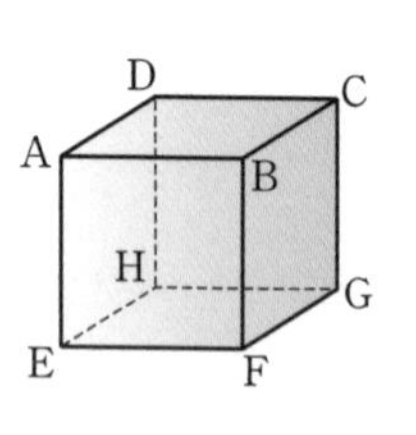

305

그림과 같이 밑면이 직각삼각형인 삼각기둥에서 각 모서리를 연장한 직선 및 각 면을 포함하는 평면에 대하여 모서리 AB와 꼬인 위치에 있는 직선의 개수를 a, 모서리 AD와 수직으로 만나는 직선의 개수를 b, 모서리 BC와 한 점에서 만나는 평면의 개수를 c라 할 때, $a+b+c$의 값을 구하여라.

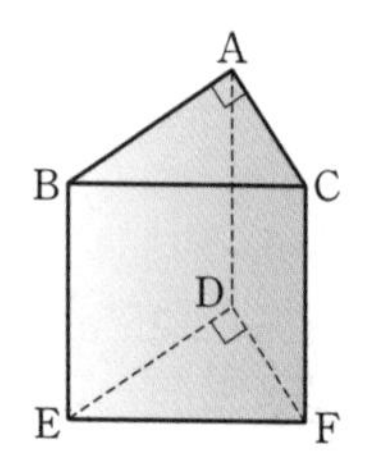

306

서로 다른 두 직선 l, m과 서로 다른 두 평면 α, β에 대하여 〈보기〉에서 옳은 것만을 있는 대로 골라라.

보기

ㄱ. $l\perp\alpha$이고 $l /\!/ \beta$이면 $\alpha\perp\beta$이다.

ㄴ. $l /\!/ \alpha$이고 $l /\!/ \beta$이면 $\alpha /\!/ \beta$이다.

ㄷ. $l\perp\alpha$이고 $m /\!/ \alpha$이면 $l\perp m$이다.

ㄹ. $l /\!/ \alpha$이고 $\alpha\perp\beta$이면 $l /\!/ \beta$이다.

307

그림과 같은 사면체 A$-$BCD에서 $\overline{\mathrm{AD}}\perp\overline{\mathrm{BD}}$, $\overline{\mathrm{AD}}\perp\overline{\mathrm{CD}}$, $\overline{\mathrm{BC}}\perp\overline{\mathrm{CD}}$이고 $\overline{\mathrm{AD}}=2$, $\overline{\mathrm{CD}}=2\sqrt{2}$, $\overline{\mathrm{BC}}=3$일 때, △ABC의 넓이를 구하여라.

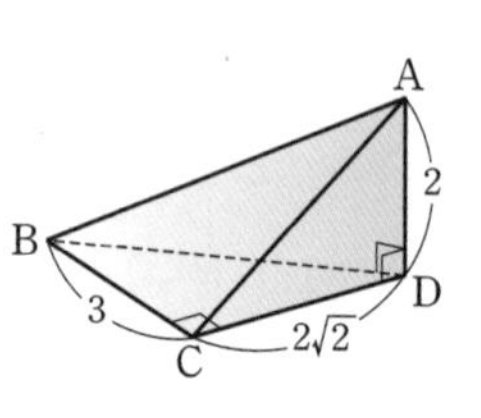

308

그림과 같이 $\overline{\mathrm{AB}}=3$, $\overline{\mathrm{AD}}=4$, $\overline{\mathrm{DH}}=2$인 직육면체의 꼭짓점 A에서 선분 FH에 내린 수선의 발

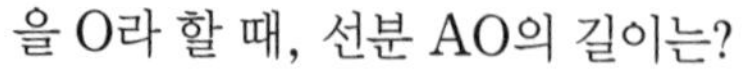
을 O라 할 때, 선분 AO의 길이는?

① 3 ② $\sqrt{10}$ ③ $\frac{2\sqrt{61}}{5}$

④ $\frac{2\sqrt{70}}{5}$ ⑤ $2\sqrt{15}$

309

그림과 같은 정팔면체의 이웃한 두 면이 이루는 각의 크기를 θ라 할 때, $\cos\frac{\theta}{2}$의 값을 구하여라.

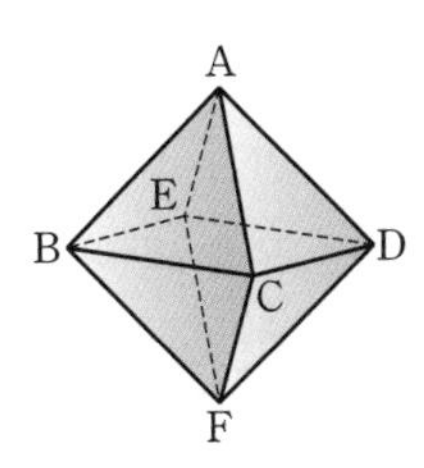

310

그림과 같이 밑면인 원의 반지름의 길이가 3인 원기둥을 밑면의 중심을 지나고 밑면과 이루는 각의 크기가 60°인 평면으로 자를 때 생기는 단면의 넓이를 구하여라.

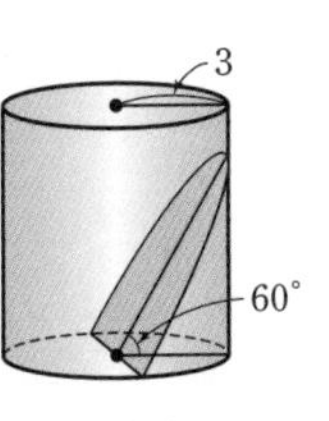

STEP 2

311

그림과 같이 한 모서리의 길이가 10인 정사면체 A−BCD를 두 모서리 AC, BD에 평행한 평면으로 자를 때, 단면인 사각형 PQRS의 둘레의 길이를 구하여라.

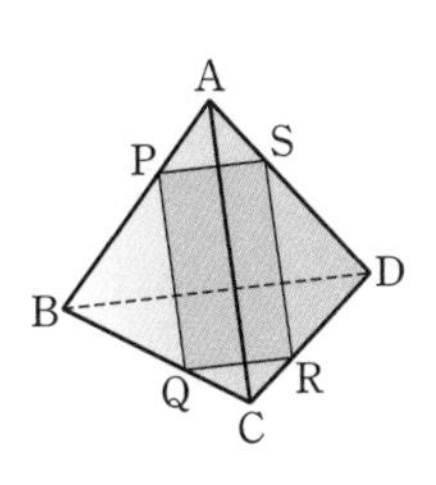

312

서로 다른 세 평면 α, β, γ에 대하여 조건 (가)를 만족시키는 경우 공간은 a개로 분할되고, 조건 (나)를 만족시키는 경우 공간은 최대 b개로 분할된다. 이때 a^2+b^2의 값을 구하여라.

> (가) $\alpha /\!/ \beta$이고 $\beta /\!/ \gamma$이다.
> (나) 두 평면 α, β의 교선과 평면 γ는 평행하다.

313

그림과 같이 한 모서리의 길이가 2인 정사면체 A−BCD에서 $\overline{\text{BC}}$와 $\overline{\text{AD}}$ 사이의 최단 거리를 구하여라.

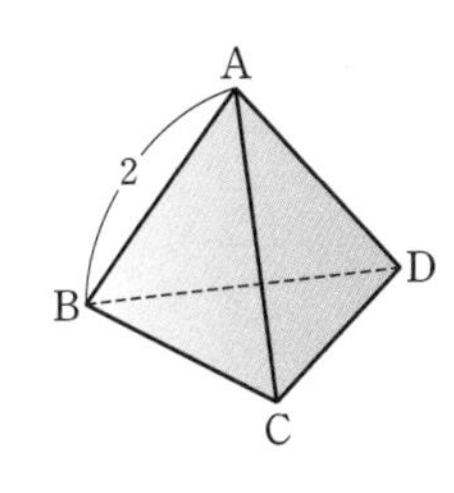

314

그림과 같이 $\overline{\text{AD}}=3$, $\overline{\text{AE}}=2$, $\overline{\text{CD}}=4$인 직육면체에서 밑면 EFGH의 두 대각선의 교점을 P라 하자. 선분 AP와 선분 DC가 이루는 각의 크기를 θ라 할 때, $\tan\theta$의 값을 구하여라.

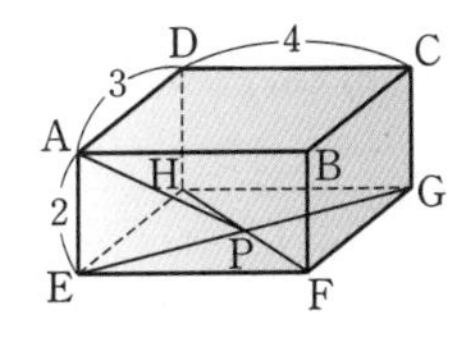

315

그림과 같은 직육면체에서 $\overline{AB}=1$, $\overline{AD}=2$, $\overline{AE}=3$일 때, 꼭짓점 D에서 선분 EG에 이르는 최단 거리는?

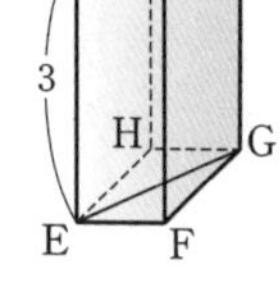

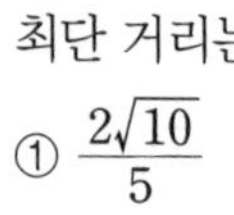

① $\frac{2\sqrt{10}}{5}$　② $\frac{3\sqrt{5}}{5}$　③ $\sqrt{5}$　④ $\frac{7\sqrt{5}}{5}$　⑤ $\sqrt{10}$

316

그림과 같이 한 변의 길이가 1인 정사각형 모양의 종이 ABCD가 있다. 이 종이를 대각선 AC를 접는 선으로 하여 $\angle BCD'=60°$가 되도록 접어 올릴 때, 두 평면 ABC, ACD′이 이루는 각의 크기를 구하여라.

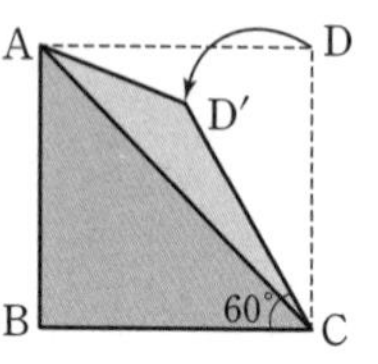

317

그림과 같이 모든 모서리의 길이가 1인 정사각뿔에서 밑면의 두 대각선 AC, BD의 교점을 M이라 할 때, 삼각형 MAB의 평면 OAB 위로의 정사영의 넓이를 구하여라.

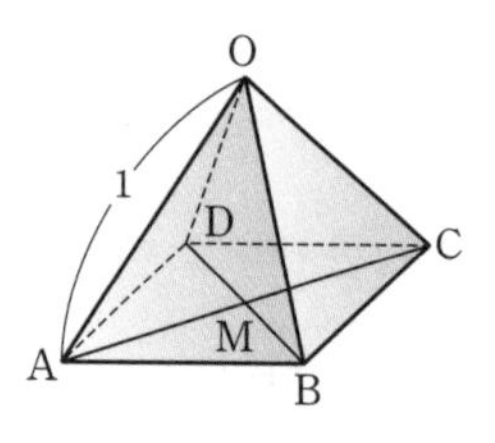

318

넓이가 120 m^2인 직사각형 모양의 태양열 집열판을 지면과 30°의 각도를 이루도록 설치하였다. 그림의 [가]와 같이 햇빛이 지면에 수직으로 비출 때의 집열판의 그림자의 넓이를 S_1, [나]와 같이 햇빛이 집열판에 수직으로 비출 때의 집열판의 그림자의 넓이를 S_2라 할 때, $\frac{S_2}{S_1}$의 값을 구하여라.

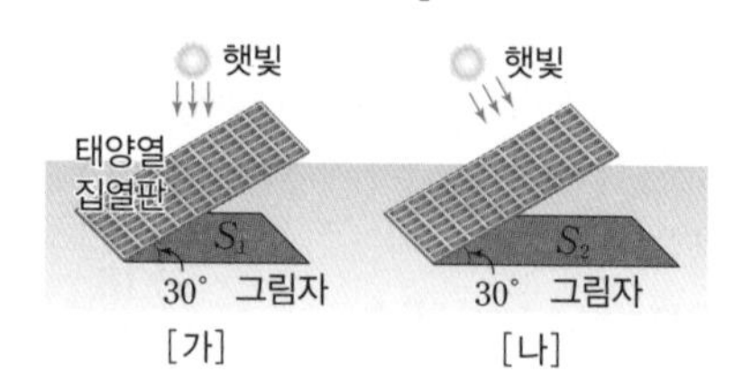

[가]　[나]

2 공간좌표

좌표공간을 두려워 말라!
좌표평면과 같다.
좌표공간은 좌표평면에서 z축만 얹은 것일 뿐!

1 공간에서의 점의 좌표

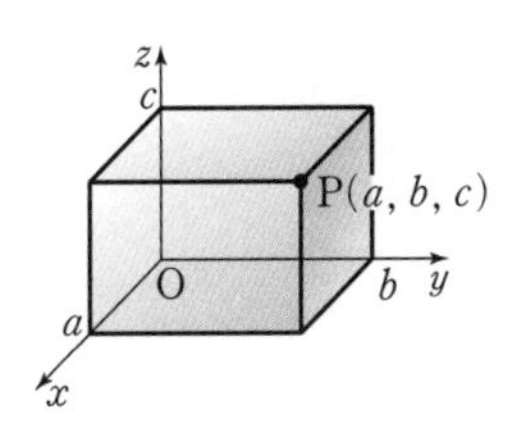

2 구의 방정식

$$(x-a)^2+(y-b)^2+(z-c)^2=r^2$$

1 공간에서의 점의 좌표

01 공간좌표

평면에 수직선을 하나 그으면 실수를 좌표로 나타낼 수 있다.

평면에 수직으로 만나는 수직선 2개를 그으면 평면 위의 점의 위치를 좌표로 나타낼 수 있다. 같은 방법으로 수직선 3개를 수직으로 만나게 그으면 공간에 있는 점의 위치를 좌표로 나타낼 수 있게 된다. 공간의 한 점의 위치를 나타내는 좌표를 **공간좌표**라 하고, 좌표를 도입한 공간을 **좌표공간**이라 한다.

좌표공간

(1) 좌표공간: 좌표축과 좌표평면이 정해진 공간

(2) 공간의 한 점 O에서 서로 직교하는 세 수직선을 그었을 때, 이 세 수직선을 각각 x축, y축, z축이라 하고 이들을 통틀어 **좌표축**, 점 O를 **원점**이라 한다.

(3) 좌표공간에서의 좌표평면

① xy평면: x축과 y축을 포함하는 평면

② yz평면: y축과 z축을 포함하는 평면

③ zx평면: z축과 x축을 포함하는 평면

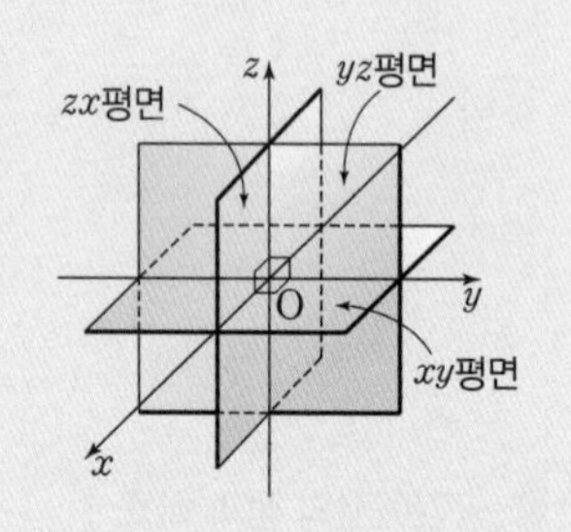

| 설명 | 원점 O를 기준으로 해서 앞뒤 방향으로 x축, 좌우 방향으로 y축, 상하 방향으로 z축을 놓는다.

공간좌표

(1) 공간좌표: 좌표공간의 한 점 P에 대응하는 세 실수의 순서쌍 (a, b, c)를 점 P의 공간좌표라 하고, $\mathrm{P}(a, b, c)$로 나타낸다.

(2) 점 $\mathrm{P}(a, b, c)$에서 a는 점 P의 x좌표, b는 점 P의 y좌표, c는 점 P의 z좌표를 나타낸다.

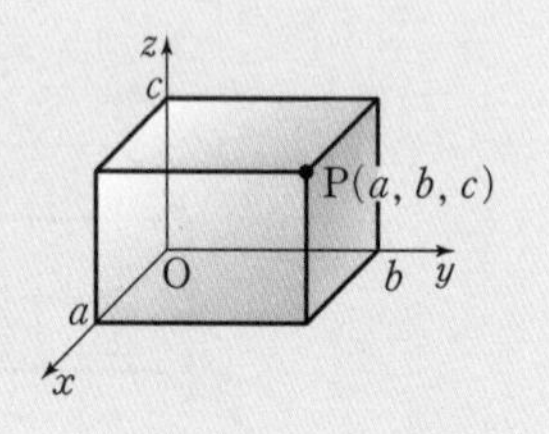

좌표축 또는 좌표평면 위의 점 중요!

(1) 좌표축 위의 점

① x축 위의 점: $(a, 0, 0)$ ② y축 위의 점: $(0, b, 0)$ ③ z축 위의 점: $(0, 0, c)$

(2) 좌표평면 위의 점

① xy평면 위의 점: $(a, b, 0)$ ② yz평면 위의 점: $(0, b, c)$ ③ zx평면 위의 점: $(a, 0, c)$

| 설명 | 좌표공간에서 좌표축이나 좌표평면 위의 점은 관계없는 좌표를 0으로 놓으면 된다.

02 좌표공간에서의 점의 이동

좌표공간에서 점의 이동은 크게 두 가지.
좌표축이나 좌표평면으로 수선의 발을 내리는 경우와 축이나 평면에 대하여 대칭이동하는 경우.
충분히 반복 연습해서 헷갈리지 않도록 하자.

수선의 발

(1) 좌표공간의 점 $\mathrm{P}(a,\ b,\ c)$에서 x축, y축, z축에 내린 수선의 발을 각각 A, B, C라 하면
➡ $\mathrm{A}(a,\ 0,\ 0)$, $\mathrm{B}(0,\ b,\ 0)$, $\mathrm{C}(0,\ 0,\ c)$

(2) 좌표공간의 점 $\mathrm{P}(a,\ b,\ c)$에서 xy평면, yz평면, zx평면에 내린 수선의 발을 각각 D, E, F라 하면 ➡ $\mathrm{D}(a,\ b,\ 0)$, $\mathrm{E}(0,\ b,\ c)$, $\mathrm{F}(a,\ 0,\ c)$

| 설명 | 좌표공간에 있는 점에서 좌표평면에 내린 수선의 발은 바로 그 점의 좌표평면 위로의 정사영!
실제로 각각 수선의 발을 내려 보면 그림과 같다.

[좌표축에 내린 수선의 발]

[좌표평면에 내린 수선의 발]

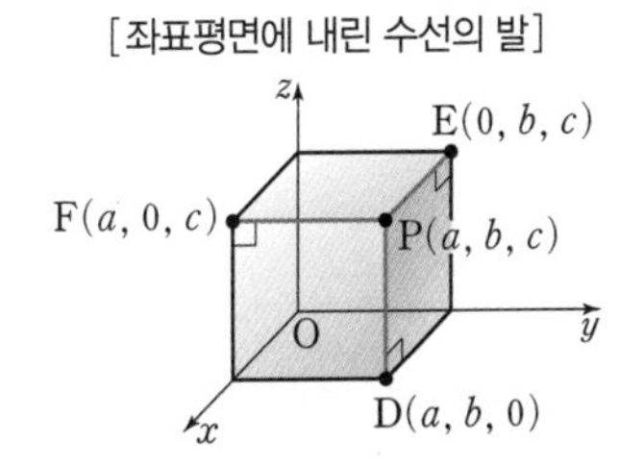

수선의 발은 어디에 내리는 발인지 보고 관계없는 좌표를 0으로 바꾸면 된다.

점의 대칭이동 중요!

(1) 좌표공간의 점 $\mathrm{P}(a,\ b,\ c)$를 x축, y축, z축에 대하여 대칭이동한 점을 각각 A, B, C라 하면
➡ $\mathrm{A}(a,\ -b,\ -c)$, $\mathrm{B}(-a,\ b,\ -c)$, $\mathrm{C}(-a,\ -b,\ c)$

(2) 좌표공간의 점 $\mathrm{P}(a,\ b,\ c)$를 xy평면, yz평면, zx평면에 대하여 대칭이동한 점을 각각 D, E, F라 하면 ➡ $\mathrm{D}(a,\ b,\ -c)$, $\mathrm{E}(-a,\ b,\ c)$, $\mathrm{F}(a,\ -b,\ c)$

(3) 좌표공간의 점 $\mathrm{P}(a,\ b,\ c)$를 원점에 대하여 대칭이동한 점을 P'이라 하면
➡ $\mathrm{P}'(-a,\ -b,\ -c)$

| 설명 | 좌표평면에서의 규칙과 다를 것은 없다. 다만 실제로 좌표공간에서 이를 눈으로 찾아야 할 때, 공간 감각이 다소 필요할 뿐. 3개만 각각 직육면체를 그려서 눈으로 확인해 보자 .

[x축 대칭] [xy평면 대칭] [원점 대칭]

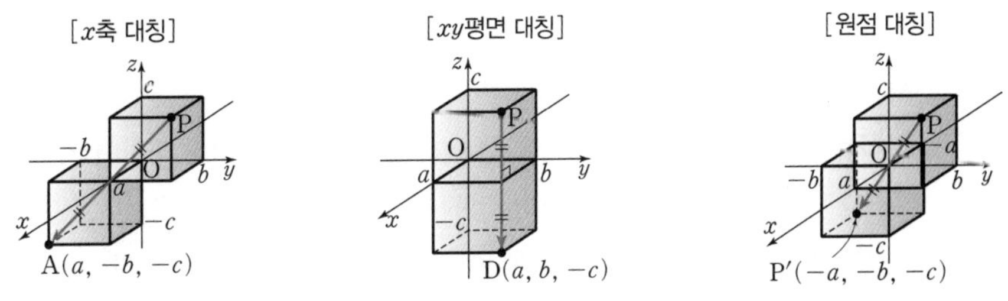

대칭이동한 점은 대칭의 기준을 확인하고 관계없는 좌표의 부호를 반대로 바꾸면 된다.

319 그림과 같은 직육면체의 네 점 O, A, E, G의 좌표를 각각 구하여라.

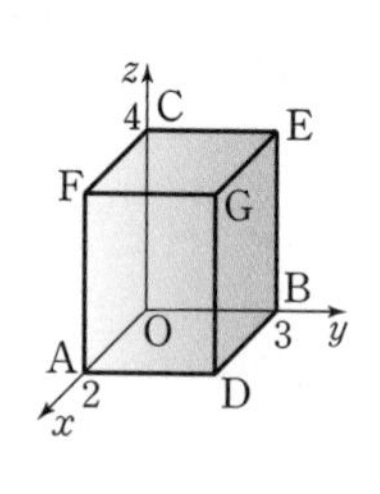

풍산자日 x좌표는 앞뒤, y좌표는 좌우, z좌표는 상하!

> 풀이 **O(0, 0, 0), A(2, 0, 0), E(0, 3, 4), G(2, 3, 4)**

정답과 풀이 48쪽

유제 **320** 그림과 같은 직육면체에 대하여 좌표가 각각 (0, 0, 5), (3, 0, 5), (0, 4, 0)인 점을 구하여라.

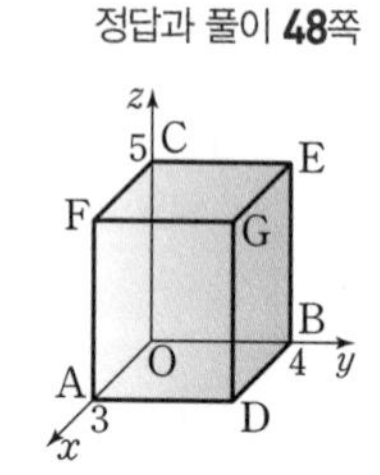

| 수선의 발, 대칭인 점의 좌표 |

321 좌표공간의 점 P(2, 3, 1)에 대하여 다음 점의 좌표를 구하여라.

(1) x축에 내린 수선의 발 A
(2) yz평면에 내린 수선의 발 B
(3) y축에 대하여 대칭인 점 C
(4) zx평면에 대하여 대칭인 점 D

풍산자日 ☆축에 내린 수선의 발 ➡ ☆좌표 빼고 나머지 좌표는 모두 0
☆◎평면에 내린 수선의 발 ➡ ☆좌표, ◎좌표가 아닌 좌표는 0
☆축에 대하여 대칭인 점 ➡ ☆좌표 빼고 나머지 좌표의 부호를 반대로
☆◎평면에 대하여 대칭인 점 ➡ ☆좌표, ◎좌표가 아닌 좌표의 부호를 반대로

> 풀이 (1) **A(2, 0, 0)**
(2) **B(0, 3, 1)**
(3) **C(−2, 3, −1)**
(4) **D(2, −3, 1)**

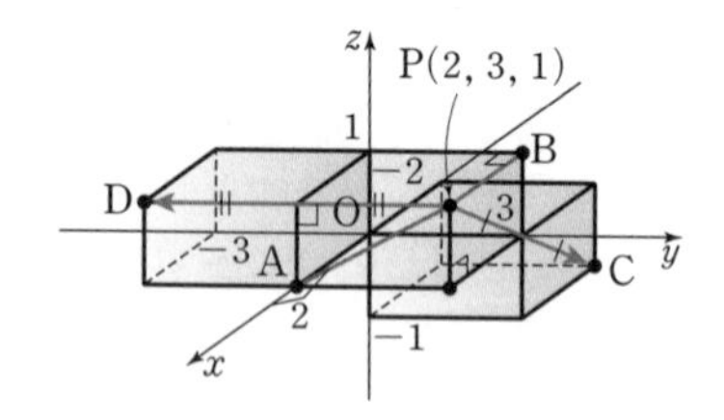

정답과 풀이 48쪽

유제 **322** 좌표공간의 점 P(−1, 2, −2)에 대하여 다음 점의 좌표를 구하여라.

(1) 점 P와 y축에 대하여 대칭인 점에서 xy평면에 내린 수선의 발 A
(2) 점 P를 xy평면에 대하여 대칭이동한 점을 x축에 대하여 대칭이동한 점 B
(3) 점 P와 원점에 대하여 대칭인 점을 yz평면에 대하여 대칭이동한 점 C

03 두 점 사이의 거리

좌표평면에서 두 점 $A(x_1, y_1)$, $B(x_2, y_2)$ 사이의 거리는 $\overline{AB}=\sqrt{(x_1-x_2)^2+(y_1-y_2)^2}$임을 배웠다.

좌표평면에서의 두 점 사이 거리와 좌표공간에서의 두 점 사이 거리는 무엇이 다를까?

다른 것은 z좌표뿐이다!

두 점 사이의 거리 중요!

(1) 좌표공간에서 두 점 $A(x_1, y_1, z_1)$, $B(x_2, y_2, z_2)$ 사이의 거리는

➡ $\overline{AB}=\sqrt{(x_1-x_2)^2+(y_1-y_2)^2+(z_1-z_2)^2}$

(2) 좌표공간에서 원점 $O(0, 0, 0)$과 점 $A(x_1, y_1, z_1)$ 사이의 거리는

➡ $\overline{OA}=\sqrt{x_1^2+y_1^2+z_1^2}$

| 증명 | 좌표공간에서 두 점 $A(x_1, y_1, z_1)$, $B(x_2, y_2, z_2)$ 사이의 거리를 구해 보자.

(i) 선분 AB가 어느 좌표평면과도 평행하지 않을 때

오른쪽 그림과 같이 선분 AB를 대각선으로 하고 각 면이 좌표평면에 평행한 직육면체를 생각하면

$\overline{MN}=|x_2-x_1|$, $\overline{AM}=|y_2-y_1|$, $\overline{BN}=|z_2-z_1|$ …… ㉠

이때 삼각형 AMN은 직각삼각형이므로

$\overline{AN}^2=\overline{AM}^2+\overline{MN}^2$

이고, 삼각형 ANB도 직각삼각형이므로

$\overline{AB}^2=\overline{AN}^2+\overline{BN}^2=(\overline{AM}^2+\overline{MN}^2)+\overline{BN}^2$

위의 식에 ㉠을 대입하여 정리하면

$\overline{AB}^2=(x_2-x_1)^2+(y_2-y_1)^2+(z_2-z_1)^2$

$\therefore \overline{AB}=\sqrt{(x_2-x_1)^2+(y_2-y_1)^2+(z_2-z_1)^2}$ …… ㉡

z, z_2, B, z_1, N, A, O, y_1, M, y_2, y, x_2, x_1, x

(ii) 선분 AB가 세 좌표평면 중 하나와 평행할 때에도 ㉡은 성립한다.

특히, 원점 $O(0, 0, 0)$과 점 $A(x_1, y_1, z_1)$ 사이의 거리는

$\overline{OA}=\sqrt{(x_1-0)^2+(y_1-0)^2+(z_1-0)^2}=\sqrt{x_1^2+y_1^2+z_1^2}$

| 참고 | 두 점 A, B가 xy평면 위에 있을 때에는 z좌표가 0이므로 두 점 A, B 사이의 거리는 $\sqrt{(x_2-x_1)^2+(y_2-y_1)^2}$

| 개념확인 | 다음 두 점 사이의 거리를 구하여라.

(1) $O(0, 0, 0)$, $A(-2, 3, 1)$　　(2) $A(2, 1, 3)$, $B(-1, 1, 2)$

› 풀이 (1) 두 점 $O(0, 0, 0)$, $A(-2, 3, 1)$ 사이의 거리는

$\overline{OA}=\sqrt{(-2)^2+3^2+1^2}=\sqrt{14}$

(2) 두 점 $A(2, 1, 3)$, $B(-1, 1, 2)$ 사이의 거리는

$\overline{AB}=\sqrt{(-1-2)^2+(1-1)^2+(2-3)^2}=\sqrt{9+0+1}=\sqrt{10}$

323 다음 물음에 답하여라.

(1) 점 $P(2, -1, 3)$과 x축에 대하여 대칭인 점이 A, yz평면에 대하여 대칭인 점이 B일 때, 두 점 A, B 사이의 거리를 구하여라.

(2) 두 점 $A(1, 2, -3)$, $B(3, a, 1)$ 사이의 거리가 $2\sqrt{6}$일 때, a의 값을 모두 구하여라.

풍산자日 좌표평면 위의 두 점 사이의 거리 공식에 z좌표를 추가하기만 하면 된다.

➡ 두 점 $A(x_1, y_1, z_1)$, $B(x_2, y_2, z_2)$ 사이의 거리는

$\overline{AB}=\sqrt{(x_1-x_2)^2+(y_1-y_2)^2+(z_1-z_2)^2}$

> 풀이

(1) $A(2, 1, -3)$, $B(-2, -1, 3)$이므로

$\overline{AB}=\sqrt{(-2-2)^2+(-1-1)^2+\{3-(-3)\}^2}=\mathbf{2\sqrt{14}}$

(2) $\overline{AB}=2\sqrt{6}$에서 $\overline{AB}^2=24$이므로

$(3-1)^2+(a-2)^2+\{1-(-3)\}^2=24$, $a^2-4a=0$, $a(a-4)=0$

$\therefore a=\mathbf{0}$ 또는 $a=\mathbf{4}$

정답과 풀이 48쪽

유제 **324** 좌표공간의 세 점 $A(5, -2, 3)$, $B(3, 1, 2)$, $C(a, -1, 1)$에 대하여 $\overline{AB}=\overline{BC}$일 때, 양수 a의 값을 구하여라.

325 좌표공간의 두 점 $A(-1, 1, 3)$, $B(3, 2, -2)$로부터 같은 거리에 있는 y축 위의 점을 C라 할 때, 점 C의 좌표를 구하여라.

풍산자日 좌표축이나 좌표평면 위의 점의 좌표를 정할 때는 관계없는 좌표를 0으로 놓는다.

➡ ☆축 위의 점은 ☆좌표 빼고 나머지 좌표는 모두 0,

☆◎평면 위의 점은 ☆좌표, ◎좌표가 아닌 좌표는 0으로 놓는다.

> 풀이

점 C는 y축 위의 점이므로 $C(0, a, 0)$으로 놓을 수 있다.

$\overline{AC}=\overline{BC}$에서 $\overline{AC}^2=\overline{BC}^2$이므로

$\{0-(-1)\}^2+(a-1)^2+(0-3)^2=(0-3)^2+(a-2)^2+\{0-(-2)\}^2$

$a^2-2a+11=a^2-4a+17$, $2a=6$ $\therefore a=3$

$\therefore \mathbf{C(0, 3, 0)}$

정답과 풀이 48쪽

유제 **326** 좌표공간의 세 점 $A(4, 0, 0)$, $B(2, 1, -1)$, $C(-3, 2, 1)$로부터 같은 거리에 있는 yz평면 위의 점을 $P(a, b, c)$라 할 때, $a+b+c$의 값을 구하여라.

327 좌표공간의 두 점 $A(2,\ 3,\ -4)$, $B(-1,\ 2,\ -1)$과 xy평면 위의 점 P에 대하여 $\overline{AP}+\overline{BP}$의 최솟값을 구하여라.

풍산자日 일단 두 점이 xy평면을 기준으로 같은 쪽에 있는지 다른 쪽에 있는지 확인한다.

- 같은 쪽에 있으면?
  ➡ A, B 중 한 점을 xy평면에 대하여 대칭이동시켜 생각!
- 다른 쪽에 있으면?
  ➡ 구하는 최솟값은 선분 AB의 길이! 물론 이런 문제가 나오진 않겠지만.

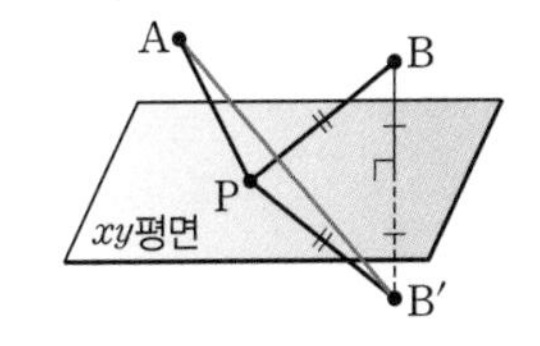

> 풀이 두 점 A, B의 z좌표의 부호가 같으므로 두 점은 xy평면을 기준으로 같은 쪽에 있다.
점 B와 xy평면에 대하여 대칭인 점을 B′이라 하면 xy평면 위의 점 P에 대하여 $\overline{BP}=\overline{B'P}$이므로
$\overline{AP}+\overline{BP}=\overline{AP}+\overline{B'P}\geq\overline{AB'}$
이때 $B'(-1,\ 2,\ 1)$이므로 구하는 최솟값은
$\overline{AB'}=\sqrt{(-1-2)^2+(2-3)^2+\{1-(-4)\}^2}=\sqrt{35}$

정답과 풀이 48쪽

유제 **328** 좌표공간의 두 점 $A(-2,\ -4,\ 6)$, $B(-1,\ 2,\ a)$와 yz평면 위의 점 P에 대하여 $\overline{AP}+\overline{BP}$의 최솟값이 $3\sqrt{6}$일 때, a의 값을 구하여라. (단, $a>5$)

329 좌표공간의 두 점 $A(6,\ 1,\ -2)$, $B(2,\ 5,\ 1)$에 대하여 $\overline{AB}$의 yz평면 위로의 정사영의 길이가 a, zx평면 위로의 정사영의 길이가 b일 때, $a+b$의 값을 구하여라.

풍산자日 두 점 A, B의 각 평면 위로의 정사영은 각 점에서 그 평면에 내린 수선의 발!
정사영의 길이란 두 점에서 내린 수선의 발 사이의 거리로 구할 수 있다.

> 풀이 두 점 A, B의 yz평면 위로의 정사영을 각각 A′, B′이라 하면
$A'(0,\ 1,\ -2)$, $B'(0,\ 5,\ 1)$
$\therefore\ a=\overline{A'B'}=\sqrt{(0-0)^2+(5-1)^2+\{1-(-2)\}^2}=5$
두 점 A, B의 zx평면 위로의 정사영을 각각 A″, B″이라 하면
$A''(6,\ 0,\ -2)$, $B''(2,\ 0,\ 1)$
$\therefore\ b=\overline{A''B''}=\sqrt{(2-6)^2+(0-0)^2+\{1-(-2)\}^2}=5$
$\therefore\ a+b=5+5=10$

정답과 풀이 48쪽

유제 **330** 좌표공간의 두 점 $A(1,\ 2,\ 3)$, $B(4,\ 6,\ 8)$에 대하여 직선 AB와 xy평면이 이루는 각의 크기를 구하여라.

04 선분의 내분점과 외분점

우리는 좌표평면에서 두 점 $A(x_1, y_1)$, $B(x_2, y_2)$에 대하여 선분 AB를 $m:n$ $(m>0, n>0)$으로 내분하는 점 P와 외분하는 점 Q의 좌표는 각각

$$P\left(\frac{mx_2+nx_1}{m+n}, \frac{my_2+ny_1}{m+n}\right), \ Q\left(\frac{mx_2-nx_1}{m-n}, \frac{my_2-ny_1}{m-n}\right) \ (m \neq n)$$

이라 배웠다.

좌표평면에서의 내분점, 외분점과 좌표공간에서의 내분점, 외분점은 무엇이 다를까?

다른 것은 z좌표뿐이다!

선분의 내분점과 외분점 중요!

좌표공간의 두 점 $A(x_1, y_1, z_1)$, $B(x_2, y_2, z_2)$에 대하여

(1) 선분 AB를 $m:n$ $(m>0, n>0)$으로 내분하는 점 P의 좌표는

$$\Rightarrow P\left(\frac{mx_2+nx_1}{m+n}, \frac{my_2+ny_1}{m+n}, \frac{mz_2+nz_1}{m+n}\right)$$

(2) 선분 AB를 $m:n$ $(m>0, n>0, m \neq n)$으로 외분하는 점 Q의 좌표는

$$\Rightarrow Q\left(\frac{mx_2-nx_1}{m-n}, \frac{my_2-ny_1}{m-n}, \frac{mz_2-nz_1}{m-n}\right)$$

| 설명 | 좌표공간에서의 내분점, 외분점 공식은 평면에서 사용했던 공식에 z좌표만 더해서 간다.

내분점, 외분점의 활용도 다르지 않다.

두 점의 중점의 좌표는 $1:1$ 내분점 공식을 사용하면 되고

삼각형의 무게중심도 좌표평면에서와 같은 방식으로 증명할 수 있다.

내분점, 외분점 공식의 활용

(1) 좌표공간의 두 점 $A(x_1, y_1, z_1)$, $B(x_2, y_2, z_2)$에 대하여 선분 AB의 중점 M의 좌표는

$$\Rightarrow M\left(\frac{x_1+x_2}{2}, \frac{y_1+y_2}{2}, \frac{z_1+z_2}{2}\right)$$

(2) 좌표공간의 세 점 $A(x_1, y_1, z_1)$, $B(x_2, y_2, z_2)$, $C(x_3, y_3, z_3)$을 꼭짓점으로 하는 $\triangle ABC$의 무게중심 G의 좌표는

$$\Rightarrow G\left(\frac{x_1+x_2+x_3}{3}, \frac{y_1+y_2+y_3}{3}, \frac{z_1+z_2+z_3}{3}\right)$$

| 설명 | 무게중심의 좌표는 좌표도 3종류, 점도 3종류.
계산하다 섞여 버리면 대략 난감.
x좌표는 x좌표끼리 계산해서 x좌표 자리에, y좌표는 y좌표끼리 계산해서 y좌표 자리에, z좌표는 z좌표끼리 계산해서 z좌표 자리에 딱딱!

한걸음 더

선분의 내분점의 확인

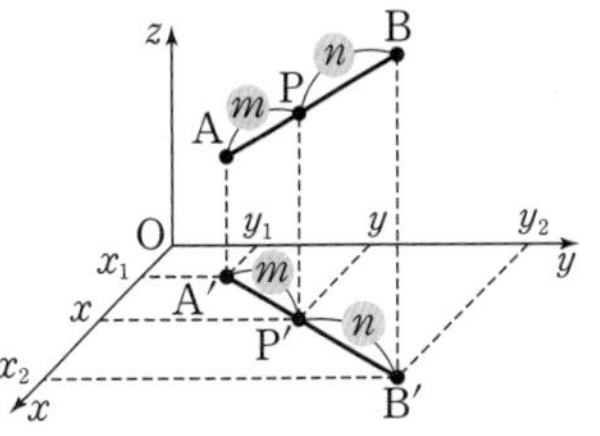

오른쪽 그림과 같이 좌표공간의 두 점 $A(x_1, y_1, z_1)$, $B(x_2, y_2, z_2)$에 대하여 선분 AB를 $m:n$ $(m>0, n>0)$으로 내분하는 점을 $P(x, y, z)$라 하자.

세 점 A, B, P의 xy평면 위로의 정사영을 각각 A′, B′, P′이라 하면

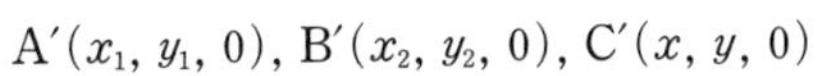

$A'(x_1, y_1, 0)$, $B'(x_2, y_2, 0)$, $C'(x, y, 0)$

이때 $\overline{AP}:\overline{PB}=\overline{A'P'}:\overline{P'B'}=m:n$이므로 선분 A′B′의 내분점의 좌표를 xy평면에서 생각하면

$$x=\frac{mx_2+nx_1}{m+n},\ y=\frac{my_2+ny_1}{m+n}$$

같은 방법으로 세 점 A, B, P의 yz평면 (또는 zx평면) 위로의 정사영을 이용하여 점 P의 z좌표를 구하면

$$z=\frac{mz_2+nz_1}{m+n}$$

따라서 선분 AB를 $m:n$ $(m>0, n>0)$으로 내분하는 점 P의 좌표는

$$P\left(\frac{mx_2+nx_1}{m+n},\ \frac{my_2+my_1}{m+n},\ \frac{mz_2+nz_1}{m+n}\right)$$

선분의 외분점의 확인

좌표공간의 두 점 $A(x_1, y_1, z_1)$, $B(x_2, y_2, z_2)$에 대하여 선분 AB를 $m:n$ $(m>0, n>0, m\neq n)$으로 외분하는 점을 Q라 할 때, 좌표공간에서 세 점 A, B, Q의 xy평면 위로의 정사영, yz평면(또는 zx평면) 위로의 정사영을 이용하여 내분점을 구한 것과 같은 방법으로 구할 수 있다.

따라서 선분 AB를 $m:n$ $(m>0, n>0, m\neq n)$으로 외분하는 점 Q의 좌표는

$$Q\left(\frac{mx_2-nx_1}{m-n},\ \frac{my_2-ny_1}{m-n},\ \frac{mz_2-nz_1}{m-n}\right)$$

삼각형의 무게중심의 확인

오른쪽 그림과 같이 좌표공간의 세 점 $A(x_1, y_1, z_1)$, $B(x_2, y_2, z_2)$, $C(x_3, y_3, z_3)$을 꼭짓점으로 하는 삼각형 ABC에서 변 BC의 중점을 M이라 하면

$$M\left(\frac{x_2+x_3}{2},\ \frac{y_2+y_3}{2},\ \frac{z_2+z_3}{2}\right)$$

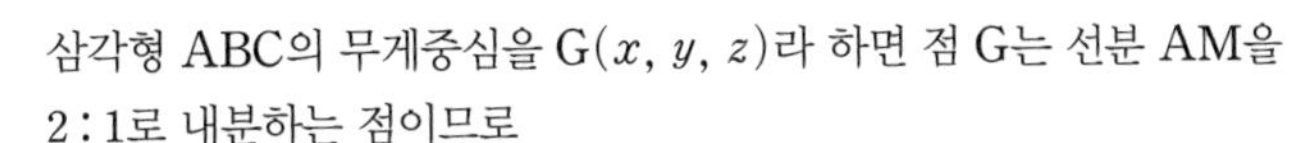

삼각형 ABC의 무게중심을 $G(x, y, z)$라 하면 점 G는 선분 AM을 2:1로 내분하는 점이므로

$$x=\frac{2\times\frac{x_2+x_3}{2}+1\times x_1}{2+1}=\frac{x_1+x_2+x_3}{3},\ y=\frac{2\times\frac{y_2+y_3}{2}+1\times y_1}{2+1}=\frac{y_1+y_2+y_3}{3}$$

$$z=\frac{2\times\frac{z_2+z_3}{2}+1\times z_1}{2+1}=\frac{z_1+z_2+z_3}{3}$$

따라서 삼각형 ABC의 무게중심 G의 좌표는

$$G\left(\frac{x_1+x_2+x_3}{3},\ \frac{y_1+y_2+y_3}{3},\ \frac{z_1+z_2+z_3}{3}\right)$$

331 두 점 A(1, 2, 3), B(4, 5, 6)에 대하여 선분 AB를 1 : 2로 내분하는 점을 P, 1 : 2로 외분하는 점을 Q, 선분 PQ의 중점을 M이라 할 때, 세 점 P, Q, M의 좌표를 각각 구하여라.

풍산자曰 좌표평면 위의 두 점을 잇는 선분의 내분점, 외분점 공식에 z좌표만 추가하면 끝. x좌표는 x좌표끼리, y좌표는 y좌표끼리, z좌표는 z좌표끼리! 곱하고 더하고 정신없지만 혼동하지 말자.

> 풀이

선분 AB를 1 : 2로 내분하는 점이 P이므로

$$\mathrm{P}\left(\frac{1\times4+2\times1}{1+2},\ \frac{1\times5+2\times2}{1+2},\ \frac{1\times6+2\times3}{1+2}\right) \qquad \therefore \mathbf{P(2,\ 3,\ 4)}$$

선분 AB를 1 : 2로 외분하는 점이 Q이므로

$$\mathrm{Q}\left(\frac{1\times4-2\times1}{1-2},\ \frac{1\times5-2\times2}{1-2},\ \frac{1\times6-2\times3}{1-2}\right) \qquad \therefore \mathbf{Q(-2,\ -1,\ 0)}$$

따라서 선분 PQ의 중점이 M이므로

$$\mathrm{M}\left(\frac{2+(-2)}{2},\ \frac{3+(-1)}{2},\ \frac{4+0}{2}\right) \qquad \therefore \mathbf{M(0,\ 1,\ 2)}$$

정답과 풀이 48쪽

유제 **332** 두 점 A(−1, 3, 4), B(2, 0, 1)에 대하여 선분 AB를 2 : 1로 내분하는 점을 P, 2 : 1로 외분하는 점을 Q라 할 때, 두 점 P, Q 사이의 거리를 구하여라.

333 두 점 A(4, 1, −2), B(2, −2, 4)를 이은 선분 AB가 xy평면에 의해 $m : n$으로 내분될 때, 서로소인 두 자연수 m, n에 대하여 m^2+n^2의 값을 구하여라.

풍산자曰 선분 AB가 xy평면에 의해 $m : n$으로 내분된다.
➡ 내분점이 xy평면 위에 있다. ➡ 내분점의 z좌표가 0이다.

> 풀이

선분 AB가 xy평면에 의해 $m : n$으로 내분되므로 xy평면 위의 점이 선분 AB를 $m : n$으로 내분한다.
이때 xy평면 위의 점의 z좌표는 0이므로 내분점의 z좌표도 0이다.

즉, $0=\frac{m\times4+n\times(-2)}{m+n}$이므로 $4m-2n=0$ $\qquad \therefore n=2m$

따라서 $m : n=m : 2m=1 : 2$이므로 $m^2+n^2=1^2+2^2=\mathbf{5}$

정답과 풀이 49쪽

유제 **334** 두 점 A(1, −3, 5), B(−3, 1, 2)에 대하여 선분 AB가 yz평면에 의해 $1 : m$으로 내분될 때, 자연수 m의 값을 구하여라.

335 네 점 A, B, C, D를 꼭짓점으로 하는 평행사변형 ABCD에 대하여 A(1, 2, 3), B(4, 5, 4), C(3, 2, 1)일 때, 나머지 한 꼭짓점 D의 좌표를 구하여라.

풍산자日 평행사변형이라 콕 찍어 말한 이유는? 평행사변형의 성질을 이용하라는 것!
주어진 꼭짓점이 3개뿐인데 평행사변형의 성질 중 이웃하는 변의 길이에 대한 것은 없다.
각의 크기에 대한 성질도 이용할 수 없다.
그렇다면 남은 것은? 두 대각선이 서로를 이등분한다는 성질!

> 풀이 평행사변형의 두 대각선은 서로를 이등분하므로 두 대각선의 중점은 일치한다.
대각선 AC의 중점을 M이라 하면

$M\left(\frac{1+3}{2}, \frac{2+2}{2}, \frac{3+1}{2}\right)$ $\quad\therefore$ M(2, 2, 2)

평행사변형의 나머지 한 꼭짓점 D의 좌표를 D(a, b, c)라 하면
점 M과 대각선 BD의 중점이 일치하므로

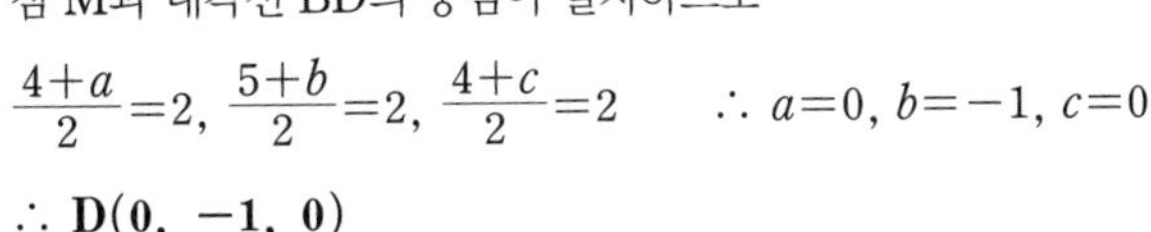

$\frac{4+a}{2}=2, \frac{5+b}{2}=2, \frac{4+c}{2}=2 \quad \therefore a=0, b=-1, c=0$

$\therefore$ **D(0, −1, 0)**

정답과 풀이 **49쪽**

유제 **336** 네 점 A, B, C, D를 꼭짓점으로 하는 평행사변형 ABCD에 대하여 A(−3, 2, 5), B(2, 5, 3)이고 두 대각선의 교점 M의 좌표가 M(−1, 3, 4)일 때, $\overline{AD}$의 길이를 구하여라.

337 세 점 A$(a$, 1, 2), B(3, b, 4), C(5, 6, c)를 꼭짓점으로 하는 삼각형 ABC의 무게중심 G의 좌표가 G(7, 8, 9)일 때, a, b, c의 값을 각각 구하여라.

풍산자日 좌표평면에서의 삼각형의 무게중심 공식에 z좌표만 딱 얹으면 된다.

> 풀이 △ABC의 무게중심 G의 좌표가 G(7, 8, 9)이므로

$\frac{a+3+5}{3}=7, \frac{1+b+6}{3}=8, \frac{2+4+c}{3}=9$

$\therefore$ $\boldsymbol{a=13, b=17, c=21}$

정답과 풀이 **49쪽**

유제 **338** 좌표공간에 놓인 삼각형 ABC에서 $\overline{BC}$의 중점 M의 좌표가 M(3, 4, −1), 무게중심 G의 좌표가 G(−1, 3, 0)일 때, 삼각형 ABC의 꼭짓점 A의 좌표를 구하여라.

필수 확인 문제

* 더 많은 유형은 **풍산자필수유형 기하** 083쪽

정답과 풀이 49쪽

339

세 점 $A(2, 3, -1)$, $B(1, 2, 2)$, $C(a, -4, 0)$에 대하여 $2\overline{AB}=\overline{BC}$일 때, 양수 a의 값을 구하여라.

340

점 $P(-1, 4, 2)$를 xy평면 위로 정사영한 점을 A, zx평면 위로 정사영한 점을 B라 할 때, 선분 AB의 중점의 좌표를 구하여라.

341

좌표공간에서 점 $A(2, p, p-1)$과 x축에 대하여 대칭인 점을 B, 점 $C(q, r, 2)$와 z축에 대하여 대칭인 점을 D라 하자. 두 점 B, D가 원점에 대하여 대칭일 때, $p+q+r$의 값을 구하여라.

342

세 점 $A(-2, 2, 1)$, $B(1, -1, 4)$, $C(1, 1, 2)$에 대하여 선분 AB를 $1:2$로 내분하는 점을 P, 선분 BC를 $2:1$로 외분하는 점을 Q라 하자. 두 점 P, Q의 yz평면 위로의 정사영을 각각 P', Q'이라 할 때, $\overline{P'Q'}$의 길이를 구하여라.

343

두 점 $A(3, 6, 4)$, $B(a, b, c)$를 이은 선분 AB가 xy평면에 의해 $2:1$로 내분되고, z축에 의해 $3:1$로 외분된다고 할 때, a, b, c의 값을 각각 구하여라.

344

좌표공간에 점 $P(4, 5, 6)$이 있다. 점 P를 xy평면에 대하여 대칭이동한 점을 A, z축에 대하여 대칭이동한 점을 B, 원점에 대하여 대칭이동한 점을 C라 할 때, 삼각형 ABC의 무게중심 G의 좌표를 구하여라.

2 구의 방정식

01 구의 방정식

좌표평면 위의 한 점에서 일정한 거리에 있는 모든 점들의 집합을 원이라 하고,
좌표공간의 한 점에서 일정한 거리에 있는 모든 점들의 집합을 구라 한다.
원과 구는 정의로 보면 큰 차이가 없다. 차이는 z좌표가 추가 되었다는 것 뿐!

구의 방정식 – 표준형 중요!

(1) 중심이 $\mathrm{C}(a, b, c)$이고 반지름의 길이가 r인 구의 방정식은

➡ $(x-a)^2+(y-b)^2+(z-c)^2=r^2$

(2) 중심이 $\mathrm{O}(0, 0, 0)$이고, 반지름의 길이가 r인 구의 방정식은

➡ $x^2+y^2+z^2=r^2$

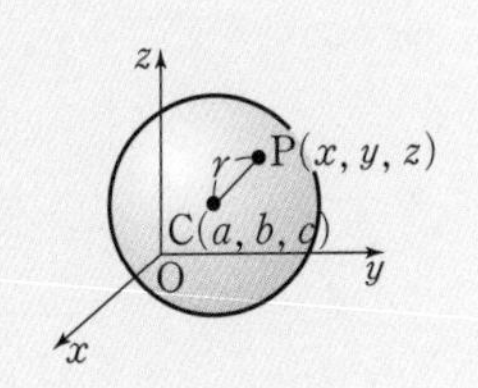

| 설명 | 구의 방정식은 정의에서 그대로 끌어낼 수 있다.
중심이 $\mathrm{C}(a, b, c)$, 반지름의 길이가 r인 구 위의 점을 $\mathrm{P}(x, y, z)$라 하면 구의 정의에 따라
$\overline{\mathrm{CP}}=r \iff \sqrt{(x-a)^2+(y-b)^2+(z-c)^2}=r \iff (x-a)^2+(y-b)^2+(z-c)^2=r^2$

구의 방정식 – 일반형

이차방정식 $x^2+y^2+z^2+Ax+By+Cz+D=0$ $(A^2+B^2+C^2-4D>0)$이 나타내는 도형

➡ 중심의 좌표가 $\left(-\frac{A}{2}, -\frac{B}{2}, -\frac{C}{2}\right)$, 반지름의 길이가 $\frac{\sqrt{A^2+B^2+C^2-4D}}{2}$인 구

| 설명 | $x^2+y^2+z^2+Ax+By+Cz+D=0$에서 $\left(x+\frac{A}{2}\right)^2+\left(y+\frac{B}{2}\right)^2+\left(z+\frac{C}{2}\right)^2=\frac{A^2+B^2+C^2-4D}{4}$로
변형할 수 있다. 여기서 구가 되려면 반지름의 길이가 0보다 커야하므로

$$\sqrt{\frac{A^2+B^2+C^2-4D}{4}}=\frac{\sqrt{A^2+B^2+C^2-4D}}{2}>0$$

따라서 $A^2+B^2+C^2-4D>0$인 조건이 필요하다.

| 개념확인 | 이차방정식 $x^2+y^2+z^2-2y+4z-4=0$이 나타내는 도형은 중심의 좌표가 (a, b, c)이고 반지름의 길이가 r인 구이다. a, b, c, r의 값을 각각 구하여라.

> 풀이 이차방정식 $x^2+y^2+z^2-2y+4z-4=0$에서 $x^2+(y^2-2y)+(z^2+4z)=4$
$x^2+(y^2-2y+1)+(z^2+4z+4)=4+1+4$ $\quad\therefore x^2+(y-1)^2+(z+2)^2=9$
따라서 주어진 이차방정식이 나타내는 도형은 중심의 좌표가 $(0, 1, -2)$이고
반지름의 길이가 3인 구이므로 $a=\mathbf{0}$, $b=\mathbf{1}$, $c=\mathbf{-2}$; $r=\mathbf{3}$

345 **다음 구의 방정식을 구하여라.**

(1) 중심의 좌표가 $(1,\ -2,\ 3)$이고 반지름의 길이가 4인 구

(2) 두 점 $\mathrm{A}(1,\ 2,\ 3)$, $\mathrm{B}(3,\ 4,\ 5)$를 지름의 양 끝점으로 하는 구

풍산자日 중심의 좌표가 $(a,\ b,\ c)$이고 반지름의 길이가 r인 구의 방정식은

➡ $(x-a)^2+(y-b)^2+(z-c)^2=r^2$

특히 지름의 양 끝점이 주어진 경우에는 지름의 중점이 구의 중심이다.

> 풀이 (1) $(x-1)^2+\{y-(-2)\}^2+(z-3)^2=4^2$ $\quad\therefore$ $\boldsymbol{(x-1)^2+(y+2)^2+(z-3)^2=16}$

(2) 구의 중심은 $\overline{\mathrm{AB}}$의 중점이므로 구의 중심의 좌표는

$\left(\dfrac{1+3}{2},\ \dfrac{2+4}{2},\ \dfrac{3+5}{2}\right)$ $\quad\therefore\ (2,\ 3,\ 4)$

A 중심 B

구의 반지름의 길이는

$\dfrac{1}{2}\overline{\mathrm{AB}}=\dfrac{1}{2}\sqrt{(3-1)^2+(4-2)^2+(5-3)^2}=\sqrt{3}$

따라서 구하는 구의 방정식은 $\boldsymbol{(x-2)^2+(y-3)^2+(z-4)^2=3}$

정답과 풀이 50쪽

유제 **346** **다음 구의 방정식을 구하여라.**

(1) 중심의 좌표가 $(2,\ 3,\ -1)$이고 반지름의 길이가 1인 구

(2) 두 점 $\mathrm{A}(-1,\ -3,\ 3)$, $\mathrm{B}(3,\ -1,\ 1)$을 지름의 양 끝점으로 하는 구

347 **네 점 $(0,\ 0,\ 0)$, $(1,\ 0,\ 0)$, $(0,\ 2,\ 0)$, $(0,\ 0,\ 3)$을 지나는 구의 방정식을 구하여라.**

풍산자日 구의 방정식을 구하는 대부분의 문제, 특히 중심의 좌표나 반지름의 길이가 주어진 경우 꼭 방정식을 $(x-a)^2+(y-b)^2+(z-c)^2=r^2$으로 놓고 푸는 것이 좋다.

하지만, 네 점의 좌표가 주어진 경우만은 $x^2+y^2+z^2+Ax+By+Cz+D=0$으로 놓는다.

> 풀이 구하는 구의 방정식을 $x^2+y^2+z^2+Ax+By+Cz+D=0$으로 놓으면

점 $(0,\ 0,\ 0)$을 지나므로 $D=0$

점 $(1,\ 0,\ 0)$을 지나므로 $1+A+D=0$ $\quad\therefore\ A=-1$

점 $(0,\ 2,\ 0)$을 지나므로 $4+2B+D=0$ $\quad\therefore\ B=-2$

점 $(0,\ 0,\ 3)$을 지나므로 $9+3C+D=0$ $\quad\therefore\ C=-3$

따라서 구하는 구의 방정식은 $\boldsymbol{x^2+y^2+z^2-x-2y-3z=0}$

정답과 풀이 50쪽

유제 **348** **네 점 $(0,\ 0,\ 0)$, $(0,\ -1,\ -1)$, $(3,\ 3,\ 0)$, $(5,\ 3,\ -4)$를 지나는 구의 중심의 좌표가 $(a,\ b,\ c)$이고 반지름의 길이가 r일 때, $a+b+c+r$의 값을 구하여라.**

02 좌표평면과 구

구와 좌표평면이 만나면 특이한 상황이 발생한다.

구가 좌표평면과 접할 때, 구가 좌표평면과 만날 때의 경우를 살펴보자.

좌표평면에 접하는 구의 방정식 중요!

중심이 C(a, b, c)이고

(1) xy평면에 접하는 구의 방정식 ➡ $(x-a)^2+(y-b)^2+(z-c)^2=c^2$

(2) yz평면에 접하는 구의 방정식 ➡ $(x-a)^2+(y-b)^2+(z-c)^2=a^2$

(3) zx평면에 접하는 구의 방정식 ➡ $(x-a)^2+(y-b)^2+(z-c)^2=b^2$

| 설명 | 구가 좌표평면과 접하면 구의 중심 C에서 그 좌표평면까지의 거리가 반지름의 길이가 된다.

xy평면에 접하면
(반지름의 길이)$=|$중심의 z좌표$|$
$=|c|$

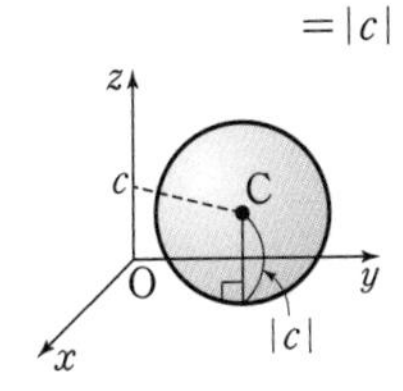

yz평면에 접하면
(반지름의 길이)$=|$중심의 x좌표$|$
$=|a|$

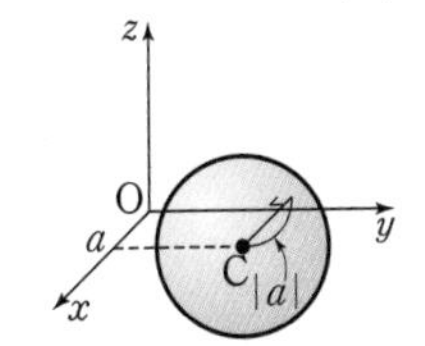

zx평면에 접하면
(반지름의 길이)$=|$중심의 y좌표$|$
$=|b|$

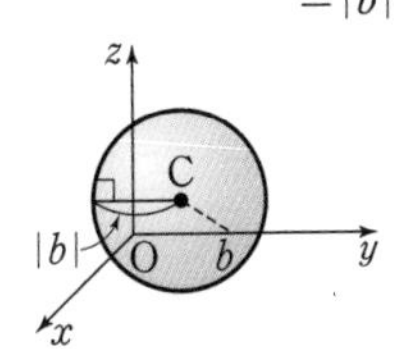

구와 좌표평면의 교선의 방정식

구 $(x-a)^2+(y-b)^2+(z-c)^2=r^2$과

(1) xy평면이 만나 생기는 교선의 방정식 ➡ $(x-a)^2+(y-b)^2=r^2-c^2\ (r^2>c^2)$

(2) yz평면이 만나 생기는 교선의 방정식 ➡ $(y-b)^2+(z-c)^2=r^2-a^2\ (r^2>a^2)$

(3) zx평면이 만나 생기는 교선의 방정식 ➡ $(x-a)^2+(z-c)^2=r^2-b^2\ (r^2>b^2)$

| 설명 | 구와 평면이 만나서 생기는 도형은 원이다.

그런데 한 좌표평면 위의 점은 관계없는 좌표가 모두 0이다.

예를 들어 어떤 구와 xy평면이 만나서 생기는 교선은 z좌표가 0인 구 위의 점들을 의미한다.

즉, 구 $(x-a)^2+(y-b)^2+(z-c)^2=r^2$과 평면 $z=0$의 교선의 방정식은

$(x-a)^2+(y-b)^2+(0-c)^2=r^2$ ➡ $(x-a)^2+(y-b)^2=r^2-c^2$

나머지 경우도 마찬가지이다.

한걸음 더

공간에서 두 구의 위치 관계

두 구 C, C'의 반지름의 길이를 각각 r, $r'\ (r>r')$, 두 구의 중심 사이의 거리를 d라 할 때,

① $d>r+r'$ ⟺ 구 C의 외부에 구 C'이 있다.

② $d=r+r$ ⟺ 두 구 C, C'이 서로의 밖에서 접한다.(외접한다.)

③ $r-r'<d<r+r'$ ⟺ 구 C와 구 C'이 한 원에서 만난다.

④ $d=r-r'$ ⟺ 구 C'이 구 C의 내부에서 접한다.(내접한다.)

⑤ $0\le d<r-r'$ ⟺ 구 C의 내부에 구 C'이 있다.

349 **중심의 좌표가 $(3,\ 4,\ 5)$이고, 다음 조건을 만족시키는 구의 방정식을 구하여라.**

(1) xy평면에 접하는 구 (2) yz평면에 접하는 구 (3) zx평면에 접하는 구

풍산자日 구가 좌표평면과 접하면 구의 중심에서 그 좌표평면까지의 거리가 반지름의 길이이다.

> 풀이 (1) (반지름의 길이)$=|$중심의 z좌표$|=5$이므로

$(x-3)^2+(y-4)^2+(z-5)^2=25$

(2) (반지름의 길이)$=|$중심의 x좌표$|=3$이므로

$(x-3)^2+(y-4)^2+(z-5)^2=9$

(3) (반지름의 길이)$=|$중심의 y좌표$|=4$이므로

$(x-3)^2+(y-4)^2+(z-5)^2=16$

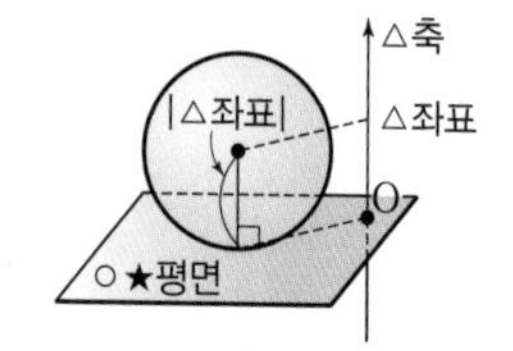

정답과 풀이 50쪽

유제 **350** **xy평면, yz평면, zx평면에 동시에 접하는 구가 점 $(1,\ 1,\ 2)$를 지날 때, 이 구의 부피를 구하여라. (단, 구의 반지름의 길이는 1보다 크다.)**

351 **다음을 구하여라.**

(1) 구 $x^2+y^2+z^2-2x-4y-6z+5=0$과 z축이 두 점 A, B에서 만날 때, $\overline{AB}$의 길이

(2) 구 $(x-1)^2+(y-2)^2+(z-3)^2=25$가 xy평면과 만나서 생기는 도형의 둘레의 길이

풍산자日 ◎축, ☆축, △축으로 이루어진 좌표공간에서 좌표축 또는 좌표평면과 도형이 만날 때,

➡ ◎축과 만나면 ☆$=0$, △$=0$

➡ ◎☆평면과 만나면 △$=0$

> 풀이 (1) 구와 z축의 두 교점 A, B는 z축 위의 점이므로

$x=0$, $y=0$을 구의 방정식에 대입하면

$z^2-6z+5=0$, $(z-1)(z-5)=0$ $\therefore z=1$ 또는 $z=5$

따라서 $A(0,\ 0,\ 1)$, $B(0,\ 0,\ 5)$ 또는 $A(0,\ 0,\ 5)$, $B(0,\ 0,\ 1)$이므로 $\overline{AB}=\mathbf{4}$

(2) 구와 xy평면이 만나서 생기는 도형은 xy평면 위의 점으로 이루어진 도형이므로

$z=0$을 구의 방정식에 대입하면

$(x-1)^2+(y-2)^2+(0-3)^2=25$ $\therefore (x-1)^2+(y-2)^2=16$

따라서 구와 xy평면이 만나서 생기는 도형은 중심의 좌표가 $(1,\ 2,\ 0)$, 반지름의 길이가 4인 원이므로 이 도형의 둘레의 길이는 $2\pi\times4=\mathbf{8\pi}$

정답과 풀이 51쪽

유제 **352** **구 $(x-1)^2+(y-1)^2+(z-1)^2=r^2$과 y축이 만나는 두 점 사이의 거리가 4일 때, 양수 r의 값을 구하여라.**

353 점 $A(3, 4, 5)$에서 구 $(x-1)^2+(y-2)^2+(z-3)^2=4$에 그은 접선의 길이를 구하여라.

풍산자日 접점을 B라 하면 아래 그림에서 선분 AB의 길이를 구하라는 소리.
그런데 삼각형 ABC는 $\angle B=90°$인 직각삼각형이므로 피타고라스 정리를 이용한다.

> 풀이 구의 중심을 C, 접점을 B라 하고 구의 반지름의 길이를 r라 하면
$C(1, 2, 3)$, $r=2$
$\therefore \overline{AC}=\sqrt{(1-3)^2+(2-4)^2+(3-5)^2}=2\sqrt{3}$, $\overline{BC}=2$
이때 구 밖의 점에서 구에 그은 접선은 그 접점과 구의 중심을 이은 반지름에 수직이므로 오른쪽 그림에서 $\triangle ABC$는 $\angle ABC=90°$인 직각삼각형이다.
따라서 구하는 접선의 길이는
$\overline{AB}=\sqrt{\overline{AC}^2-\overline{BC}^2}=\sqrt{(2\sqrt{3})^2-2^2}=\sqrt{8}=\mathbf{2\sqrt{2}}$

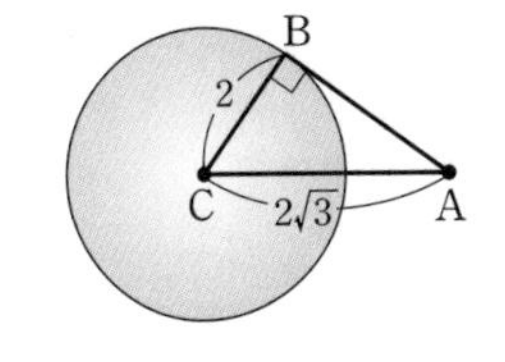

정답과 풀이 51쪽

유제 354 점 $A(5, 4, 3)$에서 구 $(x-1)^2+(y+2)^2+z^2=36$에 그은 접선의 길이를 구하여라.

355 점 $A(1, 2, 3)$과 구 $(x+2)^2+(y-2)^2+(z+1)^2=4$ 위의 점 사이의 거리의 최댓값을 M, 최솟값을 m이라 할 때, Mm의 값을 구하여라.

풍산자日 구 밖의 점과 구 위의 점 사이의 거리가 최대일 때, 최소일 때는 모두 구 위의 점이 구 밖의 점과 구의 중심을 연결한 직선 위에 있을 때이다.
➡ (최대 거리)=(점과 중심 사이의 거리)+(반지름의 길이)
(최소 거리)=(점과 중심 사이의 거리)−(반지름의 길이)

> 풀이 구의 중심을 C, 반지름의 길이를 r라 하면 $C(-2, 2, -1)$, $r=2$
$\therefore \overline{AC}=\sqrt{(-2-1)^2+(2-2)^2+(-1-3)^2}=5$
오른쪽 그림과 같이 직선 AC와 구가 만나는 점 중 점 A에 가까운 점을 P, 점 A에서 멀리 있는 점을 Q라 하면
$M=\overline{AQ}=\overline{AC}+\overline{CQ}=\overline{AC}+r=5+2=7$,
$m=\overline{AP}=\overline{AC}-\overline{CP}=\overline{AC}-r=5-2=3$
$\therefore Mm=7\times3=\mathbf{21}$

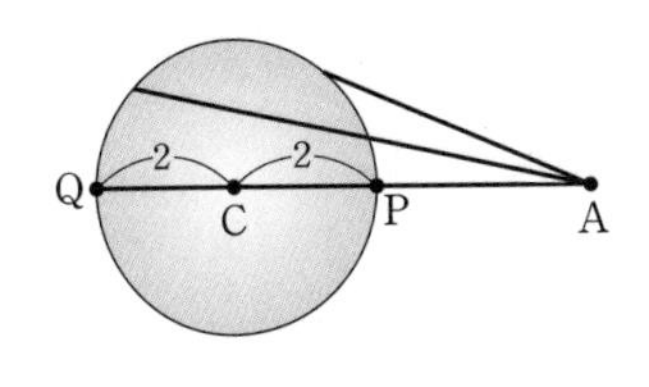

정답과 풀이 51쪽

유제 356 구 $(x-1)^2+(y-2)^2+(z-4)^2=1$ 위의 점에서 xy평면에 이르는 거리의 최댓값과 최솟값을 각각 구하여라.

필수 확인 문제

* 더 많은 유형은 **풍산자필수유형 기하** 083쪽

정답과 풀이 51쪽

357

두 점 A(2, −3, 5), B(−1, 0, −1)에 대하여 선분 AB를 1 : 2로 내분하는 점과 1 : 2로 외분하는 점을 지름의 양 끝점으로 하는 구의 방정식을 구하여라.

358

구 $x^2+y^2+z^2-6x-2y-2z+2=0$ 위의 점 A(1, 2, 3)을 한 끝점으로 하는 지름의 다른 끝점을 B라 할 때, 점 B의 좌표를 구하여라.

359

이차방정식 $x^2+y^2+z^2-6x-4y+9=0$이 나타내는 도형의 부피를 구하여라.

360

원점 O에서 구

$$x^2+y^2+z^2+4x-6y-8z+25=0$$

에 그은 접선의 길이를 구하여라.

361

구 $x^2+y^2+z^2-2x+4y-6z+k=0$을 zx평면으로 자른 단면의 넓이가 100π일 때, 상수 k의 값을 구하여라.

362

두 점 A(1, 2, 1), B(5, 6, 3)을 지름의 양 끝점으로 하는 구에 대하여 점 P(−1, −4, 1)에서 구 위의 점까지의 거리의 최솟값을 구하여라.

중단원 마무리

▶ 공간에서의 점의 좌표

공간좌표	(1) 좌표공간: 좌표축과 좌표평면이 정해진 공간 (2) 점 $\mathrm{P}(a, b, c)$에서 a는 점 P의 x좌표, b는 점 P의 y좌표, c는 점 P의 z좌표 (3) 좌표축 또는 좌표평면 위의 점 ① x축 위의 점: $(a, 0, 0)$, y축 위의 점: $(0, b, 0)$, z축 위의 점: $(0, 0, c)$ ② xy평면 위의 점: $(a, b, 0)$, yz평면 위의 점: $(0, b, c)$, zx평면 위의 점: $(a, 0, c)$
공간에서의 점의 이동	(1) 수선의 발: 점 $\mathrm{P}(a, b, c)$에서 x축에 내린 수선의 발: $(a, 0, 0)$, xy평면에 내린 수선의 발: $(a, b, 0)$ ➡ 상관없는 좌표가 0이 된다. (2) 대칭이동: 점 $\mathrm{P}(a, b, c)$를 대칭이동할 때, ① x축에 대하여 대칭이동한 점은 y, z좌표에 마이너스 ➡ $(a, -b, -c)$ ② xy평면에 대하여 대칭이동한 점은 z좌표에 마이너스 ➡ $(a, b, -c)$ ➡ 상관없는 좌표에 마이너스가 붙는다.
두 점 사이의 거리	좌표공간에서 두 점 $\mathrm{A}(x_1, y_1, z_1)$, $\mathrm{B}(x_2, y_2, z_2)$ 사이의 거리는 ➡ $\overline{\mathrm{AB}}=\sqrt{(x_1-x_2)^2+(y_1-y_2)^2+(z_1-z_2)^2}$
내분점, 외분점	두 점 $\mathrm{A}(x_1, y_1, z_1)$, $\mathrm{B}(x_2, y_2, z_2)$에 대하여 선분 AB를 (1) $m:n(m>0, n>0)$으로 내분하는 점 P의 좌표는 ➡ $\mathrm{P}\left(\frac{mx_2+nx_1}{m+n}, \frac{my_2+ny_1}{m+n}, \frac{mz_2+nz_1}{m+n}\right)$ (2) $m:n(m>0, n>0, m\neq n)$으로 외분하는 점 Q의 좌표는 ➡ $\mathrm{Q}\left(\frac{mx_2-nx_1}{m-n}, \frac{my_2-ny_1}{m-n}, \frac{mz_2-nz_1}{m-n}\right)$

▶ 구의 방정식

구의 방정식	(1) 표준형: 중심이 $\mathrm{C}(a, b, c)$이고 반지름의 길이가 r인 구의 방정식은 ➡ $(x-a)^2+(y-b)^2+(z-c)^2=r^2$ (2) 일반형: 이차방정식 $x^2+y^2+z^2+Ax+By+Cz+D=0$이 나타내는 도형은 ➡ 중심의 좌표가 $\left(-\frac{A}{2}, -\frac{B}{2}, -\frac{C}{2}\right)$, 반지름의 길이가 $\frac{\sqrt{A^2+B^2+C^2-4D}}{2}$ 인 구
좌표평면과 구	(1) xy평면에 접하는 구의 방정식 ➡ $(x-a)^2+(y-b)^2+(z-c)^2=c^2$ (2) yz평면에 접하는 구의 방정식 ➡ $(x-a)^2+(y-b)^2+(z-c)^2=a^2$ (3) zx평면에 접하는 구의 방정식 ➡ $(x-a)^2+(y-b)^2+(z-c)^2=b^2$

실전 연습문제

STEP1

363
그림과 같이 세 모서리 OE, OG, OD가 각각 x축, y축, z축에 놓여 있는 직육면체가 있다. 꼭짓점 B의 좌표가

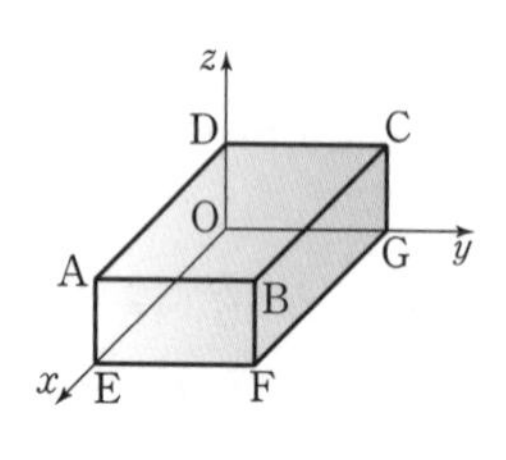

B$(a,\ b,\ 3)$이고 꼭짓점 A와 y축에 대하여 대칭인 점의 좌표가 $(-5,\ c,\ -3)$, 꼭짓점 C와 xy평면에 대하여 대칭인 점의 좌표가 $(d,\ 4,\ -3)$일 때, $a+b+c+d$의 값을 구하여라.

364
두 점 A$(5,\ -2,\ -1)$, B$(2,\ 1,\ -2)$와 x축 위의 점 C$(a,\ 0,\ 0)$에 대하여 삼각형 ABC가 $\overline{\mathrm{AB}}$를 빗변으로 하는 직각삼각형일 때, a의 값을 구하여라. (단, $a>2$)

365
두 점 A$(-2,\ -1,\ 3)$, B$(3,\ 1,\ 2)$와 xy평면 위를 움직이는 점 P에 대하여 삼각형 ABP의 둘레의 길이의 최솟값을 구하여라.

366
좌표공간의 세 점 A$(3,\ 0,\ 0)$, B$(0,\ 3,\ 0)$, C$(0,\ 0,\ 3)$에 대하여 선분 BC를 $2:1$로 내분하는 점을 P, 선분 AC를 $1:2$로 내분하는 점을 Q라 하자. 두 점 P, Q의 xy평면 위로의 정사영을 각각 P′, Q′이라 할 때, 삼각형 OP′Q′의 넓이를 구하여라. (단, O는 원점이다.)

367
두 점 A$(4,\ 1,\ 3a)$, B$(1,\ -2,\ -3)$을 이은 선분 AB를 $2:1$로 내분하는 점 P와 $2:1$로 외분하는 점 Q 사이의 거리가 $4\sqrt{6}$이 되도록 하는 음수 a의 값을 구하여라.

368
좌표공간의 두 점 A$(0,\ 0,\ 0)$, B$(3,\ 0,\ 0)$으로부터의 거리의 비가 $2:1$인 점 P의 자취는 구이다. 이 구의 중심의 좌표와 반지름의 길이를 구하여라.

369

구 $x^2+y^2+z^2=9$ 위의 점 A와 점 B$(-2, 4, 6)$에 대하여 선분 AB의 중점이 그리는 도형은 구이다. 이 구의 겉넓이를 구하여라.

370

구 $(x-2)^2+(y-6)^2+(z-8)^2=89$와 z축이 서로 다른 두 점 A, B에서 만날 때, 선분 AB의 길이를 구하여라.

371

구 $x^2+y^2+z^2-4x-6y-2kz+14=0$이 yz평면, zx평면과 만나서 생기는 원의 넓이의 비가 $3:2$일 때, 양수 k의 값을 구하여라.

STEP 2

372

xy평면 위에 점 C$(-3, 1, 0)$을 중심으로 하고 반지름의 길이가 1인 원이 있다. 이 원 위의 점 P와 점 A$(-1, 1, 3)$ 사이의 거리의 최솟값을 구하여라.

373

두 점 A$(0, 0, 3)$, B$(3, 3, 3)$과 zx평면 위의 점 C에 대하여 삼각형 ABC가 정삼각형일 때, 점 C의 좌표를 모두 구하여라.

374

좌표공간의 두 점 A$(1, 2, 3)$, B$(3, 2, 1)$과 zx평면 위의 점 P, yz평면 위의 점 Q에 대하여 $\overline{AQ}+\overline{PQ}+\overline{PB}$의 최솟값을 구하여라.

정답과 풀이 55쪽

375

두 점 A(2, 3, -4), B(-1, 5, 6)을 이은 선분 AB는 xy평면에 의하여 $m:3$으로 내분되고, zx평면에 의하여 $3:n$으로 외분된다고 할 때, $m+n$의 값을 구하여라.

376

네 점 A(4, 1, -1), B(a, -2, 2), C(1, 1, 2), D(b, 2, 3)을 꼭짓점으로 하는 사면체 A$-$BCD가 정사면체일 때, 삼각형 BCD의 무게중심의 좌표를 구하여라. (단, $b>4$)

377

두 점 (1, 1, 1), (1, 1, 3)을 지나고 yz평면, zx평면에 동시에 접하는 구의 방정식을 모두 구하여라.

378

점 A(3, 0, 4)에서 구 $x^2+y^2+z^2=9$에 접선을 그을 때, 접점이 그리는 도형의 둘레의 길이를 구하여라.

379

좌표공간 위의 두 점 A(1, 2, 0), B(3, 0, 4)에 대하여 삼각형 ABP는 $\angle P=90°$인 직각삼각형이다. 원점 O에서 점 P까지의 거리의 최댓값과 최솟값을 각각 M, m이라 할 때, Mm의 값을 구하여라.

380

구 $x^2+y^2+z^2+2x-6z+6=0$ 위를 움직이는 점 P와 구 $x^2+y^2+z^2-6x-4y+2z+5=0$ 위를 움직이는 점 Q에 대하여 두 점 P, Q 사이의 거리의 최댓값과 최솟값의 합을 구하여라.

I. 이차곡선 9p

002 (1) $y^2=-12x$ (2) $x^2=-16y$

004 풀이 참조　006 7

008 (1) $y^2=-8(x-1)$ (2) $x^2=12(y-1)$
(3) $(x+1)^2=8(y-2)$

010 (1) 초점: $(-2, 2)$, 준선: $x=0$,
꼭짓점: $(-1, 2)$
(2) 초점: $\left(1, \frac{3}{2}\right)$, 준선: $y=\frac{1}{2}$,
꼭짓점: $(1, 1)$

012 $x^2-2x-4y-3=0$

014 $(y-1)^2=4(x-2)$
또는 $(y-1)^2=-16(x-7)$

015 $y^2=8x$

016 5　017 $\frac{3}{2}$　018 8

019 (1) 초점: $(0, 2)$, 준선: $y=0$,
꼭짓점: $(0, 1)$
(2) 초점: $\left(-\frac{3}{4}, -2\right)$, 준선: $x=-\frac{5}{4}$,
꼭짓점: $(-1, -2)$

020 $x=0$

022 (1) $\frac{x^2}{25}+\frac{y^2}{9}=1$ (2) $\frac{x^2}{11}+\frac{y^2}{36}=1$
(3) $\frac{x^2}{4}+\frac{y^2}{9}=1$

024 풀이 참조

026 (1) $\frac{x^2}{2}+\frac{y^2}{9}=1$ (2) $\frac{x^2}{16}+\frac{y^2}{25}=1$

028 $\frac{x^2}{9}+\frac{y^2}{25}=1$

030 16

032 (1) $\frac{(x-1)^2}{7}+\frac{(y-3)^2}{16}=1$
(2) $\frac{(x-2)^2}{16}+\frac{y^2}{12}=1$

034 풀이 참조

036 $\frac{x^2}{36}+\frac{y^2}{9}=1$

038 $\frac{x^2}{16}+\frac{y^2}{4}=1$

039 $3x^2+4y^2=12$

040 $2\sqrt{2}$　041 20　042 $4\sqrt{2}$

043 0　044 12

046 (1) $\frac{x^2}{9}-\frac{y^2}{7}=1$ (2) $\frac{x^2}{9}-\frac{y^2}{16}=-1$
(3) $\frac{x^2}{9}-\frac{y^2}{9}=-1$

048 풀이 참조

050 $\frac{x^2}{13}-\frac{y^2}{36}=-1$

052 $x^2-\frac{y^2}{2}=1$

054 56

056 (1) $\frac{(x-1)^2}{7}-\frac{(y-4)^2}{9}=-1$
(2) $\frac{x^2}{12}-\frac{(y-4)^2}{4}=-1$

058 풀이 참조

059 $x^2-\frac{y^2}{2}=-1$

060 $2\sqrt{3}$

061 $\frac{x^2}{4}-\frac{y^2}{12}=1$

062 10　063 $\sqrt{6}$　064 2

065 9　066 1　067 12

068 20　069 18

070 $(0, \sqrt{3})$, $(0, -\sqrt{3})$

071 $60°$　072 $12+6\sqrt{3}$

073 4　074 5　075 $4\sqrt{3}$

076 1　077 6　078 20

079 60　080 34

081 $a=2\sqrt{5}$, $b=\sqrt{5}$

082 1

084 (1) $m<0$ 또는 $0<m<\frac{1}{8}$
(2) $m=\frac{1}{8}$ (3) $m>\frac{1}{8}$

086 (1) $-\sqrt{3}<m<-1$ 또는 $-1<m<1$ 또는 $1<m<\sqrt{3}$
(2) $m=-\sqrt{3}$ 또는 $m=\sqrt{3}$
(3) $m<-\sqrt{3}$ 또는 $m>\sqrt{3}$

088 (1) $y=\frac{1}{2}x-\frac{1}{2}$ (2) $y=-3x-\frac{1}{6}$

090 $y=x-2$

092 (1) $y=x-1$ 또는 $y=-x+1$
(2) $y=-x+1$ 또는 $x=0$

094 (1) $y=\frac{1}{2}x\pm\sqrt{13}$ (2) $y=-3x\pm\sqrt{222}$

096 $3x-2y=8$

098 $y=1$ 또는 $2x+3y=5$

100 $8\sqrt{2}$

102 (1) 직선은 존재하지 않는다.
(2) $y=x\pm3\sqrt{2}$

104 $4x+5y=2$

106 $y=-\sqrt{2}x+1$ 또는 $y=\sqrt{2}x+1$

108 4π

110 (1) $\frac{dy}{dx}=\frac{-2x-y}{x+2y}$
(2) -2 (3) $y=-2x+2$

112 (1) $y=-\frac{\sqrt{3}}{3}x+\frac{4\sqrt{3}}{3}$ (2) $y=x-2$
(3) $y=2x-4$ (4) $y=-x+1$

113 $(-2, -1)$

114 $\frac{\sqrt{2}}{2}$ 115 12 116 $-\frac{4}{3}$

117 $\frac{72}{ab}$ 118 $\frac{2\sqrt{5}}{5}$ 119 1

120 2 121 4 122 $\frac{\sqrt{2}}{2}$

123 5 124 2 125 4

126 $-\frac{1}{16}$ 127 6

128 $m=\pm\frac{2}{3}$, $n\neq0$

129 3 130 $\frac{14\sqrt{5}}{5}$

II. 평면벡터 67p

132 (1) 1 (2) $\sqrt{2}$ (3) $\sqrt{5}$ (4) 1

134 (1) $\overrightarrow{OC}$, $\overrightarrow{FO}$, $\overrightarrow{ED}$
(2) $\overrightarrow{DO}$, $\overrightarrow{OA}$, $\overrightarrow{CB}$, $\overrightarrow{EF}$
(3) $\overrightarrow{EB}$, $\overrightarrow{AD}$, $\overrightarrow{DA}$, $\overrightarrow{CF}$, $\overrightarrow{FC}$

136 풀이 참조

138 풀이 참조

140 풀이 참조

142 (1) $\vec{a}+\vec{b}$ (2) $\vec{a}+\vec{b}+\vec{c}$ (3) $\vec{b}+\vec{c}$
(4) $-\vec{a}+\vec{c}$ (5) $-\vec{a}-\vec{b}+\vec{c}$ (6) $-\vec{a}-\vec{b}$

143 ③ 144 7 145 1

146 (1) 1 (2) $\sqrt{3}$ (3) 3 (4) 1

147 0

149 (1) $-7\vec{a}$ (2) $9\vec{a}+8\vec{b}$

151 (1) $\vec{x}=\vec{a}-2\vec{b}$ (2) $\vec{x}=\vec{a}$, $\vec{y}=-\vec{a}$

153 (1) $-\vec{a}+\vec{b}$ (2) $-2\vec{a}+\vec{b}$
(3) $-2\vec{a}+2\vec{b}$

155 (1) $\frac{1}{2}\vec{a}-\frac{1}{2}\vec{b}$ (2) $-\frac{1}{3}\vec{a}+\frac{1}{6}\vec{b}$
(3) $\frac{1}{6}\vec{a}+\frac{1}{6}\vec{b}$

157 (1) $6\sqrt{3}$ (2) 12 (3) 12

159 (1) $m=2$, $n=-1$ (2) $m=1$, $n=0$

061 -2 163 2

165 $\frac{1}{6}\vec{a}+\frac{1}{2}\vec{b}$

166 0 167 (1) 2 (2) $\sqrt{5}$

168 (1) $-2\vec{a}+\vec{b}$ (2) $-3\vec{a}+2\vec{b}$

169 15 170 -2

171 $m=\frac{4}{5}$, $n=\frac{3}{5}$

172 $2\sqrt{3}$, 11

173 ③ 174 0

175 (1) $2\sqrt{2}$ (2) $\sqrt{5}$ (3) $2\sqrt{5}$

176 $m=2$, $n=-3$

177 -1

178 평행사변형

179 400π 180 $-\frac{1}{2}$ 181 $-\frac{1}{2}$

182 50 183 $\frac{1}{2}$ 185 2

187 $-\frac{1}{2}\vec{a}+\frac{1}{6}\vec{b}+\frac{1}{3}\vec{c}$

189 -1 191 $2:3$

192 $\frac{9}{5}\vec{a}+\frac{6}{5}\vec{b}-2\vec{c}$

193 선분 AB를 1 : 3으로 내분하는 점

194 $m=\frac{3}{4}$, $n=1$

195 $\frac{12}{49}$

196 $\frac{1}{3}\vec{a}-\frac{1}{6}\vec{b}-\frac{1}{6}\vec{c}$

198 (1) $\vec{a}=(4,\ 3)$, $\vec{b}=(-2,\ 4)$, $\vec{c}=(2,\ -3)$
(2) 풀이 참조

200 $3\sqrt{5}$ **202** 9 **204** D$(1,\ -2)$

206 $\frac{1}{4}$ **208** 2π

210 (1) 2 (2) -2 (3) 2 (4) -8

212 3 **214** -2 **216** $\sqrt{97}$

218 135° **220** 120° **222** 6

224 $\vec{c}=\left(-\frac{1}{10},\ \frac{3}{10}\right)$, $\vec{d}=\left(\frac{21}{10},\ \frac{7}{10}\right)$

225 3 **226** 1 **227** $2\sqrt{39}$

228 60° **229** $3\sqrt{3}$ **230** 13

232 (1) $\frac{x-2}{-2}=\frac{y-1}{3}$ (2) $x=-1$

234 (1) $-x+2=\frac{y-3}{2}$ (2) $2x+3y-13=0$

236 $\frac{x-2}{2}=-y-1$

238 (1) $\frac{2\sqrt{5}}{5}$ (2) $\frac{\sqrt{2}}{2}$

240 (1) 45° (2) 30°

242 (1) 평행: $\frac{2}{3}$, 수직: $-\frac{3}{2}$
(2) 평행: $-\frac{3}{2}$, 수직: 6

244 4

246 (1) $(x-1)^2+(y-2)^2=4$
(2) $(x-1)^2+(y+2)^2=25$

247 4 **248** $-\frac{2}{3}$ **249** $\frac{7}{5}$

250 중심의 좌표가 $\left(\frac{1}{2},\ 1\right)$이고 반지름의 길이가 $\frac{\sqrt{5}}{2}$ 인 원

251 벡터 $\vec{a}$에 수직이고 점 A를 지나는 직선

252 $-6\sqrt{2}$ **253** 15 **254** 8

255 3 : 5 : 2 **256** -2, -10 **257** -2

258 6, -6 **259** 120° **260** 45°

261 P$(6,\ -2)$ **262** $\frac{1}{4}$ **263** $10+\sqrt{2}$

264 $\frac{29}{4}$ **265** $c<a=b$ **266** 26

267 60° **268** 10

269 $\frac{x}{3}=\frac{y+5}{2}$

270 10

III. 공간도형과 공간좌표 123p

272 8 274 13 276 ㄴ

278 $\frac{\sqrt{6}}{6}$ 279 7 280 10

281 ㄴ 282 $\frac{\sqrt{3}}{3}$

283 ㄱ, ㄴ, ㄷ, ㄹ

284 $\frac{1}{2}$ 286 $\frac{7\sqrt{5}}{5}$ 288 $\frac{\sqrt{3}}{3}$

290 12 292 12 294 $\frac{\sqrt{3}}{3}$

296 $3\sqrt{2}$ m 297 $\frac{1}{2}$ 298 $2\sqrt{6}$

299 $\frac{\sqrt{3}}{3}$ 300 32 301 $\frac{1}{4}$

302 $3\sqrt{13}\pi$ 303 ⑤ 304 8

305 9 306 ㄱ, ㄷ 307 $3\sqrt{3}$

308 ③ 309 $\frac{\sqrt{3}}{3}$ 310 9π

311 20 312 65 313 $\sqrt{2}$

314 $\frac{5}{4}$ 315 ④ 316 90°

317 $\frac{\sqrt{3}}{12}$ 318 $\frac{4}{3}$

320 차례로 C, F, B

322 (1) $A(1, 2, 0)$ (2) $B(-1, -2, -2)$
(3) $C(-1, -2, 2)$

324 6 326 1 328 9

330 45° 332 $4\sqrt{3}$ 334 3

336 $\sqrt{2}$ 338 $A(-9, 1, 2)$

339 3 340 $(-1, 2, 1)$

341 2 342 $2\sqrt{2}$

343 $a=1, b=2, c=-2$

344 $\left(-\frac{4}{3}, -\frac{5}{3}, -2\right)$

346 (1) $(x-2)^2+(y-3)^2+(z+1)^2=1$
(2) $(x-1)^2+(y+2)^2+(z-2)^2=6$

348 4 350 36π 352 $\sqrt{6}$

354 5

356 최댓값: 5, 최솟값: 3

357 $(x-3)^2+(y+4)^2+(z-7)^2=24$

358 $B(5, 0, -1)$

359 $\frac{32}{3}\pi$

360 5 361 -90 362 6

363 9 364 5 365 $\sqrt{30}+3\sqrt{6}$

366 1 367 -3

368 중심의 좌표: $(4, 0, 0)$, 반지름의 길이: 2

369 9π 370 14 371 $2\sqrt{5}$

372 $\sqrt{10}$

373 $C(3, 0, 0)$, $C(3, 0, 6)$

374 6 375 7

376 $\left(\frac{10}{3}, \frac{1}{3}, \frac{7}{3}\right)$

377 $(x-1)^2+(y-1)^2+(z-2)^2=1$,
$(x-3)^2+(y-3)^2+(z-2)^2=9$

378 $\frac{24}{5}\pi$ 379 3 380 12

풍산자

기하

정답과 풀이

지학사

풍산자

기하

정답과 풀이

I 이차곡선

1 이차곡선

002

(1) $y^2=4px$에서 $p=-3$이므로 $y^2=-12x$

(2) $x^2=4py$에서 $p=-4$이므로 $x^2=-16y$

답 (1) $y^2=-12x$ (2) $x^2=-16y$

004

(1) $4p=8$에서 $p=2$

$\therefore$ 초점: $(2, 0)$,

준선: $x=-2$

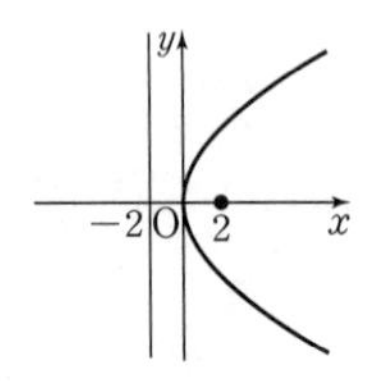

(2) $4p=-12$에서 $p=-3$

$\therefore$ 초점: $(-3, 0)$,

준선: $x=3$

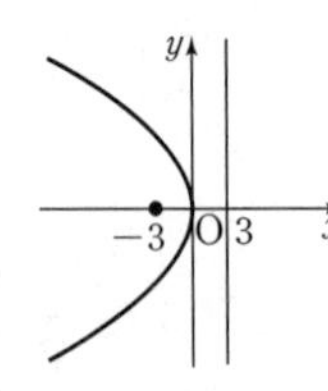

(3) $4p=2$에서 $p=\frac{1}{2}$

$\therefore$ 초점: $\left(0, \frac{1}{2}\right)$,

준선: $y=-\frac{1}{2}$

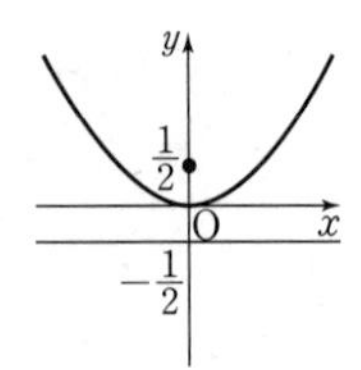

(4) $4p=-3$에서 $p=-\frac{3}{4}$

$\therefore$ 초점: $\left(0, -\frac{3}{4}\right)$,

준선: $y=\frac{3}{4}$

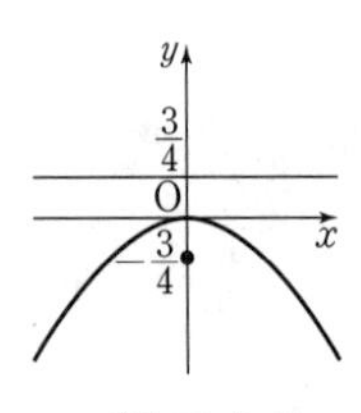

답 풀이 참조

006

포물선 $y^2=12x=4\times3\times x$에서 $p=3$이므로 초점의 좌표는 $F(3, 0)$이고 준선의 방정식은 $x=-3$이다.

오른쪽 그림과 같이 점 A에서 준선과 y축에 내린 수선의 발을 각각 H, B라 하면 포물선의 정의에 의하여

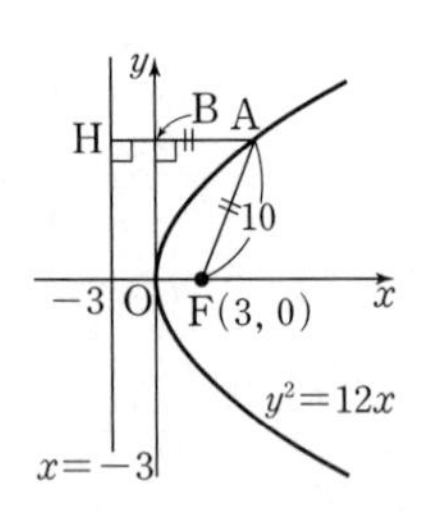

$\overline{AH}=\overline{AF}=10$

$\therefore \overline{AB}=\overline{AH}-\overline{BH}=10-3=7$

답 7

008

(1) 포물선 위의 한 점을 $P(x, y)$라 하고 점 P에서 준선에 내린 수선의 발을 H라 하면 점 H의 좌표는 $(3, y)$이므로

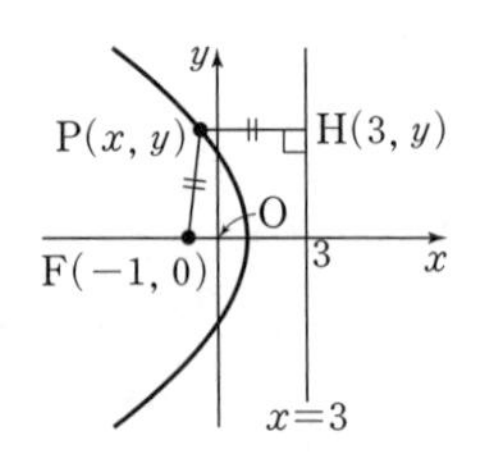

포물선의 정의에 의하여

$\overline{PF}=\overline{PH}$

$\therefore \sqrt{(x+1)^2+y^2}=|3-x|$

양변을 제곱하여 정리하면 $y^2=-8(x-1)$

(2) 포물선 위의 한 점을 $P(x, y)$라 하고 점 P에서 준선에 내린 수선의 발을 H라 하면 점 H의 좌표는 $(x, -2)$이므로

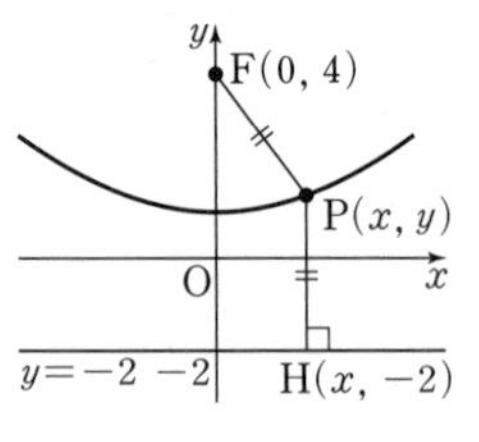

포물선의 정의에 의하여

$\overline{PF}=\overline{PH}$

$\therefore \sqrt{x^2+(y-4)^2}=|y+2|$

양변을 제곱하여 정리하면 $x^2=12(y-1)$

(3) 주어진 조건을 만족시키는 점을 $P(x, y)$라 하고 점 P에서 직선 $y=0$에 내린 수선의 발을 H라 하면 포물선의 정의에 의하여

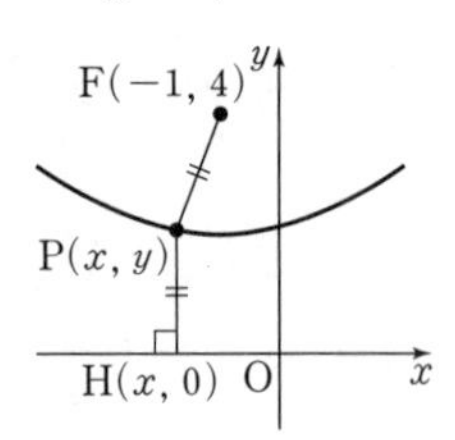

$\overline{PF}=\overline{PH}$

$\therefore \sqrt{(x+1)^2+(y-4)^2}=|y-0|$

양변을 제곱하여 정리하면 $(x+1)^2=8(y-2)$

다른 풀이

(1) [1단계] 포물선의 꼭짓점은 초점과 준선의 중간이므로 꼭짓점의 좌표는 $(1, 0)$

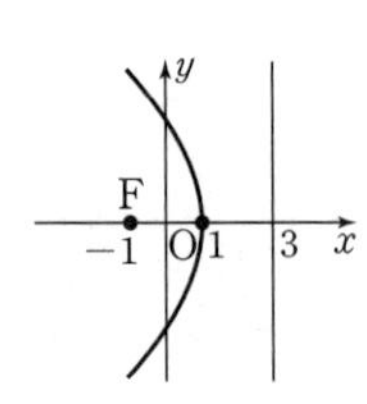

[2단계] p의 절댓값은 초점과 꼭짓점 사이의 거리이고 $p<0$이므로 $p=-2$

[3단계] 공식을 이용하여 포물선의 방정식을 구하면

$(y-0)^2=4\times(-2)\times(x-1)$

$\therefore y^2=-8(x-1)$

(2) [1단계] 포물선의 꼭짓점은 초점과 준선의 중간이므로 꼭짓점의 좌표는 $(0,\ 1)$

[2단계] p의 절댓값은 초점과 꼭짓점 사이의 거리이고 $p>0$이므로 $p=3$

[3단계] 공식을 이용하여 포물선의 방정식을 구하면

$(x-0)^2=4\times3\times(y-1)$

$\therefore\ x^2=12(y-1)$

답 (1) $y^2=-8(x-1)$ (2) $x^2=12(y-1)$
(3) $(x+1)^2=8(y-2)$

010

(1) [1단계] 주어진 식을 y에 대하여 완전제곱의 꼴로 고치면 $(y^2-4y+4)-4=-4x-8$

$\therefore\ (y-2)^2=-4(x+1)$ ...... ㉠

[2단계] ㉠은 포물선 $y^2=-4x$를 x축의 방향으로 -1만큼, y축의 방향으로 2만큼 평행이동한 것이다.

포물선 $y^2=-4x=4\times(-1)\times x$에서

$p=-1$이므로

초점: $(-1,\ 0)$, 준선: $x=1$, 꼭짓점: $(0,\ 0)$

[3단계] 따라서 주어진 포물선에서

초점: $(-2,\ 2)$, 준선: $x=0$,

꼭짓점: $(-1,\ 2)$

(2) [1단계] 주어진 식을 x에 대하여 완전제곱의 꼴로 고치면 $(x^2-2x+1)-1=2y-3$

$\therefore\ (x-1)^2=2(y-1)$ ...... ㉠

[2단계] ㉠은 포물선 $x^2=2y$를 x축의 방향으로 1만큼, y축의 방향으로 1만큼 평행이동한 것이다.

포물선 $x^2=2y=4\times\frac{1}{2}\times y$에서 $p=\frac{1}{2}$이므로

초점: $\left(0,\ \frac{1}{2}\right)$, 준선: $y=-\frac{1}{2}$,

꼭짓점: $(0,\ 0)$

[3단계] 따라서 주어진 포물선에서

초점: $\left(1,\ \frac{3}{2}\right)$, 준선: $y=\frac{1}{2}$,

꼭짓점: $(1,\ 1)$

답 (1) 초점: $(-2,\ 2)$, 준선: $x=0$, 꼭짓점: $(-1,\ 2)$
(2) 초점: $\left(1,\ \frac{3}{2}\right)$, 준선: $y=\frac{1}{2}$, 꼭짓점: $(1,\ 1)$

012

구하는 포물선의 방정식을 $x^2+Ax+By+C=0$ $(B\neq0)$으로 놓으면 이 포물선이 세 점 $(-1,\ 0)$, $(3,\ 0)$, $(1,\ -1)$을 지나므로

$1-A+C=0$ ...... ㉠

$9+3A+C=0$ ...... ㉡

$1+A-B+C=0$ ...... ㉢

㉠, ㉡, ㉢을 연립하여 풀면

$A=-2,\ B=-4,\ C=-3$

따라서 구하는 포물선의 방정식은

$x^2-2x-4y-3=0$

답 $x^2-2x-4y-3=0$

014

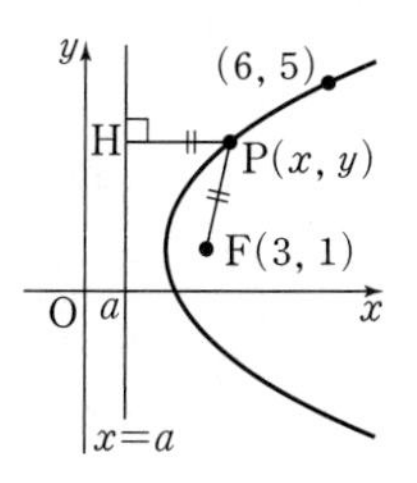

오른쪽 그림과 같이 포물선 위의 한 점을 $\mathrm{P}(x,\ y)$, 점 P에서 준선에 내린 수선의 발을 H라 하고 준선의 방정식을 $x=a$라 하자.

포물선의 정의에 의하여

$\overline{\mathrm{PF}}=\overline{\mathrm{PH}}$이므로

$\sqrt{(x-3)^2+(y-1)^2}=|x-a|$

양변을 제곱하면

$(x-3)^2+(y-1)^2=(x-a)^2$ ...... ㉠

㉠이 점 $(6,\ 5)$를 지나므로 $25=(6-a)^2$, $6-a=\pm5$

$\therefore\ a=1$ 또는 $a=11$

따라서 구하는 포물선의 방정식은

$(y-1)^2=4(x-2)$ 또는 $(y-1)^2=-16(x-7)$

답 $(y-1)^2=4(x-2)$
또는 $(y-1)^2=-16(x-7)$

015

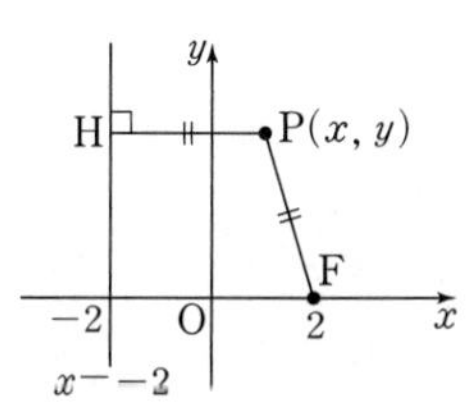

오른쪽 그림과 같이 점 P의 좌표를 $(x,\ y)$라 하고 점 P에서 직선 $x=-2$에 내린 수선의 발을 H라 하면

$\overline{\mathrm{PF}}:\overline{\mathrm{PH}}=1:1$이므로

$\overline{\mathrm{PF}}=\overline{\mathrm{PH}}$

$\sqrt{(x-2)^2+y^2}=|x+2|$

양변을 제곱하면 $(x-2)^2+y^2=(x+2)^2$

$\therefore\ y^2=8x$

> 다른 풀이

거리의 비가 1 : 1이므로 점 P에서 한 점 F(2, 0)과 한 직선 $x=-2$에 이르는 거리가 같다.

즉, 한 점과 한 직선으로부터의 거리가 같은 점들의 집합이 포물선이므로 점 P의 자취는 포물선이다.

따라서 점 F(2, 0)은 포물선의 초점, 직선 $x=-2$는 포물선의 준선이므로 $y^2=4px$에서 $p=2$인 경우이다.

$\therefore\ y^2=8x$

답 $y^2=8x$

016

포물선 $y^2=8x=4\times2\times x$에서 $p=2$이므로 초점의 좌표는 F(2, 0)이고 준선의 방정식은 $x=-2$이다.

오른쪽 그림과 같이 두 점 A, B에서 준선에 내린 수선의 발을 각각 H, H′이라 하면 포물선의 정의에 의하여

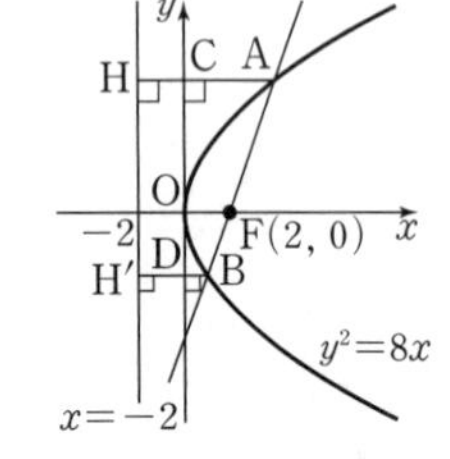

$\overline{AF}=\overline{AH},\ \overline{BF}=\overline{BH'}$

이때 $\overline{AB}=9$이므로

$$\begin{aligned}\overline{AC}+\overline{BD}&=(\overline{AH}-\overline{CH})+(\overline{BH'}-\overline{DH'})\\&=(\overline{AF}-\overline{CH})+(\overline{BF}-\overline{DH'})\\&=(\overline{AF}+\overline{BF})-4\\&=9-4=5\end{aligned}$$

답 5

017

포물선 $4x+y^2=0$, 즉 $y^2=-4x=4\times(-1)\times x$의 초점의 좌표는 A(−1, 0)

포물선 $x^2-12y=0$, 즉 $x^2=12y=4\times3\times y$의 초점의 좌표는 B(0, 3)

$\therefore\ \triangle OAB=\frac{1}{2}\times\overline{OA}\times\overline{OB}=\frac{1}{2}\times1\times3=\frac{3}{2}$

답 $\frac{3}{2}$

018

포물선 $x^2=4y=4\times1\times y$의 초점의 좌표는 F(0, 1), 준선의 방정식은 $y=-1$이므로 오른쪽 그림과 같다.

포물선 위의 점 P(a, b)에서 준선에 내린 수선의 발을 H라 하면

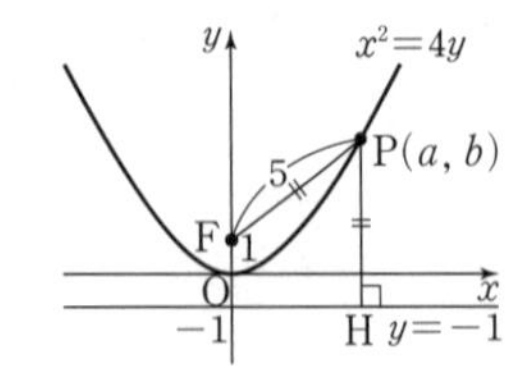

포물선의 정의에 의하여 $\overline{PF}=\overline{PH}=5$

즉, $b+1=5$이므로 $b=4$

점 P(a, 4)가 포물선 $x^2=4y$ 위의 점이므로

$a^2=4\times4=16\qquad\therefore\ a=4\ (\because\ a>0)$

$\therefore\ a+b=4+4=8$

답 8

019

(1) $y-1=\frac{1}{4}x^2$에서 $x^2=4(y-1)$ …… ㉠

㉠은 포물선 $x^2=4y$를 y축의 방향으로 1만큼 평행이동한 것이다.

포물선 $x^2=4y=4\times1\times y$에서 $p=1$이므로

초점: (0, 1), 준선: $y=-1$, 꼭짓점: (0, 0)

따라서 주어진 포물선에서

초점: (0, 2), 준선: $y=0$, 꼭짓점: (0, 1)

(2) 주어진 식을 y에 대하여 완전제곱의 꼴로 고치면

$x=(y^2+4y+4)-4+3$

$\therefore\ (y+2)^2=x+1$ …… ㉠

㉠은 포물선 $y^2=x$를 x축의 방향으로 −1만큼, y축의 방향으로 −2만큼 평행이동한 것이다.

포물선 $y^2=x=4\times\frac{1}{4}\times x$에서 $p=\frac{1}{4}$이므로

초점: $\left(\frac{1}{4},\ 0\right)$, 준선: $x=-\frac{1}{4}$, 꼭짓점: (0, 0)

따라서 주어진 포물선에서

초점: $\left(-\frac{3}{4},\ -2\right)$, 준선: $x=-\frac{5}{4}$,

꼭짓점: (−1, −2)

답 (1) 초점: (0, 2), 준선: $y=0$, 꼭짓점: (0, 1)
(2) 초점: $\left(-\frac{3}{4},\ -2\right)$, 준선: $x=-\frac{5}{4}$,
꼭짓점: (−1, −2)

020

포물선 $y^2=4x=4\times1\times x$의 초점을 F라 하면 F(1, 0)

포물선 위의 한 점을 A(a, b)라 하면

$b^2=4a$ …… ㉠

선분 AF의 중점을 M(x, y)라 하면

$x=\frac{1+a}{2},\ y=\frac{0+b}{2}$

$\therefore\ a=2x-1,\ b=2y$

이를 ㉠에 대입하면 $(2y)^2=4(2x-1)$

$\therefore\ y^2=2x-1$

이때 포물선 $y^2=2\left(x-\frac{1}{2}\right)$은 포물선 $y^2=2x$를 x축의 방향으로 $\frac{1}{2}$만큼 평행이동한 것이고, 포물선 $y^2=2x=4\times\frac{1}{2}\times x$의 준선의 방정식은 $x=-\frac{1}{2}$이다.

따라서 구하는 준선의 방정식은 $x=0$

답 $x=0$

022

(1) 초점이 x축 위에 있으므로 구하는 타원의 방정식을 $\frac{x^2}{a^2}+\frac{y^2}{b^2}=1$ $(a>b>0)$이라 하자.

거리의 합이 10이므로 $2a=10$ $\therefore a=5$ …… ㉠

$c^2=a^2-b^2$에서 $4^2=5^2-b^2$ $\therefore b^2=9$ …… ㉡

㉠, ㉡을 $\frac{x^2}{a^2}+\frac{y^2}{b^2}=1$에 대입하면 $\frac{x^2}{25}+\frac{y^2}{9}=1$

(2) 초점이 y축 위에 있으므로 구하는 타원의 방정식을 $\frac{x^2}{a^2}+\frac{y^2}{b^2}=1$ $(b>a>0)$이라 하자.

거리의 합이 12이므로 $2b=12$ $\therefore b=6$ …… ㉠

$c^2=b^2-a^2$에서 $5^2=6^2-a^2$ $\therefore a^2=11$ …… ㉡

㉠, ㉡을 $\frac{x^2}{a^2}+\frac{y^2}{b^2}=1$에 대입하면 $\frac{x^2}{11}+\frac{y^2}{36}=1$

(3) 두 점으로부터의 거리의 합이 일정하므로 점 P가 나타내는 자취는 타원이다.

초점이 y축 위에 있으므로 구하는 타원의 방정식을 $\frac{x^2}{a^2}+\frac{y^2}{b^2}=1$ $(b>a>0)$이라 하면

거리의 합이 6이므로 $2b=6$ $\therefore b=3$ …… ㉠

$c^2=b^2-a^2$에서 $(\sqrt{5})^2=3^2-a^2$ $\therefore a^2=4$ …… ㉡

㉠, ㉡을 $\frac{x^2}{a^2}+\frac{y^2}{b^2}=1$에 대입하면 $\frac{x^2}{4}+\frac{y^2}{9}=1$

답 (1) $\frac{x^2}{25}+\frac{y^2}{9}=1$ (2) $\frac{x^2}{11}+\frac{y^2}{36}=1$ (3) $\frac{x^2}{4}+\frac{y^2}{9}=1$

024

(1) $a=6$, $b=2$이므로 $a>b>0$

장축의 길이: $2a=2\times6=12$

단축의 길이: $2b=2\times2=4$

중심: $(0, 0)$

꼭짓점: $(6, 0)$, $(-6, 0)$, $(0, 2)$, $(0, -2)$

초점: 초점 공식에서

$c=\sqrt{36-4}=4\sqrt{2}$

이므로

$(4\sqrt{2}, 0)$,

$(-4\sqrt{2}, 0)$

따라서 그래프는 오른쪽 그림과 같다.

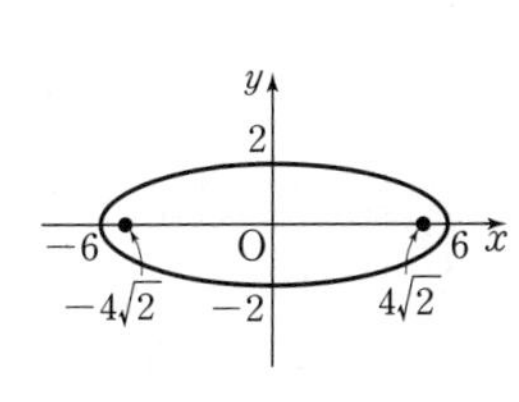

(2) $a=3$, $b=5$이므로 $b>a>0$

장축의 길이: $2b=2\times5=10$

단축의 길이: $2a=2\times3=6$

중심: $(0, 0)$

꼭짓점: $(3, 0)$, $(-3, 0)$, $(0, 5)$, $(0, -5)$

초점: 초점 공식에서

$c=\sqrt{25-9}=4$이므로

$(0, 4)$, $(0, -4)$

따라서 그래프는 오른쪽 그림과 같다.

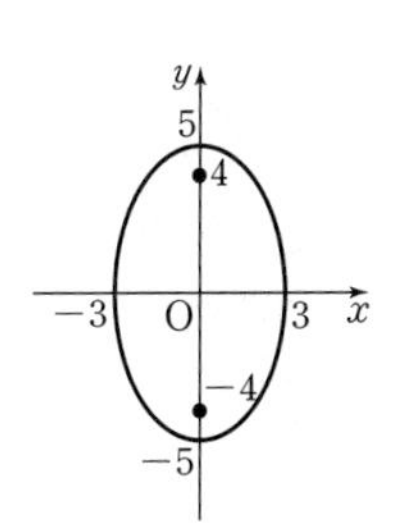

(3) 양변을 4로 나누면 $\frac{x^2}{1}+\frac{y^2}{4}=1$

$a=1$, $b=2$이므로 $b>a>0$

장축의 길이: $2b=2\times2=4$

단축의 길이: $2a=2\times1=2$

중심: $(0, 0)$

꼭짓점: $(1, 0)$, $(-1, 0)$, $(0, 2)$, $(0, -2)$

초점: 초점 공식에서

$c=\sqrt{4-1}=\sqrt{3}$이므로

$(0, \sqrt{3})$, $(0, -\sqrt{3})$

따라서 그래프는 오른쪽 그림과 같다.

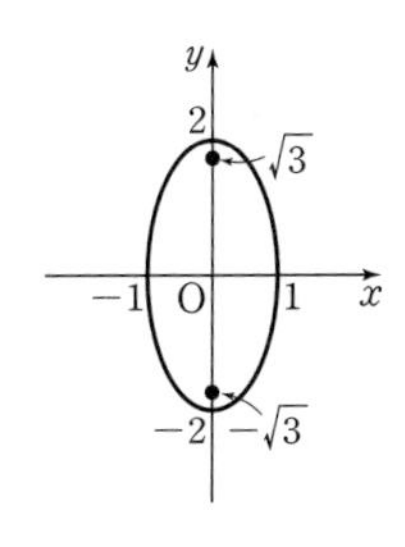

(4) 양변을 36으로 나누면 $\frac{x^2}{9}+\frac{y^2}{4}=1$

$a=3$, $b=2$이므로 $a>b>0$

장축의 길이: $2a=2\times3=6$

단축의 길이: $2b=2\times2=4$

중심: $(0, 0)$

꼭짓점: $(3, 0)$, $(-3, 0)$, $(0, 2)$, $(0, -2)$

초점: 초점 공식에서

$c=\sqrt{9-4}=\sqrt{5}$

이므로

$(\sqrt{5}, 0)$, $(-\sqrt{5}, 0)$

따라서 그래프는 오른쪽 그림과 같다.

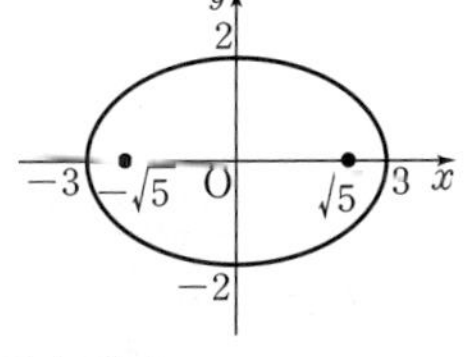

답 풀이 참조

026

(1) 초점이 y축 위에 있으므로 구하는 타원의 방정식을

$\frac{x^2}{a^2}+\frac{y^2}{b^2}=1$ $(b>a>0)$이라 하자.

장축의 길이가 6이므로 $2b=6$

$\therefore b=3$ …… ㉠

$c^2=b^2-a^2$에서 $(\sqrt{7})^2=3^2-a^2$

$\therefore a^2=2$ …… ㉡

㉠, ㉡을 $\frac{x^2}{a^2}+\frac{y^2}{b^2}=1$에 대입하면 $\frac{x^2}{2}+\frac{y^2}{9}=1$

(2) 초점이 y축 위에 있으므로 구하는 타원의 방정식을

$\frac{x^2}{a^2}+\frac{y^2}{b^2}=1$ $(b>a>0)$이라 하자.

단축의 길이가 8이므로 $2a=8$

$\therefore a=4$ …… ㉠

$c^2=b^2-a^2$에서 $3^2=b^2-4^2$

$\therefore b^2=25$ …… ㉡

㉠, ㉡을 $\frac{x^2}{a^2}+\frac{y^2}{b^2}=1$에 대입하면 $\frac{x^2}{16}+\frac{y^2}{25}=1$

답 (1) $\frac{x^2}{2}+\frac{y^2}{9}=1$ (2) $\frac{x^2}{16}+\frac{y^2}{25}=1$

028

초점이 y축 위에 있으므로 구하는 타원의 방정식을

$\frac{x^2}{a^2}+\frac{y^2}{b^2}=1$ $(b>a>0)$이라 하자.

장축의 길이가 10, 단축의 길이가 6이므로

$2b=10$, $2a=6$ $\therefore a=3$, $b=5$

이것을 $\frac{x^2}{a^2}+\frac{y^2}{b^2}=1$에 대입하면 $\frac{x^2}{9}+\frac{y^2}{25}=1$

답 $\frac{x^2}{9}+\frac{y^2}{25}=1$

030

타원 $\frac{x^2}{25}+\frac{y^2}{16}=1$에서

$c=\sqrt{25-16}=3$이므로

초점의 좌표는

$(3, 0)$, $(-3, 0)$

즉, 두 점 A, B가 이 타원의 초점이므로

$\overline{PA}+\overline{PB}=2a=2\times5=10$

따라서 △APB의 둘레의 길이는

$(\overline{PA}+\overline{PB})+\overline{AB}=10+6=16$

답 16

032

(1) [1단계] 타원의 중심은 두 초점을 이은 선분의 중점이므로

$(1, 3)$

따라서 구하는 타원의 방정식은

$\frac{(x-1)^2}{a^2}+\frac{(y-3)^2}{b^2}=1$

[2단계] 초점과 중심 사이의 거리가 c이므로 $c=3$

장축의 길이가 8이므로 $2b=8$ $\therefore b=4$

$c^2=b^2-a^2$에서 $3^2=4^2-a^2$ $\therefore a^2=7$

따라서 구하는 타원의 방정식은

$\frac{(x-1)^2}{7}+\frac{(y-3)^2}{16}=1$

(2) 두 점으로부터의 거리의 합이 일정한 점의 자취는 타원이다.

[1단계] 타원의 중심은 두 초점을 이은 선분의 중점이므로 $(2, 0)$

따라서 구하는 타원의 방정식은

$\frac{(x-2)^2}{a^2}+\frac{y^2}{b^2}=1$

[2단계] 초점과 중심 사이의 거리가 c이므로 $c=2$

거리의 합이 8이므로 $2a=8$ $\therefore a=4$

$c^2=a^2-b^2$에서 $2^2=4^2-b^2$ $\therefore b^2=12$

따라서 구하는 타원의 방정식은

$\frac{(x-2)^2}{16}+\frac{y^2}{12}=1$

다른 풀이

(1) 타원 위의 한 점을 $P(x, y)$라 하면

타원의 정의에 의하여 $\overline{FP}+\overline{F'P}=8$이므로

$\sqrt{(x-1)^2+y^2}+\sqrt{(x-1)^2+(y-6)^2}=8$

$\sqrt{(x-1)^2+(y-6)^2}=8-\sqrt{(x-1)^2+y^2}$

양변을 제곱하여 정리하면 $4\sqrt{(x-1)^2+y^2}=3y+7$

다시 양변을 제곱하여 정리하면

$16(x-1)^2+7(y-3)^2=112$

$\therefore \frac{(x-1)^2}{7}+\frac{(y-3)^2}{16}=1$

답 (1) $\frac{(x-1)^2}{7}+\frac{(y-3)^2}{16}=1$

(2) $\frac{(x-2)^2}{16}+\frac{y^2}{12}=1$

034

(1) [1단계] 주어진 타원의 방정식을 변형하면

$(x^2+4x)+4(y^2-2y)+4=0$에서

$(x+2)^2+4(y-1)^2=4$

$\therefore \dfrac{(x+2)^2}{4}+(y-1)^2=1$ …… ㉠

[2단계] ㉠은 타원 $\dfrac{x^2}{4}+y^2=1$을 x축의 방향으로 -2만큼, y축의 방향으로 1만큼 평행이동한 것이다.

타원 $\dfrac{x^2}{4}+y^2=1$에서 $a=2$, $b=1$이므로

장축의 길이: $2\times2=4$

단축의 길이: $2\times1=2$

초점: $c=\sqrt{4-1}=\sqrt{3}$이므로

$(\sqrt{3}, 0)$, $(-\sqrt{3}, 0)$

꼭짓점: $(2, 0)$, $(-2, 0)$, $(0, 1)$, $(0, -1)$

중심: $(0, 0)$

[3단계] 따라서 주어진 타원에서

장축의 길이: 4

단축의 길이: 2

초점: $(\sqrt{3}-2, 1)$, $(-\sqrt{3}-2, 1)$

꼭짓점: $(0, 1)$, $(-4, 1)$, $(-2, 2)$, $(-2, 0)$

중심: $(-2, 1)$

(2) [1단계] 주어진 타원의 방정식을 변형하면

$4(x^2+2x)+3(y^2-4y)+4=0$에서

$4(x+1)^2+3(y-2)^2=12$

$\therefore \dfrac{(x+1)^2}{3}+\dfrac{(y-2)^2}{4}=1$ …… ㉠

[2단계] ㉠은 타원 $\dfrac{x^2}{3}+\dfrac{y^2}{4}=1$을 x축의 방향으로 -1만큼, y축의 방향으로 2만큼 평행이동한 것이다.

타원 $\dfrac{x^2}{3}+\dfrac{y^2}{4}=1$에서 $a=\sqrt{3}$, $b=2$이므로

장축의 길이: $2\times2=4$

단축의 길이: $2\times\sqrt{3}=2\sqrt{3}$

초점: $c=\sqrt{4-3}=1$이므로

$(0, 1)$, $(0, -1)$

꼭짓점: $(\sqrt{3}, 0)$, $(-\sqrt{3}, 0)$, $(0, 2)$, $(0, -2)$

중심: $(0, 0)$

[3단계] 따라서 주어진 타원에서

장축의 길이: 4

단축의 길이: $2\sqrt{3}$

초점: $(-1, 3)$, $(-1, 1)$

꼭짓점: $(\sqrt{3}-1, 2)$, $(-\sqrt{3}-1, 2)$, $(-1, 4)$, $(-1, 0)$

중심: $(-1, 2)$

답 풀이 참조

036

원 $x^2+y^2=9$ 위의 점 $\mathrm{P}(a, b)$를 x축의 방향으로 2배 확대한 도형 위의 점을 $\mathrm{P}'(x, y)$라 하면

$x=2a$, $y=b$ $\quad \therefore a=\dfrac{1}{2}x$, $b=y$ …… ㉠

한편, 점 P는 원 $x^2+y^2=9$ 위의 점이므로

$a^2+b^2=9$ …… ㉡

㉠을 ㉡에 대입하면 구하는 도형의 방정식은

$\left(\dfrac{1}{2}x\right)^2+y^2=9$ $\quad \therefore \dfrac{x^2}{36}+\dfrac{y^2}{9}=1$

답 $\dfrac{x^2}{36}+\dfrac{y^2}{9}=1$

038

점 P의 좌표를 (a, b), 점 Q의 좌표를 (x, y)라 하자.

점 P는 원 $x^2+y^2=16$ 위의 점이므로

$a^2+b^2=16$ …… ㉠

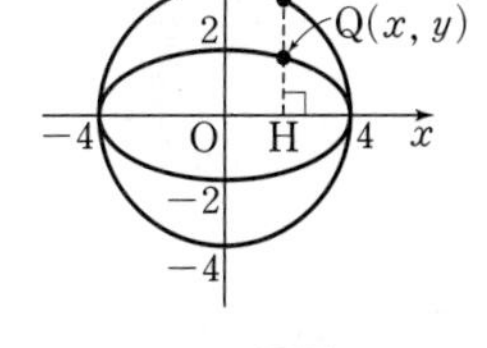

이때 점 P에서 x축에 내린 수선의 발 H의 좌표는 $(a, 0)$이고 점 Q는 $\overline{\mathrm{PH}}$의 중점이므로

$x=a$, $y=\dfrac{b}{2}$

$\therefore a=x$, $b=2y$ …… ㉡

㉡을 ㉠에 대입하면 구하는 도형의 방정식은

$x^2+(2y)^2=16$ $\quad \therefore \dfrac{x^2}{16}+\dfrac{y^2}{4}=1$

답 $\dfrac{x^2}{16}+\dfrac{y^2}{4}=1$

039

오른쪽 그림과 같이 점 P의 좌표를 $(x,\ y)$라 하고 점 P에서 직선 $x=4$에 내린 수선의 발을 H라 하면

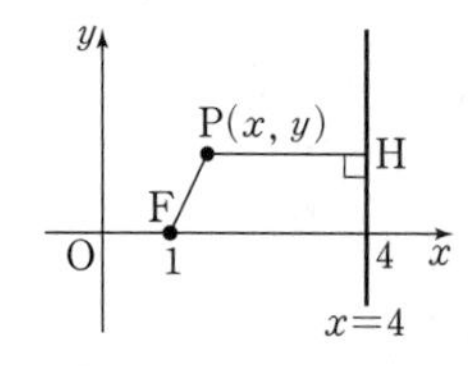

$\overline{PF} : \overline{PH} = 1 : 2$이므로

$\overline{PH} = 2\overline{PF}$

$|x-4| = 2\sqrt{(x-1)^2+y^2}$

양변을 제곱하면

$(x-4)^2 = 4(x-1)^2+4y^2$

$\therefore\ 3x^2+4y^2=12$

답 $3x^2+4y^2=12$

040

타원 $3x^2+y^2=12$, 즉 $\frac{x^2}{4}+\frac{y^2}{12}=1$에서

$c=\sqrt{12-4}=2\sqrt{2}$이므로

초점의 좌표는 $(0,\ 2\sqrt{2})$, $(0,\ -2\sqrt{2})$

이때 $F(0,\ 2\sqrt{2})$, $F'(0,\ -2\sqrt{2})$라 하면 타원의 그래프는 오른쪽 그림과 같다.

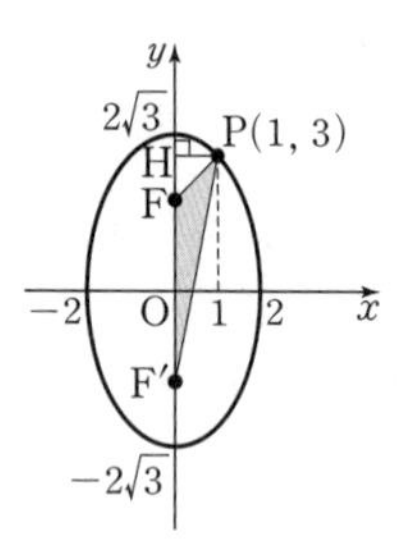

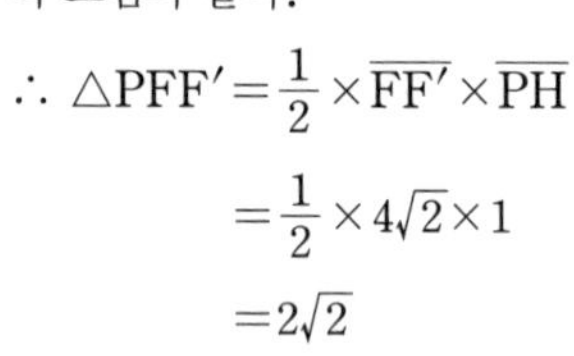

$\therefore\ \triangle PFF' = \frac{1}{2}\times\overline{FF'}\times\overline{PH}$

$= \frac{1}{2}\times 4\sqrt{2}\times 1$

$=2\sqrt{2}$

답 $2\sqrt{2}$

041

$\frac{x^2}{5^2}+\frac{y^2}{3^2}=1$에서 $a=5$, $b=3$

타원의 정의에 의하여

$\overline{AF}+\overline{AF'}=\overline{BF}+\overline{BF'}=2a=2\times 5=10$

따라서 □AF′BF의 둘레의 길이는

$(\overline{AF}+\overline{AF'})+(\overline{BF}+\overline{BF'})=10+10=20$

답 20

042

타원 $\frac{x^2}{12}+\frac{y^2}{8}=1$에서 $c=\sqrt{12-8}=2$이므로

초점의 좌표는 $(2,\ 0)$, $(-2,\ 0)$

이때 $F(2,\ 0)$, $F'(-2,\ 0)$이라 하면 타원의 그래프는 다음 그림과 같다.

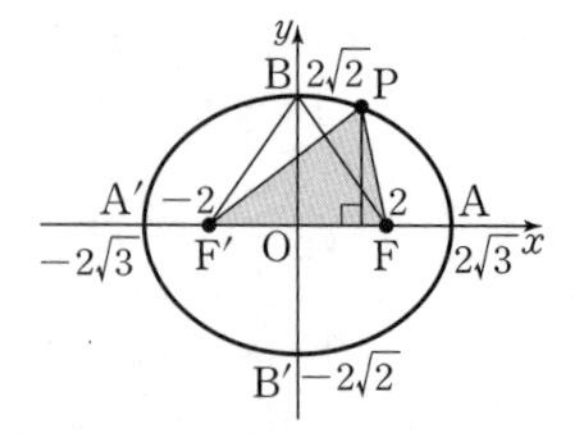

타원 위의 점 P에 대하여 △PFF′의 밑변 $\overline{FF'}$의 길이는 일정하므로 높이가 최대일 때 넓이가 최대가 된다.

즉, △PFF′의 넓이가 최대가 되는 것은 점 P가 꼭짓점 B 또는 B′에 있을 때이다.

따라서 구하는 넓이의 최댓값은

$\frac{1}{2}\times\overline{FF'}\times\overline{BO}=\frac{1}{2}\times 4\times 2\sqrt{2}=4\sqrt{2}$

답 $4\sqrt{2}$

043

타원 $8x^2+9y^2+16x-18y-55=0$에서

$8(x+1)^2+9(y-1)^2=72$

$\therefore\ \frac{(x+1)^2}{9}+\frac{(y-1)^2}{8}=1$ ...... ㉠

㉠은 타원 $\frac{x^2}{9}+\frac{y^2}{8}=1$을 x축의 방향으로 -1만큼, y축의 방향으로 1만큼 평행이동한 것이다.

이때 타원 $\frac{x^2}{9}+\frac{y^2}{8}=1$에서 $c=\sqrt{9-8}=1$이므로

초점: $(1,\ 0)$, $(-1,\ 0)$, 중심: $(0,\ 0)$

따라서 ㉠에서 초점: $(0,\ 1)$, $(-2,\ 1)$,

중심: $(-1,\ 1)$이므로

$a+b+c+d+e+f=0+1+(-2)+1+(-1)+1$

$=0$

답 0

044

두 초점 F, F′에 대하여 $\overline{FF'}$의 중점이 타원의 중심이므로

$\overline{AF}=\overline{AF'}=6$

따라서 타원 위의 한 점에서 두 초점에 이르는 거리의 합은 장축의 길이와 같으므로

(장축의 길이)$=\overline{AF}+\overline{AF'}=12$

답 12

046

(1) 초점이 x축 위에 있으므로 구하는 쌍곡선의 방정식을 $\frac{x^2}{a^2}-\frac{y^2}{b^2}=1$이라 하자.

거리의 차가 6이므로 $2a=6$ $\therefore a=3$ …… ㉠

$c^2=a^2+b^2$에서 $4^2=3^2+b^2$ $\therefore b^2=7$ …… ㉡

㉠, ㉡을 $\frac{x^2}{a^2}-\frac{y^2}{b^2}=1$에 대입하면 $\frac{x^2}{9}-\frac{y^2}{7}=1$

(2) 초점이 y축 위에 있으므로 구하는 쌍곡선의 방정식을 $\frac{x^2}{a^2}-\frac{y^2}{b^2}=-1$이라 하자.

거리의 차가 8이므로 $2b=8$ $\therefore b=4$ …… ㉠

$c^2=a^2+b^2$에서 $5^2=a^2+4^2$ $\therefore a^2=9$ …… ㉡

㉠, ㉡을 $\frac{x^2}{a^2}-\frac{y^2}{b^2}=-1$에 대입하면 $\frac{x^2}{9}-\frac{y^2}{16}=-1$

(3) 두 점으로부터의 거리의 차가 일정하므로 점 P가 나타내는 자취는 쌍곡선이다.

초점이 y축 위에 있으므로 구하는 쌍곡선의 방정식을 $\frac{x^2}{a^2}-\frac{y^2}{b^2}=-1$이라 하면

거리의 차가 6이므로 $2b=6$ $\therefore b=3$ …… ㉠

$c^2=a^2+b^2$에서 $(3\sqrt{2})^2=a^2+3^2$ $\therefore a^2=9$ …… ㉡

㉠, ㉡을 $\frac{x^2}{a^2}-\frac{y^2}{b^2}=-1$에 대입하면 $\frac{x^2}{9}-\frac{y^2}{9}=-1$

답 (1) $\frac{x^2}{9}-\frac{y^2}{7}=1$ (2) $\frac{x^2}{9}-\frac{y^2}{16}=-1$ (3) $\frac{x^2}{9}-\frac{y^2}{9}=-1$

048

(1) 양변을 4로 나누면 $\frac{x^2}{4}-\frac{y^2}{4}=1$

$a=2$, $b=2$이므로

점근선: $y=\pm x$

주축의 길이: $2a=2\times2=4$

중심: $(0, 0)$

꼭짓점: $(2, 0)$, $(-2, 0)$

초점: 초점 공식에서

$c=\sqrt{4+4}=2\sqrt{2}$이므로

$(2\sqrt{2}, 0)$, $(-2\sqrt{2}, 0)$

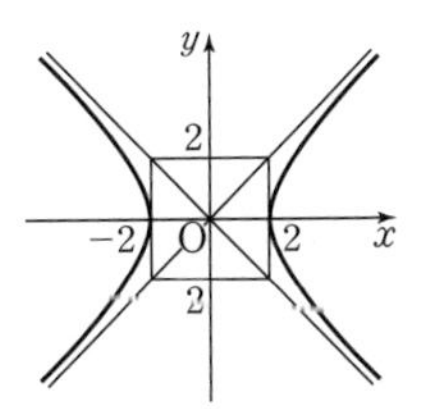

따라서 그래프를 그리면 오른쪽 그림과 같다.

(2) 양변을 9로 나누면 $\frac{x^2}{9}-\frac{y^2}{9}=-1$

$a=3$, $b=3$이므로

점근선: $y=\pm x$

주축의 길이: $2b=2\times3=6$

중심: $(0, 0)$

꼭짓점: $(0, 3)$, $(0, -3)$

초점: 초점 공식에서

$c=\sqrt{9+9}=3\sqrt{2}$이므로

$(0, 3\sqrt{2})$, $(0, -3\sqrt{2})$

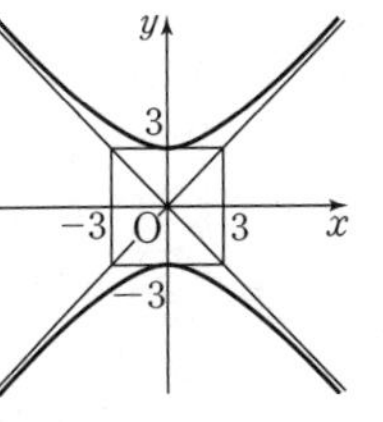

따라서 그래프를 그리면 오른쪽 그림과 같다.

답 풀이 참조

050

초점이 y축 위에 있으므로 구하는 쌍곡선의 방정식을 $\frac{x^2}{a^2}-\frac{y^2}{b^2}=-1$이라 하자.

주축의 길이가 12이므로 $2b=12$ $\therefore b=6$ …… ㉠

$c^2=a^2+b^2$에서 $7^2=a^2+6^2$ $\therefore a^2=13$ …… ㉡

㉠, ㉡을 $\frac{x^2}{a^2}-\frac{y^2}{b^2}=-1$에 대입하면 $\frac{x^2}{13}-\frac{y^2}{36}=-1$

답 $\frac{x^2}{13}-\frac{y^2}{36}=-1$

052

초점이 x축 위에 있으므로 구하는 쌍곡선의 방정식을 $\frac{x^2}{a^2}-\frac{y^2}{b^2}=1$이라 하자.

점근선의 방정식이 $y=\pm\sqrt{2}x$이므로

$\frac{b}{a}=\sqrt{2}$ $\therefore b=\sqrt{2}a$ …… ㉠

$c^2=a^2+b^2$에서 $(\sqrt{3})^2=a^2+b^2$ …… ㉡

㉠을 ㉡에 대입하면 $3=a^2+2a^2$

$\therefore a^2=1$, $b^2=2$ …… ㉢

㉢을 $\frac{x^2}{a^2}-\frac{y^2}{b^2}=1$에 대입하면 $x^2-\frac{y^2}{2}=1$

답 $x^2-\frac{y^2}{2}=1$

054

$a=2$이고, $c=\sqrt{4+5}=3$이므로

초점의 좌표는 $(3, 0)$, $(-3, 0)$

이때 $F(3, 0)$, $F'(-3, 0)$이라 하면 쌍곡선의 그래프는 오른쪽 그림과 같다.

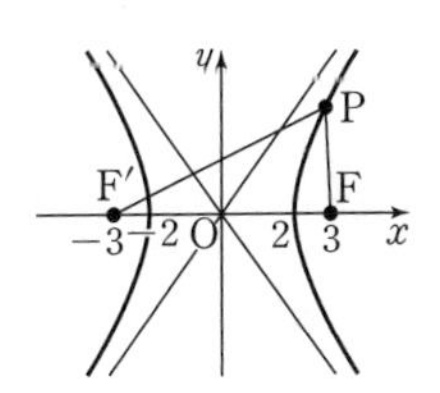

쌍곡선의 정의에 의하여

$|\overline{PF}-\overline{PF'}|=2a=4$

한편 $\triangle FPF'$의 둘레의 길이가 20이므로

$\overline{PF}+\overline{PF'}+\overline{FF'}=20$

그런데 $\overline{FF'}=6$이므로 $\overline{PF}+\overline{PF'}=14$

$\therefore |\overline{PF}^2-\overline{PF'}^2|=|\overline{PF}-\overline{PF'}|\times|\overline{PF}+\overline{PF'}|$

$=4\times14=56$

답 56

056

(1) [1단계] 쌍곡선의 중심은 두 초점을 이은 선분의 중점이므로 $(1, 4)$

따라서 구하는 쌍곡선의 방정식은

$$\frac{(x-1)^2}{a^2}-\frac{(y-4)^2}{b^2}=-1$$

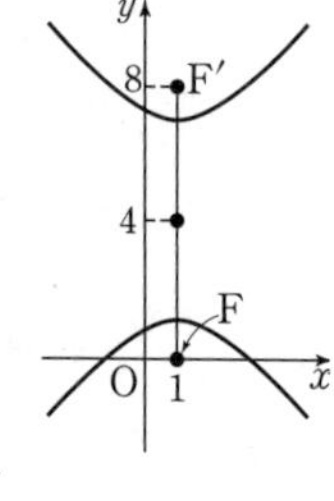

[2단계] 초점과 중심 사이의 거리가 c이므로 $c=4$

주축의 길이가 6이므로 $2b=6$

$\therefore b=3$

$c^2=a^2+b^2$에서 $4^2=a^2+3^2$ $\quad\therefore a^2=7$

따라서 구하는 쌍곡선의 방정식은

$$\frac{(x-1)^2}{7}-\frac{(y-4)^2}{9}=-1$$

(2) 두 점으로부터의 거리의 차가 일정한 점의 자취는 쌍곡선이다.

[1단계] 쌍곡선의 중심은 두 초점을 이은 선분의 중점이므로 $(0, 4)$

따라서 구하는 쌍곡선의 방정식은

$$\frac{x^2}{a^2}-\frac{(y-4)^2}{b^2}=-1$$

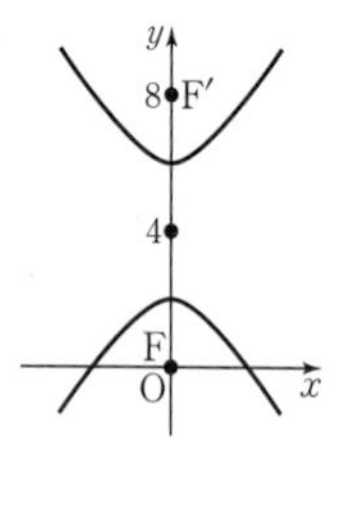

[2단계] 초점과 중심 사이의 거리가 c이므로 $c=4$

거리의 차가 4이므로 $2b=4$

$\therefore b=2$

$c^2=a^2+b^2$에서 $4^2=a^2+2^2$ $\quad\therefore a^2=12$

따라서 구하는 쌍곡선의 방정식은

$$\frac{x^2}{12}-\frac{(y-4)^2}{4}=-1$$

답 (1) $\frac{(x-1)^2}{7}-\frac{(y-4)^2}{9}=-1$

(2) $\frac{x^2}{12}-\frac{(y-4)^2}{4}=-1$

058

(1) [1단계] 주어진 쌍곡선의 방정식을 변형하면

$(x+2)^2-4(y-1)^2=4$

$\therefore \frac{(x+2)^2}{4}-(y-1)^2=1$ …… ㉠

[2단계] ㉠은 쌍곡선 $\frac{x^2}{4}-y^2=1$을 x축의 방향으로 -2만큼, y축의 방향으로 1만큼 평행이동한 것이다.

쌍곡선 $\frac{x^2}{4}-y^2=1$에서 $a=2$, $b=1$이므로

점근선: $y=\pm\frac{1}{2}x$

주축의 길이: $2a=2\times2=4$

초점: $c=\sqrt{4+1}=\sqrt{5}$이므로

$(\sqrt{5}, 0)$, $(-\sqrt{5}, 0)$

꼭짓점: $(2, 0)$, $(-2, 0)$, 중심: $(0, 0)$

[3단계] 따라서 주어진 쌍곡선에서

점근선: $y=\pm\frac{1}{2}(x+2)+1$

주축의 길이: 4

초점: $(\sqrt{5}-2, 1)$, $(-\sqrt{5}-2, 1)$

꼭짓점: $(0, 1)$, $(-4, 1)$

중심: $(-2, 1)$

(2) [1단계] 주어진 쌍곡선의 방정식을 변형하면

$(x-3)^2-(y-2)^2=-4$

$\therefore \frac{(x-3)^2}{4}-\frac{(y-2)^2}{4}=-1$ …… ㉠

[2단계] ㉠은 쌍곡선 $\frac{x^2}{4}-\frac{y^2}{4}=-1$을 x축의 방향으로 3만큼, y축의 방향으로 2만큼 평행이동한 것이다.

쌍곡선 $\frac{x^2}{4}-\frac{y^2}{4}=-1$에서 $a=2$, $b=2$이므로

점근선: $y=\pm x$

주축의 길이: $2b=2\times2=4$

초점: $c=\sqrt{4+4}=2\sqrt{2}$이므로

$(0, 2\sqrt{2})$, $(0, -2\sqrt{2})$

꼭짓점: $(0, 2)$, $(0, -2)$

중심: $(0, 0)$

[3단계] 따라서 주어진 쌍곡선에서

점근선: $y=\pm(x-3)+2$

주축의 길이: 4

초점: $(3, 2\sqrt{2}+2)$, $(3, -2\sqrt{2}+2)$

꼭짓점: (3, 4), (3, 0)
중심: (3, 2)

답 풀이 참조

059

타원 $\frac{x^2}{2}+\frac{y^2}{5}=1$에서 $c=\sqrt{5-2}=\sqrt{3}$이므로
초점의 좌표는 $(0, \sqrt{3})$, $(0, -\sqrt{3})$
구하는 쌍곡선이 이 타원과 두 초점을 공유하므로
쌍곡선의 초점의 좌표도 $(0, \sqrt{3})$, $(0, -\sqrt{3})$이다.
초점이 y축 위에 있으므로 쌍곡선의 방정식을
$\frac{x^2}{a^2}-\frac{y^2}{b^2}=-1$ $(a>0, b>0)$이라 하면
초점의 좌표가 $(0, \sqrt{3})$, $(0, -\sqrt{3})$이므로
$c^2=a^2+b^2$에서 $3=a^2+b^2$
$\therefore b^2=3-a^2$ …… ㉠
쌍곡선이 점 (1, 2)를 지나므로 $\frac{1}{a^2}-\frac{2^2}{b^2}=-1$
$\therefore a^2b^2-4a^2+b^2=0$ …… ㉡
㉠을 ㉡에 대입하여 정리하면 $a^4+2a^2-3=0$
$(a^2+3)(a^2-1)=0$ $\therefore a^2=1, b^2=2$
따라서 구하는 쌍곡선의 방정식은 $x^2-\frac{y^2}{2}=-1$

답 $x^2-\frac{y^2}{2}=-1$

060

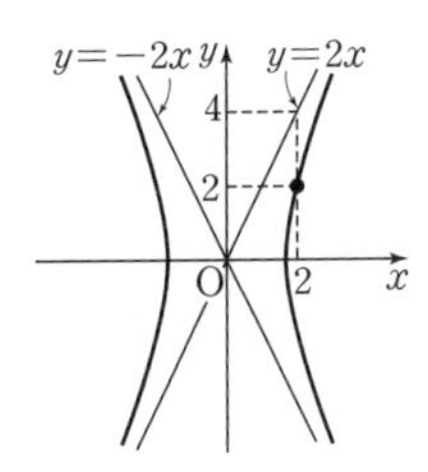

점근선의 방정식이 $y=\pm 2x$인 쌍곡선 중 제1사분면 위의 점 (2, 2)를 지나는 쌍곡선은 오른쪽 그림과 같이 초점이 x축 위에 있는 꼴이므로 쌍곡선의 방정식을 $\frac{x^2}{a^2}-\frac{y^2}{b^2}=1$
$(a>0, b>0)$이라 하자.
점근선의 방정식이 $y=\pm 2x$이므로
$\frac{b}{a}=2$, $b=2a$ $\therefore b^2=4a^2$ …… ㉠
쌍곡선이 점 (2, 2)를 지나므로 $\frac{2^2}{a^2}-\frac{2^2}{b^2}=1$
$\therefore a^2b^2+4a^2-4b^2=0$ …… ㉡
㉠을 ㉡에 대입하여 정리하면
$4a^4-12a^2=0$, $4a^2(a^2-3)=0$
$\therefore a^2=3, b^2=12$
따라서 쌍곡선의 방정식은 $\frac{x^2}{3}-\frac{y^2}{12}=1$이므로 구하는 주축의 길이는 $2\times\sqrt{3}=2\sqrt{3}$

답 $2\sqrt{3}$

061

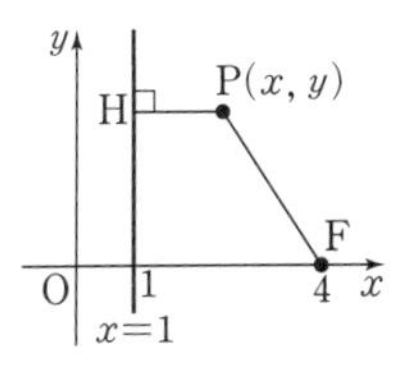

오른쪽 그림과 같이 점 P의 좌표를 (x, y)라 하고, 점 P에서 직선 $x=1$에 내린 수선의 발을 H라 하면
$\overline{PF}:\overline{PH}=2:1$에서
$\overline{PF}=2\overline{PH}$
$\sqrt{(x-4)^2+y^2}=2|x-1|$
양변을 제곱하면 $(x-4)^2+y^2=4(x-1)^2$
$\therefore \frac{x^2}{4}-\frac{y^2}{12}=1$

답 $\frac{x^2}{4}-\frac{y^2}{12}=1$

062

주어진 쌍곡선은 주축의 길이가 2인 쌍곡선이므로
쌍곡선의 정의에 의하여
$\overline{AF'}-\overline{AF}=$(주축의 길이)$=2$ …… ㉠
$\overline{BF'}-\overline{BF}=$(주축의 길이)$=2$ …… ㉡
㉠, ㉡을 변끼리 더하면
$\overline{AF'}-\overline{AF}+\overline{BF'}-\overline{BF}=4$
$(\overline{AF'}+\overline{BF'})-(\overline{AF}+\overline{BF})=4$
$\therefore (\overline{AF'}+\overline{BF'})-\overline{AB}=4$ …… ㉢
그런데 주어진 조건에서
($\triangle$AF′B의 둘레의 길이)$=(\overline{AF'}+\overline{BF'})+\overline{AB}$
$=24$ …… ㉣
㉣−㉢을 하면 $2\overline{AB}=20$
$\therefore \overline{AB}=10$

답 10

063

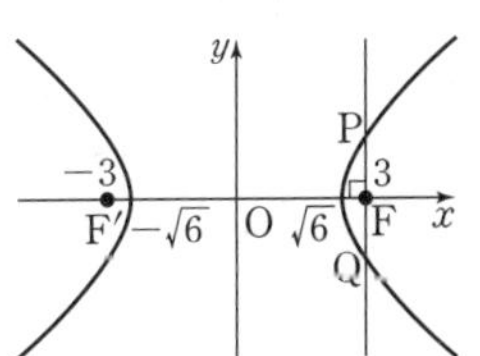

쌍곡선 $\frac{x^2}{6}-\frac{y^2}{3}=1$에서
$c=\sqrt{6+3}=3$이므로 초점의 좌표는
(3, 0), (−3, 0)
즉, 두 점 P, Q는 x좌표가 3인 쌍곡선 위의 점이다.
$\frac{x^2}{6}-\frac{y^2}{3}=1$에 $x=3$을 대입하면 $\frac{3^2}{6}-\frac{y^2}{3}=1$

$y^2=\frac{3}{2}$　　$\therefore y=\pm\frac{\sqrt{6}}{2}$

따라서 $\mathrm{P}\left(3, \frac{\sqrt{6}}{2}\right)$, $\mathrm{Q}\left(3, -\frac{\sqrt{6}}{2}\right)$이므로

$\overline{\mathrm{PQ}}=\sqrt{6}$

답 $\sqrt{6}$

064

쌍곡선 $\frac{x^2}{4}-\frac{y^2}{16}=-1$에서 $c=\sqrt{4+16}=2\sqrt{5}$이므로

초점의 좌표는 $(0, 2\sqrt{5})$, $(0, -2\sqrt{5})$

또, 점근선의 방정식은 $y=\pm\frac{4}{2}x$　　$\therefore y=\pm 2x$

이때 쌍곡선의 두 초점에서 점근선까지의 거리는 서로 같으므로 점 $(0, 2\sqrt{5})$에서 직선 $2x-y=0$까지의 거리는 $\frac{|-2\sqrt{5}|}{\sqrt{2^2+(-1)^2}}=2$

답 2

065

포물선 $y^2=12x=4\times 3\times x$의 초점의 좌표는 $\mathrm{F}(3, 0)$, 준선의 방정식은 $x=-3$이므로 포물선 $y^2=12x$의 그래프는 오른쪽 그림과 같다.

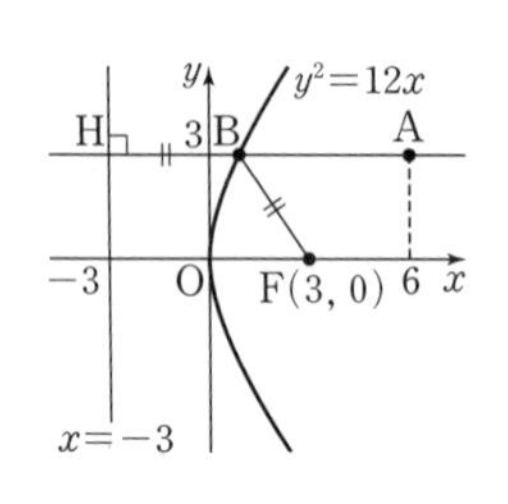

점 A(6, 3)을 지나는 x축에 평행한 직선과 준선의 교점을 H라 하면 포물선의 정의에 의하여

$\overline{\mathrm{BF}}=\overline{\mathrm{BH}}$

$\therefore \overline{\mathrm{AB}}+\overline{\mathrm{BF}}=\overline{\mathrm{AB}}+\overline{\mathrm{BH}}=\overline{\mathrm{AH}}=6+3=9$

답 9

066

포물선 $x^2-2x-4y+9=0$에서

$(x^2-2x+1)-1=4y-9$

$\therefore (x-1)^2=4(y-2)$

이 포물선은 포물선 $x^2=4y$를 x축의 방향으로 1만큼, y축의 방향으로 2만큼 평행이동한 것이고,

포물선 $x^2=4y=4\times 1\times y$의 초점의 좌표가 $(0, 1)$이므로 포물선 $x^2-2x-4y+9=0$의 초점의 좌표는

$\mathrm{F}(0+1, 1+2)$　　$\therefore \mathrm{F}(1, 3)$

또, 포물선 $y^2-4x-6y+5=0$에서

$(y^2-6y+9)-9=4x-5$

$\therefore (y-3)^2=4(x+1)$

이 포물선은 포물선 $y^2=4x$를 x축의 방향으로 -1만큼, y축의 방향으로 3만큼 평행이동한 것이고,

포물선 $y^2=4x=4\times 1\times x$의 초점의 좌표가 $(1, 0)$이므로 포물선 $y^2-4x-6y+5=0$의 초점의 좌표는

$\mathrm{F}'(1-1, 0+3)$　　$\therefore \mathrm{F}'(0, 3)$

$\therefore \overline{\mathrm{FF}'}=1$

답 1

067

[1단계] 포물선 $y^2=8x=4\times 2\times x$의 초점을 F라 하면 $\mathrm{F}(2, 0)$, 준선의 방정식은 $x=-2$이다.

포물선 위의 세 점 A, B, C를 꼭짓점으로 하는 △ABC의 무게중심 G가 포물선의 초점과 일치하므로 $\mathrm{G}(2, 0)$

세 점 A, B, C의 x좌표를 각각 x_1, x_2, x_3이라 하면

$\frac{x_1+x_2+x_3}{3}=2$　　$\therefore x_1+x_2+x_3=6$

[2단계] 오른쪽 그림과 같이 세 점 A, B, C에서 준선 $x=-2$에 내린 수선의 발을 각각 H_1, H_2, H_3이라 하면 포물선의 정의에 의하여

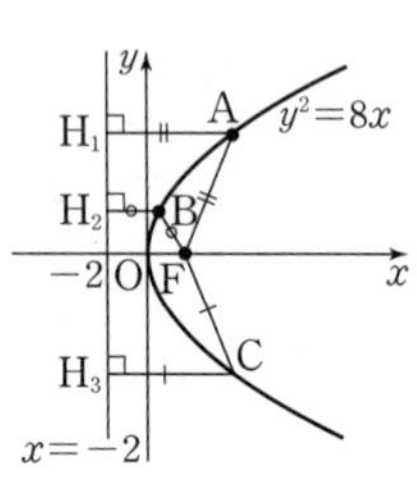

$\overline{\mathrm{AF}}=\overline{\mathrm{AH}_1}$, $\overline{\mathrm{BF}}=\overline{\mathrm{BH}_2}$, $\overline{\mathrm{CF}}=\overline{\mathrm{CH}_3}$

$\therefore \overline{\mathrm{GA}}+\overline{\mathrm{GB}}+\overline{\mathrm{GC}}$

$=\overline{\mathrm{AF}}+\overline{\mathrm{BF}}+\overline{\mathrm{CF}}$

$=\overline{\mathrm{AH}_1}+\overline{\mathrm{BH}_2}+\overline{\mathrm{CH}_3}$

$=(x_1+2)+(x_2+2)+(x_3+2)$

$=(x_1+x_2+x_3)+6$

$=6+6=12$

답 12

068

타원 $\frac{x^2}{25}+\frac{y^2}{9}=1$에서 $c=\sqrt{25-9}=4$이므로 초점의 좌표는 $(4, 0)$, $(-4, 0)$

이때 $\mathrm{F}(4, 0)$, $\mathrm{F}'(-4, 0)$이라 하면 타원의 그래프는 오른쪽 그림과 같다.

타원의 정의에 의하여

$\overline{PF}+\overline{PF'}=\overline{QF}+\overline{QF'}=2\times5=10$

$\therefore$ ($\square$PF′QF의 둘레의 길이)

$=(\overline{PF}+\overline{PF'})+(\overline{QF}+\overline{QF'})$

$=10+10=20$

답 20

069

초점이 x축 위에 있으므로 구하는 타원의 방정식을

$\frac{x^2}{a^2}+\frac{y^2}{b^2}=1$ $(a>b>0)$이라 하자.

장축과 단축의 길이의 차가 2이므로 $2a-2b=2$

$\therefore a-b=1$ …… ㉠

$c^2=a^2-b^2$에서 $3^2=a^2-b^2$

$\therefore (a+b)(a-b)=9$ …… ㉡

㉠을 ㉡에 대입하면 $a+b=9$

따라서 장축과 단축의 길이의 합은

$2a+2b=2(a+b)=2\times9=18$

답 18

070

타원 $3x^2+2y^2-12x+4y-4=0$에서

$3(x-2)^2+2(y+1)^2=18$

$\therefore \frac{(x-2)^2}{6}+\frac{(y+1)^2}{9}=1$ …… ㉠

한편 타원 $9x^2+6y^2=m$에서

$\frac{x^2}{\frac{m}{9}}+\frac{y^2}{\frac{m}{6}}=1$ …… ㉡

㉠, ㉡이 합동이려면 평행이동한 후 일치해야 하므로

$6=\frac{m}{9}$, $9=\frac{m}{6}$ $\therefore m=54$

$m=54$를 ㉡에 대입하면 $\frac{x^2}{6}+\frac{y^2}{9}=1$

따라서 $c=\sqrt{9-6}=\sqrt{3}$이므로 구하는 초점의 좌표는

$(0, \sqrt{3})$, $(0, -\sqrt{3})$

답 $(0, \sqrt{3})$, $(0, -\sqrt{3})$

071

쌍곡선 $x^2-3y^2=3$, 즉

$\frac{x^2}{3}-y^2=1$의 점근선의

방정식은 $y=\pm\frac{1}{\sqrt{3}}x$

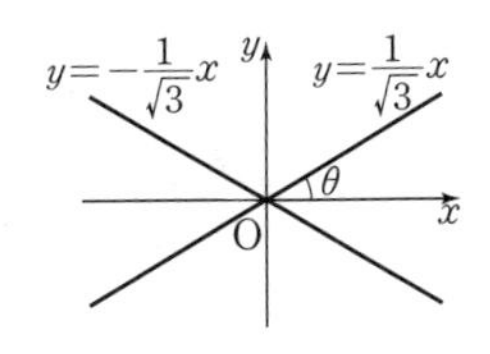

직선 $y=\frac{1}{\sqrt{3}}x$가 x축의 양의 방향과 이루는 각의 크기를 θ라 하면

$\tan\theta=\frac{1}{\sqrt{3}}$ $\therefore \theta=30°$

따라서 두 점근선이 이루는 예각의 크기는

$2\theta=2\times30°=60°$

답 60°

072

쌍곡선 $\frac{x^2}{9}-\frac{y^2}{18}=1$에서 $c=\sqrt{9+18}=3\sqrt{3}$이므로

초점은 $F(3\sqrt{3}, 0)$, $F'(-3\sqrt{3}, 0)$

또 쌍곡선 위의 한 점 P에 대하여 $\overline{PF}:\overline{PF'}=1:3$이므로 $\overline{PF'}=3\overline{PF}$

이때 쌍곡선의 정의에 의하여

$|\overline{PF'}-\overline{PF}|=2\times3=6$, $2\overline{PF}=6$

$\therefore \overline{PF}=3$, $\overline{PF'}=9$

$\therefore$ (△PFF′의 둘레의 길이)$=\overline{PF}+\overline{PF'}+\overline{FF'}$

$=3+9+6\sqrt{3}$

$=12+6\sqrt{3}$

답 $12+6\sqrt{3}$

073

쌍곡선 $x^2-\frac{y^2}{4}=1$에서

$c=\sqrt{1+4}=\sqrt{5}$이므로

초점의 좌표는

$(\sqrt{5}, 0)$, $(-\sqrt{5}, 0)$

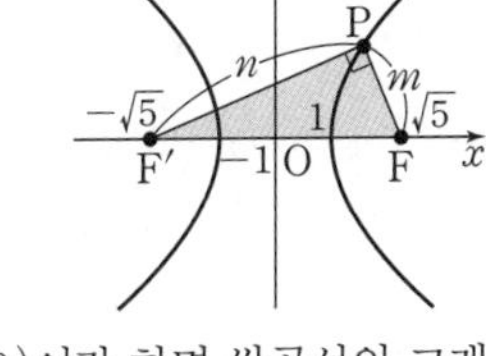

이때 $F(\sqrt{5}, 0)$, $F'(-\sqrt{5}, 0)$이라 하면 쌍곡선의 그래프는 위의 그림과 같다.

$\angle FPF'=90°$를 만족하는 쌍곡선 위의 한 점 P에 대하여 $\overline{PF}=m$, $\overline{PF'}=n$이라 하면 쌍곡선의 정의에 의하여

$|\overline{PF}-\overline{PF'}|=|m-n|=2\times1=2$ …… ㉠

또 △PFF′은 $\angle FPF'=90°$인 직각삼각형이므로

$\overline{PF}^2+\overline{PF'}^2=\overline{FF'}^2$

$m^2+n^2=(2\sqrt{5})^2=20$ …… ㉡

㉠의 양변을 제곱하면 $m^2-2mn+n^2=4$

위의 식에 ㉡을 대입하면 $20-2mn=4$

$\therefore mn=8$

$\therefore \triangle PFF'=\frac{1}{2}mn=4$

답 4

074

포물선의 정의에 의하여 $\overline{PF}=\overline{PP'}$, $\overline{QF}=\overline{QQ'}$

$\therefore\ \overline{PQ}=\overline{PF}+\overline{QF}=\overline{PP'}+\overline{QQ'}=10$

이때 $\overline{PP'}\,/\!/\,\overline{MM'}\,/\!/\,\overline{QQ'}$이고 점 M은 선분 PQ의 중점이므로

$\overline{MM'}=\frac{1}{2}(\overline{PP'}+\overline{QQ'})=\frac{1}{2}\times10=5$

답 5

075

포물선 $y=\frac{1}{4}x^2$, 즉 $x^2=4y=4\times1\times y$의 초점의 좌표는 F(0, 1), 준선의 방정식은 $y=-1$이다.

오른쪽 그림과 같이 점 F에서 선분 PH에 내린 수선의 발을 Q라 하면 △PFH가 정삼각형이므로 점 Q는 $\overline{PH}$를 이등분한다.

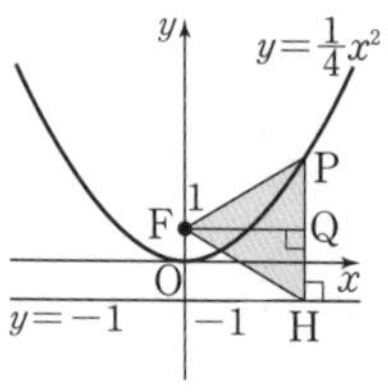

이때 $\overline{QH}=2$이므로 $\overline{PH}=2\overline{QH}=4$

$\therefore\ \triangle PFH=\frac{\sqrt{3}}{4}\times4^2=4\sqrt{3}$

답 $4\sqrt{3}$

076

[1단계] 포물선 $y^2=8x$와 직선 $y=x+k$의 교점 A, B의 x좌표를 각각 x_1, x_2 $(x_1>x_2)$라 하면 x_1, x_2는 두 식을 연립한 이차방정식 $(x+k)^2=8x$, 즉 $x^2+2(k-4)x+k^2=0$의 두 실근이다.

근과 계수의 관계에 의하여

$x_1+x_2=-2(k-4)$ ...... ㉠

[2단계] 포물선 $y^2=8x=4\times2\times x$의 초점의 좌표는 F(2, 0), 준선의 방정식은 $x=-2$이다.

오른쪽 그림과 같이 두 점 A, B에서 준선 $x=-2$에 내린 수선의 발을 각각 H_1, H_2라 하면

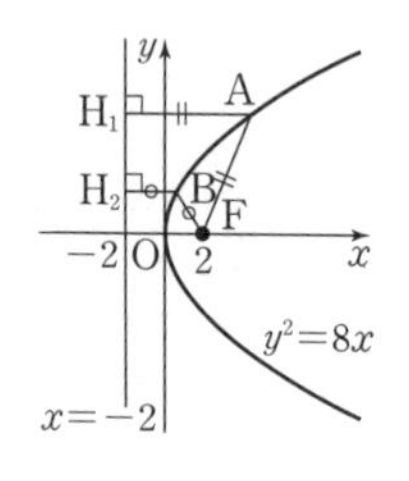

포물선의 정의에 의하여

$\overline{AF}=\overline{AH_1}$, $\overline{BF}=\overline{BH_2}$

$\therefore\ \overline{AF}+\overline{BF}=\overline{AH_1}+\overline{BH_2}$

$=(x_1+2)+(x_2+2)$

$=(x_1+x_2)+4$

$=-2(k-4)+4$ (∵ ㉠)

$=-2k+12$

이때 $\overline{AF}+\overline{BF}=10$이므로 $-2k+12=10$

$2k=2$ $\quad\therefore\ k=1$

답 1

077

점 M은 $\overline{AB}$의 중점, 점 P는 $\overline{BM}$의 중점이므로 점 P는 $\overline{AB}$를 3 : 1로 내분하는 점이다.

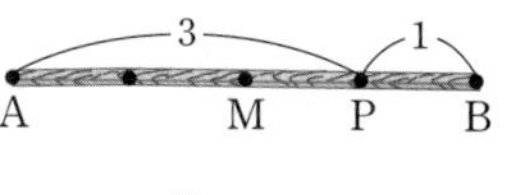

오른쪽 그림과 같이 바닥과 벽면을 각각 x축, y축으로 정하고 $A(a, 0)$, $B(0, b)$라 하자.

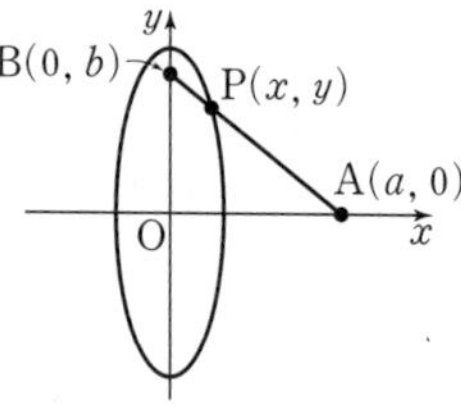

$P(x, y)$라 하면 점 P는 $\overline{AB}$를 3 : 1로 내분하는 점이므로

$x=\frac{3\times0+1\times a}{3+1}$, $y=\frac{3\times b+1\times0}{3+1}$

$\therefore\ a=4x,\ b=\frac{4}{3}y$ ...... ㉠

그런데 $\overline{AB}=4$, 즉 $\overline{AB}^2=16$이므로

$a^2+b^2=16$

㉠을 위의 식에 대입하면 $16x^2+\frac{16}{9}y^2=16$

$\therefore\ x^2+\frac{y^2}{9}=1$

따라서 점 P가 그리는 도형은 타원 $x^2+\frac{y^2}{9}=1$의 일부이므로 이 타원의 장축의 길이는

$2\times3=6$

답 6

078

포물선 $y^2=-12x=4\times(-3)\times x$의 초점을 F′이라 하면 F′(−3, 0)

즉, 점 F′(−3, 0)이 타원 $\frac{x^2}{a^2}+\frac{y^2}{4^2}=1$ $(a>4)$의 초점이므로

$(-3)^2=a^2-4^2$, $a^2=25$

$\therefore\ a=5$ (∵ $a>4$)

따라서 타원 $\frac{x^2}{5^2}+\frac{y^2}{4^2}=1$과 포물선 $y^2=-12x$의 그래프는 오른쪽 그림과 같다.

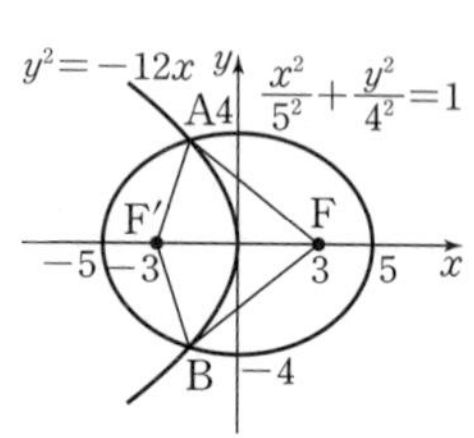

이때 두 점 A, B는 타원 위의 점이므로

$\overline{AF}+\overline{AF'}=(\text{장축의 길이})=2\times5=10$
$\overline{BF}+\overline{BF'}=(\text{장축의 길이})=2\times5=10$
$\therefore$ ($\square$AF′BF의 둘레의 길이)
$=(\overline{AF}+\overline{AF'})+(\overline{BF}+\overline{BF'})$
$=10+10=20$

답 20

079

점 $P_1, P_2, P_3, \cdots, P_{10}$은 타원 위의 점이고
두 점 F, F′이 타원의 초점이므로
$\overline{P_1F}+\overline{P_1F'}=(\text{장축의 길이})=\overline{AB}=10$
$\overline{P_2F}+\overline{P_2F'}=(\text{장축의 길이})=\overline{AB}=10$
$\overline{P_3F}+\overline{P_3F'}=(\text{장축의 길이})=\overline{AB}=10$
$\vdots$
$\overline{P_{10}F}+\overline{P_{10}F'}=(\text{장축의 길이})=\overline{AB}=10$
위의 식을 모두 변끼리 더하면
$\sum_{k=1}^{10}(\overline{P_kF}+\overline{P_kF'})=100$
$\sum_{k=1}^{10}\overline{P_kF}+\sum_{k=1}^{10}\overline{P_kF'}=100$
$40+\sum_{k=1}^{10}\overline{P_kF'}=100$
$\therefore \sum_{k=1}^{10}\overline{P_kF'}=60$

답 60

080

쌍곡선 $\frac{x^2}{9}-\frac{y^2}{16}=1$에서 $c=\sqrt{9+16}=5$이므로
초점은 $F(5, 0)$, $F'(-5, 0)$
또 두 점 P, Q가 원점에 대하여 대칭이므로
$Q(-a, -b)$
이때 $\square$F′QFP의 넓이가 40이므로
$\triangle PFF'+\triangle QFF'=40$, $2\triangle PFF'=40$
즉, $\triangle PFF'=20$이므로
$\frac{1}{2}\times\overline{FF'}\times b=20$
$\frac{1}{2}\times10\times b=20$
$\therefore b=4$
한편 점 $P(a, 4)$가 쌍곡선 $\frac{x^2}{9}-\frac{y^2}{16}=1$ 위의 점이므로
$\frac{a^2}{9}-\frac{4^2}{16}=1$, $a^2=18$
$\therefore a^2+b^2=18+4^2=34$

답 34

081

쌍곡선 $\frac{x^2}{a^2}+\frac{y^2}{b^2}=1$의 꼭짓점의 좌표는
$(a, 0)$, $(-a, 0)$
쌍곡선 $\frac{x^2}{a^2}-\frac{y^2}{b^2}=-1$의 꼭짓점의 좌표는
$(0, b)$, $(0, -b)$
위의 네 점을 꼭짓점으로 하는 사각형은 마름모이고 한 변의 길이는 $\sqrt{a^2+b^2}$
이 사각형의 둘레의 길이가 20이므로
$4\sqrt{a^2+b^2}=20$ $\quad\therefore a^2+b^2=25$ $\quad\cdots\cdots$ ㉠
이때 점근선의 방정식이 $y=\pm\frac{1}{2}x$이고
$a>0$, $b>0$이므로 $\frac{b}{a}=\frac{1}{2}$ $\quad\therefore a=2b$
즉, $a=2b$를 ㉠에 대입하여 정리하면
$5b^2=25$, $b^2=5$
$\therefore b=\sqrt{5}$, $a=2\sqrt{5}$ ($\because a>0,\ b>0$)

답 $a=2\sqrt{5}$, $b=\sqrt{5}$

082

$F(1, 0)$, $F'(-1, 0)$, $P(1, 1)$이므로
$\overline{PF}=1$, $\overline{PF'}=\sqrt{5}$
두 점 F, F′이 타원의 초점이고 점 P는 타원 위의 점이므로 타원의 정의에 의하여
$\overline{PF}+\overline{PF'}=(\text{장축의 길이})=2\overline{OB}$
$\therefore \overline{OB}=\frac{\sqrt{5}+1}{2}$
또 두 점 F, F′이 쌍곡선의 초점이고 점 P는 쌍곡선 위의 점이므로 쌍곡선의 정의에 의하여
$|\overline{PF'}-\overline{PF}|=(\text{주축의 길이})=2\overline{OA}$
$\therefore \overline{OA}=\frac{\sqrt{5}-1}{2}$
$\therefore \overline{AB}=\overline{OB}-\overline{OA}=\frac{\sqrt{5}+1}{2}-\frac{\sqrt{5}-1}{2}=1$

답 1

2 이차곡선의 접선

084

$y=mx+4$에서 $x=\frac{y-4}{m}$

이것을 $y^2=2x$에 대입하면

$y^2=2\times\frac{y-4}{m}$, $my^2=2y-8$

$\therefore my^2-2y+8=0$

(1) $\frac{D}{4}=1-8m>0$에서 $m<\frac{1}{8}$

이때 $m\neq0$이므로 $m<0$ 또는 $0<m<\frac{1}{8}$

(2) $\frac{D}{4}=1-8m=0$에서 $m=\frac{1}{8}$

(3) $\frac{D}{4}=1-8m<0$에서 $m>\frac{1}{8}$

답 (1) $m<0$ 또는 $0<m<\frac{1}{8}$
(2) $m=\frac{1}{8}$ (3) $m>\frac{1}{8}$

086

$y=mx+2$를 $x^2-y^2=2$에 대입하면

$x^2-(mx+2)^2=2$

$\therefore (1-m^2)x^2-4mx-6=0$

(1) $\frac{D}{4}=(-2m)^2-(-6)\times(1-m^2)>0$에서

$m^2-3<0$ $\therefore -\sqrt{3}<m<\sqrt{3}$

$m^2\neq1$에서 $m\neq-1$, $m\neq1$이므로

$-\sqrt{3}<m<-1$ 또는 $-1<m<1$

또는 $1<m<\sqrt{3}$

(2) $\frac{D}{4}=(-2m)^2-(-6)\times(1-m^2)=0$에서

$m^2-3=0$ $\therefore m=-\sqrt{3}$ 또는 $m=\sqrt{3}$

(3) $\frac{D}{4}=(-2m)^2-(-6)\times(1-m^2)<0$에서

$m^2-3>0$ $\therefore m<-\sqrt{3}$ 또는 $m>\sqrt{3}$

답 (1) $-\sqrt{3}<m<-1$ 또는 $-1<m<1$
또는 $1<m<\sqrt{3}$
(2) $m=-\sqrt{3}$ 또는 $m=\sqrt{3}$
(3) $m<-\sqrt{3}$ 또는 $m>\sqrt{3}$

088

(1) $y^2=-x$에서 $4p=-1$ $\therefore p=-\frac{1}{4}$

직선 $y=\frac{1}{2}x+1$에 평행하므로 기울기는 $m=\frac{1}{2}$

$y=mx+\frac{p}{m}=\frac{1}{2}x+\frac{-\frac{1}{4}}{\frac{1}{2}}$

$\therefore y=\frac{1}{2}x-\frac{1}{2}$

(2) $y^2=2x$에서 $4p=2$ $\therefore p=\frac{1}{2}$

직선 $y=\frac{1}{3}x-3$에 수직이므로 기울기는 $m=-3$

$y=mx+\frac{p}{m}=-3x+\frac{\frac{1}{2}}{-3}$

$\therefore y=-3x-\frac{1}{6}$

답 (1) $y=\frac{1}{2}x-\frac{1}{2}$ (2) $y=-3x-\frac{1}{6}$

090

$x^2=8y$에서 x^2 대신 $4x$, y 대신 $\frac{y+2}{2}$를 대입하면

$4x=8\times\frac{y+2}{2}$ $\therefore y=x-2$

답 $y=x-2$

092

(1) 접선의 기울기를 m이라 하면 접선의 방정식은

$y=mx+\frac{-1}{m}$ ...... ㉠

접선이 점 $(1, 0)$을 지나므로

$0=m+\frac{-1}{m}$ $\therefore m=\pm1$

이 값을 ㉠에 각각 대입하여 정리하면

$y=x-1$ 또는 $y=-x+1$

(2) 접선의 기울기를 m이라 하면 접선의 방정식은

$y=mx+\frac{-1}{m}$ ...... ㉠

접선이 점 $(0, 1)$을 지나므로 $1=\frac{-1}{m}$

$\therefore m=-1$

이 값을 ㉠에 대입하면 $y=-x+1$

이때 포물선 밖의 점에서 그은 접선은 두 개가 발생한다.

다른 한 개는?

그림을 그려 보면 쉽게 찾을 수 있다.

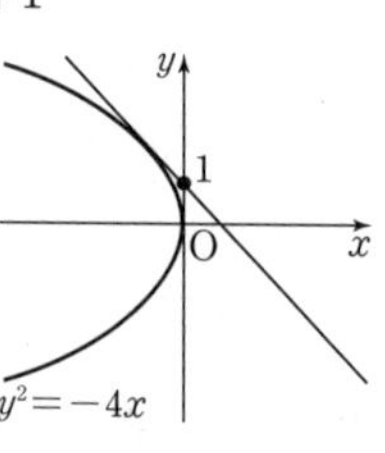

오른쪽 그림에서 다른 한 개는

$x=0$

따라서 구하는 접선의 방정식은

$y=-x+1$ 또는 $x=0$

답 (1) $y=x-1$ 또는 $y=-x+1$
(2) $y=-x+1$ 또는 $x=0$

094

(1) 평행하면 기울기가 같다.

결국, 기울기가 $\frac{1}{2}$이라는 소리.

$3x^2+y^2=12$의 양변을 12로 나누면

$$\frac{x^2}{4}+\frac{y^2}{12}=1$$

$m=\frac{1}{2}$, $a^2=4$, $b^2=12$를 기울기 공식에 대입하면

$$y=\frac{1}{2}x\pm\sqrt{4\times\frac{1}{4}+12}$$
$$=\frac{1}{2}x\pm\sqrt{13}$$
$$\therefore\ y=\frac{1}{2}x\pm\sqrt{13}$$

(2) 수직이면 기울기의 곱이 -1.

결국, 기울기가 -3이라는 소리.

$x^2+4y^2=24$의 양변을 24로 나누면

$$\frac{x^2}{24}+\frac{y^2}{6}=1$$

$m=-3$, $a^2=24$, $b^2=6$을 기울기 공식에 대입하면

$$y=-3x\pm\sqrt{24\times9+6}$$
$$=-3x\pm\sqrt{222}$$
$$\therefore\ y=-3x\pm\sqrt{222}$$

답 (1) $y=\frac{1}{2}x\pm\sqrt{13}$ (2) $y=-3x\pm\sqrt{222}$

096

$3x^2+4y^2=16$에서 x^2 대신 $2x$, y^2 대신 $-y$를 대입하면

$6x-4y=16$ $\quad\therefore\ 3x-2y=8$

답 $3x-2y=8$

098

접점의 좌표를 (x_1, y_1)이라 하면 접선의 방정식은

$x_1x+4y_1y=4$ ······ ㉠

(i) 접선이 점 $(1, 1)$을 지나므로

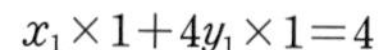

$x_1\times1+4y_1\times1=4$

$\therefore\ x_1+4y_1=4$

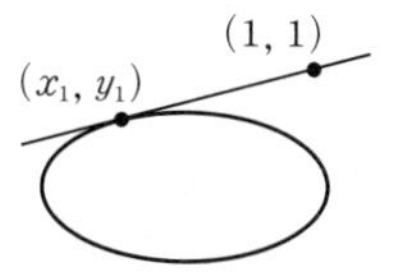

(ii) 점 (x_1, y_1)은 타원 위의 점이므로

$x_1^{\ 2}+4y_1^{\ 2}=4$

이제 연립방정식 $\begin{cases}x_1+4y_1=4\\x_1^{\ 2}+4y_1^{\ 2}=4\end{cases}$를 풀어 ㉠에 대입하면 끝.

윗식의 $x_1=4-4y_1$을 아랫식에 대입하여 정리하면

$20y_1^{\ 2}-32y_1+12=0$, $5y_1^{\ 2}-8y_1+3=0$

$(y_1-1)(5y_1-3)=0$ $\quad\therefore\ y_1=1$ 또는 $y_1=\frac{3}{5}$

$\therefore\ \begin{cases}x_1=0\\y_1=1\end{cases}$ 또는 $\begin{cases}x_1=\frac{8}{5}\\y_1=\frac{3}{5}\end{cases}$

따라서 접점의 좌표는 $(0, 1)$ 또는 $\left(\frac{8}{5}, \frac{3}{5}\right)$

이 값을 ㉠에 각각 대입하여 정리하면

$y=1$ 또는 $2x+3y=5$

답 $y=1$ 또는 $2x+3y=5$

100

거리의 최댓값이 발생하는 상황을 포착하는 것이 핵심.

거리의 최댓값은 직선에 평행한 타원의 접선 중 직선에서 먼 접선과 타원의 접점을 P라 할 때, 점 P와 직선 사이의 거리.

결국, 그림의 두 직선 $y=x+11$, $y=x-5$ 사이의 거리가 정답.

[1단계] 직선 $y=x+11$과 평행한 접선의 방정식을 구한다.

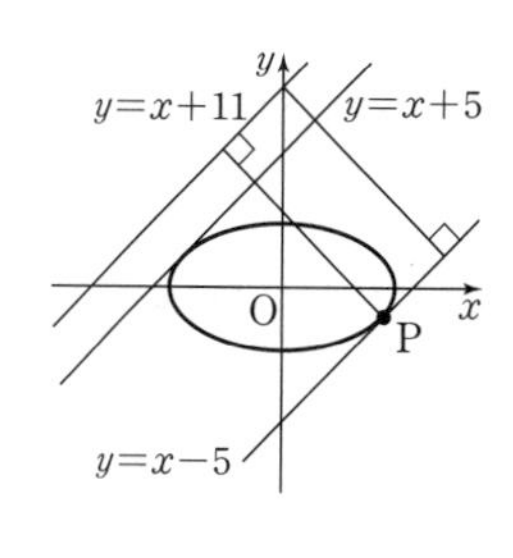

$9x^2+16y^2=144$의 양변을 144로 나누면

$$\frac{x^2}{16}+\frac{y^2}{9}=1$$

$m=1$, $a^2=16$, $b^2=9$를 기울기 공식에 대입하면

$$y=1\times x\pm\sqrt{16\times1+9}=x\pm5$$

이중 최댓값을 주는 것은 아래쪽의 $y=x-5$

[2단계] 직선 $y=x+11$ 위의 점 $(0, 11)$에서 직선 $x-y-5=0$까지의 거리를 구한다.

$$\frac{|(\text{대입한 놈})|}{\sqrt{(\text{계수들의 제곱의 합})}}$$
$$=\frac{|0-11-5|}{\sqrt{1^2+(-1)^2}}=8\sqrt{2}$$

답 $8\sqrt{2}$

102

(1) 평행하면 기울기가 같다.

결국, 기울기가 $-\frac{1}{2}$이라는 소리.

$3x^2-y^2=12$의 양변을 12로 나누면

$\frac{x^2}{4}-\frac{y^2}{12}=1$

$m=-\frac{1}{2}$, $a^2=4$, $b^2=12$를 기울기 공식에 대입하면

$y=-\frac{1}{2}x\pm\sqrt{4\times\frac{1}{4}-12}=-\frac{1}{2}x\pm\sqrt{-11}$

근호 안이 음수이므로 구하는 직선은 존재하지 않는다.

(2) 수직이면 기울기의 곱이 -1이다.

결국, 기울기가 1이라는 소리.

$x^2-4y^2=24$의 양변을 24로 나누면

$\frac{x^2}{24}-\frac{y^2}{6}=1$

$m=1$, $a^2=24$, $b^2=6$을 기울기 공식에 대입하면

$y=x\pm\sqrt{24\times1-6}=x\pm\sqrt{18}$

$=x\pm3\sqrt{2}$

$\therefore\ y=x\pm3\sqrt{2}$

> 참고

• 타원은 모든 방향의 접선을 갖지만 쌍곡선은 점근선보다 기울기가 완만한 접선은 존재하지 않는다.

이러한 사실은 아래 그림을 통해서도 알 수 있고, 기울기 공식 $y=mx\pm\sqrt{a^2m^2-b^2}$을 통해서도 알 수 있다.

근호 안이 양수이어야 하므로

$a^2m^2-b^2>0$

즉, $m<-\frac{b}{a}$ 또는 $m>\frac{b}{a}$일 때만 접선을 갖는다.

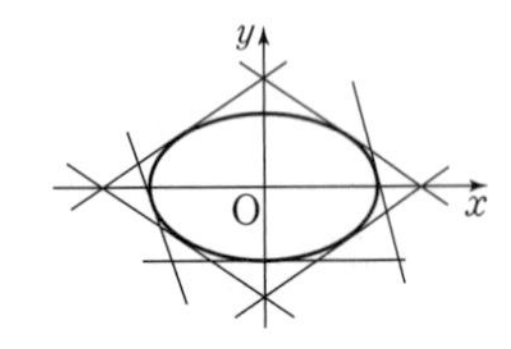

(타원은 모든 방향에서 접선을 갖는다.)

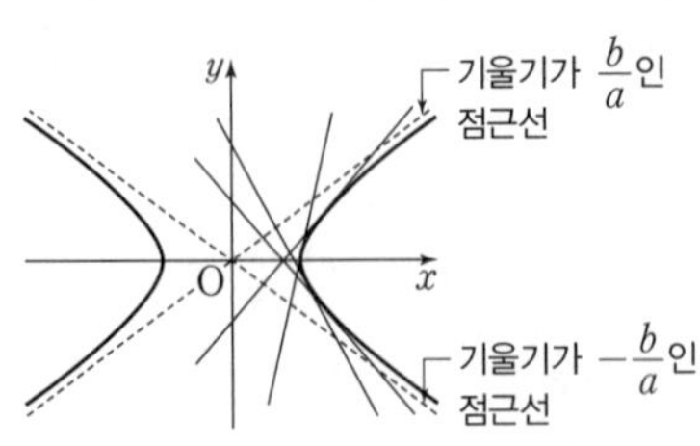

(쌍곡선은 점근선보다 기울기가 급한 접선만 갖는다.)

• 점근선을 이용한 쌍곡선 $\frac{x^2}{a^2}-\frac{y^2}{b^2}=1$과 직선 $y=mx+n$의 위치 관계를 정리하면 다음과 같다.

(1) $m=\pm\frac{b}{a}$일 때,

(i) $n=0$이면 만나지 않는다.

(ii) $n\neq0$이면 한 점에서 만난다.

(2) $m\neq\pm\frac{b}{a}$일 때,

(i) $-\frac{b}{a}<m<\frac{b}{a}$이면 두 점에서 만난다.

(ii) $m\leq-\frac{b}{a}$ 또는 $m\geq\frac{b}{a}$이고 $n=0$이면 만나지 않는다.

답 (1) 직선은 존재하지 않는다.
(2) $y=x\pm3\sqrt{2}$

104

$4x^2-5y^2=-4$에서 x^2 대신 $-2x$, y^2 대신 $2y$를 대입하면

$-8x-10y=-4$

$\therefore\ 4x+5y=2$

답 $4x+5y=2$

106

접점의 좌표를 (x_1, y_1)이라 하면 접선의 방정식은

$x_1x-y_1y=1$ ...... ㉠

접선이 점 $(0, 1)$을 지나므로

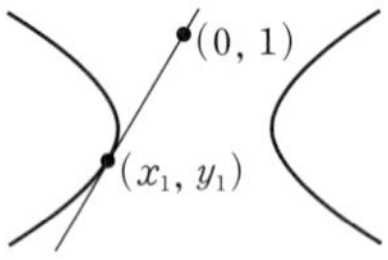

$-y_1=1$

$\therefore\ y_1=-1$ ...... ㉡

점 (x_1, y_1)은 쌍곡선 위의 점이므로

$x_1{}^2-y_1{}^2=1$ ...... ㉢

㉡을 ㉢에 대입하여 풀면 $x_1=\pm\sqrt{2}$

따라서 접점의 좌표는

$(\sqrt{2}, -1)$, $(-\sqrt{2}, -1)$

이 값을 ㉠에 각각 대입하여 정리하면

$y=-\sqrt{2}x+1$ 또는 $y=\sqrt{2}x+1$

답 $y=-\sqrt{2}x+1$ 또는 $y=\sqrt{2}x+1$

108

접선의 기울기를 m이라 하면 접선의 방정식은

$y=mx\pm\sqrt{9m^2-5}$

접선이 점 $\mathrm{P}(a, b)$를 지나므로

$b=am\pm\sqrt{9m^2-5}$

$b-am=\pm\sqrt{9m^2-5}$의 양변을 제곱하여 정리하면

$(a^2-9)m^2-2abm+b^2+5=0$ …… ㉠

두 접선이 수직 ➡ 기울기의 곱이 -1

➡ ㉠의 두 근의 곱이 -1

근과 계수의 관계에서

$(\text{두 근의 곱})=\dfrac{b^2+5}{a^2-9}=-1$

$\therefore a^2+b^2=4$

즉, 점 $\mathrm{P}(a, b)$의 자취는 반지름의 길이가 2인 원이다.

따라서 구하는 자취의 길이는 원의 둘레의 길이인 4π이다.

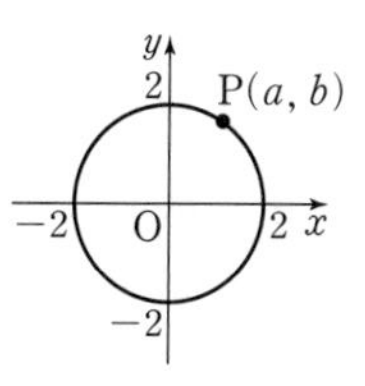

답 4π

110

(1) $x^2+xy+y^2=1$의 양변을 x에 대하여 미분하면

$2x+y+x\dfrac{dy}{dx}+2y\dfrac{dy}{dx}=0$

$(x+2y)\dfrac{dy}{dx}=-2x-y$

$\therefore \dfrac{dy}{dx}=\dfrac{-2x-y}{x+2y}$ (단, $x+2y\neq0$)

(2) $x=1$, $y=0$을 대입하면

$\dfrac{dy}{dx}=\dfrac{(-2)\times1-0}{1+2\times0}=-2$

(3) 점 $(1, 0)$을 지나고 기울기가 -2이므로

$y=-2(x-1)$ $\therefore y=-2x+2$

답 (1) $\dfrac{dy}{dx}=\dfrac{-2x-y}{x+2y}$ (2) -2 (3) $y=-2x+2$

112

(1) $x^2+y^2=4$의 양변을 x에 대하여 미분하면

$2x+2y\dfrac{dy}{dx}=0$ $\therefore \dfrac{dy}{dx}=-\dfrac{x}{y}$ (단, $y\neq0$)

점 $(1, \sqrt{3})$에서의 접선의 기울기는

$x=1$, $y=\sqrt{3}$을 대입하면

$\dfrac{dy}{dx}=-\dfrac{1}{\sqrt{3}}=-\dfrac{\sqrt{3}}{3}$

따라서 구하는 접선의 방정식은

$y-\sqrt{3}=-\dfrac{\sqrt{3}}{3}(x-1)$ $\therefore y=-\dfrac{\sqrt{3}}{3}x+\dfrac{4\sqrt{3}}{3}$

(2) $x^2=8y$의 양변을 x에 대하여 미분하면

$2x=8\dfrac{dy}{dx}$ $\therefore \dfrac{dy}{dx}=\dfrac{x}{4}$

점 $(4, 2)$에서의 접선의 기울기는

$x=4$를 대입하면 $\dfrac{dy}{dx}=\dfrac{4}{4}=1$

따라서 구하는 접선의 방정식은 $y-2=x-4$

$\therefore y=x-2$

(3) $\dfrac{x^2}{2}+\dfrac{y^2}{8}=1$의 양변을 x에 대하여 미분하면

$x+\dfrac{y}{4}\times\dfrac{dy}{dx}=0$ $\therefore \dfrac{dy}{dx}=-\dfrac{4x}{y}$ (단, $y\neq0$)

점 $(1, -2)$에서의 접선의 기울기는

$x=1$, $y=-2$를 대입하면 $\dfrac{dy}{dx}=-\dfrac{4}{-2}=2$

따라서 구하는 접선의 방정식은 $y+2=2(x-1)$

$\therefore y=2x-4$

(4) $\dfrac{x^2}{3}-\dfrac{y^2}{2}=1$의 양변을 x에 대하여 미분하면

$\dfrac{2x}{3}-y\dfrac{dy}{dx}=0$ $\therefore \dfrac{dy}{dx}=\dfrac{2x}{3y}$ (단, $y\neq0$)

점 $(3, -2)$에서의 접선의 기울기는

$x=3$, $y=-2$를 대입하면 $\dfrac{dy}{dx}=\dfrac{6}{-6}=-1$

따라서 구하는 접선의 방정식은

$y+2=-(x-3)$

$\therefore y=-x+1$

› 다른 풀이

이차곡선의 접선의 방정식 공식을 이용하여 구하면 다음과 같다.

(1) x^2 대신 x, y^2 대신 $\sqrt{3}y$를 대입하면

$x+\sqrt{3}y=4$ $\therefore y=-\dfrac{\sqrt{3}}{3}x+\dfrac{4\sqrt{3}}{3}$

(2) x^2 대신 $4x$, y 대신 $\dfrac{y+2}{2}$를 대입하면

$4x=8\times\dfrac{y+2}{2}$ $\therefore y=x-2$

(3) x^2 대신 x, y^2 대신 $-2y$를 대입하면

$\dfrac{x}{2}+\dfrac{-2y}{8}=1$ $\therefore y=2x-4$

(4) x^2 대신 $3x$, y^2 대신 $-2y$를 대입하면

$\dfrac{3x}{3}-\dfrac{-2y}{2}=1$ $\therefore y=-x+1$

답 (1) $y=-\dfrac{\sqrt{3}}{3}x+\dfrac{4\sqrt{3}}{3}$ (2) $y=x-2$ (3) $y=2x-4$ (4) $y=-x+1$

113

[1단계] 두 점에서 그은 두 접선의 방정식을 구한다.

포물선 $y^2=4x$ 위의 점 $(1,\ 2)$에서의 접선의 방정식은 x 대신 $\frac{x+1}{2}$, y^2 대신 $2y$를 대입하면

$2y=4\times\frac{x+1}{2}$ $\quad\therefore y=x+1$ $\quad\cdots\cdots$ ㉠

포물선 $y^2=4x$ 위의 점 $(4,\ -4)$에서의 접선의 방정식은 x 대신 $\frac{x+4}{2}$, y^2 대신 $-4y$를 대입하면

$-4y=4\times\frac{x+4}{2}$ $\quad\therefore y=-\frac{1}{2}x-2$ $\quad\cdots\cdots$ ㉡

[2단계] 두 접선의 교점을 구한다.

㉠, ㉡을 연립하여 풀면 $x=-2,\ y=-1$

따라서 구하는 교점의 좌표는 $(-2,\ -1)$

답 $(-2,\ -1)$

114

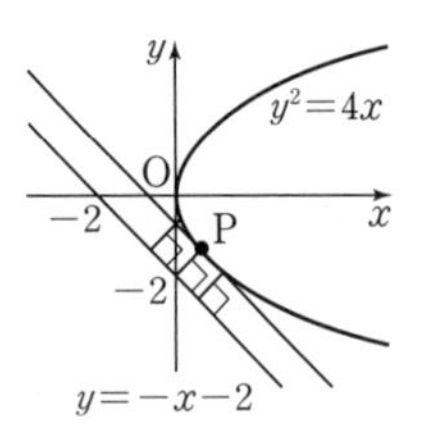

거리의 최솟값이 발생하는 상황을 포착하는 것이 핵심.

거리의 최솟값은 직선과 평행한 접선의 접점을 P라 할 때, 점 P와 직선 사이의 거리.

결국, 오른쪽 그림의 두 직선 사이의 거리가 정답.

[1단계] 직선 $y=-x-2$와 평행한 접선의 방정식을 구한다.

$4p=4$에서 $p=1$이고, 기울기가 $m=-1$이므로

$y=mx+\frac{p}{m}=-x+\frac{1}{-1}$

$\therefore y=-x-1$

[2단계] 직선 $y=-x-2$ 위의 점 $(0,\ -2)$에서 직선 $x+y+1=0$까지의 거리를 구한다.

$\frac{|(\text{대입한 놈})|}{\sqrt{(\text{계수들의 제곱의 합})}}$

$=\frac{|0-2+1|}{\sqrt{1^2+1^2}}=\frac{1}{\sqrt{2}}=\frac{\sqrt{2}}{2}$

답 $\frac{\sqrt{2}}{2}$

115

타원 $\frac{x^2}{8}+\frac{y^2}{18}=1$ 위의 점 $(2,\ 3)$에서의 접선의 방정식은 x^2 대신 $2x$, y^2 대신 $3y$를 대입하면

$\frac{2x}{8}+\frac{3y}{18}=1$ $\quad\therefore \frac{x}{4}+\frac{y}{6}=1$

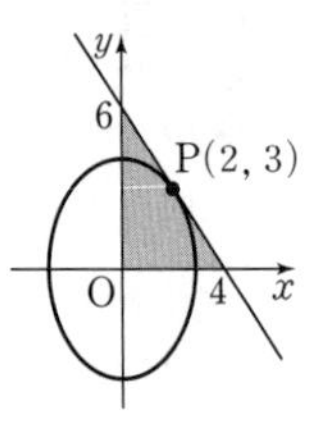

이 접선의 x절편은 4, y절편은 6이므로 오른쪽 그림과 같은 상황.

따라서 구하는 넓이는

$\frac{1}{2}\times4\times6=12$

답 12

116

곡선 밖의 점 문제 중 기울기에 관한 문제에서는 기울기 공식을 이용한다.

접선의 기울기를 m이라 하면 접선의 방정식은

$y=mx\pm\sqrt{4m^2+1}$

접선이 점 $(1,\ 2)$를 지나므로

$2=m\pm\sqrt{4m^2+1}$

$2-m=\pm\sqrt{4m^2+1}$의 양변을 제곱하여 정리하면

$3m^2+4m-3=0$ $\quad\cdots\cdots$ ㉠

따라서 m_1, m_2는 ㉠의 두 근이므로 이차방정식의 근과 계수의 관계에서

$m_1+m_2=(\text{두 근의 합})=-\frac{4}{3}$

답 $-\frac{4}{3}$

117

쌍곡선 $\frac{x^2}{9}-\frac{y^2}{16}=1$ 위의 점 $(a,\ b)$에서의 접선의 방정식은 x^2 대신 ax, y^2 대신 by를 대입하면

$\frac{ax}{9}-\frac{by}{16}=1$

이 접선의 x절편은 $\frac{9}{a}$, y절편은 $-\frac{16}{b}$이므로

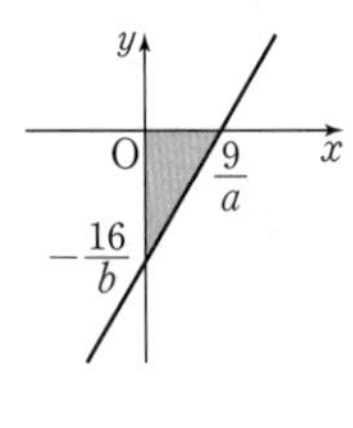

구하는 삼각형의 넓이는

$\frac{1}{2}\times|x\text{절편}|\times|y\text{절편}|$

$=\frac{1}{2}\times\left|\frac{9}{a}\right|\times\left|-\frac{16}{b}\right|$

$=\frac{72}{ab}$

답 $\frac{72}{ab}$

118

[1단계] 기울기가 2인 접선의 방정식을 구한다.

$m=2,\ a^2=1,\ b^2=3$을 기울기 공식에 대입하면

$y=2x\pm\sqrt{1\times4-3}=2x\pm\sqrt{1}$

$\therefore\ y=2x\pm1$

결국, 두 직선 $y=2x+1$, $y=2x-1$ 사이의 거리를 구하는 것이다.

[2단계] 직선 $y=2x+1$ 위의 점 $(0,\ 1)$에서 직선 $2x-y-1=0$까지의 거리를 구한다.

$$\frac{|(\text{대입한 놈})|}{\sqrt{(\text{계수들의 제곱의 합})}}=\frac{|0-1-1|}{\sqrt{4+1}}=\frac{2\sqrt{5}}{5}$$

답 $\frac{2\sqrt{5}}{5}$

119

[1단계] 점 P에서의 접선을 구한다.

포물선 $y^2=x$ 위의 점 $\mathrm{P}(1,\ 1)$에서의 접선의 방정식은 x 대신 $\frac{x+1}{2}$, y^2 대신 y를 대입하면

$y=\frac{x+1}{2}\qquad\therefore\ y=\frac{1}{2}x+\frac{1}{2}\qquad\cdots\cdots$ ㉠

[2단계] 점 Q와 점 R를 구한다.

(i) 점 Q는 직선 ㉠의 x절편이므로 $y=0$을 대입하면

$0=\frac{1}{2}x+\frac{1}{2}$, $x=-1$

$\therefore\ \mathrm{Q}(-1,\ 0)$

(ii) 점 R는 점 P에서 x축에 내린 수선의 발이므로 $\mathrm{R}(1,\ 0)$

즉, 다음 그림과 같은 상황.

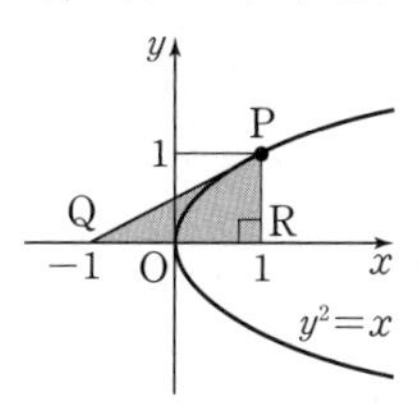

[3단계] $\triangle\mathrm{PQR}$의 넓이를 구한다.

$(\text{넓이})=\frac{1}{2}\times\overline{\mathrm{QR}}\times\overline{\mathrm{PR}}=\frac{1}{2}\times2\times1=1$

답 1

120

직선 $y=2x$를 x축의 방향으로 a만큼 평행이동한 직선의 방정식은

$y=2(x-a)$, 즉 $y=2x-2a\qquad\cdots\cdots$ ㉠

㉠은 포물선 $x^2=4y$에 접하고 기울기가 2인 직선이다.

포물선 $x^2=4y$ 위의 점 $(x_1,\ y_1)$에서의 접선의 방정식은 x^2 대신 x_1x, y 대신 $\frac{y+y_1}{2}$을 대입하면

$x_1x=4\times\frac{y+y_1}{2}\qquad\therefore\ y=\frac{x_1}{2}x-y_1$

이 접선의 기울기가 2이므로 $\frac{x_1}{2}=2$

$\therefore\ x_1=4$

점 $(4,\ y_1)$은 포물선 $x^2=4y$ 위의 점이므로

$4^2=4y_1\qquad\therefore\ y_1=4$

따라서 접선의 방정식은 $y=2x-4$이고 이 직선이 ㉠과 일치하므로 $-2a=-4$

$\therefore\ a=2$

답 2

121

타원 $2x^2+3y^2=14$ 위의 점 $(1,\ -2)$에서의 접선의 방정식은 x^2 대신 x, y^2 대신 $-2y$를 대입하면

$2x+3\times(-2y)=14\qquad\therefore\ x-3y=7$

이 접선이 점 $(a,\ -1)$을 지나므로

$a+3=7\qquad\therefore\ a=4$

답 4

122

곡선 밖의 점 문제 중 '수직' 등의 기울기에 관한 문제에서는 기울기 공식을 이용한다.

접선의 기울기를 m이라 하면 접선의 방정식은

$y=mx\pm\sqrt{a^2m^2+9a^2}$

접선이 점 $(1,\ 2)$를 지나므로

$2=m\pm\sqrt{a^2m^2+9a^2}$

$2-m=\pm\sqrt{a^2m^2+9a^2}$의 양변을 제곱하여 정리하면

$(a^2-1)m^2+4m+9a^2-4=0\qquad\cdots\cdots$ ㉠

두 접선이 수직 ➡ 기울기의 곱이 -1

➡ ㉠의 두 근의 곱이 -1

근과 계수의 관계에서

$(\text{두 근의 곱})=\frac{9a^2-4}{a^2-1}=-1$

$\therefore\ a^2=\frac{1}{2}$

이때 a는 양수이므로

$a=\frac{1}{\sqrt{2}}=\frac{\sqrt{2}}{2}$

> 참고

㉠에서 $a^2-1=0$인 경우,
즉 $a=1$ ($\because a>0$)인 경우 주어진 타원과 점 $(1, 2)$에서 타원에 그은 두 접선은 오른쪽 그림과 같다.
두 직선은 수직이 아니므로 $a=1$인 경우는 제외.

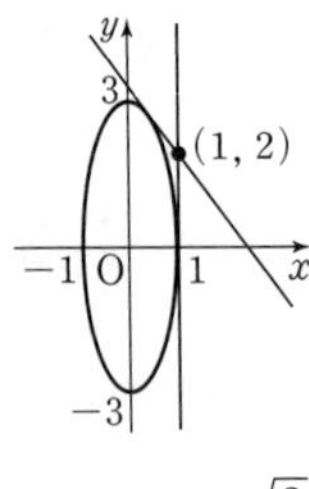

답 $\frac{\sqrt{2}}{2}$

123

쌍곡선 $\frac{x^2}{2}-y^2=1$ 위의 점 (a, b)에서의 접선의 방정식은 x^2 대신 ax, y^2 대신 by를 대입하면

$\frac{ax}{2}-by=1 \qquad \therefore y=\frac{a}{2b}x-\frac{1}{b}$

이 접선의 기울기가 1이므로

$\frac{a}{2b}=1 \qquad \therefore a=2b \qquad \cdots\cdots$ ㉠

점 (a, b)는 쌍곡선 $\frac{x^2}{2}-y^2=1$ 위의 점이므로

$\frac{a^2}{2}-b^2=1 \qquad \cdots\cdots$ ㉡

㉠을 ㉡에 대입하면 $\frac{4b^2}{2}-b^2=1$

$\therefore b^2=1$

㉠에서 $a^2=4b^2=4$

$\therefore a^2+b^2=4+1=5$

> 다른 풀이

음함수의 미분법을 이용한다.

$\frac{x^2}{2}-y^2=1$의 양변을 x에 대하여 미분하면

$\frac{d}{dx}\left(\frac{x^2}{2}\right)-\frac{d}{dx}(y^2)=\frac{d}{dx}(1)$

$x-2y\frac{dy}{dx}=0 \qquad \therefore \frac{dy}{dx}=\frac{x}{2y}$ (단, $y\neq0$)

이때 쌍곡선 위의 점 (a, b)에서의 접선의 기울기가 1이므로

$\frac{a}{2b}=1 \qquad \therefore a=2b$

답 5

124

쌍곡선 $\frac{x^2}{k}-\frac{y^2}{4}=-1$에 접하고 기울기가 m인 접선의 방정식은

$y=mx\pm\sqrt{4-km^2}$

이 직선이 점 $(1, 1)$을 지나므로 $1=m\pm\sqrt{4-km^2}$

$1-m=\pm\sqrt{4-km^2}$

양변을 제곱하여 정리하면

$(1+k)m^2-2m-3=0$

위의 m에 대한 이차방정식의 두 실근이 쌍곡선의 접선의 기울기이고, 두 접선이 서로 수직이므로 기울기의 곱이 -1이다.

따라서 이차방정식의 근과 계수의 관계에 의하여

$\frac{-3}{1+k}=-1, \ 1+k=3 \qquad \therefore k=2$

답 2

125

포물선 $y^2=12x$ 위의 점 $\left(\frac{a^2}{12}, a\right)$에서의 접선의 방정식은 x 대신 $\frac{x+\frac{a^2}{12}}{2}$, y^2 대신 ay를 대입하면

$ay=12\times\frac{x+\frac{a^2}{12}}{2} \qquad \therefore y=\frac{6}{a}x+\frac{a}{2}$

따라서 접선의 기울기는 $\frac{6}{a}$이므로 $\frac{6}{a}$이 자연수가 되도록 하는 0이 아닌 정수 a는 1, 2, 3, 6의 4개이다.

답 4

126

포물선 $y^2=2x$ 위의 점 $\mathrm{P}(a, b)$에서의 접선의 방정식은 x 대신 $\frac{x+a}{2}$, y^2 대신 by를 대입하면

$by=2\times\frac{x+a}{2} \qquad \therefore y=\frac{1}{b}x+\frac{a}{b}$ (단, $b\neq0$)

포물선 $y^2=2x$ 위의 점 $\mathrm{Q}(2, 2)$에서의 접선의 방정식은 x 대신 $\frac{x+2}{2}$, y^2 대신 $2y$를 대입하면

$2y=2\times\frac{x+2}{2} \qquad \therefore y=\frac{1}{2}x+1$

두 점 P, Q에서의 접선이 서로 수직이므로

$\frac{1}{b}\times\frac{1}{2}=-1 \qquad \therefore b=-\frac{1}{2}$

점 $\mathrm{P}\left(a, -\frac{1}{2}\right)$이 포물선 $y^2=2x$ 위의 점이므로

$\frac{1}{4}=2a \qquad \therefore a=\frac{1}{8}$

$\therefore ab=\frac{1}{8}\times\left(-\frac{1}{2}\right)=-\frac{1}{16}$

답 $-\frac{1}{16}$

127

점 $P(x_1, y_1)$은 타원 위의 점이므로

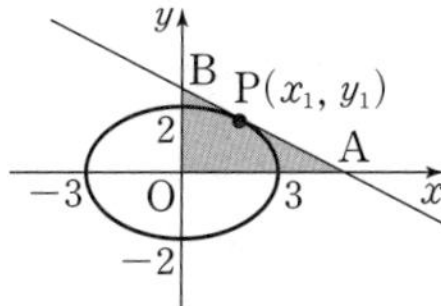

$$\frac{x_1^2}{9}+\frac{y_1^2}{4}=1$$

타원 $\frac{x^2}{9}+\frac{y^2}{4}=1$ 위의 점 $P(x_1, y_1)$에서의 접선의 방정식은 x^2 대신 x_1x, y^2 대신 y_1y를 대입하면

$$\frac{x_1x}{9}+\frac{y_1y}{4}=1 \quad \cdots\cdots ㉠$$

점 A는 x축과 만나는 점이므로 ㉠에 $y=0$을 대입하면

$x=\frac{9}{x_1}$

점 B는 y축과 만나는 점이므로 ㉠에 $x=0$을 대입하면

$y=\frac{4}{y_1}$

따라서 $\triangle OAB$의 넓이는 $\frac{1}{2}\times\frac{9}{x_1}\times\frac{4}{y_1}=\frac{18}{x_1y_1}$

다음과 같은 문제로 변신했다.

> $\frac{x_1^2}{9}+\frac{y_1^2}{4}=1$일 때, $\frac{18}{x_1y_1}$의 최솟값은?

$\frac{x_1^2}{9}>0$, $\frac{y_1^2}{4}>0$이므로 산술평균과 기하평균의 관계에서

$$\frac{x_1^2}{9}+\frac{y_1^2}{4}\geq 2\sqrt{\frac{x_1^2}{9}\times\frac{y_1^2}{4}}$$

$1\geq\frac{1}{3}x_1y_1$ ($\because x_1>0,\ y_1>0$) $\quad \therefore x_1y_1\leq 3$

$\left(\text{단, 등호는 } \frac{x_1^2}{9}=\frac{y_1^2}{4}\text{, 즉 } x_1=\frac{3\sqrt{2}}{2},\ y_1=\sqrt{2}\text{일 때 성립}\right)$

$\frac{1}{x_1y_1}\geq\frac{1}{3} \quad \therefore \frac{18}{x_1y_1}\geq 6$

따라서 구하는 최솟값은 6이다.

답 6

128

$4x^2-9y^2=-36$에서 $\frac{x^2}{3^2}-\frac{y^2}{2^2}=-1$

이 쌍곡선의 점근선의 방정식은 $y=\pm\frac{2}{3}x$

쌍곡선 $\frac{x^2}{3^2}-\frac{y^2}{2^2}=-1$과 접하지 않고, 한 점에서 만나는 직선은 오른쪽 그림과 같이 점근선

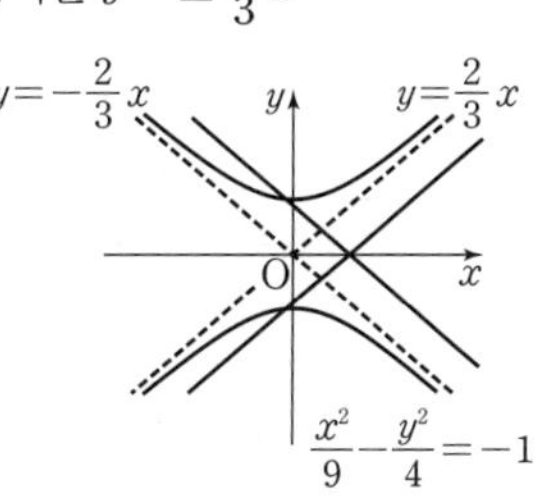

$y=\pm\frac{2}{3}x$와 평행하면서 쌍곡선의 중심을 지나지 않아야 한다.

따라서 구하는 상수 m, n의 조건은 $m=\pm\frac{2}{3}$, $n\neq 0$

답 $m=\pm\frac{2}{3}$, $n\neq 0$

129

쌍곡선 $\frac{x^2}{3}-\frac{y^2}{3}=1$ 위의 점 $(2,\ 1)$에서의 접선의 방정식은 x^2 대신 $2x$, y^2 대신 y를 대입하면

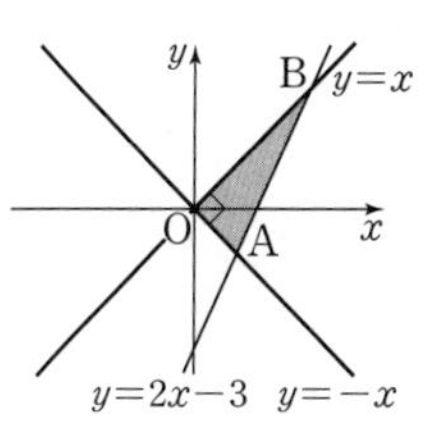

$$\frac{2x}{3}-\frac{y}{3}=1$$

$\therefore y=2x-3 \quad \cdots\cdots ㉠$

쌍곡선의 점근선의 방정식은

$y=\pm\frac{b}{a}x$에서 $y=\pm x \quad \cdots\cdots ㉡$

㉠, ㉡을 연립하여 풀면 $\begin{cases}x=1\\y=-1\end{cases}$ 또는 $\begin{cases}x=3\\y=3\end{cases}$

두 점 A, B의 좌표를 $A(1,\ -1)$, $B(3,\ 3)$으로 놓으면 점근선이 직교하므로

$$\begin{aligned}(\text{삼각형의 넓이})&=\frac{1}{2}\times\overline{OA}\times\overline{OB}\\&=\frac{1}{2}\times\sqrt{1^2+(-1)^2}+\sqrt{3^2+3^2}\\&=\frac{1}{2}\times\sqrt{2}\times3\sqrt{2}=3\end{aligned}$$

답 3

130

쌍곡선 $x^2-y^2=4$ 위의 점 $A(3,\ \sqrt{5})$에서의 접선의 방정식은 x^2 대신 $3x$, y^2 대신 $\sqrt{5}y$를 대입하면

$3x-\sqrt{5}y=4 \quad \therefore y=\frac{3}{\sqrt{5}}x-\frac{4}{\sqrt{5}} \quad \cdots\cdots ㉠$

$\therefore P\left(0,\ -\frac{4}{\sqrt{5}}\right)$

한편 ㉠과 수직인 직선의 기울기는 $-\frac{\sqrt{5}}{3}$이므로

점 $A(3,\ \sqrt{5})$를 지나고 기울기가 $-\frac{\sqrt{5}}{3}$인 직선의 방정식은

$y-\sqrt{5}=-\frac{\sqrt{5}}{3}(x-3) \quad \therefore y=-\frac{\sqrt{5}}{3}x+2\sqrt{5}$

$\therefore Q(0,\ 2\sqrt{5}) \quad \therefore \overline{PQ}=2\sqrt{5}-\left(-\frac{4}{\sqrt{5}}\right)=\frac{14\sqrt{5}}{5}$

답 $\frac{14\sqrt{5}}{5}$

평면벡터

1 벡터의 연산

132

(1) $|\overrightarrow{AM}|=\overline{AM}=\frac{1}{2}\overline{AD}=1$

(2) $|\overrightarrow{AN}|=\overline{AN}=\sqrt{1^2+1^2}=\sqrt{2}$

(3) $|\overrightarrow{AC}|=\overline{AC}=\sqrt{1^2+2^2}=\sqrt{5}$

(4) $|\overrightarrow{MN}|=\overline{MN}=\overline{AB}=1$

답 (1) 1 (2) $\sqrt{2}$ (3) $\sqrt{5}$ (4) 1

134

(1) 벡터 $\overrightarrow{AB}$와 크기와 방향이 모두 같은 벡터는
$\overrightarrow{OC}$, $\overrightarrow{FO}$, $\overrightarrow{ED}$

(2) 벡터 $\overrightarrow{OD}$와 크기는 같고 방향이 반대인 벡터는
$\overrightarrow{DO}$, $\overrightarrow{OA}$, $\overrightarrow{CB}$, $\overrightarrow{EF}$

(3) $|\overrightarrow{BE}|=\overline{BE}=2\overline{OB}=2$
이때 $\overline{BE}=\overline{AD}=\overline{CF}=2$이므로 벡터 $\overrightarrow{BE}$와 크기가 같은 벡터는 $\overrightarrow{EB}$, $\overrightarrow{AD}$, $\overrightarrow{DA}$, $\overrightarrow{CF}$, $\overrightarrow{FC}$

답 (1) $\overrightarrow{OC}$, $\overrightarrow{FO}$, $\overrightarrow{ED}$
(2) $\overrightarrow{DO}$, $\overrightarrow{OA}$, $\overrightarrow{CB}$, $\overrightarrow{EF}$
(3) $\overrightarrow{EB}$, $\overrightarrow{AD}$, $\overrightarrow{DA}$, $\overrightarrow{CF}$, $\overrightarrow{FC}$

136

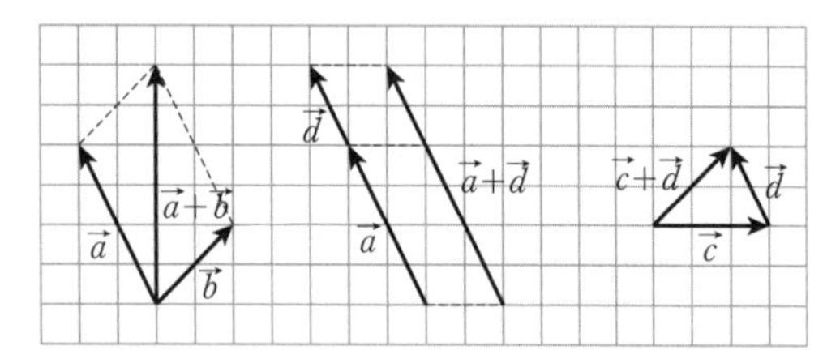

답 풀이 참조

138

(1) $\overrightarrow{AC}+\overrightarrow{DB}+\overrightarrow{CD}=(\overrightarrow{AC}+\overrightarrow{CD})+\overrightarrow{DB}$
$=\overrightarrow{AD}+\overrightarrow{DB}=\overrightarrow{AB}$

(2) $\overrightarrow{AB}+\overrightarrow{DA}=\overrightarrow{DA}+\overrightarrow{AB}=\overrightarrow{DB}$
$\overrightarrow{DC}+\overrightarrow{CA}-\overrightarrow{BA}=(\overrightarrow{DC}+\overrightarrow{CA})+\overrightarrow{AB}$
$=\overrightarrow{DA}+\overrightarrow{AB}=\overrightarrow{DB}$
$\therefore\ \overrightarrow{AB}+\overrightarrow{DA}=\overrightarrow{DC}+\overrightarrow{CA}-\overrightarrow{BA}$

답 풀이 참조

140

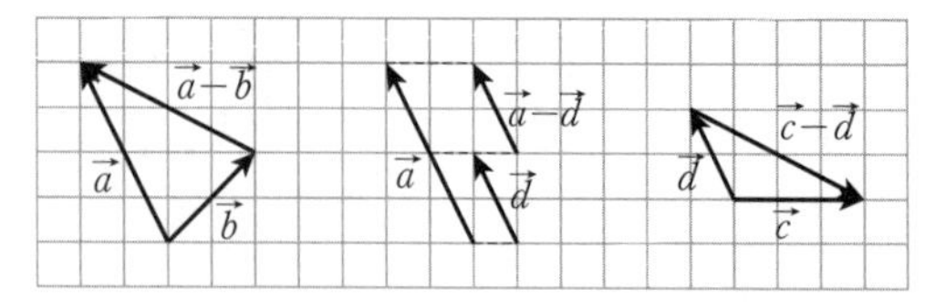

답 풀이 참조

142

(1) $\overrightarrow{AC}=\overrightarrow{AB}+\overrightarrow{BC}=\vec{a}+\vec{b}$

(2) $\overrightarrow{AD}=\overrightarrow{AB}+\overrightarrow{BC}+\overrightarrow{CD}=\vec{a}+\vec{b}+\vec{c}$

(3) $\overrightarrow{BD}=\overrightarrow{BC}+\overrightarrow{CD}=\vec{b}+\vec{c}$

(4) $\overrightarrow{CE}=\overrightarrow{CD}+\overrightarrow{DE}=\overrightarrow{CD}+\overrightarrow{BA}=\overrightarrow{CD}-\overrightarrow{AB}$
$=\vec{c}-\vec{a}=-\vec{a}+\vec{c}$

(5) $\overrightarrow{CF}=\overrightarrow{CD}+\overrightarrow{DE}+\overrightarrow{EF}=\overrightarrow{CD}+\overrightarrow{BA}+\overrightarrow{CB}$
$=\overrightarrow{CD}-\overrightarrow{AB}-\overrightarrow{BC}=\vec{c}-\vec{a}-\vec{b}=-\vec{a}-\vec{b}+\vec{c}$

(6) $\overrightarrow{DF}=\overrightarrow{DE}+\overrightarrow{EF}=\overrightarrow{BA}+\overrightarrow{CB}$
$=-\overrightarrow{AB}-\overrightarrow{BC}=-\vec{a}-\vec{b}$

답 (1) $\vec{a}+\vec{b}$ (2) $\vec{a}+\vec{b}+\vec{c}$ (3) $\vec{b}+\vec{c}$
(4) $-\vec{a}+\vec{c}$ (5) $-\vec{a}-\vec{b}+\vec{c}$ (6) $-\vec{a}-\vec{b}$

143

$\overrightarrow{CB}+\overrightarrow{DC}+\overrightarrow{AD}+\overrightarrow{BD}=(\overrightarrow{CB}+\overrightarrow{BD})+\overrightarrow{DC}+\overrightarrow{AD}$
$=(\overrightarrow{CD}+\overrightarrow{DC})+\overrightarrow{AD}$
$=\overrightarrow{AD}$

답 ③

144

$\overrightarrow{PB}+\overrightarrow{PC}=\vec{0}$에서
$\overrightarrow{PB}=-\overrightarrow{PC}$이므로 점 P는 선분 BC의 중점이다.
오른쪽 그림에서

$\overline{BC}=\frac{2}{\tan 30^\circ}=2\sqrt{3}$

이므로 $\overline{PC}=\sqrt{3}$

$\therefore\ |\overrightarrow{PA}|^2=\overline{PC}^2+\overline{AC}^2=(\sqrt{3})^2+2^2=7$

답 7

145

$|\overrightarrow{AB}+\overrightarrow{BC}+\overrightarrow{CB}|+|\overrightarrow{AB}+\overrightarrow{BC}+\overrightarrow{CA}|$
$=|\overrightarrow{AB}+\vec{0}|+|\overrightarrow{AC}+\overrightarrow{CA}|$
$=|\overrightarrow{AB}|+|\vec{0}|=1$

답 1

146

오른쪽 그림과 같이 정육각형의 대각선이 만나는 점을 O라 하자.

(1) $|\vec{a}+\vec{b}|=|\overrightarrow{AO}|=1$

(2) $|\vec{a}-\vec{b}|=|\overrightarrow{BF}|$

$=2\times\frac{\sqrt{3}}{2}=\sqrt{3}$

(3) 오른쪽 그림과 같이 선분 OD의 연장선 위에 선분 OG의 중점이 점 D가 되도록 하는 점 G를 잡으면

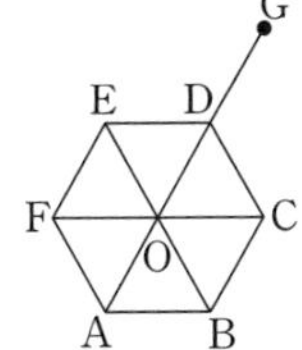

$|\vec{a}+\vec{b}+\vec{c}|$

$=|\overrightarrow{AF}+\overrightarrow{AB}+\overrightarrow{AD}|$

$=|\overrightarrow{AF}+\overrightarrow{FO}+\overrightarrow{OG}|$

$=|\overrightarrow{AO}+\overrightarrow{OG}|$

$=|\overrightarrow{AG}|=3$

(4) $|\vec{a}+\vec{b}-\vec{c}|=|\overrightarrow{AF}+\overrightarrow{AB}-\overrightarrow{AD}|$

$=|\overrightarrow{AF}+\overrightarrow{FO}+\overrightarrow{DA}|$

$=|\overrightarrow{DA}+\overrightarrow{AF}+\overrightarrow{FO}|$

$=|\overrightarrow{DF}+\overrightarrow{FO}|$

$=|\overrightarrow{DO}|=1$

답 (1) 1 (2) $\sqrt{3}$ (3) 3 (4) 1

147

$\overrightarrow{OE}=\overrightarrow{AO}=-\overrightarrow{OA}$, $\overrightarrow{OF}=\overrightarrow{BO}=-\overrightarrow{OB}$

$\overrightarrow{OG}=\overrightarrow{CO}=-\overrightarrow{OC}$, $\overrightarrow{OH}=\overrightarrow{DO}=-\overrightarrow{OD}$ 이므로

$|\overrightarrow{OA}+\overrightarrow{OB}+\overrightarrow{OC}+\overrightarrow{OD}+\overrightarrow{OE}+\overrightarrow{OF}+\overrightarrow{OG}+\overrightarrow{OH}|$

$=|\overrightarrow{OA}+\overrightarrow{OB}+\overrightarrow{OC}+\overrightarrow{OD}-\overrightarrow{OA}-\overrightarrow{OB}-\overrightarrow{OC}-\overrightarrow{OD}|$

$=|(\overrightarrow{OA}-\overrightarrow{OA})+(\overrightarrow{OB}-\overrightarrow{OB})+(\overrightarrow{OC}-\overrightarrow{OC})$

$+(\overrightarrow{OD}-\overrightarrow{OD})|$

$=|\vec{0}+\vec{0}+\vec{0}+\vec{0}|=|\vec{0}|=0$

답 0

149

(1) $\vec{b}-3(\vec{a}+\vec{b})-2(2\vec{a}-\vec{b})$

$=\vec{b}-3\vec{a}-3\vec{b}-4\vec{a}+2\vec{b}$

$=(-3-4)\vec{a}+(1-3+2)\vec{b}=-7\vec{a}$

(2) $\frac{5}{2}(4\vec{a}+3\vec{b})-\frac{1}{4}(4\vec{a}-2\vec{b})$

$=10\vec{a}+\frac{15}{2}\vec{b}-\vec{a}+\frac{1}{2}\vec{b}$

$=(10-1)\vec{a}+\left(\frac{15}{2}+\frac{1}{2}\right)\vec{b}$

$=9\vec{a}+8\vec{b}$

답 (1) $-7\vec{a}$ (2) $9\vec{a}+8\vec{b}$

151

(1) $2\vec{x}+(\vec{a}+\vec{b})=2\vec{a}-(\vec{b}-\vec{x})$에서

$2\vec{x}+\vec{a}+\vec{b}=2\vec{a}-\vec{b}+\vec{x}$

$2\vec{x}-\vec{x}=2\vec{a}-\vec{b}-\vec{a}-\vec{b}$

$\therefore \vec{x}=\vec{a}-2\vec{b}$

(2) $\vec{x}+2\vec{y}=-\vec{a}$ …… ㉠

$3\vec{x}-\vec{y}=4\vec{a}$ …… ㉡

㉠×3−㉡을 하면 $7\vec{y}=-7\vec{a}$

$\therefore \vec{y}=-\vec{a}$

$\vec{y}=-\vec{a}$를 ㉠에 대입하면 $\vec{x}-2\vec{a}=-\vec{a}$

$\therefore \vec{x}=-\vec{a}+2\vec{a}=\vec{a}$

답 (1) $-2\vec{b}$ (2) $\vec{x}=\vec{a}$, $\vec{y}=-\vec{a}$

153

(1) $\overrightarrow{CD}=\overrightarrow{CO}+\overrightarrow{OD}=\overrightarrow{BA}+\overrightarrow{BC}$

$=-\overrightarrow{AB}+\overrightarrow{BC}=-\vec{a}+\vec{b}$

(2) $\overrightarrow{CE}=\overrightarrow{CO}+\overrightarrow{OE}=\overrightarrow{BA}+\overrightarrow{CD}$

$=-\overrightarrow{AB}+\overrightarrow{CD}=-\vec{a}+(-\vec{a}+\vec{b})=-2\vec{a}+\vec{b}$

(3) $\overrightarrow{BE}=\overrightarrow{BO}+\overrightarrow{OE}=2\overrightarrow{BO}=2(\overrightarrow{BC}+\overrightarrow{CO})$

$=2(\overrightarrow{BC}+\overrightarrow{BA})=2(\overrightarrow{BC}-\overrightarrow{AB})$

$=2(\vec{b}-\vec{a})=-2\vec{a}+2\vec{b}$

답 (1) $-\vec{a}+\vec{b}$ (2) $-2\vec{a}+\vec{b}$ (3) $-2\vec{a}+2\vec{b}$

155

(1) $\overrightarrow{CQ}=\frac{1}{2}\overrightarrow{CB}$이고

$\overrightarrow{CB}=\overrightarrow{CA}+\overrightarrow{AB}=-\overrightarrow{AC}+\overrightarrow{AB}=-\vec{b}+\vec{a}$이므로

$\overrightarrow{CQ}=\frac{1}{2}\vec{a}-\frac{1}{2}\vec{b}$

(2) $\overrightarrow{GR}=\frac{1}{3}\overrightarrow{BR}$이고

$\overrightarrow{BR}=\overrightarrow{BA}+\overrightarrow{AR}=-\overrightarrow{AB}+\frac{1}{2}\overrightarrow{AC}=-\vec{a}+\frac{1}{2}\vec{b}$

이므로 $\overrightarrow{GR}=-\frac{1}{3}\vec{a}+\frac{1}{6}\vec{b}$

(3) $\overrightarrow{GQ}=\frac{1}{3}\overrightarrow{AQ}$이고

$\overrightarrow{AQ}=\overrightarrow{AB}+\overrightarrow{BQ}=\overrightarrow{AB}+\frac{1}{2}\overrightarrow{BC}$

$=\vec{a}+\frac{1}{2}(-\vec{a}+\vec{b})=\frac{1}{2}\vec{a}+\frac{1}{2}\vec{b}$

이므로 $\overrightarrow{GQ}=\frac{1}{6}\vec{a}+\frac{1}{6}\vec{b}$

답 (1) $2\vec{a}-\frac{1}{2}\vec{b}$ (2) $-\frac{1}{3}\vec{a}+\frac{1}{6}\vec{b}$ (3) $\frac{1}{6}\vec{a}+\frac{1}{6}\vec{b}$

157

(1) 오른쪽 그림에서

$\vec{a}+\vec{b}=\overrightarrow{AC}$

$\overline{AC}=2\overline{AH}=2\times 6\cos 30°$

$=2\times 3\sqrt{3}=6\sqrt{3}$

$\therefore\ |\vec{a}+\vec{b}|=|\overrightarrow{AC}|$

$=\overline{AC}=6\sqrt{3}$

(2) 오른쪽 그림에서

$\vec{a}+\vec{b}-\vec{c}=\overrightarrow{AP}$

이때 정육각형의 한 변의 길이가 6이므로

$\overline{AP}=2\overline{AB}=12$

$\therefore\ |\vec{a}+\vec{b}-\vec{c}|=|\overrightarrow{AP}|$

$=\overline{AP}=12$

(3) 오른쪽 그림에서

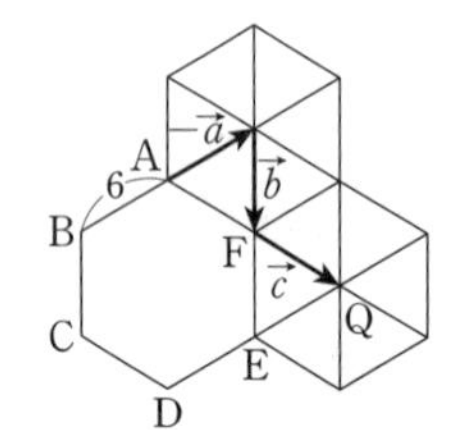

$-\vec{a}+\vec{b}+\vec{c}=\overrightarrow{AQ}$

이때 정육각형의 한 변의 길이가 6이므로

$\overline{AQ}=2\overline{AF}=12$

$\therefore\ |-\vec{a}+\vec{b}+\vec{c}|$

$=|\overrightarrow{AQ}|$

$=\overline{AQ}=12$

> 다른 풀이

벡터의 덧셈(말꼬리 잡기)을 이용한다.

(1) $\vec{a}+\vec{b}=\overrightarrow{AB}+\overrightarrow{BC}=\overrightarrow{AC}$

(2) $\vec{a}+\vec{b}-\vec{c}=\overrightarrow{AB}+\overrightarrow{BC}-\overrightarrow{CD}$

$=\overrightarrow{AB}+\overrightarrow{BC}+\overrightarrow{DC}$

$=\overrightarrow{FA}+\overrightarrow{AB}+\overrightarrow{BC}=\overrightarrow{FC}$

(3) $-\vec{a}+\vec{b}+\vec{c}=-\overrightarrow{AB}+\overrightarrow{BC}+\overrightarrow{CD}$

$=\overrightarrow{BA}+(\overrightarrow{BC}+\overrightarrow{CD})$

$=\overrightarrow{DE}+\overrightarrow{BD}$

$=\overrightarrow{BD}+\overrightarrow{DE}=\overrightarrow{BE}$

답 (1) $6\sqrt{3}$ (2) 12 (3) 12

159

(1) $(m-2)\vec{a}+(n+1)\vec{b}=\vec{0}$에서

$m-2=0,\ n+1=0$

$\therefore\ m=2,\ n=-1$

(2) $m^2\vec{a}-(n+1)\vec{b}=(2m-1)\vec{a}+(m-2)\vec{b}$에서

$m^2=2m-1,\ -(n+1)=m-2$

$m^2-2m+1=0$에서 $(m-1)^2=0$

$\therefore\ m=1$

$-(n+1)=m-2$에서 $-n-1=-1$

$\therefore\ n=0$

답 (1) $m=2,\ n=-1$ (2) $m=1,\ n=0$

161

$\vec{p}+\vec{q}=4\vec{a}-\vec{b},\ \vec{p}+\vec{r}=4\vec{a}+(m+1)\vec{b}$

두 벡터 $\vec{p}+\vec{q},\ \vec{p}+\vec{r}$가 서로 평행하므로

$\vec{p}+\vec{r}=k(\vec{p}+\vec{q})$ (단, k는 0이 아닌 실수)

즉, $4\vec{a}+(m+1)\vec{b}=4k\vec{a}-k\vec{b}$에서

$4=4k,\ m+1=-k$

$\therefore\ k=1,\ m=-2$

답 -2

163

세 점 A, B, C가 한 직선 위에 있으므로

$\overrightarrow{AB}=k\overrightarrow{AC}$ (단, k는 0이 아닌 실수)

$\overrightarrow{OB}-\overrightarrow{OA}=k(\overrightarrow{OC}-\overrightarrow{OA})$이므로

$(m\vec{a}+3\vec{b})-(\vec{a}+\vec{b})=k\{(-\vec{a}-3\vec{b})-(\vec{a}+\vec{b})\}$

$(m-1)\vec{a}+2\vec{b}=-2k\vec{a}-4k\vec{b}$에서

$m-1=-2k,\ 2=-4k$

$\therefore\ k=-\frac{1}{2},\ m=2$

답 2

165

다음과 같이 두 직선의 교점을 가리키는 벡터 $\overrightarrow{OP}$를 두 방향에서 구한다.

세 점 A, P, N이 한 직선 위에 있다. $\therefore\ \overrightarrow{AP}=k\overrightarrow{AN}$ (단, k는 0이 아닌 실수)	세 점 B, P, M이 한 직선 위에 있다. $\therefore\ \overrightarrow{BP}=l\overrightarrow{BM}$ (단, l은 0이 아닌 실수)
$\overrightarrow{OP}-\overrightarrow{OA}=k(\overrightarrow{ON}-\overrightarrow{OA})$ $\overrightarrow{OP}-\vec{a}=k\left(\frac{3}{5}\vec{b}-\vec{a}\right)$ $\therefore\ \overrightarrow{OP}=(1-k)\vec{a}+\frac{3}{5}k\vec{b}$	$\overrightarrow{OP}-\overrightarrow{OB}=l(\overrightarrow{OM}-\overrightarrow{OB})$ $\overrightarrow{OP}-\vec{b}=l\left(\frac{1}{3}\vec{a}-\vec{b}\right)$ $\therefore\ \overrightarrow{OP}=\frac{1}{3}l\vec{a}+(1-l)\vec{b}$

두 방향에서 구한 $\overrightarrow{OP}$의 계수를 비교하면

$1-k=\frac{1}{3}l,\ \frac{3}{5}k=1-l$

두 식을 연립하여 풀면 $k=\frac{5}{6},\ l=\frac{1}{2}$

$\therefore\ \overrightarrow{OP}=\frac{1}{6}\vec{a}+\frac{1}{2}\vec{b}$

답 $\frac{1}{6}\vec{a}+\frac{1}{2}\vec{b}$

166

$3\vec{b}+\frac{3}{2}(2\vec{a}-4\vec{b})-2(\vec{a}-\vec{b})$

$=3\vec{b}+3\vec{a}-6\vec{b}-2\vec{a}+2\vec{b}$

$=\vec{a}-\vec{b}$

따라서 $m=1$, $n=-1$이므로

$m+n=1+(-1)=0$

답 0

167

(1) 오른쪽 그림에서

$\vec{a}-\vec{b}+\vec{c}=\overrightarrow{AP}$

$\therefore |\vec{a}-\vec{b}+\vec{c}|=|\overrightarrow{AP}|$

$=|2\overrightarrow{AB}|=2$

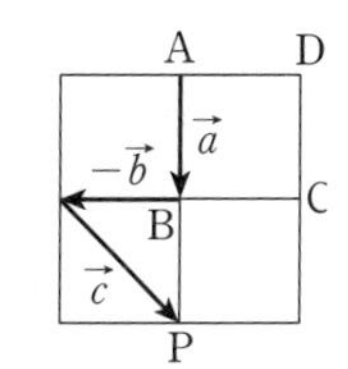

(2) 오른쪽 그림에서

$2\vec{a}-\vec{b}-\vec{c}=\overrightarrow{AQ}$

$\therefore |2\vec{a}-\vec{b}-\vec{c}|$

$=|\overrightarrow{AQ}|=\sqrt{1^2+2^2}$

$=\sqrt{5}$

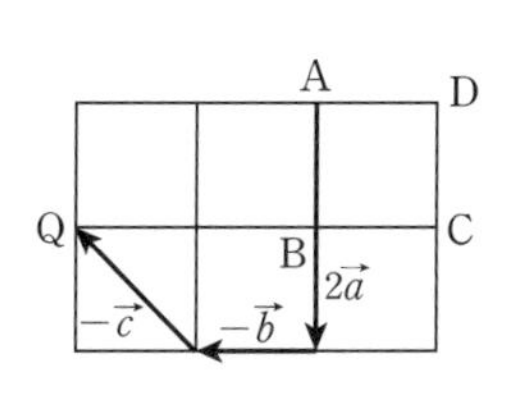

답 (1) 2 (2) $\sqrt{5}$

168

항상 주어진 벡터에 평행한 경로로 진행한다!

따라서 점 A에서는 점 B나 점 C로 갈 수밖에 없다.

최적의 경로는 항상 다음과 같다.

(1) $\overrightarrow{AF}=$(점 A에서 점 F까지)

$=(A \to C \to F)$

$=\overrightarrow{AC}+\overrightarrow{CF}=\overrightarrow{AC}+2\overrightarrow{CO}$

$=\overrightarrow{AC}+2\overrightarrow{BA}=\overrightarrow{AC}-2\overrightarrow{AB}$

$=\vec{b}+(-2\vec{a})$

$=-2\vec{a}+\vec{b}$

(2) $\overrightarrow{AE}=$(점 A에서 점 E까지)

$=(A \to C \to F \to D \to E)$

$=\overrightarrow{AC}+\overrightarrow{CF}+\overrightarrow{FD}+\overrightarrow{DE}$

$=\overrightarrow{AC}-2\overrightarrow{AB}+\overrightarrow{AC}-\overrightarrow{AB}$

$=\vec{b}-2\vec{a}+\vec{b}-\vec{a}$

$=-3\vec{a}+2\vec{b}$

답 (1) $-2\vec{a}+\vec{b}$ (2) $-3\vec{a}+2\vec{b}$

169

두 벡터가 평행하다? 딴 생각할 것 없다.

무조건 한 벡터는 다른 벡터의 실수배를 떠올린다.

$(m+3)\vec{a}+6\vec{b}=k(6\vec{a}+2\vec{b})$ (단, k는 0이 아닌 실수)

$(m+3)\vec{a}+6\vec{b}=6k\vec{a}+2k\vec{b}$

$m+3=6k$, $6=2k$ $\therefore k=3$, $m=15$

답 15

170

세 점 A, B, C가 한 직선 위에 있으려면

$\overrightarrow{AC}=k\overrightarrow{AB}$ (단, k는 0이 아닌 실수)

$\overrightarrow{AC}=\overrightarrow{OC}-\overrightarrow{OA}=(m\vec{a}-2\vec{b})-2\vec{a}=(m-2)\vec{a}-2\vec{b}$

$\overrightarrow{AB}=\overrightarrow{OB}-\overrightarrow{OA}=-2\vec{a}-\vec{b}$

이므로

$(m-2)\vec{a}-2\vec{b}=k(-2\vec{a}-\vec{b})$

$(m-2)\vec{a}-2\vec{b}=-2k\vec{a}-k\vec{b}$

$m-2=-2k$, $-2=-k$

$\therefore k=2$, $m=-2$

답 -2

171

오른쪽 그림과 같이 시점이 O인 벡터 $\vec{a}$, $\vec{b}$를 정하면

$\begin{cases} \overrightarrow{OA}=-2\vec{a}+\vec{b} \\ \overrightarrow{OB}=\vec{a}+2\vec{b} \\ \overrightarrow{OC}=-\vec{a}+2\vec{b} \end{cases}$

이때 $\overrightarrow{OC}=m\overrightarrow{OA}+n\overrightarrow{OB}$이므로

$-\vec{a}+2\vec{b}=m(-2\vec{a}+\vec{b})+n(\vec{a}+2\vec{b})$

$-\vec{a}+2\vec{b}=(-2m+n)\vec{a}+(m+2n)\vec{b}$

두 벡터 $\vec{a}$, $\vec{b}$는 서로 평행하지 않으므로

$-1=-2m+n$, $2=m+2n$

두 식을 연립하여 풀면 $m=\frac{4}{5}$, $n=\frac{3}{5}$

답 $m=\frac{4}{5}$, $n=\frac{3}{5}$

172

정육각형의 한 내각의 크기는 120°이므로 오른쪽 그림과 같이 점 F에서 $\overline{AE}$에 내린 수선의 발을 H라 하면

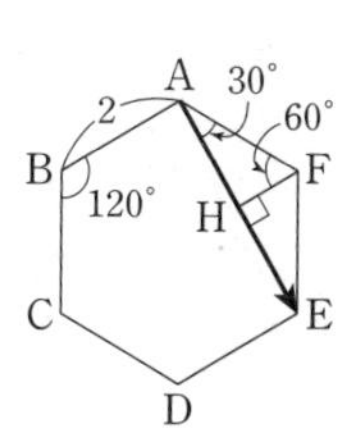

$\overline{AH}=\overline{AF}\cos 30°$

$=2\times\frac{\sqrt{3}}{2}=\sqrt{3}$

즉, $\overline{AE}=2\overline{AH}=2\sqrt{3}$이므로

$|\overrightarrow{AE}|=\overline{AE}=2\sqrt{3}$

이때 $\overline{AE}=\overline{BF}=\overline{CA}=\overline{DB}=\overline{EC}=\overline{FD}$이므로

벡터 $\overrightarrow{AE}$와 크기가 같은 벡터는

$\overrightarrow{EA}$, $\overrightarrow{BF}$, $\overrightarrow{FB}$, $\overrightarrow{CA}$, $\overrightarrow{AC}$, $\overrightarrow{DB}$,

$\overrightarrow{BD}$, $\overrightarrow{EC}$, $\overrightarrow{CE}$, $\overrightarrow{FD}$, $\overrightarrow{DF}$

의 11개이다.

답 $2\sqrt{3}$, 11

173

① $\overrightarrow{AB}+\overrightarrow{BC}+\overrightarrow{BD}+\overrightarrow{CB}+\overrightarrow{DC}$

$=\overrightarrow{AB}+\overrightarrow{BC}+\overrightarrow{CB}+\overrightarrow{BD}+\overrightarrow{DC}=\overrightarrow{AC}$

② $\overrightarrow{AC}-\overrightarrow{AE}-\overrightarrow{BC}+\overrightarrow{BD}+\overrightarrow{DE}$

$=\overrightarrow{AC}+\overrightarrow{EA}+\overrightarrow{CB}+\overrightarrow{BD}+\overrightarrow{DE}$

$=\overrightarrow{AC}+\overrightarrow{CB}+\overrightarrow{BD}+\overrightarrow{DE}+\overrightarrow{EA}=\overrightarrow{AA}=\vec{0}$

③ $\overrightarrow{AC}-\overrightarrow{BC}+\overrightarrow{BE}-\overrightarrow{CD}-\overrightarrow{DC}$

$=\overrightarrow{AC}+\overrightarrow{CB}+\overrightarrow{BE}+\overrightarrow{DC}+\overrightarrow{CD}$

$=\overrightarrow{AC}+\overrightarrow{CB}+\overrightarrow{BE}+\vec{0}=\overrightarrow{AE}$

④ $\overrightarrow{AE}+\overrightarrow{BE}-\overrightarrow{BC}-\overrightarrow{CE}+\overrightarrow{EB}$

$=\overrightarrow{AE}+\overrightarrow{BE}+\overrightarrow{CB}+\overrightarrow{EC}+\overrightarrow{EB}$

$=\overrightarrow{AE}+\overrightarrow{EB}+\overrightarrow{BE}+\overrightarrow{EC}+\overrightarrow{CB}=\overrightarrow{AB}$

⑤ $\overrightarrow{AD}-\overrightarrow{BC}-\overrightarrow{CD}-\overrightarrow{CE}-\overrightarrow{EB}$

$=\overrightarrow{AD}+\overrightarrow{CB}+\overrightarrow{DC}+\overrightarrow{EC}+\overrightarrow{BE}$

$=\overrightarrow{AD}+\overrightarrow{DC}+\overrightarrow{CB}+\overrightarrow{BE}+\overrightarrow{EC}=\overrightarrow{AC}$

따라서 벡터 $\overrightarrow{AE}$와 항상 같은 벡터는 ③이다.

답 ③

174

$\vec{x}-2\vec{y}=\vec{a}$ …… ㉠

$3\vec{x}+2\vec{y}=2\vec{b}$ …… ㉡

㉠+㉡을 하면 $4\vec{x}=\vec{a}+2\vec{b}$ $\quad\therefore \vec{x}=\frac{1}{4}\vec{a}+\frac{1}{2}\vec{b}$

이를 ㉠에 대입하면 $\left(\frac{1}{4}\vec{a}+\frac{1}{2}\vec{b}\right)-2\vec{y}=\vec{a}$

$2\vec{y}=-\frac{3}{4}\vec{a}+\frac{1}{2}\vec{b}$ $\quad\therefore \vec{y}=-\frac{3}{8}\vec{a}+\frac{1}{4}\vec{b}$

$\therefore \vec{x}+2\vec{y}=\left(\frac{1}{4}\vec{a}+\frac{1}{2}\vec{b}\right)+2\left(-\frac{3}{8}\vec{a}+\frac{1}{4}\vec{b}\right)$

$=-\frac{1}{2}\vec{a}+\vec{b}$

따라서 $m=-\frac{1}{2}$, $n=1$이므로

$2m+n=2\times\left(-\frac{1}{2}\right)+1=0$

답 0

175

(1) $\vec{a}+\vec{b}+\vec{c}=(\vec{a}+\vec{c})+\vec{b}=\vec{b}+\vec{b}=2\vec{b}$

$\therefore |\vec{a}+\vec{b}+\vec{c}|=|2\vec{b}|=2|\overrightarrow{AC}|$

$=2\overline{AC}=2\sqrt{1^2+1^2}=2\sqrt{2}$

(2) 오른쪽 그림에서

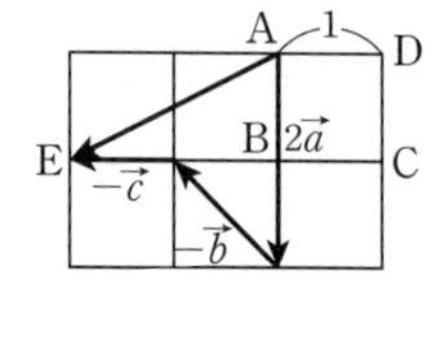

$2\vec{a}-\vec{b}-\vec{c}=\overrightarrow{AE}$

$\therefore |2\vec{a}-\vec{b}-\vec{c}|$

$=|\overrightarrow{AE}|=\overline{AE}$

$=\sqrt{1^2+2^2}=\sqrt{5}$

(3) 오른쪽 그림에서

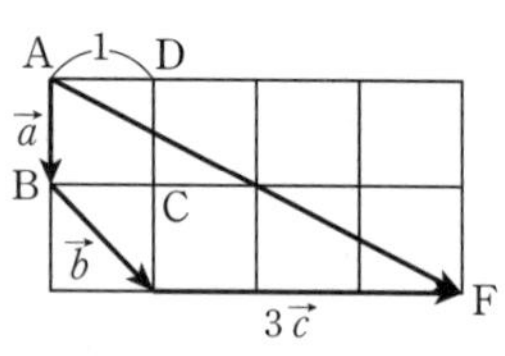

$\vec{a}+\vec{b}+3\vec{c}=\overrightarrow{AF}$

$\therefore |\vec{a}+\vec{b}+3\vec{c}|$

$=|\overrightarrow{AF}|=\overline{AF}$

$=\sqrt{2^2+4^2}=2\sqrt{5}$

답 (1) $2\sqrt{2}$ (2) $\sqrt{5}$ (3) $2\sqrt{5}$

176

$(m^2+1)\vec{a}-(2m+3)\vec{b}=(4m-3)\vec{a}+(n-4)\vec{b}$에서

$m^2+1=4m-3$ …… ㉠

$-(2m+3)=n-4$ …… ㉡

㉠에서 $m^2-4m+4=0$, $(m-2)^2=0$ $\quad\therefore m=2$

$m=2$를 ㉡에 대입하면 $-7=n-4$ $\quad\therefore n=-3$

답 $m=2$, $n=-3$

177

세 점 A, B, C가 한 직선 위에 있으므로

$\overrightarrow{AB}=k\overrightarrow{AC}$ (단, k는 0이 아닌 실수)

$\overrightarrow{OB}-\overrightarrow{OA}=k(\overrightarrow{OC}-\overrightarrow{OA})$이므로

$m\vec{a}-(\vec{a}-2\vec{b})=k\{(-2\vec{a}+\vec{b})-(\vec{a}-2\vec{b})\}$

$(m-1)\vec{a}+2\vec{b}=-3k\vec{a}+3k\vec{b}$에서

$m-1=-3k$, $2=3k$ $\quad\therefore k=\frac{2}{3}$, $m=-1$

답 -1

178

$\overrightarrow{PA}+\overrightarrow{PC}=\overrightarrow{PB}+\overrightarrow{PD}$에서 $\overrightarrow{PA}-\overrightarrow{PB}=\overrightarrow{PD}-\overrightarrow{PC}$

$\therefore \overrightarrow{BA}=\overrightarrow{CD}$

즉, $\overrightarrow{BA}$, $\overrightarrow{CD}$는 서로 같으므로 사각형 ABCD에서

$\overline{BA}=\overline{CD}$, $\overline{BA}\,/\!/\,\overline{CD}$

따라서 사각형 ABCD는 평행사변형이다.

답 평행사변형

179

$\overrightarrow{AB}+\overrightarrow{AC}+\overrightarrow{AD}+\overrightarrow{AE}$

$=(\overrightarrow{OB}-\overrightarrow{OA})+(\overrightarrow{OC}-\overrightarrow{OA})+(\overrightarrow{OD}-\overrightarrow{OA})$

$\qquad+(\overrightarrow{OE}-\overrightarrow{OA})$

$=(\overrightarrow{OB}+\overrightarrow{OC}+\overrightarrow{OD}+\overrightarrow{OE})-4\overrightarrow{OA}$

$=(\overrightarrow{OA}+\overrightarrow{OB}+\overrightarrow{OC}+\overrightarrow{OD}+\overrightarrow{OE})-5\overrightarrow{OA}$

이때 $\overline{OA}=\overline{OB}=\overline{OC}=\overline{OD}=\overline{OE}$이므로

오른쪽 그림과 같이 선분 OA를 한 변으로 하는 정오각형을 그리면

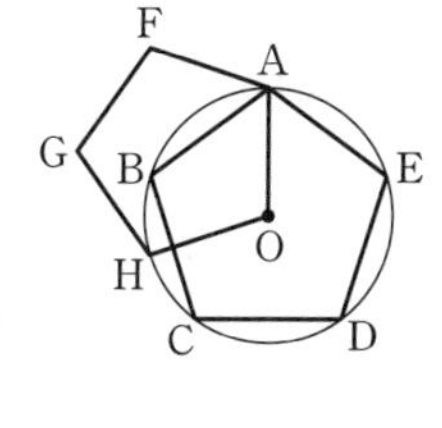

$\overrightarrow{OA}+\overrightarrow{OB}+\overrightarrow{OC}+\overrightarrow{OD}+\overrightarrow{OE}$

$=\overrightarrow{OA}+\overrightarrow{AF}+\overrightarrow{FG}+\overrightarrow{GH}+\overrightarrow{HO}$

$=\vec{0}$

$\therefore\ |\overrightarrow{AB}+\overrightarrow{AC}+\overrightarrow{AD}+\overrightarrow{AE}|=|-5\overrightarrow{OA}|$

$\qquad=5|\overrightarrow{OA}|=100$

따라서 $|\overrightarrow{OA}|=\overline{OA}=20$이므로 원 O의 넓이는

$\pi\times20^2=400\pi$

답 400π

180

오른쪽 그림과 같이 $\vec{a}$, $\vec{b}$를 정하면

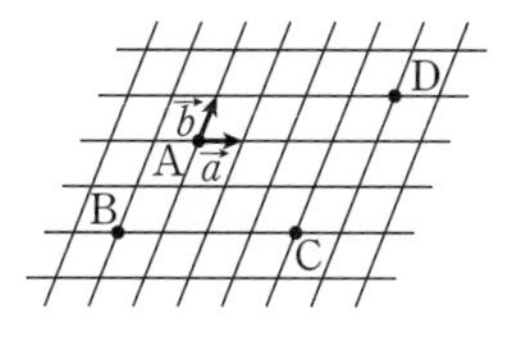

$\overrightarrow{AB}=-\vec{a}-2\vec{b}$,

$\overrightarrow{AC}=3\vec{a}-2\vec{b}$,

$\overrightarrow{AD}=4\vec{a}+\vec{b}$

이때 $\overrightarrow{AD}=m\overrightarrow{AB}+n\overrightarrow{AC}$이므로

$4\vec{a}+\vec{b}=m(-\vec{a}-2\vec{b})+n(3\vec{a}-2\vec{b})$

$4\vec{a}+\vec{b}=(-m+3n)\vec{a}+(-2m-2n)\vec{b}$

두 벡터 $\vec{a}$, $\vec{b}$는 서로 평행하지 않으므로

$4=-m+3n$, $1=-2m-2n$

두 식을 연립하여 풀면 $m=-\frac{11}{8}$, $n=\frac{7}{8}$

$\therefore\ m+n=-\frac{11}{8}+\frac{7}{8}=-\frac{1}{2}$

답 $-\frac{1}{2}$

181

$\vec{x}-3\vec{b}=-\vec{a}+\vec{b}$에서 $\vec{x}=-\vec{a}+4\vec{b}$

$\vec{x}=-\vec{a}+4\vec{b}$를 $\vec{x}+\vec{y}=m(\vec{a}+2\vec{b})+3\vec{b}$에 대입하면

$(-\vec{a}+4\vec{b})+\vec{y}=m(\vec{a}+2\vec{b})+3\vec{b}$

$\therefore\ \vec{y}=(m+1)\vec{a}+(2m-1)\vec{b}$

이때 두 벡터 $\vec{x}$, $\vec{y}$가 서로 평행하므로

$\vec{y}=k\vec{x}$ (단, k는 0이 아닌 실수)

즉, $(m+1)\vec{a}+(2m-1)\vec{b}=-k\vec{a}+4k\vec{b}$에서

$m+1=-k$, $2m-1=4k$

두 식을 연립하여 풀면 $k=-\frac{1}{2}$, $m=-\frac{1}{2}$

답 $-\frac{1}{2}$

182

오른쪽 그림과 같이 정사각형 OADB를 그리면

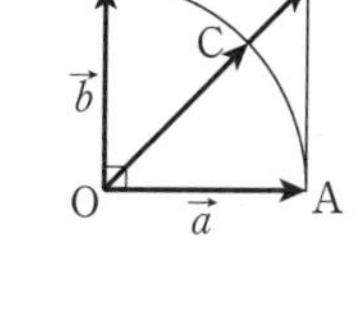

$\overrightarrow{OD}=\overrightarrow{OA}+\overrightarrow{OB}=\vec{a}+\vec{b}$

또, 세 점 O, C, D는 한 직선 위에 있고

$\overline{OC}=1$, $\overline{OD}=\sqrt{2}$이므로

$\overrightarrow{OC}=\frac{1}{\sqrt{2}}\overrightarrow{OD}=\frac{1}{\sqrt{2}}(\vec{a}+\vec{b})=\frac{\sqrt{2}}{2}\vec{a}+\frac{\sqrt{2}}{2}\vec{b}$

따라서 $m=n=\frac{\sqrt{2}}{2}$이므로

$100mn=100\times\frac{\sqrt{2}}{2}\times\frac{\sqrt{2}}{2}=50$

답 50

183

$\overrightarrow{AB}=\vec{a}$, $\overrightarrow{AC}=\vec{b}$로 놓으면

$\overrightarrow{AM}=\frac{1}{2}\overrightarrow{AB}+\frac{1}{2}\overrightarrow{AC}=\frac{1}{2}\vec{a}+\frac{1}{2}\vec{b}$

$\overrightarrow{AN}=\frac{1}{3}\overrightarrow{AC}=\frac{1}{3}\vec{b}$

세 점 A, P, M이 한 직선 위에 있으므로

$\overrightarrow{AP}=k\overrightarrow{AM}$ (k는 0이 아닌 실수)으로 놓으면

$\overrightarrow{AP}=\frac{1}{2}k\vec{a}+\frac{1}{2}k\vec{b}$ …… ㉠

또, 세 점 B, P, N이 한 직선 위에 있으므로

$\overrightarrow{BP}=l\overrightarrow{BN}$ (l은 0이 아닌 실수)으로 놓으면

$\overrightarrow{AP}-\overrightarrow{AB}=l(\overrightarrow{AN}-\overrightarrow{AB})$, $\overrightarrow{AP}-\vec{a}=l\left(\frac{1}{3}\vec{b}-\vec{a}\right)$

$\overrightarrow{AP}=(1-l)\vec{a}+\frac{1}{3}l\vec{b}$ …… ㉡

㉠, ㉡에서 $\frac{1}{2}k=1-l$, $\frac{1}{2}k=\frac{1}{3}l$

두 식을 연립하여 풀면 $k=\frac{1}{2}$, $l=\frac{3}{4}$

따라서 $\overrightarrow{AP}=\frac{1}{4}\vec{a}+\frac{1}{4}\vec{b}$이므로 $m=\frac{1}{4}$, $n=\frac{1}{4}$

$\therefore\ m+n=\frac{1}{4}+\frac{1}{4}=\frac{1}{2}$

답 $\frac{1}{2}$

2 평면벡터의 성분과 내적

185

선분 AB를 1 : 2로 내분하는 점 P의 위치벡터는

$\vec{p}=\frac{\vec{b}+2\vec{a}}{1+2}=\frac{2}{3}\vec{a}+\frac{1}{3}\vec{b}$

선분 AB를 1 : 2로 외분하는 점 Q의 위치벡터는

$\vec{q}=\frac{\vec{b}-2\vec{a}}{1-2}=2\vec{a}-\vec{b}$

$\therefore\ \vec{p}+\vec{q}=\left(\frac{2}{3}\vec{a}+\frac{1}{3}\vec{b}\right)+(2\vec{a}-\vec{b})$

$=\frac{8}{3}\vec{a}-\frac{2}{3}\vec{b}$

따라서 $m=\frac{8}{3}$, $n=-\frac{2}{3}$이므로

$m+n=\frac{8}{3}+\left(-\frac{2}{3}\right)=2$

답 2

187

선분 AB의 중점 M의 위치벡터는

$\overrightarrow{OM}=\frac{\vec{a}+\vec{b}}{2}$

선분 BC를 1 : 2로 내분하는 점 N의 위치벡터는

$\overrightarrow{ON}=\frac{\vec{c}+2\vec{b}}{1+2}=\frac{2}{3}\vec{b}+\frac{1}{3}\vec{c}$

$\therefore\ \overrightarrow{MN}=\overrightarrow{ON}-\overrightarrow{OM}=\left(\frac{2}{3}\vec{b}+\frac{1}{3}\vec{c}\right)-\frac{\vec{a}+\vec{b}}{2}$

$=-\frac{1}{2}\vec{a}+\frac{1}{6}\vec{b}+\frac{1}{3}\vec{c}$

답 $-\frac{1}{2}\vec{a}+\frac{1}{6}\vec{b}+\frac{1}{3}\vec{c}$

189

△ABC의 세 꼭짓점 A, B, C의 위치벡터를 각각 $\vec{a}$, $\vec{b}$, $\vec{c}$라 하면

$\overrightarrow{GA}+\overrightarrow{GB}=(\overrightarrow{OA}-\overrightarrow{OG})+(\overrightarrow{OB}-\overrightarrow{OG})$

$=\overrightarrow{OA}+\overrightarrow{OB}-2\overrightarrow{OG}$

$=\vec{a}+\vec{b}-2\times\frac{\vec{a}+\vec{b}+\vec{c}}{3}$

$=\frac{\vec{a}+\vec{b}-2\vec{c}}{3}$

$\overrightarrow{GC}=\overrightarrow{OC}-\overrightarrow{OG}=\vec{c}-\frac{\vec{a}+\vec{b}+\vec{c}}{3}$

$=\frac{-\vec{a}-\vec{b}+2\vec{c}}{3}$

따라서 $\overrightarrow{GA}+\overrightarrow{GB}=-\overrightarrow{GC}$이므로 $k=-1$

답 -1

191

(i) 우변의 시점을 P로 통일하면

$2\overrightarrow{PA}+\overrightarrow{PB}+2\overrightarrow{PC}=\overrightarrow{PB}-\overrightarrow{PA}$

$\therefore\ \overrightarrow{PC}=-\frac{3}{2}\overrightarrow{PA}$

➡ 요게 뭔 소리?

벡터 $\overrightarrow{PA}$를 $\frac{3}{2}$배로 늘려 방향을 바꾸면 벡터 $\overrightarrow{PC}$가 된다는 소리.

따라서 점 P는 선분 AC를 $1:\frac{3}{2}$으로 내분하는 점.

$1:\frac{3}{2}=2:3$이므로 오른쪽 그림과 같은 상황.

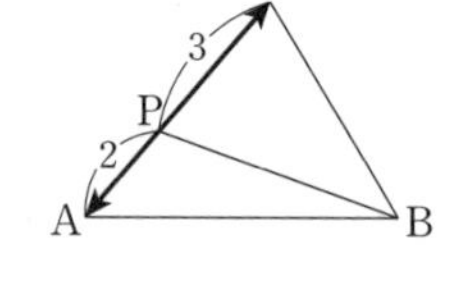

(ii) △PAB와 △PBC는 높이가 같으므로 밑변의 길이의 비가 넓이의 비.

∴ △PAB : △PBC=2 : 3

답 2 : 3

192

선분 AB를 2 : 3으로 내분하는 점 P의 위치벡터는

$\overrightarrow{OP}=\frac{2\vec{b}+3\vec{a}}{2+3}=\frac{3}{5}\vec{a}+\frac{2}{5}\vec{b}$

선분 PC를 2 : 3으로 외분하는 점 Q의 위치벡터는

$\overrightarrow{OQ}=\frac{2\vec{c}-3\overrightarrow{OP}}{2-3}=3\overrightarrow{OP}-2\vec{c}$

$=3\left(\frac{3}{5}\vec{a}+\frac{2}{5}\vec{b}\right)-2\vec{c}=\frac{9}{5}\vec{a}+\frac{6}{5}\vec{b}-2\vec{c}$

답 $\frac{9}{5}\vec{a}+\frac{6}{5}\vec{b}-2\vec{c}$

193

$3\vec{a}+\vec{b}=4\vec{p}$에서 $\vec{p}=\frac{3\vec{a}+\vec{b}}{4}=\frac{\vec{b}+3\vec{a}}{1+3}$

따라서 점 P는 선분 AB를 1 : 3으로 내분하는 점이다.

답 선분 AB를 1 : 3으로 내분하는 점

194

선분 BC를 3 : 1로 내분하는 점 P의 위치벡터는

$\overrightarrow{OP}=\frac{3\overrightarrow{OC}+\overrightarrow{OB}}{3+1}=\frac{1}{4}\overrightarrow{OB}+\frac{3}{4}\overrightarrow{OC}$ ...... ㉠

이때 $\overrightarrow{OC}=\overrightarrow{OA}+\overrightarrow{OB}$이므로 이를 ㉠에 대입하면

$\overrightarrow{OP}=\frac{1}{4}\overrightarrow{OB}+\frac{3}{4}(\overrightarrow{OA}+\overrightarrow{OB})=\frac{3}{4}\overrightarrow{OA}+\overrightarrow{OB}$

$\therefore\ m=\frac{3}{4}$, $n=1$

다른 풀이

□OACB는 직사각형이고 $\overline{BP}:\overline{PC}=3:1$이므로

$\overrightarrow{BP}=\frac{3}{4}\overrightarrow{BC}=\frac{3}{4}\overrightarrow{OA}$

$\therefore\ \overrightarrow{OP}=\overrightarrow{OB}+\overrightarrow{BP}=\overrightarrow{OB}+\frac{3}{4}\overrightarrow{OA}=\frac{3}{4}\overrightarrow{OA}+\overrightarrow{OB}$

$\therefore\ m=\frac{3}{4},\ n=1$

답 $m=\frac{3}{4},\ n=1$

195

삼각형의 내각의 이등분선의 성질에 의하여

$\overline{BD}:\overline{CD}=\overline{AB}:\overline{AC}=4:3$

즉, 점 D는 선분 BC를 4 : 3으로 내분하는 점이므로

$\overrightarrow{AD}=\frac{4\overrightarrow{AC}+3\overrightarrow{AB}}{4+3}=\frac{3}{7}\overrightarrow{AB}+\frac{4}{7}\overrightarrow{AC}$

따라서 $m=\frac{3}{7},\ n=\frac{4}{7}$이므로

$mn=\frac{3}{7}\times\frac{4}{7}=\frac{12}{49}$

답 $\frac{12}{49}$

196

두 선분 AB, AC의 중점이 각각 M, N이므로

$\overrightarrow{OM}=\frac{\vec{a}+\vec{b}}{2},\ \overrightarrow{ON}=\frac{\vec{a}+\vec{c}}{2}$

점 G는 △ABC의 무게중심이므로

$\overrightarrow{OG}=\frac{\vec{a}+\vec{b}+\vec{c}}{3}$

$\therefore\ \overrightarrow{GM}+\overrightarrow{GN}=(\overrightarrow{OM}-\overrightarrow{OG})+(\overrightarrow{ON}-\overrightarrow{OG})$

$=\overrightarrow{OM}+\overrightarrow{ON}-2\overrightarrow{OG}$

$=\frac{\vec{a}+\vec{b}}{2}+\frac{\vec{a}+\vec{c}}{2}-2\times\frac{\vec{a}+\vec{b}+\vec{c}}{3}$

$=\frac{1}{3}\vec{a}-\frac{1}{6}\vec{b}-\frac{1}{6}\vec{c}$

답 $\frac{1}{3}\vec{a}-\frac{1}{6}\vec{b}-\frac{1}{6}\vec{c}$

198

(1) $\vec{a}=(4,\ 3),\ \vec{b}=(-2,\ 4),\ \vec{c}=(2,\ -3)$

(2) $\vec{a}=\vec{e_1}+2\vec{e_2}=(1,\ 2)$

벡터 $\vec{b}$를 시점이 원점 O가 되도록 평행이동하면 오른쪽 그림과 같으므로

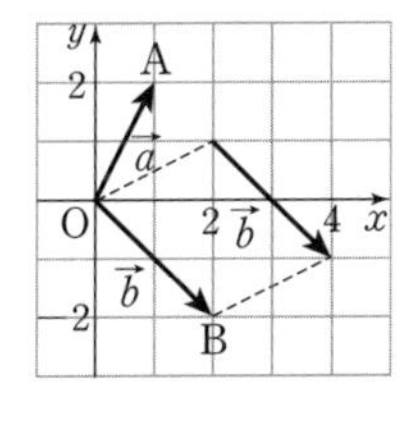

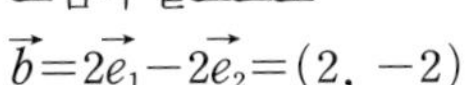
$\vec{b}=2\vec{e_1}-2\vec{e_2}=(2,\ -2)$

답 (1) 풀이 참조 (2) 풀이 참조

200

$\vec{c}-2\vec{a}-3\vec{b}=(-1,\ 1)-2(1,\ 2)-3(-2,\ 1)$

$=(3,\ -6)$

$\therefore\ |\vec{c}-2\vec{a}-3\vec{b}|=\sqrt{3^2+(-6)^2}=3\sqrt{5}$

답 $3\sqrt{5}$

202

$\vec{c}=k\vec{a}+l\vec{b}$를 성분으로 나타내면

$(5,\ 7)=k(1,\ 1)+l(-1,\ 2)$

$=(k,\ k)+(-l,\ 2l)$

$=(k-l,\ k+2l)$

이므로 $k-l=5,\ k+2l=7$

두 식을 연립하여 풀면

$k=\frac{17}{3},\ l=\frac{2}{3}$

$\therefore\ k+5l=\frac{17}{3}+5\times\frac{2}{3}=9$

답 9

204

$D(x,\ y)$라 하면

$\overrightarrow{AB}=\overrightarrow{OB}-\overrightarrow{OA}=(5,\ -1)-(2,\ 3)=(3,\ -4)$

$\overrightarrow{CD}=\overrightarrow{OD}-\overrightarrow{OC}=(x,\ y)-(-2,\ 2)=(x+2,\ y-2)$

$\overrightarrow{AB}=\overrightarrow{CD}$이므로 $(3,\ -4)=(x+2,\ y-2)$

즉, $x+2=3,\ y-2=-4$에서

$x=1,\ y=-2$

$\therefore\ D(1,\ -2)$

답 $D(1,\ -2)$

206

$\vec{a}+2\vec{b}=(1,\ 4)+2(x,\ 1)=(2x+1,\ 6)$

$2\vec{a}+\vec{b}=2(1,\ 4)+(x,\ 1)=(x+2,\ 9)$

두 벡터 $\vec{a}+2\vec{b},\ 2\vec{a}+\vec{b}$가 서로 평행하므로

$\vec{a}+2\vec{b}=k(2\vec{a}+\vec{b})$ (단, k는 0이 아닌 실수)

즉, $(2x+1,\ 6)=k(x+2,\ 9)$에서

$2x+1=k(x+2),\ 6=9k$

$\therefore\ k=\frac{2}{3}$

따라서 $k=\frac{2}{3}$를 $2x+1=k(x+2)$에 대입하면

$2x+1=\frac{2}{3}(x+2),\ 4x=1$

$\therefore\ x=\frac{1}{4}$

답 $\frac{1}{4}$

208

$P(x, y)$라 하면

$\overrightarrow{PA}+\overrightarrow{PB}+\overrightarrow{PC}$

$=(\overrightarrow{OA}-\overrightarrow{OP})+(\overrightarrow{OB}-\overrightarrow{OP})+(\overrightarrow{OC}-\overrightarrow{OP})$

$=\overrightarrow{OA}+\overrightarrow{OB}+\overrightarrow{OC}-3\overrightarrow{OP}$

$=(1, 1)+(4, 1)+(1, 4)-3(x, y)$

$=(6-3x, 6-3y)$

이때 $|\overrightarrow{PA}+\overrightarrow{PB}+\overrightarrow{PC}|=3$이므로

$\sqrt{(6-3x)^2+(6-3y)^2}=3$

양변을 제곱하면 $(6-3x)^2+(6-3y)^2=9$

$\therefore (x-2)^2+(y-2)^2=1$

따라서 점 P의 자취는 중심의 좌표가 $(2, 2)$, 반지름의 길이가 1인 원이므로 그 길이는

$2\pi\times1=2\pi$

답 2π

210

(1) $\triangle OAB$는 한 변의 길이가 2인 정삼각형이고 정삼각형의 한 내각의 크기는 $60°$이므로

$\overrightarrow{OA}\cdot\overrightarrow{OB}=2\times2\times\cos 60°=2$

(2) 정육각형의 한 내각의 크기는 $120°$이므로

$\overrightarrow{AB}\cdot\overrightarrow{AF}=2\times2\times\cos 120°=-2$

(3) $\overrightarrow{BC}=\overrightarrow{AO}$이므로

(두 벡터 $\overrightarrow{AB}$, $\overrightarrow{BC}$가 이루는 각의 크기)

$=\angle BAO=60°$

$\therefore \overrightarrow{AB}\cdot\overrightarrow{BC}=2\times2\times\cos 60°=2$

(4) 두 벡터 $\overrightarrow{AB}$, $\overrightarrow{CF}$는 평행하고 방향이 반대이므로

(두 벡터 $\overrightarrow{AB}$, $\overrightarrow{CF}$가 이루는 각의 크기)$=180°$

$\therefore \overrightarrow{AB}\cdot\overrightarrow{CF}=2\times4\times\cos 180°=-8$

답 (1) 2 (2) -2 (3) 2 (4) -8

212

$\vec{a}\cdot\vec{b}=1$이므로 $(2x+1)(x-2)+3\times(-2)=1$

$2x^2-3x-9=0$, $(2x+3)(x-3)=0$

$\therefore x=3$ ($\because x>0$)

답 3

214

$|\vec{a}|=1$, $|\vec{b}|=2$이고, 두 벡터 $\vec{a}$, $\vec{b}$가 이루는 각의 크기가 $60°$이므로

$\vec{a}\cdot\vec{b}=|\vec{a}||\vec{b}|\cos 60°=1\times2\times\frac{1}{2}=1$

이때 $(\vec{a}+k\vec{b})\cdot(\vec{a}-\vec{b})=6$이므로

$|\vec{a}|^2+(k-1)\vec{a}\cdot\vec{b}-k|\vec{b}|^2=6$

$1^2+(k-1)\times1-k\times2^2=6$, $-3k=6$

$\therefore k=-2$

답 -2

216

$|\vec{a}-\vec{b}|=\sqrt{13}$의 양변을 제곱하면

$|\vec{a}|^2-2\vec{a}\cdot\vec{b}+|\vec{b}|^2=13$

$4^2-2\vec{a}\cdot\vec{b}+3^2=13$

$\therefore \vec{a}\cdot\vec{b}=6$

$|2\vec{a}+\vec{b}|^2=4|\vec{a}|^2+4\vec{a}\cdot\vec{b}+|\vec{b}|^2$

$=4\times4^2+4\times6+3^2=97$

$\therefore |2\vec{a}+\vec{b}|=\sqrt{97}$

답 $\sqrt{97}$

218

$\vec{a}-\vec{b}=(1, 2)-(-1, 3)=(2, -1)$

$\vec{a}-\vec{c}=(1, 2)-(2, -1)=(-1, 3)$

이므로 두 벡터 $\vec{a}-\vec{b}$, $\vec{a}-\vec{c}$가 이루는 각의 크기를 θ $(0°\le\theta\le180°)$라 하면

$\cos\theta=\frac{(\vec{a}-\vec{b})\cdot(\vec{a}-\vec{c})}{|\vec{a}-\vec{b}||\vec{a}-\vec{c}|}$

$=\frac{2\times(-1)+(-1)\times3}{\sqrt{2^2+(-1)^2}\sqrt{(-1)^2+3^2}}$

$=\frac{-5}{\sqrt{5}\sqrt{10}}=-\frac{\sqrt{2}}{2}$

$\therefore \theta=135°$

답 $135°$

220

$|\vec{a}+3\vec{b}|=3\sqrt{3}$의 양변을 제곱하면

$|\vec{a}|^2+6\vec{a}\cdot\vec{b}+9|\vec{b}|^2=27$

$3^2+6\vec{a}\cdot\vec{b}+9\times2^2=27$

$\therefore \vec{a}\cdot\vec{b}=-3$

두 벡터 $\vec{a}$, $\vec{b}$가 이루는 각의 크기를 θ $(0°\le\theta\le180°)$라 하면

$\cos\theta=\frac{\vec{a}\cdot\vec{b}}{|\vec{a}||\vec{b}|}=\frac{-3}{3\times2}=-\frac{1}{2}$

$\therefore \theta=120°$

답 $120°$

222

$\overrightarrow{OA}=\vec{a}$, $\overrightarrow{OB}=\vec{b}$라 하면

$|\vec{a}|=\sqrt{2^2+4^2}=2\sqrt{5}$, $|\vec{b}|=\sqrt{4^2+2^2}=2\sqrt{5}$,

$\vec{a}\cdot\vec{b}=2\times4+4\times2=16$

따라서 $\angle AOB=\theta$라 하면

$$\cos\theta=\frac{\vec{a}\cdot\vec{b}}{|\vec{a}||\vec{b}|}=\frac{16}{2\sqrt{5}\times2\sqrt{5}}=\frac{4}{5}$$

$$\begin{aligned}\therefore \triangle OAB&=\frac{1}{2}|\vec{a}||\vec{b}|\sin\theta\\&=\frac{1}{2}|\vec{a}||\vec{b}|\sqrt{1-\cos^2\theta}\\&=\frac{1}{2}\times2\sqrt{5}\times2\sqrt{5}\times\sqrt{1-\left(\frac{4}{5}\right)^2}\\&=\frac{1}{2}\times2\sqrt{5}\times2\sqrt{5}\times\frac{3}{5}=6\end{aligned}$$

〉다른 풀이

좌표평면 위의 세 점 $(0, 0)$, (a_1, a_2), (b_1, b_2)를 꼭짓점으로 하는 삼각형의 넓이는 $\frac{1}{2}|a_1b_2-a_2b_1|$로 구할 수 있다.

$$\therefore \triangle OAB=\frac{1}{2}|2\times2-4\times4|=\frac{1}{2}\times|-12|=6$$

답 6

224

두 벡터 $\vec{a}=(-1, 3)$, $\vec{c}$가 서로 평행하므로

$\vec{c}=k\vec{a}$ (단, k는 0이 아닌 실수)

$\therefore \vec{c}=(-k, 3k)$ …… ㉠

$\vec{b}=\vec{c}+\vec{d}$에서

$\vec{d}=\vec{b}-\vec{c}=(2+k, 1-3k)$ …… ㉡

또, 두 벡터 $\vec{a}=(-1, 3)$, $\vec{d}$가 서로 수직이므로

$\vec{a}\cdot\vec{d}=0$에서 $-(2+k)+3(1-3k)=0$

$10k=1 \quad \therefore k=\frac{1}{10}$

이것을 ㉠, ㉡에 각각 대입하면

$\vec{c}=\left(-\frac{1}{10}, \frac{3}{10}\right)$, $\vec{d}=\left(\frac{21}{10}, \frac{7}{10}\right)$

답 $\vec{c}=\left(-\frac{1}{10}, \frac{3}{10}\right)$, $\vec{d}=\left(\frac{21}{10}, \frac{7}{10}\right)$

225

$\overrightarrow{PA}+\overrightarrow{PB}+\overrightarrow{PC}=\overrightarrow{AB}+\overrightarrow{CA}$에서

$\overrightarrow{OA}-\overrightarrow{OP}+\overrightarrow{OB}-\overrightarrow{OP}+\overrightarrow{OC}-\overrightarrow{OP}$

$=\overrightarrow{OB}-\overrightarrow{OA}+\overrightarrow{OA}-\overrightarrow{OC}$

$\overrightarrow{OA}+\overrightarrow{OB}+\overrightarrow{OC}-3\overrightarrow{OP}=\overrightarrow{OB}-\overrightarrow{OC}$

$3\overrightarrow{OP}=\overrightarrow{OA}+2\overrightarrow{OC}$

$$\begin{aligned}\therefore \overrightarrow{OP}&=\frac{1}{3}\overrightarrow{OA}+\frac{2}{3}\overrightarrow{OC}\\&=\left(\frac{1}{3}, -\frac{2}{3}\right)+\left(\frac{2}{3}, \frac{8}{3}\right)=(1, 2)\end{aligned}$$

따라서 $x=1$, $y=2$이므로

$x+y=1+2=3$

〉다른 풀이

$\overrightarrow{PA}+\overrightarrow{PB}+\overrightarrow{PC}=\overrightarrow{AB}+\overrightarrow{CA}$에서

$\overrightarrow{PA}+\overrightarrow{PB}+\overrightarrow{PC}=(\overrightarrow{PB}-\overrightarrow{PA})+(\overrightarrow{PA}-\overrightarrow{PC})$

$\overrightarrow{PA}=-2\overrightarrow{PC}$

$\therefore \overrightarrow{PA}=2\overrightarrow{CP}$

즉, $(1-x, -2-y)=2(x-1, y-4)$이므로

$1-x=2x-2$, $-2-y=2y-8$

$\therefore x=1$, $y=2$

$\therefore x+y=1+2=3$

답 3

226

두 벡터 $\vec{a}$, $\vec{b}$가 서로 평행하므로

$\vec{b}=k\vec{a}$ (단, k는 0이 아닌 실수)

즉, $(-2, x-2)=k(x+1, -2)$에서

$k(x+1)=-2$ …… ㉠

$x-2=-2k$ …… ㉡

㉡에서 $k=-\frac{x-2}{2}$를 ㉠에 대입하면

$$-\frac{(x-2)(x+1)}{2}=-2$$

$(x-2)(x+1)=4$, $x^2-x-6=0$

따라서 근과 계수의 관계에 의하여 모든 x의 값의 합은 1이다.

답 1

227

$|\vec{a}|=2$, $|\vec{b}|=2\sqrt{3}$이고,

두 벡터 $\vec{a}$, $\vec{b}$가 이루는 각의 크기가 $30°$이므로

$\vec{a}\cdot\vec{b}=|\vec{a}||\vec{b}|\cos 30°=2\times2\sqrt{3}\times\frac{\sqrt{3}}{2}=6$

$$\begin{aligned}\therefore |3\vec{a}+2\vec{b}|^2&=9|\vec{a}|^2+12\vec{a}\cdot\vec{b}+4|\vec{b}|^2\\&=9\times2^2+12\times6+4\times(2\sqrt{3})^2\\&=156\end{aligned}$$

$\therefore |3\vec{a}+2\vec{b}|=2\sqrt{39}$

답 $2\sqrt{39}$

228

$|2\vec{a}+\vec{b}|=|\vec{a}-3\vec{b}|$의 양변을 제곱하면

$4|\vec{a}|^2+4\vec{a}\cdot\vec{b}+|\vec{b}|^2=|\vec{a}|^2-6\vec{a}\cdot\vec{b}+9|\vec{b}|^2$

$3|\vec{a}|^2+10\vec{a}\cdot\vec{b}-8|\vec{b}|^2=0$

두 벡터 $\vec{a}$, $\vec{b}$가 이루는 각의 크기를 θ $(0^\circ\le\theta\le180^\circ)$라 하면

$3|\vec{a}|^2+10|\vec{a}||\vec{b}|\cos\theta-8|\vec{b}|^2=0$ ...... ㉠

$|\vec{b}|=|\vec{a}|$를 ㉠에 대입하면

$3|\vec{a}|^2+10|\vec{a}|^2\cos\theta-8|\vec{a}|^2=0$

$-5|\vec{a}|^2(1-2\cos\theta)=0$

$|\vec{a}|\ne0$이므로 $1-2\cos\theta=0$ $\therefore \cos\theta=\frac{1}{2}$

$\therefore \theta=60^\circ$

답 60°

229

$\angle AOB=\theta$라 하면

$\triangle OAB=\frac{1}{2}\times\overline{OA}\times\overline{OB}\times\sin\theta$

$=\frac{1}{2}|\overrightarrow{OA}||\overrightarrow{OB}|\sin\theta$ ...... ㉠

이때 $\cos\theta=\frac{\overrightarrow{OA}\cdot\overrightarrow{OB}}{|\overrightarrow{OA}||\overrightarrow{OB}|}=\frac{6}{3\times4}=\frac{1}{2}$이므로

$\theta=60^\circ$ $(\because 0^\circ<\theta<180^\circ)$

따라서 ㉠에서

$\triangle OAB=\frac{1}{2}\times3\times4\times\sin60^\circ=3\sqrt{3}$

답 $3\sqrt{3}$

230

두 벡터 $\vec{b}=(4, 4-y)$, $\vec{c}=(2, 3)$이 서로 평행하므로

$\vec{b}=k\vec{c}$ (단, k는 0이 아닌 실수)

즉, $(4, 4-y)=k(2, 3)$에서 $4=2k$, $4-y=3k$

$\therefore k=2, y=-2$

$\therefore \vec{b}=(4, 6)$

또, 두 벡터 $\vec{a}=(x, -2)$, $\vec{b}=(4, 6)$이 서로 수직이므로 $\vec{a}\cdot\vec{b}=0$에서

$4x-12=0$ $\therefore x=3$

$\therefore x^2+y^2=3^2+(-2)^2=13$

답 13

232

(1) $\frac{x-2}{-2}=\frac{y-1}{3}$

(2) 방향벡터의 x성분이 0이므로 직선의 방정식은

$x=-1$

답 (1) $\frac{x-2}{-2}=\frac{y-1}{3}$ (2) $x=-1$

234

(1) $\frac{x-2}{2-3}=\frac{y-3}{3-1}$ $\therefore -x+2=\frac{y-3}{2}$

(2) $2(x-2)+3(y-3)=0$ $\therefore 2x+3y-13=0$

답 (1) $-x+2=\frac{y-3}{2}$ (2) $2x+3y-13=0$

236

직선 $2x-y-5=0$의 법선벡터가 $\vec{n}=(2, -1)$이므로

이 직선에 수직인 직선의 방향벡터는 $\vec{n}=(2, -1)$

따라서 점 $(2, -1)$을 지나고 방향벡터가

$\vec{n}=(2, -1)$인 직선의 방정식은

$\frac{x-2}{2}=\frac{y+1}{-1}$ $\therefore \frac{x-2}{2}=-y-1$

답 $\frac{x-2}{2}=-y-1$

238

(1) 두 직선의 방향벡터는 각각

$\vec{u}=(2, -1)$, $\vec{v}=(4, 3)$이므로

$\cos\theta=\frac{|\vec{u}\cdot\vec{v}|}{|\vec{u}||\vec{v}|}=\frac{|2\times4+(-1)\times3|}{\sqrt{2^2+(-1)^2}\sqrt{4^2+3^2}}$

$=\frac{5}{\sqrt{5}\times5}=\frac{\sqrt{5}}{5}$

$\therefore \sin\theta=\sqrt{1-\cos^2\theta}=\sqrt{1-\left(\frac{\sqrt{5}}{5}\right)^2}=\frac{2\sqrt{5}}{5}$

(2) 두 직선의 방향벡터는 각각

$\vec{u}=(2, 1)$, $\vec{v}=(1, 3)$이므로

$\cos\theta=\frac{|\vec{u}\cdot\vec{v}|}{|\vec{u}||\vec{v}|}=\frac{|2\times1+1\times3|}{\sqrt{2^2+1^2}\sqrt{1^2+3^2}}$

$=\frac{5}{\sqrt{5}\sqrt{10}}=\frac{\sqrt{2}}{2}$

$\therefore \sin\theta=\sqrt{1-\cos^2\theta}=\sqrt{1-\left(\frac{\sqrt{2}}{2}\right)^2}=\frac{\sqrt{2}}{2}$

답 (1) $\frac{2\sqrt{5}}{5}$ (2) $\frac{\sqrt{2}}{2}$

240

(1) 두 직선의 법선벡터는 각각 $\vec{n_1}=(1, 2)$,

$\vec{n_2}=(3, 1)$이므로 두 직선이 이루는 예각의 크기를 θ $(0^\circ\le\theta\le90^\circ)$라 하면

$$\cos\theta=\frac{|\vec{n_1}\cdot\vec{n_2}|}{|\vec{n_1}||\vec{n_2}|}=\frac{|1\times3+2\times1|}{\sqrt{1^2+2^2}\sqrt{3^2+1^2}}$$

$$=\frac{5}{\sqrt{5}\sqrt{10}}=\frac{\sqrt{2}}{2}$$

$\therefore\ \theta=45^\circ$

(2) 두 직선의 법선벡터는 각각

$\vec{n_1}=(\sqrt{3},\ 1)$, $\vec{n_2}=(1,\ \sqrt{3})$이므로

두 직선이 이루는 예각의 크기를

$\theta\ (0^\circ\le\theta\le90^\circ)$라 하면

$$\cos\theta=\frac{|\vec{n_1}\cdot\vec{n_2}|}{|\vec{n_1}||\vec{n_2}|}=\frac{|\sqrt{3}\times1+1\times\sqrt{3}|}{\sqrt{(\sqrt{3})^2+1^2}\sqrt{1^2+(\sqrt{3})^2}}$$

$$=\frac{2\sqrt{3}}{2\times2}=\frac{\sqrt{3}}{2}$$

$\therefore\ \theta=30^\circ$

답 (1) 45° (2) 30°

242

(1) 두 직선의 방향벡터는 각각

$\vec{u}=(2,\ 3)$, $\vec{v}=(a,\ 1)$

두 직선이 평행하면 $\vec{v}=k\vec{u}$ (단, k는 0이 아닌 실수)

즉, $(a,\ 1)=k(2,\ 3)$에서 $a=2k$, $1=3k$

$\therefore\ k=\frac{1}{3}$, $a=\frac{2}{3}$

두 직선이 수직이면 $\vec{u}\cdot\vec{v}=0$

즉, $2a+3=0$에서 $a=-\frac{3}{2}$

(2) 두 직선의 법선벡터는 각각

$\vec{n_1}=(3,\ a)$, $\vec{n_2}=(2,\ -1)$

두 직선이 평행하면

$\vec{n_1}=k\vec{n_2}$ (단, k는 0이 아닌 실수)

즉, $(3,\ a)=k(2,\ -1)$에서 $3=2k$, $a=-k$

$\therefore\ k=\frac{3}{2}$, $a=-\frac{3}{2}$

두 직선이 수직이면 $\vec{n_1}\cdot\vec{n_2}=0$

즉, $3\times2+a\times(-1)=0$에서 $a=6$

답 (1) 평행: $\frac{2}{3}$, 수직: $-\frac{3}{2}$
(2) 평행: $-\frac{3}{2}$, 수직: 6

244

점 H는 주어진 직선 위의 점이므로

$\frac{x-4}{2}=\frac{y-5}{3}=t$ (t는 실수)로 놓으면

$x=2t+4$, $y=3t+5$

$\therefore\ \mathrm{H}(2t+4,\ 3t+5)$

$\therefore\ \overrightarrow{\mathrm{AH}}=\overrightarrow{\mathrm{OH}}-\overrightarrow{\mathrm{OA}}=(2t+5,\ 3t+1)$

직선의 방향벡터는 $\vec{u}=(2,\ 3)$이므로 $\vec{u}\cdot\overrightarrow{\mathrm{AH}}=0$에서

$2(2t+5)+3(3t+1)=0$

$13t+13=0\qquad\therefore\ t=-1$

$\therefore\ \mathrm{H}(2,\ 2)$

따라서 $a=2$, $b=2$이므로

$a+b=2+2=4$

답 4

246

(1) 원 위의 점을 $\mathrm{P}(x,\ y)$, 원의 중심을 $\mathrm{C}(1,\ 2)$라 하고 두 점 P, C의 위치벡터를 각각 $\vec{p}$, $\vec{c}$라 하면

$|\vec{p}-\vec{c}|=2$

이때 $\vec{p}-\vec{c}=(x-1,\ y-2)$이므로

$\sqrt{(x-1)^2+(y-2)^2}=2$

$\therefore\ (x-1)^2+(y-2)^2=4$

(2) 원 위의 점을 $\mathrm{P}(x,\ y)$, 지름의 양 끝점을 $\mathrm{A}(-3,\ 1)$, $\mathrm{B}(5,\ -5)$라 하고 세 점 P, A, B의 위치벡터를 각각 $\vec{p}$, $\vec{a}$, $\vec{b}$라 하자.

$\triangle$PAB는 $\angle\mathrm{APB}=90^\circ$인 직각삼각형이므로

$\overrightarrow{\mathrm{AP}}\perp\overrightarrow{\mathrm{BP}}\iff\overrightarrow{\mathrm{AP}}\cdot\overrightarrow{\mathrm{BP}}=\vec{0}$

$\iff(\vec{p}-\vec{a})\cdot(\vec{p}-\vec{b})=0$

이때 $\vec{p}-\vec{a}=(x+3,\ y-1)$, $\vec{p}-\vec{b}=(x-5,\ y+5)$

이므로 $(x+3)(x-5)+(y-1)(y+5)=0$

$x^2-2x+y^2+4y-20=0$

$\therefore\ (x-1)^2+(y+2)^2=25$

답 (1) $(x-1)^2+(y-2)^2=4$
(2) $(x-1)^2+(y+2)^2=25$

247

두 점 $(2,\ -1)$, $(-1,\ 5)$를 지나는 직선의 방향벡터는

$\vec{u}=(-1,\ 5)-(2,\ -1)=(-3,\ 6)$

이므로 이 직선에 평행한 직선의 방향벡터도

$\vec{u}=(-3,\ 6)$이다.

점 $\mathrm{A}(4,\ 1)$을 지나고 방향벡터가 $\vec{u}=(-3,\ 6)$인 직선의 방정식은 $\frac{x-4}{-3}=\frac{y-1}{6}$

$\therefore\ x-4=\frac{y-1}{-2}$

따라서 $a=4$, $b=1$이므로

$ab=4\times1=4$

답 4

248

직선 l의 방향벡터는

$\vec{u}=(2, 4)-(-1, 3)=(3, 1)$

직선 $\frac{x+1}{a}=\frac{y-3}{2}$의 방향벡터는 $\vec{v}=(a, 2)$

두 직선이 서로 수직이면 두 직선의 방향벡터도 서로 수직이므로

$\vec{u}\cdot\vec{v}=0$에서 $3\times a+1\times 2=0$

$\therefore a=-\frac{2}{3}$

답 $-\frac{2}{3}$

249

직선 $\frac{x-2}{3}=\frac{y+3}{4}$의 방향벡터는

$\vec{u}=(3, 4)$

x축, y축의 방향벡터를 각각 $\vec{x}$, $\vec{y}$라 하면

$\vec{x}=(1, 0)$, $\vec{y}=(0, 1)$

$\therefore \cos\alpha=\frac{|\vec{u}\cdot\vec{x}|}{|\vec{u}||\vec{x}|}=\frac{|3\times 1+4\times 0|}{\sqrt{3^2+4^2}\sqrt{1^2+0^2}}=\frac{3}{5}$

$\cos\beta=\frac{|\vec{u}\cdot\vec{y}|}{|\vec{u}||\vec{y}|}=\frac{|3\times 0+4\times 1|}{\sqrt{3^2+4^2}\sqrt{0^2+1^2}}=\frac{4}{5}$

$\therefore \cos\alpha+\cos\beta=\frac{3}{5}+\frac{4}{5}=\frac{7}{5}$

답 $\frac{7}{5}$

250

$\vec{a}=(1, 2)$, $\vec{p}=(x, y)$이므로

$\vec{p}-\vec{a}=(x-1, y-2)$

(1) $\vec{p}\cdot(\vec{p}-\vec{a})=0$에서 $(x, y)\cdot(x-1, y-2)=0$

이므로 $x(x-1)+y(y-2)=0$

$x^2-x+y^2-2y=0$

$\therefore \left(x-\frac{1}{2}\right)^2+(y-1)^2=\frac{5}{4}$

따라서 점 P는 중심의 좌표가 $\left(\frac{1}{2}, 1\right)$이고 반지름의 길이가 $\frac{\sqrt{5}}{2}$인 원 위에 있다.

(2) $\vec{a}\cdot(\vec{p}-\vec{a})=0$에서 $(1, 2)\cdot(x-1, y-2)=0$

이므로 $(x-1)+2(y-2)=0$ …… ㉠

이때 ㉠은 법선벡터가 $\vec{a}=(1, 2)$이고 한 점 $(1, 2)$를 지나는 직선의 방정식이다.

따라서 점 P는 벡터 $\vec{a}$에 수직이고 점 A를 지나는 직선 위에 있다.

답 풀이 참조

251

(1) $|\vec{p}|=3$이므로 $\sqrt{x^2+y^2}=3$ $\therefore x^2+y^2=9$

따라서 점 P는 중심이 원점이고 반지름의 길이가 3인 원 위에 있다.

(2) $\vec{p}-\vec{c}=(x-2, y+1)$이므로 $|\vec{p}-\vec{c}|=1$에서

$\sqrt{(x-2)^2+(y+1)^2}=1$

$\therefore (x-2)^2+(y+1)^2=1$

따라서 점 P는 중심이 C$(2, -1)$이고 반지름의 길이가 1인 원 위에 있다.

답 풀이 참조

252

P(x, y)라 하면

$\overrightarrow{PA}=\overrightarrow{OA}-\overrightarrow{OP}=(4-x, -3-y)$

$\overrightarrow{PB}=\overrightarrow{OB}-\overrightarrow{OP}=(2-x, -1-y)$

이때 $\overrightarrow{PA}\cdot\overrightarrow{PB}=0$이므로

$(4-x)(2-x)+(-3-y)(-1-y)=0$

$(x-4)(x-2)+(y+3)(y+1)=0$

$x^2-6x+y^2+4y+11=0$

$\therefore (x-3)^2+(y+2)^2=2$

따라서 점 P의 자취는 중심의 좌표가 $(3, -2)$이고 반지름의 길이가 $\sqrt{2}$인 원이므로

$a=3$, $b=-2$, $r=\sqrt{2}$

$\therefore abr=3\times(-2)\times\sqrt{2}=-6\sqrt{2}$

답 $-6\sqrt{2}$

253

점 G는 △ABC의 무게중심이므로

$\overrightarrow{OG}=\frac{\vec{a}+\vec{b}+\vec{c}}{3}$ $\therefore \vec{a}+\vec{b}+\vec{c}=3\overrightarrow{OG}$

$\therefore |\vec{a}+\vec{b}+\vec{c}|=|3\overrightarrow{OG}|=3\overline{OG}=3\sqrt{3^2+4^2}=15$

답 15

254

$\vec{b}-\vec{c}=\overrightarrow{OB}-\overrightarrow{OC}=\overrightarrow{CB}$이므로

$|\vec{b}-\vec{c}|=20$에서 $\overline{CB}=20$

이때 $5\vec{a}=3\vec{b}+2\vec{c}$에서

$\vec{a}=\frac{3\vec{b}+2\vec{c}}{5}=\frac{3\vec{b}+2\vec{c}}{3+2}$이므로

점 A는 선분 CB를 3 : 2로 내분하는 점이다.

$\therefore \overline{AB}=\frac{2}{5}\overline{CB}=\frac{2}{5}\times 20=8$

답 8

255

(ⅰ) $5\overrightarrow{PA}=-(2\overrightarrow{PB}+3\overrightarrow{PC})$에서

$\overrightarrow{PA}=-\frac{3\overrightarrow{PC}+2\overrightarrow{PB}}{3+2}$

요게 뭔 소리?

$\frac{3\overrightarrow{PC}+2\overrightarrow{PB}}{3+2}$는 선분 BC를 3 : 2로 내분하는 점 D를 가리키는 시점이 P인 위치벡터.

이 벡터의 방향을 바꾸면 벡터 $\overrightarrow{PA}$가 된다는 소리.

따라서 점 P는 오른쪽 그림과 같이 선분 AD의 중점.

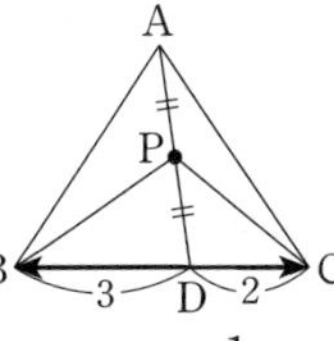

(ⅱ) △PBC는 △ABC와 밑변은 같고, 높이는 $\frac{1}{2}$이므로 삼각형 ABC의 넓이를 S라 하면

$\triangle PBC=\frac{1}{2}S$

$\triangle ABD=\frac{3}{5}S$이므로

$\triangle PAB=\frac{1}{2}\times\frac{3}{5}S=\frac{3}{10}S$

$\triangle ACD=\frac{2}{5}S$이므로

$\triangle PCA=\frac{1}{2}\times\frac{2}{5}S=\frac{1}{5}S$

$\therefore\ \triangle PAB:\triangle PBC:\triangle PCA$

$=\frac{3}{10}S:\frac{1}{2}S:\frac{1}{5}S$

$=3:5:2$

답 3 : 5 : 2

256

$\vec{a}=(k+1,\ 3)$에서 $|\vec{a}|=5$이므로

$\sqrt{(k+1)^2+3^2}=5$

양변을 제곱하면 $(k+1)^2+9=25$

$(k+1)^2=16,\ k+1=\pm4$

$\therefore\ k=3$ 또는 $k=-5$

(ⅰ) $k=3$일 때,

$\vec{a}=(k+1,\ 3)=(4,\ 3)$이고

$\vec{b}=(-2,\ k-1)=(-2,\ 2)$이므로

$\vec{a}\cdot\vec{b}=4\times(-2)+3\times2=-2$

(ⅱ) $k=-5$일 때,

$\vec{a}=(k+1,\ 3)=(-4,\ 3)$이고

$\vec{b}=(-2,\ k-1)=(-2,\ -6)$이므로

$\vec{a}\cdot\vec{b}=(-4)\times(-2)+3\times(-6)=-10$

(ⅰ), (ⅱ)에서 $\vec{a}\cdot\vec{b}$의 값은 -2 또는 -10이다.

답 -2, -10

257

$\vec{a}+\vec{b}=(1,\ -x)+(x+4,\ -1)$

$=(x+5,\ -x-1)$

$\vec{a}-\vec{b}=(1,\ -x)-(x+4,\ -1)$

$=(-x-3,\ -x+1)$

두 벡터 $\vec{a}+\vec{b}$, $\vec{a}-\vec{b}$가 서로 수직이므로

$(\vec{a}+\vec{b})\cdot(\vec{a}-\vec{b})=0$

$(x+5)(-x-3)+(-x-1)(-x+1)=0$

$-x^2-8x-15+x^2-1=0,\ 8x=-16$

$\therefore\ x=-2$

답 -2

258

두 벡터 $\vec{a}$, $\vec{b}$가 서로 수직이므로 $\vec{a}\cdot\vec{b}=0$에서

$2x-y=0 \qquad \therefore\ y=2x \qquad \cdots\cdots$ ㉠

$|\vec{b}|=2\sqrt{5}$이므로 $x^2+y^2=(2\sqrt{5})^2$

㉠을 위의 식에 대입하면 $x^2+4x^2=20$

$5x^2=20,\ x^2=4$

$\therefore\ x=2$ 또는 $x=-2$

따라서 $x=2$일 때 $y=4$, $x=-2$일 때 $y=-4$이므로

$x+y=6$ 또는 $x+y=-6$

답 6, -6

259

두 벡터 $\vec{a}-\vec{b}$, $5\vec{a}+2\vec{b}$가 서로 수직이므로

$(\vec{a}-\vec{b})\cdot(5\vec{a}+2\vec{b})=0$

$5|\vec{a}|^2-3\vec{a}\cdot\vec{b}-2|\vec{b}|^2=0$

두 벡터 $\vec{a}$, $\vec{b}$가 이루는 각의 크기를 θ $(0^\circ\le\theta\le180^\circ)$라 하면

$5|\vec{a}|^2-3|\vec{a}||\vec{b}|\cos\theta-2|\vec{b}|^2=0 \qquad \cdots\cdots$ ㉠

$|\vec{b}|=2|\vec{a}|$를 ㉠에 대입하면

$5|\vec{a}|^2-6|\vec{a}|^2\cos\theta-8|\vec{a}|^2=0$

$-3|\vec{a}|^2(1+2\cos\theta)=0$

이때 $|\vec{a}|\neq0$이므로 $1+2\cos\theta=0$

$\therefore\ \cos\theta=-\frac{1}{2}$

$\therefore\ \theta=120^\circ$

답 120°

260

직선 l: $\frac{x+2}{3}=2-y$의 방향벡터는 $\vec{u}=(3,\ -1)$이고, 직선 m: $x-2y+3=0$의 법선벡터는 $\vec{n}=(1,\ -2)$이다.

이때 오른쪽 그림과 같이 두 벡터 $\vec{u}$, $\vec{n}$의 시점을 두 직선의 교점으로 잡고 생각하면 두 직선 l, m이 이루는 예각의 크기가 θ이면 두 벡터 $\vec{u}$, $\vec{n}$이 이루는 각의 크기는 $90°-\theta$이므로

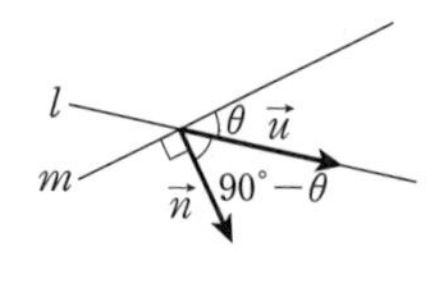

$$\cos(90°-\theta)=\frac{|\vec{u}\cdot\vec{n}|}{|\vec{u}||\vec{n}|}$$
$$=\frac{|3\times1+(-1)\times(-2)|}{\sqrt{3^2+(-1)^2}\sqrt{1^2+(-2)^2}}$$
$$=\frac{5}{\sqrt{10}\sqrt{5}}=\frac{\sqrt{2}}{2}$$

따라서 $90°-\theta=45°$이므로 $\theta=45°$

답 $45°$

261

$\vec{p}-\vec{c}=(x-3,\ y+1)$이므로

$(\vec{p}-\vec{c})\cdot(\vec{p}-\vec{c})=10$에서

$(x-3)^2+(y+1)^2=10$

즉, 점 $\mathrm{P}(x,\ y)$는 중심이 $\mathrm{C}(3,\ -1)$이고 반지름의 길이가 $\sqrt{10}$인 원 위의 점이다.

이때 $|\vec{p}|$의 값이 최대가 되는 것은 오른쪽 그림과 같이 $\overline{\mathrm{OP}}$가 원의 지름이 될 때이므로 원의 중심 C는 $\overline{\mathrm{OP}}$의 중점이다.

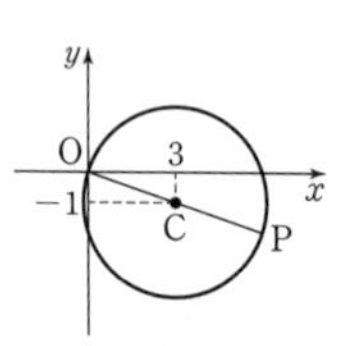

즉, $\frac{x}{2}=3$, $\frac{y}{2}=-1$이므로

$x=6$, $y=-2$

$\therefore \mathrm{P}(6,\ -2)$

답 $\mathrm{P}(6,\ -2)$

262

$\overline{\mathrm{OA}}$의 중점 C의 위치벡터는

$$\overrightarrow{\mathrm{OC}}=\frac{1}{2}\overrightarrow{\mathrm{OA}}$$

$\overline{\mathrm{BC}}$의 중점 D의 위치벡터는

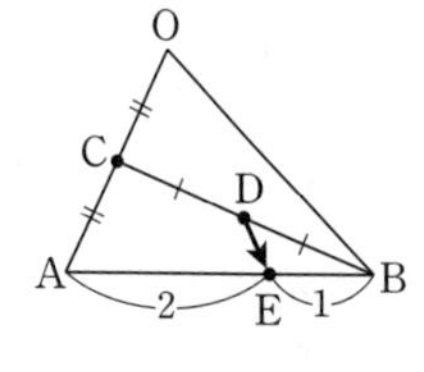

$$\overrightarrow{\mathrm{OD}}=\frac{\overrightarrow{\mathrm{OB}}+\overrightarrow{\mathrm{OC}}}{2}$$
$$=\frac{\overrightarrow{\mathrm{OB}}+\frac{1}{2}\overrightarrow{\mathrm{OA}}}{2}$$
$$=\frac{1}{4}\overrightarrow{\mathrm{OA}}+\frac{1}{2}\overrightarrow{\mathrm{OB}}$$

$\overline{\mathrm{AB}}$를 $2:1$로 내분하는 점 E의 위치벡터는

$$\overrightarrow{\mathrm{OE}}=\frac{2\overrightarrow{\mathrm{OB}}+\overrightarrow{\mathrm{OA}}}{2+1}=\frac{1}{3}\overrightarrow{\mathrm{OA}}+\frac{2}{3}\overrightarrow{\mathrm{OB}}$$

$$\therefore \overrightarrow{\mathrm{DE}}=\overrightarrow{\mathrm{OE}}-\overrightarrow{\mathrm{OD}}$$
$$=\left(\frac{1}{3}\overrightarrow{\mathrm{OA}}+\frac{2}{3}\overrightarrow{\mathrm{OB}}\right)-\left(\frac{1}{4}\overrightarrow{\mathrm{OA}}+\frac{1}{2}\overrightarrow{\mathrm{OB}}\right)$$
$$=\frac{1}{12}\overrightarrow{\mathrm{OA}}+\frac{1}{6}\overrightarrow{\mathrm{OB}}=\frac{1}{4}\left(\frac{1}{3}\overrightarrow{\mathrm{OA}}+\frac{2}{3}\overrightarrow{\mathrm{OB}}\right)$$
$$=\frac{1}{4}\overrightarrow{\mathrm{OE}}$$

$\therefore m=\frac{1}{4}$

답 $\frac{1}{4}$

263

$\mathrm{P}(x,\ y)$라 하면

$\overrightarrow{\mathrm{OP}}=m\overrightarrow{\mathrm{OA}}+n\overrightarrow{\mathrm{OB}}$에서

$\overrightarrow{\mathrm{OA}}=(3,\ 4)$, $\overrightarrow{\mathrm{OB}}=(4,\ 3)$, $\overrightarrow{\mathrm{OP}}=(x,\ y)$이므로

$(x,\ y)=m(3,\ 4)+n(4,\ 3)=(3m+4n,\ 4m+3n)$

즉, $x=3m+4n$, $y=4m+3n$이므로

두 식을 연립하여 m, n을 x, y를 이용하여 나타내면

$$m=-\frac{3x-4y}{7},\ n=\frac{4x-3y}{7}$$

이때 $m\ge0$, $n\ge0$이고 $m+n\le1$이므로

$$-\frac{3x-4y}{7}\ge0,\ \frac{4x-3y}{7}\ge0,$$
$$-\frac{3x-4y}{7}+\frac{4x-3y}{7}\le1$$

$$\therefore y\ge\frac{3}{4}x,\ y\le\frac{4}{3}x,\ y\le-x+7$$

따라서 점 P가 나타내는 도형은 오른쪽 그림의 색칠한 부분(경계선 포함)과 같이 $\triangle$OAB의 경계 및 내부이므로 구하는 둘레의 길이는

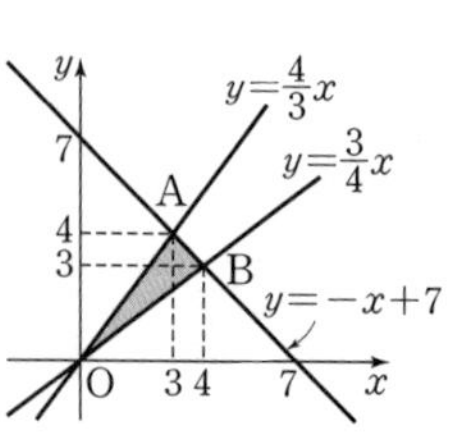

$\overline{\mathrm{OA}}+\overline{\mathrm{OB}}+\overline{\mathrm{AB}}$

$=5+5+\sqrt{2}=10+\sqrt{2}$

답 $10+\sqrt{2}$

264

$\vec{a}+t\vec{b}=(1-3t,\ 2+t)$, $t\vec{a}-\vec{b}=(t+3,\ 2t-1)$

이므로

$$f(t)=(\vec{a}+t\vec{b})\cdot(t\vec{a}-\vec{b})$$
$$=(1-3t)(t+3)+(2+t)(2t-1)$$
$$=-t^2-5t+1$$
$$=-\left(t+\frac{5}{2}\right)^2+\frac{29}{4}$$

따라서 $f(t)$는 $t=-\frac{5}{2}$일 때 최댓값 $\frac{29}{4}$를 가진다.

> 다른 풀이

$\vec{a}=(1, 2)$, $\vec{b}=(-3, 1)$이므로

$|\vec{a}|=\sqrt{1^2+2^2}=\sqrt{5}$, $|\vec{b}|=\sqrt{(-3)^2+1^2}=\sqrt{10}$,

$\vec{a}\cdot\vec{b}=1\times(-3)+2\times1=-1$

$$\therefore f(t)=(\vec{a}+t\vec{b})\cdot(t\vec{a}-\vec{b})$$
$$=t|\vec{a}|^2+(t^2-1)\vec{a}\cdot\vec{b}-t|\vec{b}|^2$$
$$=5t-(t^2-1)-10t$$
$$=-t^2-5t+1$$
$$=-\left(t+\frac{5}{2}\right)^2+\frac{29}{4}$$

따라서 $f(t)$는 $t=-\frac{5}{2}$일 때 최댓값 $\frac{29}{4}$를 가진다.

답 $\frac{29}{4}$

265

$\angle B=90°$이므로

$\angle ABD=\angle DBE=30°$, $\angle ABE=60°$이고

$\overline{BC}=\sqrt{6^2-3^2}=3\sqrt{3}$, $\overline{BE}=\overline{AB}=3$

또 △ABE는 한 변의 길이가 3인 정삼각형이므로

$\overline{BD}=\frac{\sqrt{3}}{2}\times3=\frac{3\sqrt{3}}{2}$

$$\therefore a=\overrightarrow{BA}\cdot\overrightarrow{BD}=|\overrightarrow{BA}||\overrightarrow{BD}|\cos 30°$$
$$=3\times\frac{3\sqrt{3}}{2}\times\frac{\sqrt{3}}{2}=\frac{27}{4}$$
$$b=\overrightarrow{BD}\cdot\overrightarrow{BE}=|\overrightarrow{BD}||\overrightarrow{BE}|\cos 30°$$
$$=\frac{3\sqrt{3}}{2}\times3\times\frac{\sqrt{3}}{2}=\frac{27}{4}$$
$$c=\overrightarrow{BA}\cdot\overrightarrow{BC}=|\overrightarrow{BA}||\overrightarrow{BC}|\cos 90°=0$$

따라서 실수 a, b, c 사이의 대소 관계는

$c<a=b$

답 $c<a=b$

266

$|\vec{a}+\vec{b}|=4$의 양변을 제곱하면

$|\vec{a}|^2+2\vec{a}\cdot\vec{b}+|\vec{b}|^2=16$ …… ㉠

$|\vec{a}-\vec{b}|=2$의 양변을 제곱하면

$|\vec{a}|^2-2\vec{a}\cdot\vec{b}+|\vec{b}|^2=4$ …… ㉡

㉠+㉡을 하면 $2|\vec{a}|^2+2|\vec{b}|^2=20$

$\therefore |\vec{a}|^2+|\vec{b}|^2=10$

㉠−㉡을 하면 $4\vec{a}\cdot\vec{b}=12$

$\therefore \vec{a}\cdot\vec{b}=3$

$$\therefore |\vec{a}-2\vec{b}|^2+|2\vec{a}-\vec{b}|^2$$
$$=(|\vec{a}|^2-4\vec{a}\cdot\vec{b}+4|\vec{b}|^2)$$
$$+(4|\vec{a}|^2-4\vec{a}\cdot\vec{b}+|\vec{b}|^2)$$
$$=5(|\vec{a}|^2+|\vec{b}|^2)-8\vec{a}\cdot\vec{b}$$
$$=5\times10-8\times3=26$$

답 26

267

$\vec{a}+\vec{b}+\vec{c}=\vec{0}$에서 $\vec{a}+\vec{b}=-\vec{c}$

이때 $|\vec{c}|=7$이므로 $|-\vec{c}|=7$

$\therefore |\vec{a}+\vec{b}|=7$

양변을 제곱하면 $|\vec{a}|^2+2\vec{a}\cdot\vec{b}+|\vec{b}|^2=49$

두 벡터 $\vec{a}$, $\vec{b}$가 이루는 각의 크기를 θ $(0°\le\theta\le180°)$라 하면

$|\vec{a}|^2+2|\vec{a}||\vec{b}|\cos\theta+|\vec{b}|^2=49$

$9+30\cos\theta+25=49$, $30\cos\theta=15$

$\therefore \cos\theta=\frac{1}{2}$

$\therefore \theta=60°$

답 60°

268

$\angle AOB=\theta$라 하면

□AOBC는 평행사변형이므로

□AOBC$=\overline{OA}\times\overline{OB}\times\sin\theta$ …… ㉠

$\overrightarrow{OA}=\vec{a}$, $\overrightarrow{OB}=\vec{b}$라 하면

$|\vec{a}|=\sqrt{2^2+1^2}=\sqrt{5}$, $|\vec{b}|=\sqrt{4^2+(-3)^2}=5$이고

$\vec{a}\cdot\vec{b}=2\times4+1\times(-3)=5$

즉, $|\vec{a}||\vec{b}|\cos\theta=5$이므로

$5\sqrt{5}\cos\theta=5$에서

$\cos\theta=\frac{\sqrt{5}}{5}$

$$\therefore \sin\theta=\sqrt{1-\cos^2\theta}$$
$$=\sqrt{1-\left(\frac{\sqrt{5}}{5}\right)^2}=\frac{2\sqrt{5}}{5}$$

따라서 ㉠에서 평행사변형 AOBC의 넓이는

$\sqrt{5}\times5\times\frac{2\sqrt{5}}{5}=10$

답 10

269

직선 $\frac{x+1}{2}=\frac{3-y}{3}$의 방향벡터는

$\vec{u}=(2,\ -3)$

따라서 구하는 직선은 점 A$(0,\ -5)$를 지나고 법선벡터가 $\vec{u}=(2,\ -3)$이므로 직선의 방정식은

$2(x-0)-3(y+5)=0$

$\therefore\ \frac{x}{3}=\frac{y+5}{2}$

답 $\frac{x}{3}=\frac{y+5}{2}$

270

점 $(-1,\ 2)$를 지나고 방향벡터가 $\vec{u}=(1,\ -3)$인 직선의 방정식은

$\frac{x+1}{1}=\frac{y-2}{-3}$, $-3x-3=y-2$

$\therefore\ y=-3x-1$ ...... ㉠

한편 C$(0,\ 3)$, D$(2,\ -1)$이라 하고 이 두 점을 지름의 양 끝점으로 하는 원 위의 점을 P$(x,\ y)$라 하면

△PCD는 ∠CPD$=90°$인 직각삼각형이므로

$\overrightarrow{CP}\perp\overrightarrow{DP} \iff \overrightarrow{CP}\cdot\overrightarrow{DP}=0$

즉, $(x,\ y-3)\cdot(x-2,\ y+1)=0$에서

$x(x-2)+(y-3)(y+1)=0$

$x^2-2x+y^2-2y-3=0$

$\therefore\ (x-1)^2+(y-1)^2=5$ ...... ㉡

㉠을 ㉡에 대입하면

$(x-1)^2+(-3x-2)^2=5$

$10x^2+10x=0,\ x(x+1)=0$

$\therefore\ x=0$ 또는 $x=-1$

$x=0$을 ㉠에 대입하면 $y=-3\times0-1=-1$

$x=-1$을 ㉠에 대입하면 $y=-3\times(-1)-1=2$

따라서 A$(0,\ -1)$, B$(-1,\ 2)$ 또는

A$(-1,\ 2)$, B$(0,\ -1)$이므로

$\overline{AB}^2=(-1)^2+\{2-(-1)\}^2=10$

답 10

III 공간도형과 공간좌표

1 공간도형

272

평면의 결정조건에 따라 만들어지는 평면을 찾으면 다음과 같다.

(i) 한 직선 위에 있지 않은 서로 다른 세 점
세 점 E, G, H로 만들어지는 평면은 평면 EFGH의 1개

(ii) 한 직선과 그 위에 있지 않은 한 점
한 직선 AF와 이 직선 위에 있지 않은 한 점으로 만들어지는 평면은
평면 AEF, 평면 AFG, 평면 AFH의 3개
한 직선 CF와 이 직선 위에 있지 않은 한 점으로 만들어지는 평면은
평면 CEF, 평면 CFG, 평면 CHF의 3개

(iii) 만나는 두 직선: 직선 AF와 직선 CF로 만들어지는 평면은 평면 AFC의 1개

(iv) 평행한 두 직선: 없다.

(i)~(iv)에서 구하는 서로 다른 평면의 개수는

$1+3+3+1=8$

답 8

274

직선 AB와 꼬인 위치에 있는 직선은

직선 CH, 직선 DI, 직선 EJ, 직선 GH,

직선 HI, 직선 IJ, 직선 FJ

의 7개 $\therefore\ a=7$

직선 AB와 평행한 평면은 평면 FGHIJ의 1개

$\therefore\ b=1$

또 평면 ABCDE와 만나는 평면은

평면 ABGF, 평면 BGHC, 평면 CHID, 평면 DIJE, 평면 AFJE의 5개 $\therefore\ c=5$

$\therefore\ a+b+c=7+1+5=13$

답 13

276

정육면체의 모서리를 직선으로, 면을 평면으로 생각하면 다음 그림과 같다.

ㄱ.

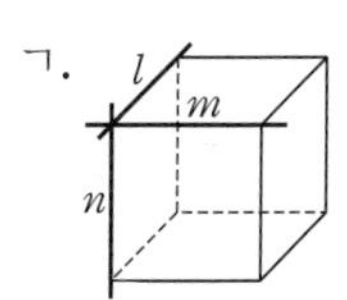

ㄴ.

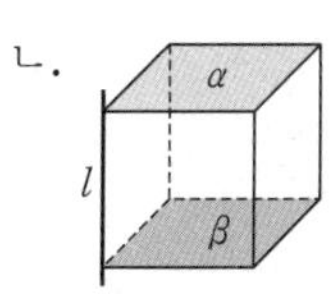

ㄷ.

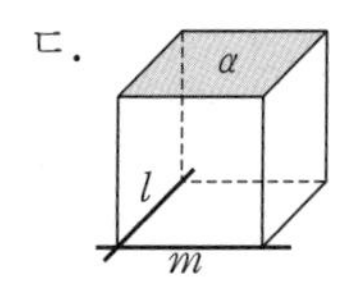

ㄹ.

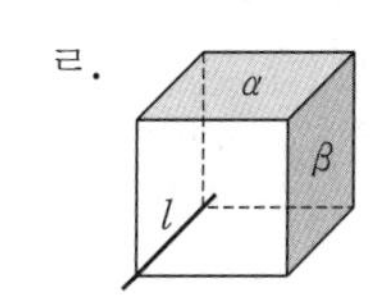

ㄱ. $l \perp m$이고 $m \perp n$이면 $l \perp n$일 수도 있다. (거짓)
ㄷ. $l /\!/ \alpha$이고 $m /\!/ \alpha$이면 $l \perp m$일 수도 있다. (거짓)
ㄹ. $l /\!/ \alpha$이고 $\alpha \perp \beta$이면 $l /\!/ \beta$일 수도 있다. (거짓)
따라서 옳은 것은 ㄴ이다.

> 다른 풀이

ㄱ.

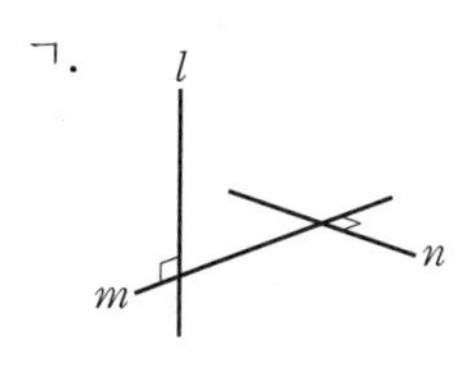

ㄴ.

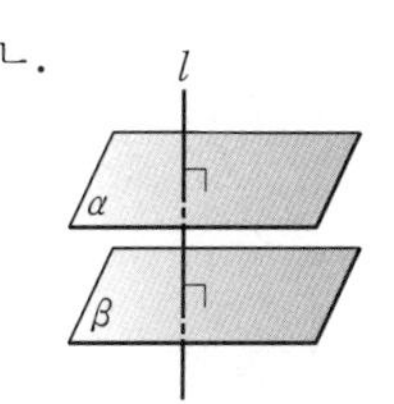

ㄷ.

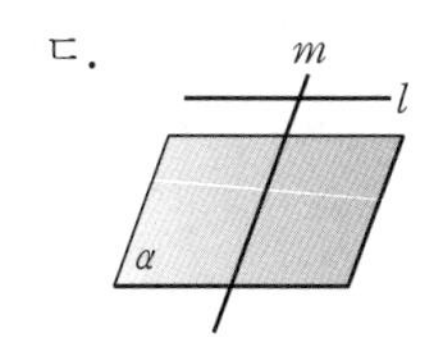

ㄹ.

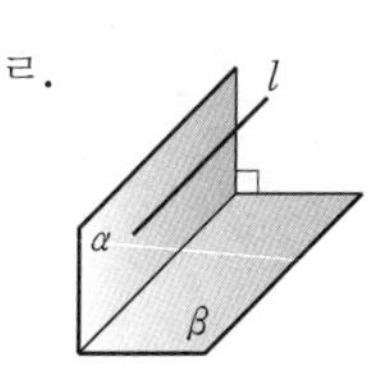

따라서 옳은 것은 ㄴ이다.

답 ㄴ

278

직선 AB는 직선 DC와 평행하고 직선 AB와 직선 CE가 이루는 각의 크기는 α이므로 직선 DC와 직선 CE가 이루는 각의 크기도 α이다.

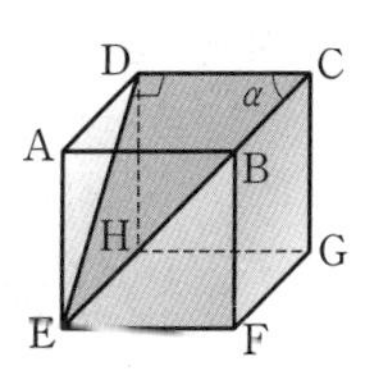

정육면체의 한 모서리의 길이를 a라 하면
$\overline{CE}=\sqrt{3}a$이므로 직각삼각형 DEC에서

$$\cos\alpha=\frac{\overline{DC}}{\overline{CE}}=\frac{a}{\sqrt{3}a}=\frac{\sqrt{3}}{3}$$

직선 AB는 직선 EF와 평행하고 직선 EF와 직선 EG가 이루는 각의 크기는 $45°$이므로 직선 AB와 직선 EG가 이루는 각의 크기도 $45°$이다.

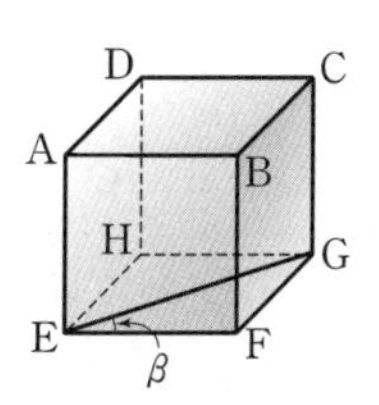

$$\therefore \cos\beta=\cos 45°=\frac{\sqrt{2}}{2}$$

$$\therefore \cos\alpha\times\cos\beta=\frac{\sqrt{3}}{3}\times\frac{\sqrt{2}}{2}=\frac{\sqrt{6}}{6}$$

답 $\frac{\sqrt{6}}{6}$

279

(i) 두 직선 AG, EG로 결정되는 평면은 평면 AGE의 1개이다.
(ii) 직선 AG와 한 점으로 결정되는 평면은
평면 AGB, 평면 AGF, 평면 AGD, 평면 AGH,
이 중 평면 AGB와 평면 AGH는 같은 평면이고, 평면 AGF와 평면 AGD는 같은 평면이다.
즉, 이 경우의 서로 다른 평면의 개수는 2이다.
(iii) 직선 EG와 한 점으로 결정되는 평면은
평면 EGB, 평면 EGF, 평면 EGD, 평면 EGH
이 중 평면 EGF와 평면 EGH는 같은 평면이다.
즉, 이 경우의 서로 다른 평면의 개수는 3이다.
(iv) 세 점으로 결정되는 평면은
평면 BFD, 평면 BFH, 평면 BDH, 평면 FDH
이때 이 네 평면은 모두 같은 평면이다.
즉, 이 경우의 서로 다른 평면의 개수는 1이다.

이상에서 구하는 평면의 개수는
$1+2+3+1=7$

답 7

280

모서리 AG와 평행한 면은
면 BHIC, 면 CIJD, 면 DJKE, 면 EKLF
이므로 $a=4$
면 ABHG와 평행한 모서리는
모서리 CI, 모서리 DJ, 모서리 EK,
모서리 FL, 모서리 DE, 모서리 JK
이므로 $b=6$
$\therefore a+b=4+6=10$

답 10

281

ㄱ. (반례) 오른쪽 그림과 같은 직육면체에서 $l \perp m$이고 $m \perp n$이지만 직선 l과 직선 n은 수직이 아니다. (거짓)

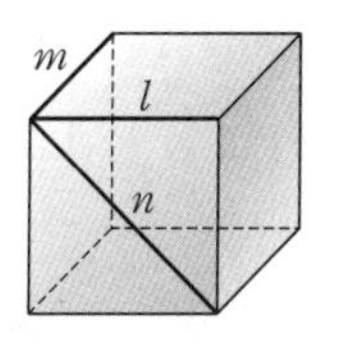

ㄴ. 오른쪽 그림과 같이 $l \perp \alpha$이고 $m \perp \alpha$일 때, 직선 m과 평면 α의 교점을 M이라 하자.
점 M을 지나고 직선 l에 평행인 직선 l'을 그으면 직선 l은 평면 α에 포함되는 모든 직선과 수직이므로 직선 l'도 평면 α에 포함되는 모든 직선과 수직이다.
즉, 직선 l'과 직선 m은 일치하므로 $l /\!/ m$이다.
(참)

ㄷ. 오른쪽 그림에서 $l /\!/ \alpha$이고 $\alpha \perp \beta$이지만 직선 l과 평면 β는 수직이 아니다. (거짓)

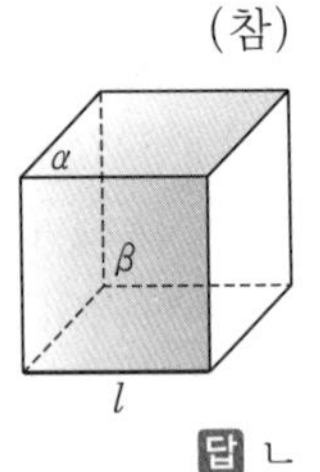

따라서 옳은 것은 ㄴ이다.

답 ㄴ

282

꼬인 위치에 있는 두 모서리 AB, CE가 이루는 각의 크기는 두 모서리 DC, CE가 이루는 각의 크기와 같다.
이때 삼각형 DCE는 $\angle D=90°$인 직각삼각형이고,
$\overline{EC}=\sqrt{3^2+3^2+3^2}=3\sqrt{3}$이므로

$\cos\theta=\dfrac{\overline{DC}}{\overline{CE}}=\dfrac{3}{3\sqrt{3}}=\dfrac{\sqrt{3}}{3}$

답 $\dfrac{\sqrt{3}}{3}$

283

ㄱ. $\overline{BD}$, $\overline{AC}$는 정사각형 ABCD의 두 대각선이고 정사각형의 두 대각선은 서로 수직이등분하므로
$\overline{BD} \perp \overline{AC}$ (참)

ㄴ. $\overline{BD}$는 $\overline{CG}$를 평행이동한 $\overline{BF}$와 수직이므로
$\overline{BD} \perp \overline{CG}$ (참)

ㄷ, ㄹ. ㄱ, ㄴ에 의해 직선 BD는 평면 ACG 위의 직선 AC, 직선 CG와 모두 수직이므로 평면 ACG와 수직이고 이 평면 위의 모든 직선과 수직이다.
$\therefore$ $\overline{BD} \perp$(평면 ACG), $\overline{BD} \perp \overline{AG}$ (참)

따라서 옳은 것은 ㄱ, ㄴ, ㄷ, ㄹ이다.

답 ㄱ, ㄴ, ㄷ, ㄹ

284

오른쪽 그림과 같이 모서리 EF의 중점을 L이라 하면 두 선분 IJ, LN은 서로 평행하다.

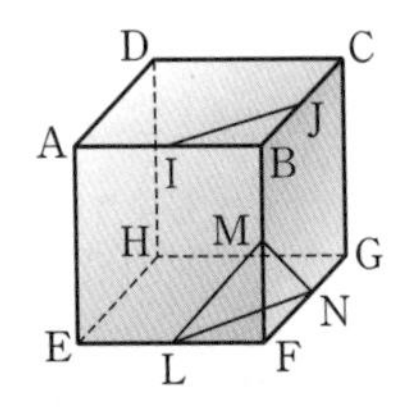

이때 삼각형 MLN은 $\overline{ML}=\overline{LN}=\overline{NM}$인 정삼각형이므로 두 선분 LN, MN이 이루는 각의 크기는 $60°$이다.
따라서 두 선분 IJ, MN이 이루는 각의 크기도 $60°$이므로 $\theta=60°$

$\therefore \cos\theta=\cos 60°=\dfrac{1}{2}$

답 $\dfrac{1}{2}$

286

$\overline{OC} \perp \overline{OA}$, $\overline{OC} \perp \overline{OB}$이므로
$\overline{OC} \perp$(평면 OAB)
또 $\overline{CH} \perp \overline{AB}$이므로 두 점 O, H를 이으면 삼수선의 정리에 의하여
$\overline{OH} \perp \overline{AB}$
직각삼각형 OAB에서
$\overline{AB}=\sqrt{\overline{OA}^2+\overline{OB}^2}=\sqrt{1^2+2^2}=\sqrt{5}$
$\triangle$OAB의 넓이를 두 방향에서 생각하면

$\dfrac{1}{2}\times\overline{OA}\times\overline{OB}=\dfrac{1}{2}\times\overline{AB}\times\overline{OH}$

$\dfrac{1}{2}\times1\times2=\dfrac{1}{2}\times\sqrt{5}\times\overline{OH}$

$\therefore \overline{OH}=\dfrac{2\sqrt{5}}{5}$

따라서 직각삼각형 OHC에서

$\overline{CH}=\sqrt{\overline{OC}^2+\overline{OH}^2}=\sqrt{3^2+\left(\dfrac{2\sqrt{5}}{5}\right)^2}=\dfrac{7\sqrt{5}}{5}$

답 $\dfrac{7\sqrt{5}}{5}$

288

[1단계] 사각뿔 O−ABCD의 옆면은 정삼각형, 밑면은 정사각형이므로 평면 OAB와 평면 ABCD의 교선 AB의 중점 E에서 수직으로 뻗어나간 두 직선을 생각하면 오른쪽 그림과 같고 $\theta=\angle OEF$이다.

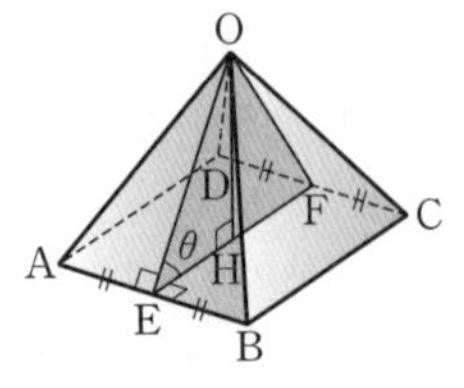

[2단계] 사각뿔 O−ABCD의 한 모서리의 길이를 2, 꼭짓점 O에서 평면 ABCD에 내린 수선의 발을 H라 하면

$\overline{OE}=\overline{OF}=\dfrac{\sqrt{3}}{2}\overline{AB}=\sqrt{3}$,

$\overline{EH}=\overline{FH}=\dfrac{1}{2}\overline{EF}=\dfrac{1}{2}\overline{AB}=1$

따라서 직각삼각형 OEH에서

$$\cos\theta=\frac{\overline{EH}}{\overline{OE}}=\frac{1}{\sqrt{3}}=\frac{\sqrt{3}}{3}$$

답 $\frac{\sqrt{3}}{3}$

290

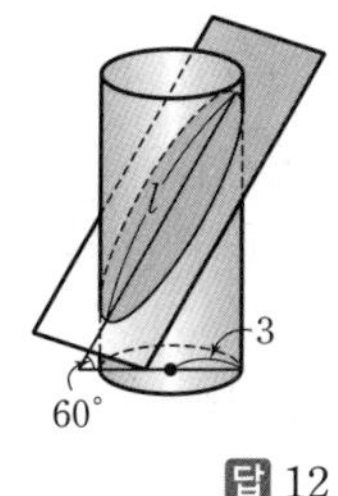

단면인 타원의 장축의 길이를 l이라 하면 장축의 밑면 위로의 정사영은 밑면의 지름이므로

$2\times3=l\times\cos 60^\circ$

$\therefore\ l=6\times2=12$

답 12

292

평면 ABED와 평면 BEFC의 교선 BE 위의 점 B에서 수직으로 각 평면 위로 뻗어나간 두 직선은 각각 직선 AB, 직선 BC이므로 두 평면이 이루는 각의 크기는 $\angle$ABC의 크기와 같다.

이때 $\triangle$ABC가 정삼각형이므로 $\angle ABC=60^\circ$

한편 □ABED의 넓이는 $4\times6=24$

따라서 구하는 정사영의 넓이는

$$24\times\cos 60^\circ=24\times\frac{1}{2}=12$$

답 12

294

$\triangle$CHF의 평면 EFGH 위로의 정사영은 $\triangle$GHF이므로 $\triangle GHF=\triangle CHF\times\cos\theta$ …… ㉠

$\triangle$CHF는 한 변의 길이가 $4\sqrt{2}$인 정삼각형이므로

$$\triangle CHF=\frac{\sqrt{3}}{4}\times(4\sqrt{2})^2=8\sqrt{3}$$

$\triangle$GHF는 $\overline{HG}=\overline{FG}=4$인 직각이등변삼각형이므로

$$\triangle GHF=\frac{1}{2}\times4\times4=8$$

따라서 ㉠에 의해 $8=8\sqrt{3}\cos\theta$

$$\therefore\ \cos\theta=\frac{8}{8\sqrt{3}}=\frac{\sqrt{3}}{3}$$

답 $\frac{\sqrt{3}}{3}$

296

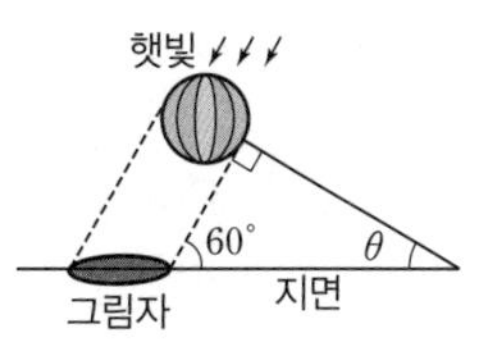

정면에서 본 상황을 간단하게 그림으로 나타내면 오른쪽과 같다.

이때 햇빛과 수직으로 만나는 애드벌룬의 지름이 지면과 이루는 각의 크기를 θ라 하면 햇빛이 지면과 이루는 각의 크기가 60°이므로

$\theta=90^\circ-$(햇빛과 지면이 이루는 각의 크기)

$=90^\circ-60^\circ=30^\circ$

애드벌룬의 반지름의 길이를 r m라 하면 그림자의 넓이가 $12\sqrt{3}\pi\ \text{m}^2$이고, 그림자의 정사영은 구의 중심을 지나도록 자른 단면인 원이므로

$\pi r^2=12\sqrt{3}\pi\times\cos 30^\circ$, $r^2=18$

$\therefore\ r=3\sqrt{2}$ m

답 $3\sqrt{2}$ m

297

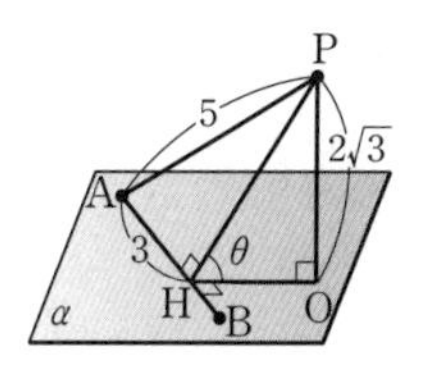

$\overline{PO}\perp\alpha$이고 $\overline{OH}\perp\overline{AB}$이므로

삼수선의 정리에 의하여

$\overline{PH}\perp\overline{AB}$

즉, $\triangle$PAH는 직각삼각형이므로

$$\overline{PH}=\sqrt{\overline{PA}^2-\overline{AH}^2}=\sqrt{5^2-3^2}=4$$

또 $\triangle$PHO는 직각삼각형이므로

$$\overline{OH}=\sqrt{\overline{PH}^2-\overline{PO}^2}=\sqrt{4^2-(2\sqrt{3})^2}=2$$

따라서 $\triangle$PHO에서

$$\cos\theta=\frac{\overline{OH}}{\overline{PH}}=\frac{2}{4}=\frac{1}{2}$$

답 $\frac{1}{2}$

298

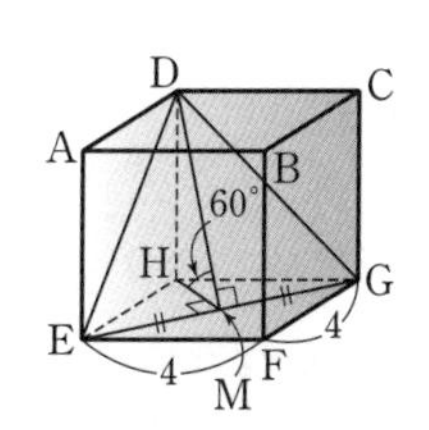

[1단계] 밑면이 정사각형인 직육면체이므로 평면 DEG와 평면 EFGH의 교선 EG의 중점 M은 밑면의 두 대각선의 교점이다.

즉, 점 M에서 수직으로 뻗어나간 두 직선을 생각하면 위의 그림과 같이 가각 점 D, 점 H를 지난다.

따라서 평면 DEG와 평면 EFGH가 이루는 각은 $\angle$DMH이므로 $\angle DMH=60^\circ$

[2단계] 직각삼각형 DHM에서

$$\overline{HM}=\frac{1}{2}\overline{HF}=\frac{1}{2}\times4\sqrt{2}=2\sqrt{2}$$

이때 $\angle DMH=60^\circ$이므로

$$\overline{DH}=\overline{HM}\tan 60^\circ=2\sqrt{2}\times\sqrt{3}=2\sqrt{6}$$

답 $2\sqrt{6}$

299

오른쪽 그림과 같이 모서리 EF와 모서리 FG의 중점을 각각 M, N이라 하면 △PQR의 평면 EFGH 위로의 정사영은 △MFN이므로

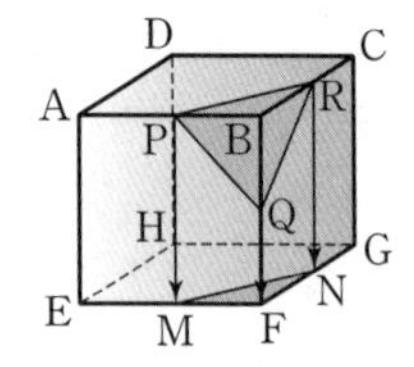

△MFN=△PQR×$\cos\theta$ ⋯⋯ ㉠

△PQR는 한 변의 길이가 $4\sqrt{2}$인 정삼각형이므로

△PQR$=\frac{\sqrt{3}}{4}\times(4\sqrt{2})^2=8\sqrt{3}$

△MFN은 $\overline{MF}=\overline{NF}=4$인 직각이등변삼각형이므로

△MFN$=\frac{1}{2}\times4\times4=8$

따라서 ㉠에 의해 $8=8\sqrt{3}\cos\theta$

$\therefore \cos\theta=\frac{8}{8\sqrt{3}}=\frac{\sqrt{3}}{3}$

답 $\frac{\sqrt{3}}{3}$

300

밑면인 정삼각형의 넓이는

$\frac{\sqrt{3}}{4}\times8^2=16\sqrt{3}$

잘린 단면의 넓이를 S라 하면 잘린 단면과 밑면이 이루는 각의 크기가 30°이고, 잘린 단면의 밑면 위로의 정사영은 밑면인 정삼각형과 같으므로

$S\cos30°=16\sqrt{3}$, $\frac{\sqrt{3}}{2}S=16\sqrt{3}$

$\therefore S=32$

답 32

301

오른쪽 그림과 같이 꼭짓점 A의 면 BCDE 위로의 정사영을 A′이라 하면 면 ABC의 평면 BCDE 위로의 정사영은 삼각형 A′BC이므로

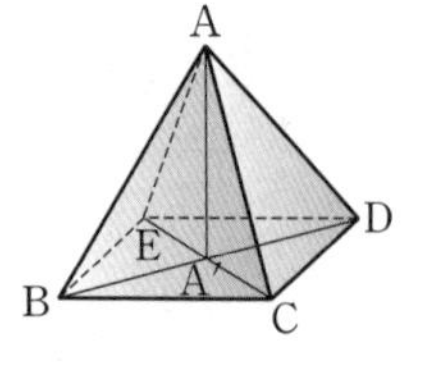

△A′BC=△ABC $\cos\theta$ ⋯⋯ ㉠

한편, 점 A′은 정사각형 BCDE의 두 대각선의 교점이므로 삼각형 A′BC의 넓이는

$\frac{1}{4}\times2\times2=1$

삼각형 ABC의 넓이가 4이므로 ㉠에서

$4\cos\theta=1$ $\therefore \cos\theta=\frac{1}{4}$

답 $\frac{1}{4}$

302

오른쪽 그림과 같이 컵을 기울이면 한쪽 수면이 올라온 만큼 반대쪽 수면은 내려가므로 물이 쏟아지기 직전 상태의 수면의 장축을 $\overline{AB}$, 처음 수면의 지름을 $\overline{CD}$라 하면

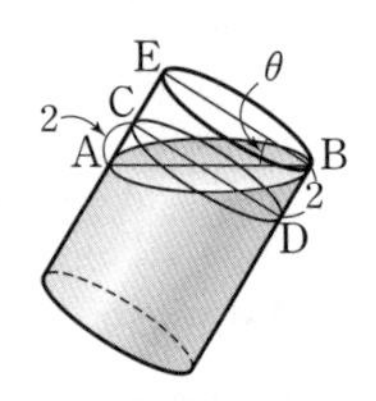

$\overline{AC}=\overline{BD}=2$ $\therefore \overline{AE}=4$

물이 쏟아지기 직전 상태의 수면과 컵의 밑면이 이루는 각의 크기는 ∠ABE의 크기와 같고, 이를 θ라 하자.

직각삼각형 ABE에서 $\overline{AE}=4$, $\overline{BE}=6$이므로

$\overline{AB}=\sqrt{4^2+6^2}=2\sqrt{13}$

$\therefore \cos\theta=\frac{\overline{BE}}{\overline{AB}}=\frac{6}{2\sqrt{13}}=\frac{3\sqrt{13}}{13}$

한편 컵의 밑면의 넓이는 9π이고 수면의 정사영이 컵의 밑면이므로 수면의 넓이를 S라 하면

$S\times\cos\theta=9\pi$

$\therefore S=\frac{9\pi}{\cos\theta}=\frac{9\pi}{\frac{3\sqrt{13}}{13}}=3\sqrt{13}\pi$

답 $3\sqrt{13}\pi$

303

⑤ 꼬인 위치에 있는 두 직선은 한 평면 위에 있지 않다.

답 ⑤

304

평면의 결정조건에 따라 만들어지는 평면을 찾으면 다음과 같다.

(i) 한 직선 위에 있지 않은 서로 다른 세 점

세 점 D, F, G로 만들어지는 평면은 평면 DFG의 1개

(ii) 한 직선과 그 위에 있지 않은 한 점

한 직선 AB와 이 직선 위에 있지 않은 한 점으로 만들어지는 평면은

평면 ABD, 평면 ABF, 평면 ABG

한 직선 BC와 이 직선 위에 있지 않은 한 점으로 만들어지는 평면은

평면 BCD, 평면 BCF, 평면 BCG

이 중 평면 BCD와 평면 ABD는 같은 평면이고, 평면 BCF와 평면 BCG는 같은 평면이다.

한 직선 EH와 이 직선 위에 있지 않은 한 점으로 만들어지는 평면은

평면 DEH, 평면 EFH, 평면 EGH

이 중 평면 EFH와 평면 EGH는 같은 평면이다.

즉, 이 경우의 서로 다른 평면의 개수는

$3+1+2=6$

(iii) 만나는 두 직선: 직선 AB와 직선 BC로 만들어지는 평면은 평면 ABC이지만 이 평면은 평면 ABD와 같은 평면이므로 이 경우의 서로 다른 평면은 없다.

(iv) 평행한 두 직선: 직선 BC와 직선 EH로 만들어지는 평면은 평면 BCHE의 1개

이상에서 구하는 서로 다른 평면의 개수는

$1+6+1=8$

답 8

305

모서리 AB와 꼬인 위치에 있는 직선은

직선 CF, 직선 DF, 직선 EF의 3개

$\therefore a=3$

모서리 AD와 수직으로 만나는 직선은

직선 AB, 직선 AC, 직선 DE, 직선 DF의 4개

$\therefore b=4$

모서리 BC와 한 점에서 만나는 평면은

평면 ABED, 평면 ADFC의 2개

$\therefore c=2$

$\therefore a+b+c=3+4+2=9$

답 9

306

정육면체의 모서리를 직선으로, 면을 평면으로 생각하면 다음 그림과 같다.

ㄱ.

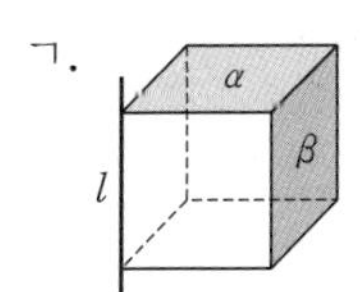

ㄴ.

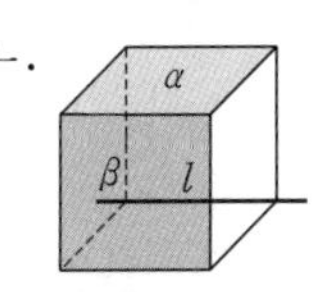

ㄷ.

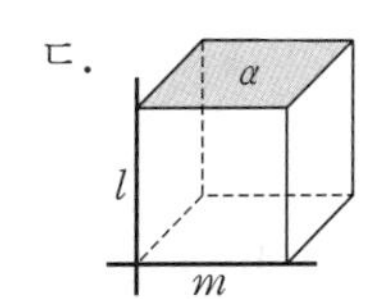

ㄹ.

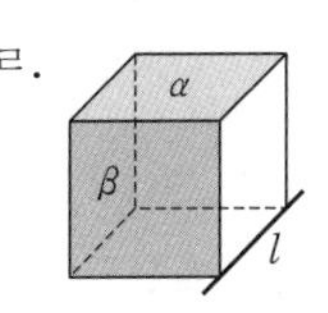

ㄴ. $l /\!/ \alpha$이고 $l /\!/ \beta$이면 $\alpha \perp \beta$일 수도 있다. (거짓)

ㄹ. $l /\!/ \alpha$이고 $\alpha \perp \beta$이면 $l \perp \beta$일 수도 있다. (거짓)

따라서 옳은 것은 ㄱ, ㄷ이다.

답 ㄱ, ㄷ

307

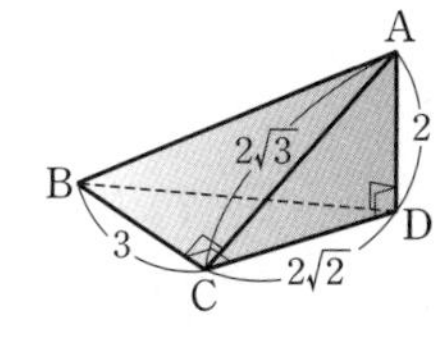

직각삼각형 ACD에서

$\overline{AC}=\sqrt{2^2+(2\sqrt{2})^2}$

$=2\sqrt{3}$

이때 $\overline{AD}\perp\overline{BD}$, $\overline{AD}\perp\overline{CD}$

이므로 $\overline{AD}\perp$(평면 BCD)

또 $\overline{CD}\perp\overline{BC}$이므로 삼수선의 정리에 의하여

$\overline{AC}\perp\overline{BC}$

$\therefore \triangle ABC=\frac{1}{2}\times3\times2\sqrt{3}=3\sqrt{3}$

답 $3\sqrt{3}$

308

$\overline{AE}\perp$(면 EFGH), $\overline{AO}\perp\overline{FH}$이므로

삼수선의 정리에 의해 $\overline{EO}\perp\overline{FH}$

직각삼각형 EFH에서

$\overline{EF}\times\overline{EH}=\overline{FH}\times\overline{EO}$이고, $\overline{FH}=\sqrt{3^2+4^2}=5$이므로

$3\times4=5\times\overline{EO}$

$\therefore \overline{EO}=\frac{12}{5}$

$\therefore \overline{AO}=\sqrt{\overline{AE}^2+\overline{EO}^2}=\sqrt{2^2+\left(\frac{12}{5}\right)^2}$

$=\frac{2\sqrt{61}}{5}$

답 ③

309

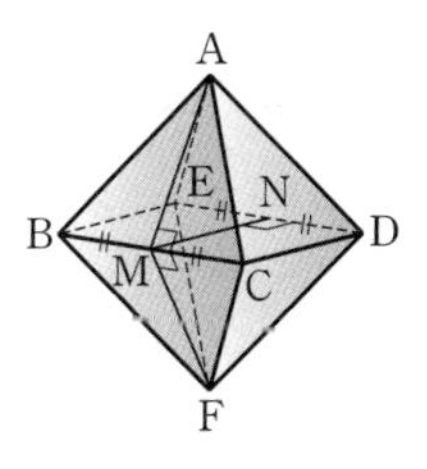

오른쪽 그림과 같이 모서리 BC의 중점을 M이라 하면

$\overline{AM}\perp\overline{BC}$, $\overline{FM}\perp\overline{BC}$이므로

$\angle AMF=\theta$

정팔면체의 한 모서리의 길이를 $2a$라 하면

$\overline{AM}=\frac{\sqrt{3}}{2}\times2a=\sqrt{3}a$

$\overline{ED}$의 중점을 N이라 하면 $\angle AMN=\frac{\theta}{2}$이므로

$\cos\frac{\theta}{2}=\frac{\frac{1}{2}\overline{MN}}{\overline{AM}}=\frac{a}{\sqrt{3}a}=\frac{\sqrt{3}}{3}$

답 $\frac{\sqrt{3}}{3}$

310

잘린 단면의 넓이를 S, 단면의 밑면 위로의 정사영인 반원의 넓이를 S'이라 하면

$S'=\frac{1}{2}\times\pi\times3^2=\frac{9}{2}\pi$이므로

$S'=S\cos 60°$에서 $\frac{9}{2}\pi=\frac{1}{2}S$

$\therefore S=9\pi$

답 9π

311

두 선분 PQ, SR는 모두 모서리 AC와 평행하고,
두 선분 PS, QR는 모두 모서리 BD와 평행하므로
사각형 PQRS는 평행사변형이다.

△ABD와 △APS에서 $\overline{BD}/\!/\overline{PS}$이므로

△ABD∽△APS(AA 닮음)

이때 정사면체의 모든 면은 정삼각형이므로 △APS도 정삼각형이다.

$\therefore \overline{AP}=\overline{PS}$

같은 방법으로 △ABC∽△PBQ에서 $\overline{BP}=\overline{PQ}$

∴ (평행사변형 PQRS의 둘레의 길이)

$=\overline{PQ}+\overline{QR}+\overline{RS}+\overline{PS}=2(\overline{PS}+\overline{PQ})$

$=2(\overline{AP}+\overline{BP})=2\overline{AB}=2\times10=20$

답 20

312

(가) 서로 다른 세 평면 α, β, γ에 대하여 $\alpha/\!/\beta$이고 $\beta/\!/\gamma$이면 $\alpha/\!/\gamma$이므로 세 평면의 위치 관계는 오른쪽 그림과 같다.

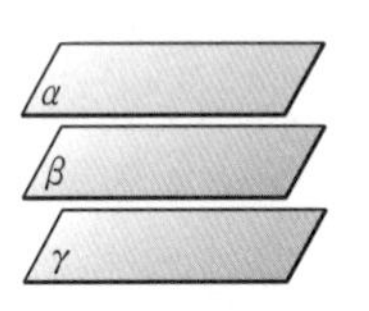

즉, 이 세 평면 α, β, γ에 의해 공간은 4개로 분할되므로

$a=4$

(나) 서로 다른 세 평면 α, β, γ에 대하여 두 평면 α, β의 교선을 l이라 하고 교선 l에 평행한 평면 γ가 두 평면 α, β와 만나 생기는 교선을 각각 m, n이라 하면 $l/\!/m/\!/n$이므로 세 평면의 위치 관계는 위의 그림과 같다.

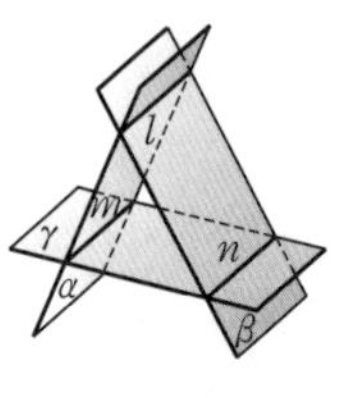

즉, 이 세 평면 α, β, γ에 의해 공간은 최대 7개로 분할되므로

$b=7$

$\therefore a^2+b^2=4^2+7^2=65$

답 65

313

오른쪽 그림과 같이 $\overline{BC}$, $\overline{AD}$의 중점을 각각 M, N이라 하자.

△ABC는 정삼각형이므로

$\overline{BC}\perp\overline{AM}$

$\overline{AM}=\frac{\sqrt{3}}{2}\overline{AB}=\frac{\sqrt{3}}{2}\times2=\sqrt{3}$

△BCD는 정삼각형이므로

$\overline{BC}\perp\overline{DM}$

'직⊥평의 정리'에 의하여

$\overline{BC}\perp$(평면 AMD)

$\therefore \overline{BC}\perp\overline{MN}$

또 $\overline{MN}$은 이등변삼각형 MDA의 중선이므로

$\overline{AD}\perp\overline{MN}$, $\overline{AN}=\frac{1}{2}\overline{AD}=1$

따라서 구하는 최단 거리는 $\overline{MN}$의 길이이므로 직각삼각형 AMN에서

$\overline{MN}=\sqrt{\overline{AM}^2-\overline{AN}^2}$

$=\sqrt{(\sqrt{3})^2-1^2}=\sqrt{2}$

답 $\sqrt{2}$

314

오른쪽 그림과 같이 두 선분 EH, FG의 중점을 각각 M, N이라 하자.

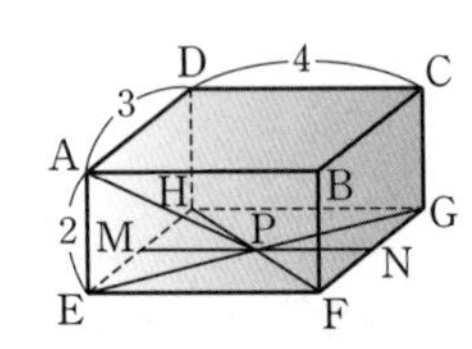

이때 선분 MN은 선분 DC와 평행하고 점 P를 지나므로 두 선분 AP, DC가 이루는 각의 크기는 두 선분 AP, MP가 이루는 각의 크기와 같다.

또 $\overline{MN}\perp$(면 AEHD)이므로

$\overline{AM}\perp\overline{MP}$

즉, 삼각형 AMP는 직각삼각형이다.

따라서 삼각형 AMP에서

$\overline{AM}=\sqrt{2^2+\left(\frac{3}{2}\right)^2}=\frac{5}{2}$, $\overline{MP}=\frac{1}{2}\overline{MN}=2$이므로

$\tan\theta=\frac{\overline{AM}}{\overline{MP}}=\frac{\frac{5}{2}}{2}=\frac{5}{4}$

답 $\frac{5}{4}$

315

오른쪽 그림과 같이 꼭짓점 D에서 선분 EG에 내린 수선의 발을 I라 하면

$\overline{DH}\perp$(평면 EFGH),

$\overline{DI}\perp\overline{EG}$이므로

삼수선의 정리에 의해

$\overline{HI}\perp\overline{EG}$

직각삼각형 EGH에서

$\frac{1}{2}\times\overline{EH}\times\overline{HG}=\frac{1}{2}\times\overline{EG}\times\overline{HI}$이고,

$\overline{EG}=\sqrt{2^2+1^2}=\sqrt{5}$이므로

$\frac{1}{2}\times2\times1=\frac{1}{2}\times\sqrt{5}\times\overline{HI}$ $\quad\therefore\ \overline{HI}=\frac{2\sqrt{5}}{5}$

$\therefore\ \overline{DI}=\sqrt{\overline{DH}^2+\overline{HI}^2}=\sqrt{3^2+\left(\frac{2\sqrt{5}}{5}\right)^2}$

$=\frac{7\sqrt{5}}{5}$

답 ④

316

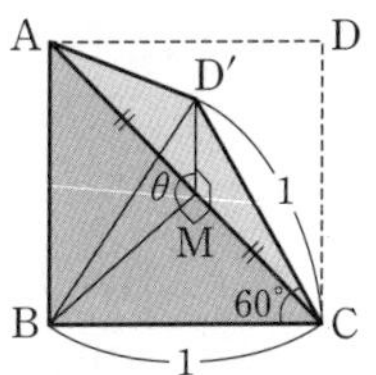

두 삼각형 ABC, ACD′은 직각이등변삼각형이므로 오른쪽 그림과 같이 선분 AC의 중점을 M이라 하면

$\overline{BM}\perp\overline{AC}$, $\overline{D'M}\perp\overline{AC}$

이때 두 평면 ABC, ACD′이 이루는 각의 크기를 θ라 하면 θ는 두 직선 BM, D′M이 이루는 각의 크기와 같으므로

$\angle BMD'=\theta$

한편 $\overline{BC}=\overline{D'C}=1$이고 $\angle BCD'=60^\circ$이므로 삼각형 D′BC는 정삼각형이다.

$\therefore\ \overline{BD'}=1$ …… ㉠

두 삼각형 BCM, CD′M에서

$\overline{BM}=\overline{D'M}=\frac{1}{\sqrt{2}}=\frac{\sqrt{2}}{2}$ …… ㉡

㉠, ㉡에서 $\overline{BD'}^2=\overline{BM}^2+\overline{D'M}^2$이므로

삼각형 BMD′은 $\angle BMD'=90^\circ$인 직각삼각형이다.

$\therefore\ \theta=90^\circ$

답 90°

317

평면 OAB와 평면 ABCD가 이루는 각의 크기를 θ라 하면 △OAB의 평면 ABCD 위로의 정사영은

△MAB이므로

$\triangle MAB=\triangle OAB\times\cos\theta$ …… ㉠

이때 $\triangle MAB=\frac{1}{4}\square ABCD=\frac{1}{4}\times1\times1=\frac{1}{4}$,

$\triangle OAB=\frac{\sqrt{3}}{4}\times1^2=\frac{\sqrt{3}}{4}$

이므로 ㉠에 의해 $\frac{1}{4}=\frac{\sqrt{3}}{4}\times\cos\theta$

$\therefore\ \cos\theta=\frac{\sqrt{3}}{3}$

따라서 △MAB의 평면 OAB 위로의 정사영의 넓이는

$\triangle MAB\times\cos\theta=\frac{1}{4}\times\frac{\sqrt{3}}{3}=\frac{\sqrt{3}}{12}$

답 $\frac{\sqrt{3}}{12}$

318

[가] 태양열 집열판의 지면 위로의 정사영이 그림자이고 태양열 집열판과 지면이 이루는 각의 크기가 30°이므로

$S_1=120\times\cos30^\circ=120\times\frac{\sqrt{3}}{2}=60\sqrt{3}(\text{m}^2)$

[나] 그림자의 태양열 집열판 위로의 정사영이 태양열 집열판이고 태양열 집열판과 지면이 이루는 각의 크기가 30°이므로

$120=S_2\times\cos30^\circ$

$\therefore\ S_2=\frac{120}{\cos30^\circ}=\frac{120}{\frac{\sqrt{3}}{2}}=80\sqrt{3}(\text{m}^2)$

$\therefore\ \frac{S_2}{S_1}=\frac{80\sqrt{3}}{60\sqrt{3}}=\frac{4}{3}$

답 $\frac{4}{3}$

2 공간좌표

320

좌표가 (0, 0, 5)인 점은 C, 좌표가 (3, 0, 5)인 점은 F, 좌표가 (0, 4, 0)인 점은 B

답 차례로 C, F, B

322

(1) 점 P(−1, 2, −2)와 y축에 대하여 대칭인 점의 좌표는 (1, 2, 2)
이 점에서 xy평면에 내린 수선의 발은
A(1, 2, 0)

(2) 점 P(−1, 2, −2)를 xy평면에 대하여 대칭이동한 점의 좌표는 (−1, 2, 2)
이 점을 x축에 대하여 대칭이동한 점은
B(−1, −2, −2)

(3) 점 P(−1, 2, −2)와 원점에 대하여 대칭인 점의 좌표는 (1, −2, 2)
이 점을 yz평면에 대하여 대칭이동한 점은
C(−1, −2, 2)

답 (1) A(1, 2, 0) (2) B(−1, −2, −2) (3) C(−1, −2, 2)

324

$\overline{AB}=\overline{BC}$에서 $\overline{AB}^2=\overline{BC}^2$이므로

$(3-5)^2+\{1-(-2)\}^2+(2-3)^2$
$=(a-3)^2+(-1-1)^2+(1-2)^2$

$14=a^2-6a+14,\ a^2-6a=0,\ a(a-6)=0$

$\therefore\ a=6\ (\because\ a>0)$

답 6

326

점 P(a, b, c)는 yz평면 위의 점이므로 $a=0$

$\therefore$ P$(0, b, c)$

$\overline{PA}=\overline{PB}$에서 $\overline{PA}^2=\overline{PB}^2$이므로

$(0-4)^2+b^2+c^2=(0-2)^2+(b-1)^2+\{c-(-1)\}^2$

$\therefore\ b-c+5=0$ …… ㉠

$\overline{PA}=\overline{PC}$에서 $\overline{PA}^2=\overline{PC}^2$이므로

$(0-4)^2+b^2+c^2=\{0-(-3)\}^2+(b-2)^2+(c-1)^2$

$\therefore\ 2b+c+1=0$ …… ㉡

㉠, ㉡을 연립하여 풀면 $b=-2,\ c=3$

$\therefore\ a+b+c=0+(-2)+3=1$

답 1

328

두 점 A, B의 x좌표의 부호가 같으므로 두 점은 yz평면을 기준으로 같은 쪽에 있다.

점 A와 yz평면에 대하여 대칭인 점을 A′이라 하면 yz평면 위의 점 P에 대하여 $\overline{AP}=\overline{A'P}$이므로

$\overline{AP}+\overline{BP}=\overline{A'P}+\overline{BP}\geq\overline{A'B}$

이때 $\overline{AP}+\overline{BP}$의 최솟값, 즉 $\overline{A'B}$의 길이가 $3\sqrt{6}$이고 A′(2, −4, 6), B(−1, 2, a)이므로

$\sqrt{(-1-2)^2+\{2-(-4)\}^2+(a-6)^2}=3\sqrt{6}$

양변을 제곱하여 정리하면

$a^2-12a+27=0,\ (a-3)(a-9)=0$

$\therefore\ a=9\ (\because\ a>5)$

답 9

330

A(1, 2, 3), B(4, 6, 8)이므로

$\overline{AB}=\sqrt{(4-1)^2+(6-2)^2+(8-3)^2}$
$=5\sqrt{2}$

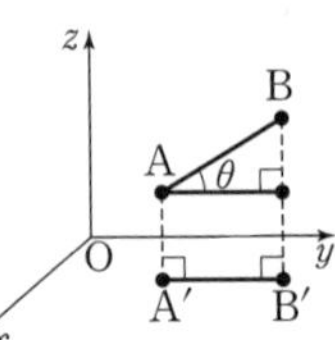

두 점 A, B의 xy평면 위로의 정사영을 각각 A′, B′이라 하면

A′(1, 2, 0), B′(4, 6, 0)

$\therefore\ \overline{A'B'}=\sqrt{(4-1)^2+(6-2)^2+(0-0)^2}=5$

직선 AB와 xy평면이 이루는 각의 크기를 $\theta\ (0°\leq\theta\leq90°)$라 하면 $\overline{A'B'}=\overline{AB}\cos\theta$이므로

$5=5\sqrt{2}\cos\theta,\ \cos\theta=\frac{\sqrt{2}}{2}$

$\therefore\ \theta=45°\ (\because\ 0°\leq\theta\leq90°)$

답 45°

332

선분 AB를 2 : 1로 내분하는 점이 P이므로

$P\left(\frac{2\times2+1\times(-1)}{2+1},\ \frac{2\times0+1\times3}{2+1},\ \frac{2\times1+1\times4}{2+1}\right)$

$\therefore$ P(1, 1, 2)

선분 AB를 2 : 1로 외분하는 점이 Q이므로

$Q\left(\frac{2\times2-1\times(-1)}{2-1},\ \frac{2\times0-1\times3}{2-1},\ \frac{2\times1-1\times4}{2-1}\right)$

$\therefore$ Q(5, −3, −2)

따라서 두 점 P, Q 사이의 거리는

$\overline{PQ}=\sqrt{(5-1)^2+(-3-1)^2+(-2-2)^2}=4\sqrt{3}$

답 $4\sqrt{3}$

334

선분 AB가 yz평면에 의해 $1:m$으로 내분되므로 yz평면 위의 점이 선분 AB를 $1:m$으로 내분한다.

이때 yz평면 위의 점의 x좌표는 0이므로 내분점의 x좌표도 0이다.

즉, $0=\frac{1\times(-3)+m\times1}{1+m}$이므로

$m-3=0 \qquad \therefore m=3$

답 3

336

평행사변형의 한 꼭짓점 D의 좌표를 $D(a, b, c)$라 하면 $\overline{BD}$의 중점 M의 좌표가 $M(-1, 3, 4)$이므로

$\frac{2+a}{2}=-1,\ \frac{5+b}{2}=3,\ \frac{3+c}{2}=4$

$\therefore a=-4,\ b=1,\ c=5$

$\therefore D(-4, 1, 5)$

따라서 $\overline{AD}$의 길이는

$\sqrt{\{-4-(-3)\}^2+(1-2)^2+(5-5)^2}=\sqrt{2}$

답 $\sqrt{2}$

338

$A(x_1, y_1, z_1)$, $B(x_2, y_2, z_2)$, $C(x_3, y_3, z_3)$이라 하면 $\overline{BC}$의 중점 M의 좌표가 $M(3, 4, -1)$이므로

$\frac{x_2+x_3}{2}=3,\ \frac{y_2+y_3}{2}=4,\ \frac{z_2+z_3}{2}=-1$

$\therefore x_2+x_3=6,\ y_2+y_3=8,\ z_2+z_3=-2$

또, 무게중심 G의 좌표가 $G(-1, 3, 0)$이므로

$\frac{x_1+x_2+x_3}{3}=-1,\ \frac{y_1+y_2+y_3}{3}=3,\ \frac{z_1+z_2+z_3}{3}=0$

즉, $\frac{x_1+6}{3}=-1,\ \frac{y_1+8}{3}=3,\ \frac{z_1+(-2)}{3}=0$이므로

$x_1=-9,\ y_1=1,\ z_1=2$

$\therefore A(-9, 1, 2)$

다른 풀이

$\triangle$ABC의 무게중심 G는 선분 AM을 $2:1$로 내분한다.

$A(a, b, c)$라 하면

$\frac{2\times3+1\times a}{2+1}=-1,\ \frac{2\times4+1\times b}{2+1}=3,$

$\frac{2\times(-1)+1\times c}{2+1}=0$

에서 $a=-9,\ b=1,\ c=2$

$\therefore A(-9, 1, 2)$

답 $A(-9, 1, 2)$

339

$2\overline{AB}=\overline{BC}$에서 $4\overline{AB}^2=\overline{BC}^2$이므로

$4[(1-2)^2+(2-3)^2+\{2-(-1)\}^2]$

$=(a-1)^2+(-4-2)^2+(0-2)^2$

$44=a^2-2a+41,\ a^2-2a-3=0$

$(a-3)(a+1)=0$

$\therefore a=3\ (\because a>0)$

답 3

340

$A(-1, 4, 0)$, $B(-1, 0, 2)$이므로

선분 AB의 중점의 좌표는

$\left(\frac{(-1)+(-1)}{2},\ \frac{4+0}{2},\ \frac{0+2}{2}\right)$

$\therefore (-1, 2, 1)$

답 $(-1, 2, 1)$

341

두 점 B, D의 좌표는

$B(2, -p, -p+1)$, $D(-q, -r, 2)$

이때 두 점 B, D가 원점에 대하여 대칭이므로 선분 BD의 중점은 원점이다. 즉,

$\frac{2+(-q)}{2}=0,\ \frac{(-p)+(-r)}{2}=0,$

$\frac{(-p+1)+2}{2}=0$

에서 $p=3,\ q=2,\ r=-3$

$\therefore p+q+r=3+2+(-3)=2$

답 2

342

선분 AB를 $1:2$로 내분하는 점이 P이므로

$P\left(\frac{1\times1+2\times(-2)}{1+2},\ \frac{1\times(-1)+2\times2}{1+2},\ \frac{1\times4+2\times1}{1+2}\right)$

$\therefore$ P$(-1, 1, 2)$

선분 BC를 2 : 1로 외분하는 점이 Q이므로

$$Q\left(\frac{2\times1-1\times1}{2-1}, \frac{2\times1-1\times(-1)}{2-1}, \frac{2\times2-1\times4}{2-1}\right)$$

$\therefore$ Q$(1, 3, 0)$

따라서 두 점 P, Q의 yz평면 위로의 정사영은

P$'(0, 1, 2)$, Q$'(0, 3, 0)$

$\therefore \overline{P'Q'}=\sqrt{(0-0)^2+(3-1)^2+(0-2)^2}=2\sqrt{2}$

답 $2\sqrt{2}$

343

선분 AB가 xy평면에 의해 2 : 1로 내분되므로 내분점은 xy평면 위의 점이다.

즉, 내분점의 z좌표는 0이므로 $\frac{2\times c+1\times4}{2+1}=0$

$\therefore c=-2$

또 선분 AB가 z축에 의해 3 : 1로 외분되므로 외분점은 z축 위의 점이다.

즉, 외분점의 x좌표와 y좌표는 모두 0이므로

$\frac{3\times a-1\times3}{3-1}=0$, $\frac{3\times b-1\times6}{3-1}=0$

$\therefore a=1, b=2$

답 $a=1, b=2, c=-2$

344

점 P$(4, 5, 6)$을

xy평면에 대하여 대칭이동한 점은 A$(4, 5, -6)$

z축에 대하여 대칭이동한 점은 B$(-4, -5, 6)$

원점에 대하여 대칭이동한 점은 C$(-4, -5, -6)$

따라서 삼각형 ABC의 무게중심 G의 좌표는

$\left(-\frac{4}{3}, -\frac{5}{3}, -2\right)$

답 $\left(-\frac{4}{3}, -\frac{5}{3}, -2\right)$

346

(1) $(x-2)^2+(y-3)^2+\{z-(-1)\}^2=1^2$

$\therefore (x-2)^2+(y-3)^2+(z+1)^2=1$

(2) 구의 중심은 $\overline{AB}$의 중점이므로 구의 중심의 좌표는

$\left(\frac{-1+3}{2}, \frac{-3-1}{2}, \frac{3+1}{2}\right)$

$\therefore (1, -2, 2)$

구의 반지름의 길이는

$\frac{1}{2}\overline{AB}$

$=\frac{1}{2}\sqrt{\{3-(-1)\}^2+\{-1-(-3)\}^2+(1-3)^2}$

$=\sqrt{6}$

따라서 구하는 구의 방정식은

$(x-1)^2+(y+2)^2+(z-2)^2=6$

답 (1) $(x-2)^2+(y-3)^2+(z+1)^2=1$
(2) $(x-1)^2+(y+2)^2+(z-2)^2=6$

348

구하는 구의 방정식을

$x^2+y^2+z^2+Ax+By+Cz+D=0$으로 놓으면

점 $(0, 0, 0)$을 지나므로 $D=0$

점 $(0, -1, -1)$을 지나므로

$1+1-B-C+D=0$

$\therefore B+C=2$ …… ㉠

점 $(3, 3, 0)$을 지나므로

$9+9+3A+3B+D=0$

$\therefore A+B=-6$ …… ㉡

점 $(5, 3, -4)$를 지나므로

$25+9+16+5A+3B-4C+D=0$

$\therefore 5A+3B-4C=-50$ …… ㉢

㉠, ㉡, ㉢을 연립하여 풀면

$A=0, B=-6, C=8$

즉, 구의 방정식은 $x^2+y^2+z^2-6y+8z=0$이므로

$x^2+(y-3)^2+(z+4)^2=25$

따라서 이 구의 중심의 좌표는 $(0, 3, -4)$, 반지름의 길이는 5이므로

$a=0, b=3, c=-4, r=5$

$\therefore a+b+c+r=0+3+(-4)+5=4$

답 4

350

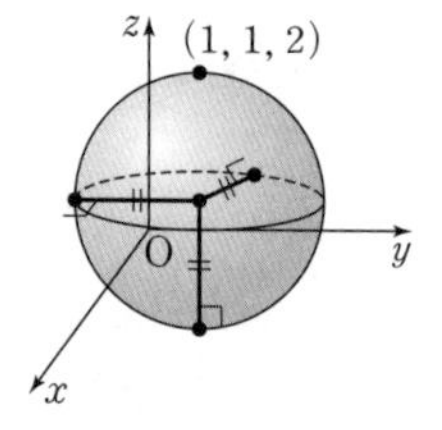

xy평면, yz평면, zx평면에 동시에 접하면서 각 좌표가 모두 양수인 점 $(1, 1, 2)$를 지나는 구의 중심의 각 좌표는 모두 양수이다.

또 구의 중심이 각 좌표평면에서 반지름의 길이만큼 떨어져 있으므로 반지름의 길이를 r $(r>1)$라 하면 구의 중심의 좌표는

(r, r, r)가 된다.

즉, 이 구의 방정식은

$(x-r)^2+(y-r)^2+(z-r)^2=r^2$

이고 점 $(1, 1, 2)$를 지나므로

$(1-r)^2+(1-r)^2+(2-r)^2=r^2$

$2r^2-8r+6=0$, $r^2-4r+3=0$

$(r-1)(r-3)=0$

$\therefore r=3$ ($\because r>1$)

따라서 구하는 구의 부피는

$\frac{4}{3}\pi\times3^3=36\pi$

답 36π

352

구와 y축의 두 교점은 y축 위의 점이므로

$x=0$, $z=0$을 구의 방정식에 대입하면

$(0-1)^2+(y-1)^2+(0-1)^2=r^2$

$(y-1)^2=r^2-2$

$\therefore y=1\pm\sqrt{r^2-2}$

따라서 두 교점의 좌표는

$(0, 1+\sqrt{r^2-2}, 0)$, $(0, 1-\sqrt{r^2-2}, 0)$

이고 두 점 사이의 거리가 4이므로

$(1+\sqrt{r^2-2})-(1-\sqrt{r^2-2})=4$

$\sqrt{r^2-2}=2$, $r^2=6$

$\therefore r=\sqrt{6}$ ($\because r>0$)

답 $\sqrt{6}$

354

구의 중심을 C, 접점을 B라 하고 구의 반지름의 길이를 r라 하면

$C(1, -2, 0)$, $r=6$

$\therefore \overline{AC}=\sqrt{(1-5)^2+(-2-4)^2+(0-3)^2}=\sqrt{61}$,

$\overline{BC}=6$

이때 구 밖의 점에서 구에 그은 접선은 그 접점과 구의 중심을 이은 반지름에 수직이므로 오른쪽 그림에서 $\triangle ABC$는 $\angle ABC=90°$인 직각삼각형이다.

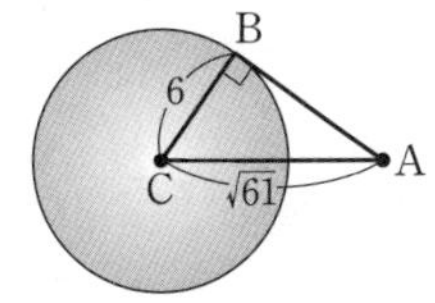

따라서 구하는 접선의 길이는

$\overline{AB}=\sqrt{\overline{AC}^2-\overline{BC}^2}=\sqrt{(\sqrt{61})^2-6^2}=5$

답 5

356

구의 중심을 C, 반지름의 길이를 r라 하면

$C(1, 2, 4)$, $r=1$

구의 중심 C에서 xy평면에 내린 수선의 발을 H라 하면

$H(1, 2, 0)$

$\therefore \overline{CH}=|\text{중심의 } z\text{좌표}|=4$

오른쪽 그림과 같이 직선 CH와 구가 만나는 점 중 점 H에 가까운 점을 P, 점 H에서 멀리 있는 점을 Q라 하자.

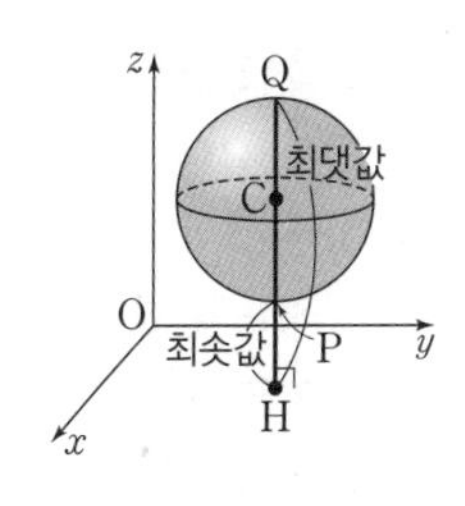

점 H와 구 위의 점을 잇는 선분을 그어 보면 구 위의 점이 P일 때 거리는 최소가 되고, 구 위의 점이 Q일 때 거리는 최대가 된다.

따라서 거리의 최댓값과 최솟값은

$(\text{최댓값})=\overline{HQ}=\overline{HC}+\overline{CQ}=\overline{HC}+r=4+1=5$

$(\text{최솟값})=\overline{HP}=\overline{HC}-\overline{CP}=\overline{HC}-r=4-1=3$

답 최댓값: 5, 최솟값: 3

357

선분 AB를 1 : 2로 내분하는 점의 좌표는

$\left(\frac{1\times(-1)+2\times2}{1+2}, \frac{1\times0+2\times(-3)}{1+2}, \frac{1\times(-1)+2\times5}{1+2}\right)$

$\therefore (1, -2, 3)$

선분 AB를 1 : 2로 외분하는 점의 좌표는

$\left(\frac{1\times(-1)-2\times2}{1-2}, \frac{1\times0-2\times(-3)}{1-2}, \frac{1\times(-1)-2\times5}{1-2}\right)$

$\therefore (5, -6, 11)$

이때 구의 중심의 좌표는

$\left(\frac{1+5}{2}, \frac{(-2)+(-6)}{2}, \frac{3+11}{2}\right)$

$\therefore (3, -4, 7)$

구의 반지름의 길이는

$\sqrt{(3-1)^2+\{-4-(-2)\}^2+(7-3)^2}=2\sqrt{6}$

따라서 구하는 구의 방정식은

$(x-3)^2+(y+4)^2+(z-7)^2=24$

답 $(x-3)^2+(y+4)^2+(z-7)^2=24$

358

[1단계] 구의 중심의 좌표를 구한다.

$x^2+y^2+z^2-6x-2y-2z+2=0$에서

$(x^2-6x)+(y^2-2y)+(z^2-2z)=-2$

$(x^2-6x+9)+(y^2-2y+1)+(z^2-2z+1)$

$=-2+9+1+1$

$(x-3)^2+(y-1)^2+(z-1)^2=9$

즉, 구의 중심의 좌표는 $(3,\ 1,\ 1)$이고 반지름의 길이는 3이다.

[2단계] 점 B의 좌표를 구한다.

지름의 한 끝점이 $A(1,\ 2,\ 3)$, 다른 끝점이 B이면 $\overline{AB}$의 중점이 구의 중심이다.

따라서 $B(a,\ b,\ c)$라 하면

$\frac{1+a}{2}=3,\ \frac{2+b}{2}=1,\ \frac{3+c}{2}=1$

$\therefore\ a=5,\ b=0,\ c=-1$

$\therefore\ B(5,\ 0,\ -1)$

답 $B(5,\ 0,\ -1)$

359

$x^2+y^2+z^2-6x-4y+9=0$에서

$(x^2-6x)+(y^2-4y)+z^2=-9$

$(x^2-6x+9)+(y^2-4y+4)+z^2=-9+9+4$

$\therefore\ (x-3)^2+(y-2)^2+z^2=4$

따라서 주어진 이차방정식이 나타내는 도형은 중심의 좌표가 $(3,\ 2,\ 0)$이고 반지름의 길이가 2인 구이므로 구하는 부피는

$\frac{4}{3}\pi\times2^3=\frac{32}{3}\pi$

답 $\frac{32}{3}\pi$

360

$x^2+y^2+z^2+4x-6y-8z+25=0$에서

$(x^2+4x)+(y^2-6y)+(z^2-8z)=-25$

$(x^2+4x+4)+(y^2-6y+9)+(z^2-8z+16)$

$=-25+4+9+16$

$(x+2)^2+(y-3)^2+(z-4)^2=4$

주어진 구의 중심을 C라 하면 $C(-2,\ 3,\ 4)$이므로

$\overline{OC}=\sqrt{(-2)^2+3^2+4^2}=\sqrt{29}$

오른쪽 그림과 같이 원점에서 구에 그은 접선의 접점을 P라 하면 삼각형 POC는

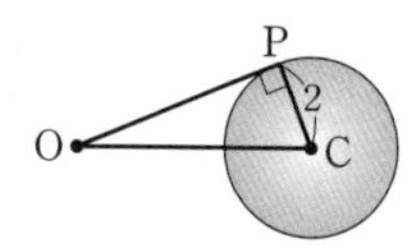

$\angle OPC=90°$인 직각삼각형이므로 구하는 접선의 길이는

$\overline{OP}=\sqrt{\overline{OC}^2-\overline{CP}^2}$

$=\sqrt{(\sqrt{29})^2-2^2}=5$

답 5

361

구와 zx평면이 만나서 생기는 도형은 zx평면 위의 점으로 이루어진 도형이므로 $y=0$을 구의 방정식에 대입하면

$x^2+z^2-2x-6z+k=0$

$\therefore\ (x-1)^2+(z-3)^2=10-k$

따라서 주어진 구를 zx평면으로 자른 단면은 중심의 좌표가 $(1,\ 0,\ 3)$, 반지름의 길이가 $\sqrt{10-k}$인 원이다.

이때 이 원의 넓이가 100π이므로

$\pi(\sqrt{10-k})^2=100\pi,\ 10-k=100$

$\therefore\ k=-90$

답 -90

362

구의 중심을 C라 하면 점 C는 선분 AB의 중점이므로

$C\left(\frac{1+5}{2},\ \frac{2+6}{2},\ \frac{1+3}{2}\right)$

$\therefore\ C(3,\ 4,\ 2)$

이때 구의 반지름의 길이는

$\sqrt{(3-1)^2+(4-2)^2+(2-1)^2}=3$

또

$\overline{CP}=\sqrt{(-1-3)^2+(-4-4)^2+(1-2)^2}=9$

오른쪽 그림과 같이 선분 CP와 구가 만나는 점을 Q라 하자.

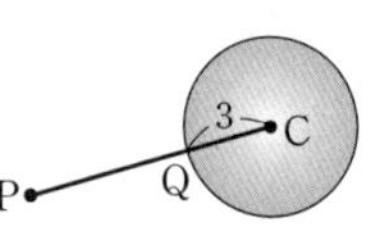

점 P와 구 위의 점을 잇는 선을 그어 보면 구 위의 점이 Q일 때 거리는 최소가 된다.

따라서 점 P에서 구 위의 점까지의 거리의 최솟값은

$\overline{CP}-3=9-3=6$

답 6

363

$B(a,\ b,\ 3)$이므로

$A(a,\ 0,\ 3),\ C(0,\ b,\ 3)$

이때 점 $A(a,\ 0,\ 3)$과 점 $(-5,\ c,\ -3)$이 y축에 대하여 대칭이므로

$a=5,\ c=0$

또 점 $C(0,\ b,\ 3)$과 점 $(d,\ 4,\ -3)$이 xy평면에 대하여 대칭이므로

$b=4,\ d=0$

$\therefore\ a+b+c+d=5+4+0+0$

$=9$

답 9

364

삼각형 ABC가 $\overline{AB}$를 빗변으로 하는 직각삼각형이므로

$\overline{AB}^2=\overline{BC}^2+\overline{AC}^2$

$A(5,\ -2,\ -1)$, $B(2,\ 1,\ -2)$, $C(a,\ 0,\ 0)$이므로

$(2-5)^2+\{1-(-2)\}^2+\{-2-(-1)\}^2$

$=[(a-2)^2+(0-1)^2+\{0-(-2)\}^2]$

$\quad+[(a-5)^2+\{0-(-2)\}^2+\{0-(-1)\}^2]$

$19=2a^2-14a+39,\ a^2-7a+10=0$

$(a-2)(a-5)=0$

$\therefore\ a=5\ (\because\ a>2)$

답 5

365

두 점 A, B의 z좌표의 부호가 같으므로 두 점은 xy평면을 기준으로 같은 쪽에 있다.

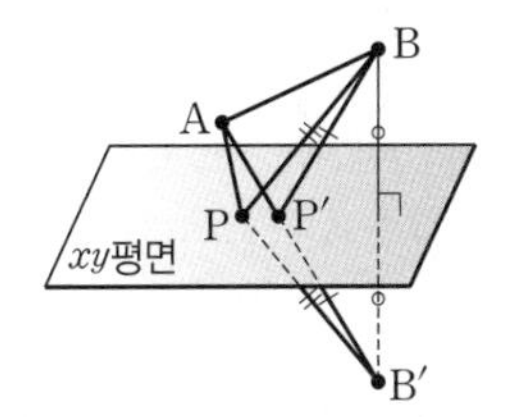

점 B와 xy평면에 대하여 대칭인 점을 B′이라 하면 xy평면 위의 점 P에 대하여

$\overline{BP}=\overline{B'P}$이므로

$\overline{AP}+\overline{BP}=\overline{AP}+\overline{B'P}\geq\overline{AB'}$

즉, 직선 AB′이 xy평면과 만나는 점을 P′이라 하면 점 P가 점 P′의 위치에 있을 때, △ABP의 둘레의 길이는 최소이다.

$\therefore$ (△ABP의 둘레의 길이)$=\overline{AB}+\overline{AP}+\overline{BP}$

$=\overline{AB}+\overline{AP}+\overline{B'P}$

$\geq\overline{AB}+\overline{AB'}$

이때 점 $B(3,\ 1,\ 2)$와 xy평면에 대하여 대칭인 점의 좌표는 $B'(3,\ 1,\ -2)$이므로 구하는 최솟값은

$\overline{AB}+\overline{AB'}$

$=\sqrt{\{3-(-2)\}^2+\{1-(-1)\}^2+(2-3)^2}$

$\quad+\sqrt{\{3-(-2)\}^2+\{1-(-1)\}^2+(-2-3)^2}$

$=\sqrt{30}+3\sqrt{6}$

답 $\sqrt{30}+3\sqrt{6}$

366

선분 BC를 2 : 1로 내분하는 점 P의 좌표는

$\left(\dfrac{2\times0+1\times0}{2+1},\ \dfrac{2\times0+1\times3}{2+1},\ \dfrac{2\times3+1\times0}{2+1}\right)$

$\therefore\ P(0,\ 1,\ 2)$

선분 AC를 1 : 2로 내분하는 점 Q의 좌표는

$\left(\dfrac{1\times0+2\times3}{1+2},\ \dfrac{1\times0+2\times0}{1+2},\ \dfrac{1\times3+2\times0}{1+2}\right)$

$\therefore\ Q(2,\ 0,\ 1)$

점 P′, Q′은 각각 점 P, Q의 xy평면 위로의 정사영이므로

$P'(0,\ 1,\ 0)$, $Q'(2,\ 0,\ 0)$

따라서 삼각형 OP′Q′의 넓이는 $\dfrac{1}{2}\times2\times1=1$

답 1

367

두 점 $A(4,\ 1,\ 3a)$, $B(1,\ -2,\ -3)$에 대하여

선분 AB를 2 : 1로 내분하는 점 P의 좌표는

$\left(\dfrac{2\times1+1\times4}{2+1},\ \dfrac{2\times(-2)+1\times1}{2+1},\right.$

$\left.\dfrac{2\times(-3)+1\times3a}{2+1}\right)$

$\therefore\ P(2,\ -1,\ -2+a)$

선분 AB를 2 : 1로 외분하는 점 Q의 좌표는

$\left(\dfrac{2\times1-1\times4}{2-1},\ \dfrac{2\times(-2)-1\times1}{2-1},\right.$

$\left.\dfrac{2\times(-3)-1\times3a}{2-1}\right)$

$\therefore\ Q(-2,\ -5,\ -6-3a)$

$\overline{PQ}=\sqrt{(-4)^2+(-4)^2+(-4-4a)^2}=4\sqrt{6}$에서

$(a+1)^2=4\qquad\therefore\ a=-3$ 또는 $a=1$

이때 $a<0$이므로 $a=-3$

답 -3

368

$\overline{AP}:\overline{BP}=2:1$에서 $\overline{AP}=2\overline{BP}$

$\therefore \overline{AP}^2=4\overline{BP}^2$

점 P의 좌표를 $P(x, y, z)$라 하면

$x^2+y^2+z^2=4\{(x-3)^2+y^2+z^2\}$

$x^2+y^2+z^2=4x^2+4y^2+4z^2-24x+36$

$x^2+y^2+z^2-8x+12=0$

$\therefore (x-4)^2+y^2+z^2=4$

따라서 점 P의 자취는 중심의 좌표가 $(4, 0, 0)$이고, 반지름의 길이가 2인 구이다.

답 중심의 좌표: $(4, 0, 0)$, 반지름의 길이: 2

369

점 A의 좌표를 (x_1, y_1, z_1)이라 하면

점 A가 구 $x^2+y^2+z^2=9$ 위의 점이므로

$x_1^2+y_1^2+z_1^2=9$ ...... ㉠

선분 AB의 중점을 $P(x, y, z)$라 하면

$x=\frac{x_1+(-2)}{2}$, $y=\frac{y_1+4}{2}$, $z=\frac{z_1+6}{2}$

$\therefore x_1=2x+2$, $y_1=2y-4$, $z_1=2z-6$

이것을 ㉠에 대입하면

$(2x+2)^2+(2y-4)^2+(2z-6)^2=9$

$\therefore (x+1)^2+(y-2)^2+(z-3)^2=\frac{9}{4}$

따라서 선분 AB의 중점이 그리는 도형은 중심의 좌표가 $(-1, 2, 3)$이고 반지름의 길이가 $\frac{3}{2}$인 구이다.

따라서 구의 겉넓이는 $4\pi\times\left(\frac{3}{2}\right)^2=9\pi$

답 9π

370

z축 위의 점은 x좌표, y좌표가 모두 0이므로

주어진 구의 방정식에 $x=0$, $y=0$을 대입하면

$(0-2)^2+(0-6)^2+(z-8)^2=89$

$(z-8)^2=49$, $z-8=\pm7$

$\therefore z=1$ 또는 $z=15$

따라서 두 점 A, B의 좌표는 각각 $(0, 0, 1)$, $(0, 0, 15)$이므로

$\overline{AB}=|1-15|=14$

답 14

371

[1단계] yz평면과 만나서 생기는 원의 넓이를 구한다.

$x^2+y^2+z^2-4x-6y-2kz+14=0$에

$x=0$을 대입하면

$y^2+z^2-6y-2kz+14=0$

$\therefore (y-3)^2+(z-k)^2=k^2-5$

이 원의 넓이는 $\pi(k^2-5)$ ...... ㉠

[2단계] zx평면과 만나서 생기는 원의 넓이를 구한다.

$x^2+y^2+z^2-4x-6y-2kz+14=0$에

$y=0$을 대입하면

$x^2+z^2-4x-2kz+14=0$

$\therefore (x-2)^2+(z-k)^2=k^2-10$

이 원의 넓이는 $\pi(k^2-10)$ ...... ㉡

[3단계] 양수 k의 값을 구한다.

㉠ : ㉡ $=3:2$이므로

$\pi(k^2-5):\pi(k^2-10)=3:2$

$2\pi(k^2-5)=3\pi(k^2-10)$, $k^2=20$

$\therefore k=2\sqrt{5}$ ($\because k>0$)

답 $2\sqrt{5}$

372

점 A에서 xy평면에 내린 수선의 발을 H, 선분 CH와 원의 교점을 Q라 하면 원 위의 점 P와 점 A 사이의 거리의 최솟값은 선분 AQ의 길이와 같다.

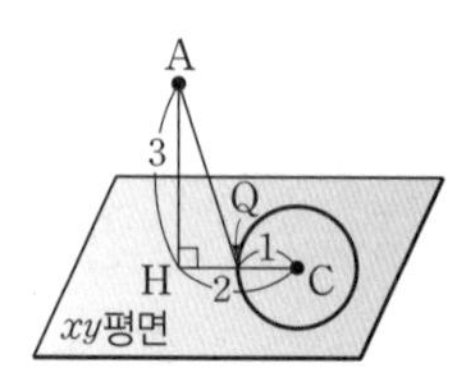

$H(-1, 1, 0)$, $C(-3, 1, 0)$이므로

$\overline{CH}=\sqrt{\{-1-(-3)\}^2+(1-1)^2+(0-0)^2}=2$

$\therefore \overline{QH}=\overline{CH}-1=2-1=1$

이때 $\overline{AH}=3$이므로 직각삼각형 AHQ에서

$\overline{AQ}=\sqrt{3^2+1^2}=\sqrt{10}$

답 $\sqrt{10}$

373

점 C는 zx평면 위의 점이므로 $C(x, 0, z)$로 놓을 수 있다.

$\triangle ABC$가 정삼각형이므로 $\overline{AB}=\overline{BC}=\overline{CA}$

$\overline{AB}=\overline{BC}$에서 $\overline{AB}^2=\overline{BC}^2$이므로

$(3-0)^2+(3-0)^2+(3-3)^2$

$=(x-3)^2+(0-3)^2+(z-3)^2$

$\therefore x^2+z^2-6x-6z+9=0$ ...... ㉠

$\overline{AB}=\overline{CA}$에서 $\overline{AB}^2=\overline{CA}^2$이므로

$(3-0)^2+(3-0)^2+(3-3)^2$

$=(0-x)^2+(0-0)^2+(3-z)^2$

$\therefore x^2+z^2-6z-9=0$ ...... ㉡

㉠−㉡을 하면 $-6x+18=0$

$\therefore x=3$

$x=3$을 ㉡에 대입하면 $9+z^2-6z-9=0$

$z^2-6z=0$, $z(z-6)=0$

$\therefore z=0$ 또는 $z=6$

$\therefore$ C(3, 0, 0) 또는 C(3, 0, 6)

답 C(3, 0, 0), C(3, 0, 6)

374

두 점 A, B의 x좌표끼리, y좌표끼리 부호가 같으므로 두 점은 yz평면을 기준으로, zx평면을 기준으로 모두 같은 쪽에 있다.

점 A와 yz평면에 대하여 대칭인 점을 A′이라 하면 yz평면 위의 점 Q에 대하여 $\overline{AQ}=\overline{A'Q}$

점 B와 zx평면에 대하여 대칭인 점을 B′이라 하면 zx평면 위의 점 P에 대하여 $\overline{BP}=\overline{B'P}$

$\therefore \overline{AQ}+\overline{PQ}+\overline{PB}=\overline{A'Q}+\overline{PQ}+\overline{B'P}\ge\overline{A'B'}$

따라서 A′(−1, 2, 3), B′(3, −2, 1)이므로 구하는 최솟값은

$\sqrt{\{3-(-1)\}^2+(-2-2)^2+(1-3)^2}=6$

답 6

375

선분 AB를 $m:3$으로 내분하는 점의 z좌표는 0이므로

$\frac{6m+(-4)\times3}{m+3}=0$ $\therefore m=2$

선분 AB를 $3:n$으로 외분하는 점의 y좌표는 0이므로

$\frac{5\times3-3n}{3-n}=0$ $\therefore n=5$

$\therefore m+n=2+5=7$

답 7

376

사면체 A−BCD가 정사면체이므로 모든 모서리의 길이는 서로 같다.

즉, $\overline{AB}=\overline{AC}$에서 $\overline{AB}^2=\overline{AC}^2$이므로

$(a-4)^2+(-2-1)^2+\{2-(-1)\}^2$

$=(1-4)^2+(1-1)^2+\{2-(-1)\}^2$

$(a-4)^2=0$ $\therefore a=4$

또, $\overline{AD}=\overline{AC}$에서 $\overline{AD}^2=\overline{AC}^2$이므로

$(b-4)^2+(2-1)^2+\{3-(-1)\}^2$

$=(1-4)^2+(1-1)^2+\{2-(-1)\}^2$

$b^2-8b+15=0$, $(b-3)(b-5)=0$

$\therefore b=5$ ($\because b>4$)

따라서 B(4, −2, 2), C(1, 1, 2), D(5, 2, 3)이므로 △BCD의 무게중심의 좌표는

$\left(\frac{4+1+5}{3}, \frac{(-2)+1+2}{3}, \frac{2+2+3}{3}\right)$

$\therefore \left(\frac{10}{3}, \frac{1}{3}, \frac{7}{3}\right)$

답 $\left(\frac{10}{3}, \frac{1}{3}, \frac{7}{3}\right)$

377

구가 yz평면에 접하면 구의 중심의 x좌표의 절댓값이 반지름의 길이와 같다.

또 이 구가 zx평면에 접하면 구의 중심의 y좌표의 절댓값도 반지름의 길이와 같다.

구가 x좌표, y좌표가 모두 양수인 두 점 (1, 1, 1), (1, 1, 3)을 지나므로 구의 중심의 x좌표, y좌표도 모두 양수이다.

구하는 구의 반지름의 길이를 r라 하면 구의 방정식을 $(x-r)^2+(y-r)^2+(z-c)^2=r^2$이라 할 수 있다.

이 구가 점 (1, 1, 1)을 지나므로

$(1-r)^2+(1-r)^2+(1-c)^2=r^2$

$\therefore r^2+c^2-4r-2c+3=0$ ...... ㉠

또 점 (1, 1, 3)을 지나므로

$(1-r)^2+(1-r)^2+(3-c)^2=r^2$

$\therefore r^2+c^2-4r-6c+11=0$ ...... ㉡

㉠−㉡을 하면 $4c-8=0$ $\therefore c=2$

$c=2$를 ㉠에 대입하면 $r^2+4-4r-4+3=0$

$r^2-4r+3=0$, $(r-1)(r-3)=0$

$\therefore r=1$ 또는 $r=3$

따라서 구하는 구의 방정식은

$(x-1)^2+(y-1)^2+(z-2)^2=1$

또는 $(x-3)^2+(y-3)^2+(z-2)^2=9$

답 $(x-1)^2+(y-1)^2+(z-2)^2=1$, $(x-3)^2+(y-3)^2+(z-2)^2=9$

378

구 $x^2+y^2+z^2=9$는 중심이 O(0, 0, 0)이고 반지름의 길이가 3인 구이다.

점 A에서 구에 접선을 무수히 많이 그으면 접점은 오른쪽 그림과 같이 원을 그린다.

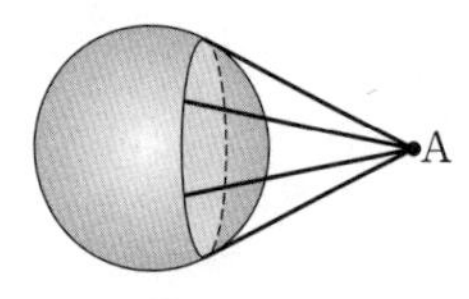

오른쪽 그림과 같이 구와 접선의 한 접점을 B라 하고, 점 B에서 $\overline{OA}$에 내린 수선의 발을 H라 하면 점 H는 접점이 그리는 원의 중심이다.

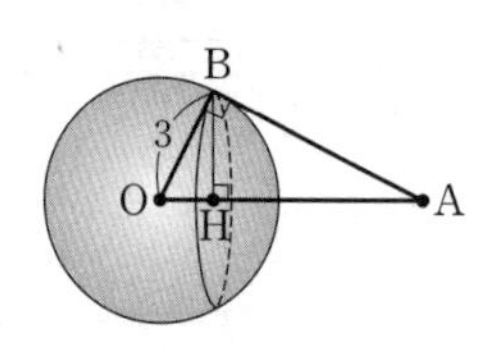

이때 $\overline{OB}=3$, $\overline{OA}=\sqrt{3^2+0^2+4^2}=5$

$\therefore \overline{AB}=\sqrt{5^2-3^2}=4$

직각삼각형 OAB의 넓이에서

$\frac{1}{2}\times\overline{OA}\times\overline{BH}=\frac{1}{2}\times\overline{AB}\times\overline{OB}$이므로

$\frac{1}{2}\times5\times\overline{BH}=\frac{1}{2}\times4\times3$

$5\overline{BH}=12 \qquad \therefore \overline{BH}=\frac{12}{5}$

따라서 접점이 그리는 도형의 둘레의 길이는 반지름의 길이가 $\frac{12}{5}$인 원의 둘레의 길이이므로

$2\pi\times\frac{12}{5}=\frac{24}{5}\pi$

답 $\frac{24}{5}\pi$

379

$\angle P=90°$이므로 점 P는 두 점 A, B를 지름의 양 끝점으로 하는 구 위의 점이다.

이때 구의 중심을 C라 하면 점 C는 선분 AB의 중점이므로

$C\left(\frac{1+3}{2}, \frac{2+0}{2}, \frac{0+4}{2}\right)$

$\therefore C(2, 1, 2)$

구의 반지름의 길이는

$\overline{CA}=\sqrt{(2-1)^2+(1-2)^2+(2-0)^2}$
$=\sqrt{6}$

한편 원점에서 구의 중심까지의 거리는

$\overline{OC}=\sqrt{2^2+1^2+2^2}=3$

이므로 오른쪽 그림에서 원점에서 구 위의 점까지의 거리의 최댓값과 최솟값은 각각

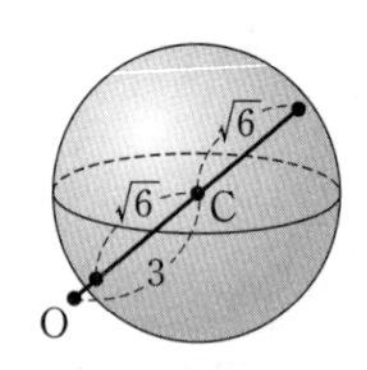

$M=3+\sqrt{6}$, $m=3-\sqrt{6}$

$\therefore Mm=3^2-(\sqrt{6})^2=9-6=3$

답 3

380

$x^2+y^2+z^2+2x-6z+6=0$ …… ㉠

에서 $(x+1)^2+y^2+(z-3)^2=4$

즉, 구 ㉠은 중심이 A(−1, 0, 3)이고 반지름의 길이가 2이다.

$x^2+y^2+z^2-6x-4y+2z+5=0$ …… ㉡

에서 $(x-3)^2+(y-2)^2+(z+1)^2=9$

즉, 구 ㉡은 중심이 B(3, 2, −1)이고 반지름의 길이가 3이다.

이때 두 구의 중심 사이의 거리는

$\overline{AB}=\sqrt{\{3-(-1)\}^2+(2-0)^2+(-1-3)^2}$
$=6$

즉, 두 구 ㉠, ㉡은 오른쪽 그림과 같으므로 직선 AB가 두 구와 만나는 점을 순서대로 C, D, E, F라 하자.

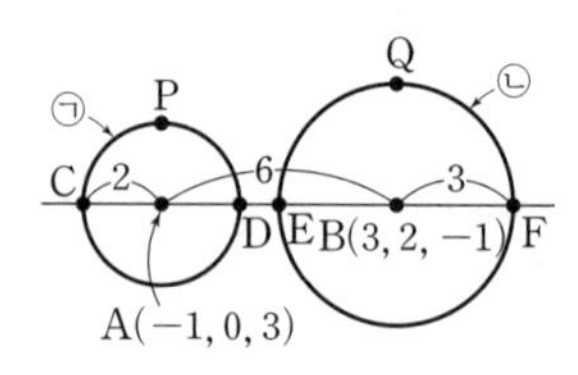

각 구 위의 두 점 P, Q가 각각 두 점 D, E일 때 두 점 P, Q 사이의 거리는 최소이고, 최솟값은

$\overline{DE}=\overline{AB}-\overline{AD}-\overline{BE}$
$=6-2-3=1$

또 각 구 위의 두 점 P, Q가 각각 두 점 C, F일 때 두 점 P, Q 사이의 거리는 최대이고, 최댓값은

$\overline{CF}=\overline{AB}+\overline{AC}+\overline{BF}$
$=6+2+3=11$

따라서 구하는 최댓값과 최솟값의 합은

$11+1=12$

답 12